L'AIR
ADULTE

ANN-MARIE MACDONALD

Un parfum de cèdre (trad. Lori Saint-Martin et Paul Gagné), Flammarion Québec, 1999 ; (semi-poche), Flammarion Québec, 2000 ; (format poche), Flammarion Québec , 2015.

Le vol du corbeau (trad. Lori Saint-Martin et Paul Gagné), Flammarion Québec, 2004 ; (semi-poche), Flammarion Québec, 2005.

L'air adulte (trad. Lori Saint-Martin et Paul Gagné), Flammarion Québec, 2015.

Ann-Marie MacDonald

L'AIR
ADULTE

Traduit de l'anglais (Canada) par
Lori Saint-Martin et Paul Gagné

roman

Flammarion
Québec

Catalogage avant publication de Bibliothèque et Archives
nationales du Québec et Bibliothèque et Archives Canada
MacDonald, Ann-Marie
    [Adult onset. Français]
    L'air adulte
    Traduction de : Adult onset.
    ISBN 978-2-89077-682-1
    I. Saint-Martin, Lori. II. Gagné, Paul. III. Titre. IV. Titre : Adult onset. Français.
PS8575.D38A6314 2015   C813'.54   C2015-941406-7
PS9575.D38A6314 2015

COUVERTURE
Illustration et graphisme : Antoine Fortin

INTÉRIEUR
Mise en pages : Michel Fleury

Titre original : Adult Onset
Éditeur original : Alfred A. Knopf Canada, filiale de Random House of Canada Ltd.,
Toronto, Canada

© 2014, Ann-Marie MacDonald
© 2015, Flammarion Québec, pour la traduction française

ISBN 978-2-89077-682-1
Dépôt légal : 4e trimestre 2015
Imprimé au Canada sur papier Enviro 100 % postconsommation

www.flammarion.qc.ca

Pour Alisa Palmer.
Et les enfants.

Le kyste osseux solitaire (KOS) n'a pas encore révélé tous ses secrets. [...] Plusieurs de ses aspects demeurent mystérieux. Au moment de la rédaction du présent article, nul ne peut prédire dans quelles conditions apparaît cette tumeur osseuse bénigne. De la même façon, on ne peut définir avec précision la réalité de cette lésion semblable à une tumeur. Hélas, le kyste osseux solitaire a toujours été considéré comme une lésion qui se manifestait chez l'enfant et disparaissait à la fin de la croissance. Est-ce toujours vrai? En effet, on a récemment rapporté certains cas chez des adultes. La présente étude constitue un long suivi.

Solitary Bone Cyst: Controversies and Treatment.
H. Bensahel, P. Jehanno, Y. Desgrippes et G.F. Pennecot,
Service de chirurgie orthopédique, Hôpital Robert-Debré, Paris

LUNDI

Rêveries d'une ménagère comme les autres

Au milieu du chemin de tout cela, notre vie mortelle, Mary Rose MacKinnon, assise à la table de sa cuisine lumineuse, relève ses courriels. C'est lundi. Sa fille de deux ans fonce à répétition sur la plinthe avec la poussette de sa poupée. Mary Rose a donc quelques minutes devant elle.

Vos 99 amis vous attendent sur Facebook. Elle efface le message, grimace à la vue d'une nouvelle invitation à un festival littéraire, lit en diagonale le bulletin en ligne de l'école de son fils âgé de cinq ans et s'engage à accompagner sa classe au musée des reptiles. Avec un pincement de culpabilité, elle saute par-dessus des messages laissés sans réponse et d'amusants liens envoyés par des amis – dans l'un d'eux, venu de son frère, on voit une femme grasse dont le torse nu ressemble au visage d'Homer Simpson – et s'apprête à éteindre lorsque son portable fait *bing* en même temps que son four et que le message entrant attire son attention. Surligné d'un cyberjaune nauséeux, il est assorti d'une boîte de dialogue : *Courriel considère ce message comme indésirable.* Elle l'examine avec circonspection, craignant un virus ou une énième pub de Viagra. Sans doute l'œuvre d'un petit plaisantin – aurait dit son père –, le message a comme adresse damedelenfer@sympatico.ca et comme objet :

C'est moins sur avec le temps...

Un bulletin sur la confiserie, œuvre d'une ménagère toquée ? Mordant à l'hameçon, elle clique.

> Salut Mister,
> Maman et moi venons de regarder la vidéo *C'est moins dur avec le temps* et je me suis dit que j'allais essayer ce nouveau courrier électronique pour te dire que nous sommes fiers qu'Hilary et toi soyez de si bons modèles pour les jeunes victimes de préjugés.
> Bisou.
> Papa
>
> P.-S. J'espère que tu recevras ce message. Le courrier électronique a été installé hier. C'est officiel: je ne suis plus un «cybersaure»! Je m'en vais de ce pas «surfer sur le Net».

Bonté divine.

Elle tape:

> Cher papa,
> Félicitations et bienvenue dans le vingt et unième siècle!

Non, on dirait du sarcasme. *Effacer.*

> Cher papa,
> Bienvenue dans l'ère numérique! Et merci. Il est très important pour moi que vous ayez vu la vidéo, maman et toi, et que vous jugiez important que

Elle est fière qu'il soit fier. Et qu'il soit fier que maman soit fière. Mary Rose est fière d'elle, elle aussi. *Soupir.* Elle n'aime pas les écrans, auxquels elle prête des effets neurologiques abrutissants. Elle devrait envoyer à son père une vraie carte écrite avec un vrai stylo pour lui dire combien elle apprécie son soutien. Elle se lève et glisse dans le four une plaque remplie de tomates mûries sur la vigne qu'elle entend faire rôtir à feu doux – elles viennent d'Israël, est-ce mal?
— Aïe. Doucement, Maggie.
— Non, fredonne l'enfant.
Mary Rose se rassied devant la table recouverte d'une nappe vivement colorée en vinyle non toxique de chez IKEA, jonchée de

factures et de bouts de papier qui ont pour but de lui rappeler que divers organes internes de sa maison ont besoin d'un traitement. *Bing! Vos 100 amis vous attendent sur…* Un mois plus tôt environ, elle a trébuché sur une racine dans le cyberespace et joint Facebook : maintenant, elle ne sait plus comment se désinscrire. Elle a ouvert sa page une seule fois : la silhouette d'une tête humaine vide, exception faite du point d'interrogation au centre, dans l'attente de sa photo, semblable à une pierre tombale sans gravures – *on sait que tu viendras… tôt ou tard.* Son mur nu était tapissé de noms, dont plusieurs inconnus. Certains avaient l'odeur nauséabonde de la crypte du secondaire. À quoi rime cette manie de garder le contact ? se demande-t-elle. Mary Rose MacKinnon n'a pas l'habitude de la continuité. Jusqu'à son adolescence, sa famille a déménagé tous les deux ou trois ans. Chaque fois, c'était comme s'ils laissaient tout et tout le monde derrière. Ou qu'ils entraient dans un nouveau royaume, un royaume mythique où le temps s'arrêtait, où les enfants qu'elle avait connus ne vieillissaient jamais, de la même façon que, dans les dessins animés, les personnages et les lieux conservent les mêmes habits et le même aspect, jour après jour, malgré la température, les explosions et même les balles d'Elmer Fudd. Mary Rose n'aurait cependant rien changé à leur situation, car chaque déménagement s'accompagnait d'un sentiment de renouveau. Comme si, depuis l'âge de trois ans, elle cherchait à fuir un passé honteux. De nos jours, songe-t-elle, on ne peut plus fuir quoi que ce soit. L'enfant qui en tape un autre au parc est expédié illico en thérapie.

Effacer.

Autrefois, on se gaussait des bulletins photocopiés qu'envoyaient à Noël des ménagères implacablement joyeuses. Ces documents avaient pour effet – et peut-être pour but – de convaincre les destinataires de l'ineptie de leur propre existence. De nos jours, les gens se torturent en ligne à grand renfort de photos de leur mode de vie « golden retriever » et de tweets où il est question de pièces new-yorkaises dont le titre est formé d'un seul mot à-ne-manquer-sous-aucun-prétexte, de nouveaux restaurants torontois comptant quatre tables, des violations des droits de la personne en Chine et de la vérité sur l'industrie du duvet. Où est passé le pré d'antan ? Qu'en est-il du son d'un unique insecte escaladant un brin d'herbe? De l'antique piquet de clôture couleur argent sous le soleil d'après-midi? Qu'est devenu le temps lui-même, le temps sans limite et sans compartiments, libéré du corset de la langue? Où sont passées les infimes éternités? Devenues des urgences, sans doute.

Pendant qu'elle répond à son père, des icebergs s'évaporent et tombent sous forme de pluie sur son jardin de février, où une tulipe, victime d'une simulation de noyade, a eu l'étourderie de pointer la tête. Les choses vont mieux ou moins bien? *Bing! Matthew est invité à l'anniversaire d'Eli, réservé aux grands garçons. Cliquez ici pour consulter votre Evite.* Une fête organisée dans un obscur établissement de banlieue, au nord de Yonge et de l'autoroute 401. Ces parents n'ont-ils donc aucune compassion? Elle jette un coup d'œil aux *infos et petits cadeaux!* dans l'espoir de trouver une date et une heure parmi les ballons qui éclatent et les dinosaures qui planent.

Autrefois, elle se consolait en se disant que l'espèce humaine finirait par se consumer comme un virus et que la Terre-Mère retrouverait Sa richesse et Sa diversité, mais c'était avant d'avoir des enfants.

De nos jours? Quel âge a-t-elle, au juste? De nos jours, plus personne ne dit «de nos jours». Bientôt, elle parlera de la Grande Dépression comme si elle l'avait vécue.

On est le 1er avril. Comme il a plu sans arrêt en février, on n'en voudrait à personne de se tromper de mois. Elle se demande si la pluie a impacté le taux de suicide. Autrefois, «impacter» n'était pas un verbe. Le mot s'est transformé en verbe quelque part dans les années quatre-vingt-dix, comme beaucoup d'autres substantifs dévoyés malgré eux.

Cher papa,
Je

C'est moins dur avec le temps est un projet de vidéo en ligne qui a pour but de soutenir les jeunes lesbiennes, gays, bisexuels, trans et *queers* en réaction à une recrudescence des suicides et des agressions. Devant la caméra, des adultes sains racontent leur histoire, le désespoir qu'ils ont ressenti à l'époque où, plus jeunes, ils ont été victimes de la haine de leurs pairs ou de leurs parents et, pire encore, se sont détestés eux-mêmes. Chaque récit se termine par une promesse : c'est moins dur avec le temps. Hilary a pleuré en regardant la vidéo. Mary Rose n'a pas eu besoin de la regarder jusqu'au bout. Elle a compris de quoi il retournait, a jugé l'initiative merveilleuse, etc. On l'a montrée dans les écoles, dans certaines églises, même, et des personnes ordinaires du monde entier l'ont regardée. Il paraît même que des Russes et des Iraniens l'ont vue. Mais les couches évolutionnaires en vertu desquelles Dolly et Duncan MacKinnon ont été poussés à la regarder traduisent un voyage sédimentaire aussi peu probable que l'apparition d'une forme de vie intelligente sur Terre. C'est du moins ce qu'il semble à Mary Rose. Si, aujourd'hui, les choses se passent bien, voire merveilleusement bien, entre ses parents et elle, il n'en a pas toujours été ainsi. Elle est donc d'autant plus impressionnée par le fait qu'eux, à un âge avancé, établissent un lien entre la fille qu'ils aiment et un enjeu social bien réel. Le curseur clignote.

Un bruit d'éclaboussure l'oblige à se lever.

— Maggie, non, ma puce, c'est l'eau de Daisy.

Elle se penche et éloigne doucement l'enfant de l'écuelle de la chienne.

— Non !

— Tu as soif ?

— Aisy ?

— Daisy a soif ?

— Moi !

— C'est toi, Daisy ?

Maggie plonge vers l'écuelle et boit une gorgée avant que Mary Rose puisse mettre le récipient sur le comptoir.

— Non ! crie l'enfant en pinçant la fesse droite de sa mère.

Mary Rose remplit une tasse à bec d'eau filtrée du réfrigérateur et la tend à Maggie. L'enfant la lance par terre. La mère renchérit en proposant une galette de riz tartinée de confiture. L'enfant, après une hésitation lourde de menace, accepte. C'est la détente. Le potentat a été pacifié. La mère revient à son ordinateur. Pour qui clignote le curseur...

Le téléphone sonne. La sonnerie des interurbains. L'adrénaline afflue dans l'estomac de Mary Rose. Un coup d'œil à l'afficheur dissipe le maigre espoir que ce soit Hilary qui appelle de l'Ouest. C'est sa mère. Elle fixe l'appareil. Sans fil, oui, mais solidement raccordé au cordon ombilical. Elle ne peut pas répondre à sa mère : elle s'affaire à trouver les mots pour répondre au courriel de son père. Son père qui a toujours eu du temps à lui consacrer. *Dring, dring!* Son père qui n'a jamais élevé la voix, son père qui, par sa foi dans ses talents, lui a permis de s'extirper du gouffre du désespoir de l'enfance et, à l'âge adulte, d'écrire des livres sur le gouffre du désespoir de l'enfance. *Dring, dring!* D'ailleurs, parler au téléphone a sur Maggie l'effet d'une cape rouge agitée sous le nez d'un taureau ; Mary Rose devra couper court à la conversation et elle n'aura plus le temps de s'occuper des courriels et de toutes sortes d'autres détails domestiques avant de foncer à l'épicerie, de passer prendre Matthew et de rentrer en vitesse pour réduire en purée les tomates rôties à feu doux et obtenir « presque sans effort » une « sauce toscane rustique ». *Dring, dring!*

D'un autre côté, peut-être son père est-il mort et c'est le coup de fil qu'elle redoute depuis toujours… Les mots de son adorable courriel auront été ses derniers pour elle. C'est peut-être d'ailleurs ce qui l'a tué. Il a renoué le contact avec ses émotions et il en est mort. Et c'est sa faute à elle. À moins que ce soit sa mère qui soit morte et son père qui lui téléphone, scénario qui lui a toujours paru moins plausible – son père passe rarement des coups de fil. D'ailleurs, en cas d'urgence, ses parents préviendraient sa sœur aînée, Maureen, et Maureen appellerait ensuite Mary Rose. Elle respire. Ses parents sont sains et saufs dans le condo qu'ils sous-louent à Victoria, où ils passent leurs hivers sous les cieux plus cléments de la côte Ouest, près de sa grande sœur et de sa famille.

Dès que la messagerie vocale prend l'appel, elle éprouve cependant une autre crainte : et si c'était Maureen qui téléphonait… *du condo de leurs parents*? Mo passe les voir tous les jours. Peut-être, à son arrivée, ce matin, les a-t-elle trouvés morts *tous les deux*, l'un d'un AVC et l'autre d'une crise cardiaque provoquée par la découverte du conjoint décédé. Bien que son néocortex juge l'idée tirée par les cheveux, la main de Mary Rose, qui entretient des liens plus étroits avec l'amygdale, est déjà froide lorsque, saisissant le combiné, elle appuie sur la touche « flash » pour écouter le message, au cas où personne ne serait mort, en fin de compte. La voix de sa mère, riche et sonore, retentit dans le combiné.

— Tu n'es pas là! Je te téléphonais, dit-elle avant de poursuivre en chantant, *to say, I love you!*

Par terre, Maggie crie :

— Sitdy!

C'est un mot arabe qui signifie *grand-mère* parce que, dans la vie de Mary Rose, rien n'est simple.

La petite tend la main vers le combiné. Mary Rose s'en veut beaucoup. Elle appuie sur la touche « *end* » et, avec un vif sentiment de culpabilité, coupe le sifflet à sa mère en pleine envolée lyrique et tend l'appareil à Maggie pour prévenir une décomposition totale de la petite. Elle se sent encore plus coupable; c'est comme donner à un enfant un emballage de bonbon vide. Maggie appuie sur des touches, tente de retrouver « Sitdy! ». La sonnerie, pressante, laisse place à une implacable voix féminine d'automate : « Veuillez raccrocher et composer de nouveau. »

Maggie répond au moyen d'une volée d'invectives puériles.

« S'il vous plaît, raccrochez… », commande la voix, froide et impitoyable, comme si la femme avait été témoin de trop de crimes pour se laisser toucher par des cris. « C'était un message enregistré. »

— Maggie, donne le téléphone à mama, d'accord, ma puce?

— Non!

La petite pianote frénétiquement sur l'appareil. C'est une enfant magnifique avec des yeux noisette étincelants et des fossettes. Elle fait tout très vite, court partout, ses boucles semblent animées d'une vie électromagnétique propre.

— Sitdy est partie, mon chou. Elle a raccroché.

Autre tromperie.

— Allô?

Une voix féminine. Ni un enregistrement glacial ni le babillage animé de Sitdy. C'est…

— Maman! s'écrie Maggie en plaquant le téléphone sur le côté de son visage. Allô! Allô!

— Donne le téléphone à mama, Maggie. Maggie, donne-moi ça.

— Non! hurle la petite. Maman!

Elle détale dans le couloir.

Hilary va croire que je bats notre enfant…

— Salut! crie Mary Rose en se lançant à ses trousses.

Elle trébuche sur la poussette, glisse dans quelque chose de visqueux – de la bile de chien.

— Maggie a appuyé sur le numéro abrégé par accident!

— Ça ne fait rien, répond la voix d'Hilary, métallique, mais enjouée. Comment ça va, Maggie Magouille?

Maggie se terre sous le banc du piano, dans le salon.

— Je t'aime, maman, dit-elle.

Hil est *maman*, tandis que Mary Rose est *mama*, marque de son «ethnicité» du côté de sa mère, libanaise. Le *maman* d'Hilary traduit au contraire son héritage wasp.

Mary Rose se réinstalle à la table de la cuisine – au besoin, Hilary n'aura qu'à raccrocher. C'est sa chance de formuler une réponse appropriée au courriel éclairé et tendre de son père. Elle inspire à fond. Naturellement, c'est papa qui a compris l'importance sociopolitique de la vidéo – il a toujours été l'être de raison, celui qui restait tranquille et lisait des livres, celui pour qui l'intelligence de sa fille brillait comme un phare dans le brouillard de ses échecs scolaires précoces. Comment exprimer sa gratitude, tout l'amour qu'elle a pour lui? *Amour.* Le mot est comme un oiseau rouge qu'elle saisit en plein vol. «Regarde ce que j'ai pour toi, papa!» *Regarde vite, avant que je doive le relâcher!* Il est son père, mais aussi son sauveur. Elle le lui a déjà écrit dans des cartes de souhaits. Sans doute pas tout à fait comme il faut, car il ne lui a jamais rien dit de l'effet qu'elles ont eu sur lui. Il l'accueille toujours de la même manière – un sourire et une caresse sur la tête –, sans jamais dire: «J'ai reçu ton mot.» Une fois, elle lui a demandé: «Tu as reçu mon mot?» Il a répondu d'un air distrait: «Mm-hm.» Puis il l'a interrogée sur son travail. En de tels moments, il donne l'impression d'être enveloppé dans quelque chose de limpide, mais d'inaccessible. Peut-être avait-elle franchi une limite en se permettant de lui dire qu'il était un père merveilleux. Ses mots sont-ils trop émotifs? Quand elle était jeune, on disait *mièvre*. Quels que soient les mots qu'elle emploie, elle a le sentiment que ses missives sont toujours fiévreuses, comme si elle écrivait du cœur d'un désastre auquel il était personnellement mêlé – un lit d'hôpital, une zone de guerre, le couloir de la mort d'une prison. Le genre de lettre hantée par une forme de descriptif tacite : *en dépit de.*

> Cher papa,
> J'ai été touchée de décevoir
> *Effacer.*

> J'ai beaucoup apprécié ton
> *Effacer.*

> Merci pour ton mot. Je t'aime et j'ai trouvé ton message très apaisant
> Effacer.

— Aïe !

La petite a raccroché le téléphone sur le pied de Mary Rose.

— Oups. 'scuse.

Sourire espiègle, boucles, joues laiteuses.

Mary Rose se dirige vers le placard du couloir. Elle prend « Chatouille-moi, Elmo » – quand on appuie sur son pied, il chante et fait la danse des canards, ils en ont deux, cadeaux, dans un cas comme dans l'autre, d'amis sans enfants – et pose sur le sol de la cuisine le petit diable rouge et pelucheux. Elle essuie le dépôt visqueux laissé par la chienne et remplit un récipient antidégâts en plastique sans BPA de raisins biologiques pelés et coupés en morceaux, puis le tend à sa fille. Elle se sent comme Davy Crockett à Alamo – ça devrait les occuper pendant quelques minutes. Maggie appuie sur le pied d'Elmo, qui l'invite à faire la danse des canards. Mary Rose se rassied devant son portable, la poitrine serrée, contrariée de se sentir soudain contrariée sans raison.

> Cher papa,

Elle a choisi tous les aspects de sa vie, sans exception. Elle n'a aucune raison de se plaindre. La vie, je lui suis gré. *Sais gré*, corrige sa grammairienne intérieure. Lorsqu'elle est sortie du placard, l'homosexualité était encore considérée comme une maladie mentale par l'Organisation mondiale de la santé (c'étaient eux, les malades). Elle a contribué à changer le monde. Grâce à ses efforts, c'est en effet moins dur, et c'est pour cette raison qu'elle est assise à sa table de cuisine en compagnie de son enfant, mariée légalement à la femme qu'elle aime, avec le sentiment d'être prisonnière de son foyer comme une ménagère des années cinquante. Réflexion désinvolte. Injuste. Antiféministe. Sa vie est à des années-lumière de celle de sa mère. Maggie bat des bras avec Elmo et enterre la musique. « Je bats bras ! » Contrairement à sa mère, par exemple, Mary Rose a mené une vie de liberté avant de se marier et d'avoir des enfants, a suivi une trajectoire bohémienne, a embrassé des carrières d'actrice, de scénariste pour la télévision et, enfin, d'auteure de fiction « jeune adulte ». Mary Rose MacKinnon est célébrée pour ses « évocations sensibles » de l'enfance et ses « troublants portraits » d'enfants. Dans son premier livre, *JonKitty McRae. Voyage dans l'autre dimension*, il est question d'une fille de onze ans qui découvre qu'elle a un frère jumeau dans un univers parallèle. Dans son monde à elle, Kitty n'a pas de mère ; dans son monde à lui, Jon n'a pas de père… Le livre a connu un succès étonnant auprès des lecteurs jeunes et moins jeunes. L'élan s'est maintenu pour son deuxième livre, *JonKitty McRae. Évadés de l'autre dimension*. On les connaissait désormais sous le nom de la *Trilogie de l'autre dimension*. Le troisième volet reste toutefois à écrire.

— Danse ! Danse !

Contrairement à sa mère, cependant, Mary Rose n'avait jamais porté d'enfant et, surtout, elle n'en avait jamais porté en terre.

Sa partenaire, Hilary, de dix ans sa cadette, se trouve en début de carrière. Lorsqu'elles avaient évoqué la possibilité d'avoir une famille, Mary Rose, ne sentant plus le besoin d'être sous les feux de la rampe, avait accueilli à bras ouverts la chance d'être la femme derrière la femme ; comme John Lennon, elle serait heureuse de rester assise et de regarder les rouages tourner et tourner. Dans les faits, elle a peu le temps de rester assise et d'ailleurs ce n'est pas tellement dans sa nature. Sur ce plan, elle ressemble à sa mère : elle a du mal à se tourner les pouces et à regarder devant elle. À écouter. Or c'est ce que fait Hil pour gagner sa vie à titre de metteuse en scène.

Mary Rose a donc jardiné avec ardeur. Elle a cuisiné avec ardeur. Elle a fait le ménage comme une véritable tornade blanche, son fils sur la hanche jusqu'au jour où il a commencé à marcher, puis Maggie est arrivée et soudain il y en avait deux aux couches. Un écrivain qu'elle admire a qualifié le sexe d'« indescriptible ». Le même mot s'applique aux journées passées avec deux tout-petits. Cette période initiale est floue, désormais, mais Mary Rose n'a pas perdu ses réflexes : tel un ancien combattant qui se précipite sur un passant pour le protéger en entendant une portière claquer, Mary Rose, dans les cafés, accourt avec des papiers-mouchoirs pour nettoyer les dégâts des autres et se retient avec difficulté de mettre sa main sous le menton d'un inconnu qui tousse. Quand elle n'avait que sa carrière, elle se croyait occupée, mais avant d'avoir des enfants, elle ne connaissait pas le vrai sens du mot. Maintenant, sa vie ressemble à un livre de Richard Scarry : *Maman tourne vite à Tourneville*.

Elle n'avait jamais rêvé de se marier. Elle n'avait jamais songé à devenir mère. Elle n'avait jamais pensé qu'elle deviendrait matinale, qu'elle roulerait en voiture familiale et qu'elle serait capable de suivre les manuels d'instructions qui accompagnent un large éventail de bidules domestiques (assemblage requis). Jusque-là, tout ce qu'elle avait réussi à assembler, c'étaient des histoires.

— Danse canard !

Elles ont engagé une gouvernante à temps partiel : Candace, une femme du nord de l'Angleterre, une coriace Mary Poppins en chair et en os. Mary Rose s'est mise au yoga. S'est déboîté le genou en faisant l'arbre. A rencontré d'autres mamans, a traîné ses enfants dans des cercles de jeu, a attrapé tous les rhumes, a eu honte d'avoir oublié d'apporter des collations et d'avoir dû accepter la charité guillerette des mères rutilantes, s'est rengorgée quand c'est elle qui avait la galette de riz ou la lingette non parfumée supplémentaire. Elle a acheté des articles pour la maison, rénové la cuisine et cherché des électroménagers sans perdre son temps à courir les aubaines (autre différence d'avec sa mère). Elle a doté leur existence d'une nouvelle infrastructure domestique (en acier inoxydable haut de gamme).

À peine trois ans avant la naissance de Matthew, elle vivait dans une sorte de brouillard éthylique et bohémien avec la fantasque Renée, de trois à cinq chats et des crises de panique occasionnelles. Puis il avait suffi qu'elle cligne des yeux à quelques reprises pour se retrouver mariée à Hil, avec ses yeux bleus et sa démarche rapide, et installée dans une maison jumelée très claire à l'angle de deux rues, autre-mère de deux enfants merveilleux. Comme s'il lui avait suffi d'agiter une baguette magique pour se donner une vie, subito presto.

Mais on aurait aussi dit qu'elle était une usine conçue pour une économie de guerre. Apparemment, c'était la paix, en ce moment ; pourtant, elle ne trouvait pas l'interrupteur qui aurait permis d'éteindre les turbines. Avant de partir pour son nouveau contrat à Winnipeg, Hilary lui avait demandé si elle voulait recommencer à travailler, sortir de la retraite qu'elle s'imposait à elle-même. Telle une marmotte qui sort la tête de son terrier, s'est dit Mary Rose, sauf qu'elle verrait son ombre et s'enfouirait de nouveau sous terre.

— Je n'en crois pas mes oreilles, Hil. C'est comme si tu me proposais de recommencer à prendre de la drogue. Je dois découvrir qui je suis quand je ne travaille pas. J'en ai assez d'être un bourreau de travail, un lutin qui file du coton pour en faire de l'or, je suis un être humain, je veux mener une vie humaine, je veux un jardin, je veux la paix, je veux transformer des épées en socs de charrue, ne m'oblige pas à remuer le nez, Jean-Pierre !

Hil n'a pas ri. Elle a demandé à Mary Rose si elle accepterait de « parler à quelqu'un ».

Cher papa,
Par l'adresse, j'aurais dû savoir tout de suite que le courriel était de toi – tu m'as raconté, je m'en souviens, que c'est le surnom que donnaient les Allemands aux hommes des régiments des Highlands qui descendaient des collines, vêtus de leur kilt en cuir, au son aigu de leurs cornemuses: les « dames de l'enfer ». Grand-papa a-t-il pris part aux deux guerres? Il était brancardier, non?

— Battez danse canards battez !

Le ton de Maggie trahit une férocité digne d'un guerrier thrace. Elle appuie sur le pied d'Elmo encore et encore et…
— Laisse Elmo finir sa chanson, ma puce.

Grand-papa était-il alcoolique? Est-ce pour cette raison que tu avais du mal à aborder certains
Effacer.

Parce qu'elle est elle-même en thérapie, Hil pense que c'est la panacée, sauf que Mary Rose n'a pas du tout envie de laisser un psychothérapeute bien intentionné anéantir sa créativité en confondant les richesses de son inconscient avec des déchets dangereux. Même si sa créativité est en veilleuse pour le moment. Le curseur clignote. Un détail flotte tout juste hors d'atteinte. Un détail qu'elle connaît… comme en témoignent ses doigts qui planent au-dessus du clavier, le vide qui règne dans son esprit et son regard absent, comme si quelqu'un avait appuyé sur *pause*… Mus par leur propre volonté, ses yeux vont de gauche à droite – peut-on avoir une attaque sans s'en apercevoir? Des gens font souvent de mini-AVC et on ne les découvre que sur un scan du cerveau. Elle devrait faire une recherche sur Google. Un détail familier ballotte à l'horizon de sa conscience, un détail qu'elle connaît, mais qu'elle est incapable de nommer… Elle le voit presque, tel un ballot, un cageot sur la mer. Lorsqu'elle se tourne vers lui, il s'évapore, s'évanouit comme si, quelque part dans son cerveau, une entrave invisible bloquait la libre circulation des biens et des services neuronaux. Une cicatrice, par exemple.

Cher papa,
Je

Elmo s'est tu et Maggie grimpe sur les genoux de Mary Rose. Celle-ci se penche pour serrer dans ses bras la petite fille qui, avec elle, a si rarement de tels débordements d'affection. Trop tard, elle se rend compte que ses genoux ont simplement servi de rampe d'accès à son ordinateur portatif. Maggie tend la main et clique sur *envoyer* avant que Mary Rose ait pu l'en empêcher…

— Non !

Elle a rugi par réflexe et le regrette aussitôt. Ses cordes vocales lui viennent de sa mère, sans conteste le baryton de la famille. La petite, saisie, ne bouge pas.

— Ça ne fait rien, Maggie.

Pas de quoi fouetter un chat. Après tout, le message ne contenait que les mots : *Cher papa, je*. Ce n'est pas comme si Mary Rose avait tapé *Cher papa, va chier*, une pensée importune du genre de celles qui l'accablent depuis toujours. Épaves flottées et rejetées de sa psyché qui, elle en est consciente, sont inextricablement liées à la créativité, cette créativité qui l'a si bien servie que, dans la quarantaine, elle a pu prendre une semi-retraite. D'où, contre toute attente, sa présence à la table de sa cuisine avec son enfant. Cela dit, elle se passerait volontiers de la confiture sur son pavé tactile.

— Maggie ?

Maggie, cependant, est… sur pause.

— Maggie, ma puce…

L'enfant pousse soudain un hurlement de sirène et Mary Rose grimace sous la violence de l'assaut sonore – pour une si coriace fauteuse de troubles, la petite Maggie se montre parfois d'une sensibilité déconcertante. Mary Rose se lève et fait les cent pas avec la petite qui hurle, passe et repasse devant la grande fenêtre de sa cuisine, tandis que, dans les profondeurs de son conduit auditif d'âge moyen, d'innombrables cils cellulaires se recroquevillent et meurent, rapprochant un peu plus le jour où, à l'instar de ses vieux parents de plus en plus déshydratés, elle exaspérera ses propres enfants adultes en répétant sans cesse « Quoi ? Qu'est-ce que tu dis ? As-tu dit "stylo" ou "silo" ? » À entendre les protestations robustes et soutenues de Maggie, on pourrait croire qu'elle a hérité des cordes vocales de sa grand-mère, sauf qu'il n'y a pas de liens biologiques entre la mère de Mary Rose et sa fille.

Elle entend un tambourinement au-dessus de sa tête, suivi du cliquètement de griffes canines sur le parquet de bois franc, puis du bruit de tonnerre que fait Daisy en descendant les marches recouvertes de moquette. La chienne, que le désordre domestique a tirée d'un profond sommeil sur le grand lit Tempur-Pedic, est prête à commencer sa journée de travail. *Quoi ? Qu'est-ce qui se passe ? C'est le livreur de pizza ? Vous voulez que je lui règle son compte ?*

— Tout va bien, Daisy, dit Mary Rose, alors que la chienne incline la tête comme dans les pubs de RCA Victor. Tu veux sortir ?

— Moi ! crie Maggie.

Tout à fait remise, elle frappe sa mère sur la tempe avec son récipient antidégâts et se dégage pour saisir la chienne à bras-le-corps par son cou épais.

Mary Rose déverrouille la porte en chêne massif et Maggie triture fébrilement la poignée de la porte extérieure en verre. Obligeamment, Daisy l'ouvre d'un coup de tête, sort en trombe, dévale les marches de la galerie et fonce vers le ginkgo où, dans le paillis, elle s'allonge sur le flanc, à la façon d'un cochon abattu. Le soleil est sorti, la terre fume… Le magnolia, la blonde écervelée du monde horticole, va se laisser prendre au piège. Déjà, les bourgeons semblent sur le point d'éclater et, s'il n'en tient qu'à eux, les pétales en principe roses seront noircis par le gel avant la fin du mois. Ça leur apprendra.

Malgré tout, le soleil vaut mieux que le ciel perpétuellement couvert de cet hiver qui aurait dû être rigoureux et étincelant et bleu et blanc. *Je suis preneuse.* Mary Rose respire à fond le parfum de la terre et balaie du regard les teintes mornes de vert-gris et brun et sale de son jardin, avec ses treillis squelettiques et ses cornouillers spectraux. Au-delà de sa clôture basse en bois, de l'autre côté de la rue, les feuilles pourries qui jonchent le trottoir sont ponctuées de mouchoirs en papier, d'emballages de bonbons et de petits bouts d'articles destinés au recyclage ; bref, les hideuses promesses du printemps encadrées par les poteaux de sa galerie. Derrière elle, Maggie appuie sur la sonnette à répétition. Daisy soulève la tête, puis regarde le sol.

Mary Rose MacKinnon et sa famille habitent le quartier de Toronto appelé Annex. Des arbres adultes, des trottoirs fissurés, des maisons qui abritent des fraternités, d'autres retapées par des yuppies et d'autres encore, plus modestes et agréablement miteuses, mais elles aussi hors de prix. La leur se trouve quelque part entre les deux dernières catégories. Mary Rose adore leur maison. Elle est située à proximité d'un parc où une petite fille a été enlevée en 1985, mais

Mary Rose n'y pense plus chaque fois qu'elle regarde par la porte de devant. Elle connaît et apprécie ses voisins – à l'exception peut-être de Rochelle, qui habite trois maisons plus loin, parce qu'elle a tenté de faire obstacle à leurs travaux de rénovation. Il y a de jeunes familles (VW et Subaru) et aussi quelques survivants italiens de la vieille école (Chevrolet Caprice). Parmi ces derniers figure une veuve âgée qui a une Vierge Marie au milieu de sa petite cour, laquelle, en été, se distingue par le gazon le plus vert et le plus court de tout le voisinage. Chaque année, à Noël, Daria sert un verre de limoncello à Mary Rose et se déguise en lutin. Mary Rose fait tout ce qu'elle peut pour que ses enfants soient en sécurité. Elle utilise des produits de nettoyage non chimiques et lave tous les fruits, même ceux dont la peau n'est pas comestible. Pour éviter à Matthew de prendre l'autobus scolaire, elle est de tous les voyages organisés par l'école. Dernièrement, devant sa maison, elle a vu des enfants poursuivis par leur mère qui hurlait :

— Sebastian, Kayla, ne courez pas en sandales !

Mary Rose n'en est pas encore tout à fait là. Tout près, il y a de bonnes écoles, un centre communautaire et un aréna, sans oublier d'excellentes boutiques dans Bloor Street. C'est un quartier chic et décrépit où, en été, les cosmos poussent à l'état sauvage en dehors des clôtures en bois, où prolifèrent les pissenlits et les dessins à la craie sur les trottoirs, où les haies et le jasmin trompette qui poussent n'importe comment proclament les sympathies plutôt gauchistes des résidants. Par-dessus tout, c'est le seul foyer que les enfants ont connu – fait qui oblige Mary Rose à admettre que les déménagements constants de son enfance lui ont coûté quelque chose. Sinon, pourquoi aurait-elle choisi d'élever ses enfants autrement ?

— Ne sonne pas à la porte, Maggie, s'il te plaît.

Dingdingdongdingdingdongdingdingdong.

Sans éprouver la moindre tendresse pour les pissenlits, Mary Rose s'efforce de cultiver une forme de laisser-aller décontracté dans son jardin, où se côtoient des massifs de fleurs et des plantes grimpantes à l'ancienne, et elle se reproche une fois de plus d'avoir, cette année encore, négligé les rosiers. Est-il trop tard pour les tailler audessus de toutes les tiges à cinq folioles et ainsi obtenir une généreuse floraison cet été ? Ou trop tôt ? Elle plisse les yeux. Que sont donc ces runes peintes à la bombe, en orange phosphorescent, sur le trottoir devant chez elle ? La ville se propose-t-elle de creuser dans son jardin pour y poser de nouveaux tuyaux ? Aura-t-elle droit à une saison d'eaux d'égout et de fuites et de solides gaillards à la raie du cul à moitié exposée piétinant ses hortensias à feuilles de chêne ? Son eau passe-t-elle, depuis des années, par des tuyaux en plomb ? Le poison s'est-il déjà introduit dans les dents et les os de ses enfants ?

Dingdingdong…

— Maggie…

L'enfant s'esquive, quitte la galerie, le récipient antidégâts à la main, et va rejoindre Daisy dans le paillis. Adorable.

Autre chose encore. Mary Rose a beau, comme sa mère, détester les pissenlits, elle ne leur crie pas après, ne jure pas en arabe en les attaquant à coups de couteau, vêtue d'une vieille robe d'intérieur à motif fleuri.

— Ne donne pas des raisins à Daisy, Maggie.

Les raisins ne sont pas bons pour les chiens. Daisy est particulièrement sensible. À preuve, le dépôt visqueux sur le sol. Les gens s'imaginent, à tort, que les pit-bulls sont indestructibles. Mary Rose descend les marches et tend la main vers le récipient.

— Aïe. Tu ne dois pas frapper mama, Maggie.

Elle soulève la petite.

— Non, mama !

Et elle entre dans la maison, laissant Daisy se prélasser dans la cour.

Revenue devant son portable, elle lit un courriel de son amie Kate. « Salut Mister, viens voir *Water* avec Bridget et moi mercredi soir. » C'est son père qui lui a donné ce surnom, fondé sur ses initiales, et Mary Rose l'a adopté. Elle a toujours été mal à l'aise vis-à-vis de son prénom, trop fleuri et féminin. Trop à nu. Sur la jaquette de ses livres, on lit MR MacKinnon. Au début, la sobre utilisation des initiales et l'absence calculée d'une photo d'auteur ont trompé les lecteurs en leur laissant croire qu'elle était un homme, méprise qui n'a pas nui aux ventes, bien au contraire. À ce jour, nombreux sont ceux qui ignorent qui se cache derrière ces initiales, et cette situation lui plaît. Elle n'aime pas entendre des inconnus prononcer son prénom, n'aime pas qu'ils l'aient dans la bouche. Elle tape une brève réponse – quel plaisir, sortir de la maison avec des amies qui ne possèdent pas de sac à couches. Surtout un mercredi soir.

Maggie saisit le téléphone de nouveau et détale avec jubilation. À deux ans, il y a certaines choses dont on ne se lasse pas. Mary Rose vacille : va-t-elle craquer et mettre le DVD de *Dora l'exploratrice*? Personne ne saura qu'elle a eu recours au téléviseur avant midi… La facture, cependant, serait salée. Le petit écran, quel que soit le contenu, c'est du sucre pour le cerveau, et une demi-heure de tranquillité s'achète au prix de deux heures d'enfer. Elle décide plutôt de faire sortir Maggie de sa cachette derrière le piano en lui proposant sa clé de voiture. Maggie l'accepte en échange du téléphone. La clé à cran d'arrêt assurera à Mary Rose au moins trois minutes de détente, ce qui vaut largement le risque que Maggie déclenche le système d'alarme.

Mary Rose débranche son ordinateur, remet en place le cache-prise, se cogne la tête sur la table en se relevant, ceint son authentique tablier de chef – les tomates ont commencé à dégager une bonne odeur –, ouvre le réfrigérateur, sort le poulet qu'elle a fait sécher à froid toute la nuit, le pose sur la planche à découper antimicrobienne, se lave les mains, glisse le magazine culinaire dans le porte-livre de recettes et tend la main vers les ciseaux d'un air de contentement. Le téléphone sonne. Elle soupire et décroche.

— Salut, maman.

— Tu es là !

— Oui, comment ça…

— Qu'est-ce qui ne va pas ?

— Rien, je suis…

— Comment vont les enfants ?

— Très bien, ils…

— Et Hilary ?

— Elle est à Winnipeg…

— Qu'est-ce qu'elle fait là-bas ?

— Elle met en scène *L'importance d'être*…

— Tu es toute seule avec les enfants ?

— En fait, je ne suis pas vraiment toute seule…

— C'est beaucoup de travail.

— Matthew passe ses matinées à l'école, alors c'est juste Maggie et...

— Tu sais que tu n'as plus vingt-cinq ans, ma chérie.

— Je t'assure, maman, que je n'en veux pas à mes enfants d'avoir ruiné ma carrière, je n'ai pas envie de sortir danser tous les soirs, je ne me suis jamais sentie aussi bien depuis...

— Tu es une mère exceptionnelle, ma chérie, vous êtes toutes les deux des mères...

— Sauf que je suis vieille et décrépite...

— Ce n'est pas ce que j'ai voulu dire, Sadie, Thelma, Minnie, Maureen...

— Mary Rose.

— Je sais, ma chérie, mais pourquoi tu appelles, au fait?

— C'est toi qui m'as téléphoné, maman.

— Tu as raison. Mais pourquoi je te téléphonais, au juste?

— Je ne sais pas, maman.

Silence.

— Zut. Il faudra que je te rappelle.

Sa mère a été l'une des pionnières du mode multitâche. En ce moment même, elle a sans doute une marmite sur le feu, un témoin de Jéhovah à la porte et un superviseur de Bell en attente.

— D'accord, maman. Bonne...

Clic. Sa mère a raccroché.

Mary Rose a l'habitude d'entendre réciter toute une série de prénoms avant que sa mère tombe sur le sien. Parfois, Dolly énumère d'abord ceux de ses six sœurs, y compris celui de la grosse et grasse tante Sadie, aujourd'hui décédée. Il faut y voir non pas un symptôme de démence, mais un vestige d'une enfance quelque peu chaotique passée au milieu d'une fratrie de douze, Dolly elle-même ayant été l'enfant d'une enfant – la grand-mère libanaise de Mary Rose, bien que née au Canada, s'est mariée à douze ans et est devenue mère l'année suivante. Le grand-père de Mary Rose, venu du « vieux pays », avait apporté dans ses bagages un certain nombre de coutumes de là-bas. Ibrahim Mahmoud – Abe – était entré au Canada juste avant l'interdiction des immigrants en provenance des « pays orientaux ».

En fait, Dolly elle-même était considérée comme «non blanche», là-bas, au Cap-Breton. Lorsque, jeune femme, elle avait décidé, dans les années quarante, de faire des études d'infirmière, elle avait dû surmonter un premier obstacle – aux yeux d'Abe, les infirmières étaient des «coureuses» – pour se buter aussitôt à un autre : l'hôpital de sa ville natale de Sydney, au Cap-Breton, en Nouvelle-Écosse, a invoqué la «barrière de couleur» pour lui fermer ses portes. Elle s'est donc adressée, quinze kilomètres plus loin, à la ville de New Waterford, où elle a été jugée assez blanche pour pouvoir suivre la formation. Et c'est là qu'elle a rencontré son futur mari, Duncan étant originaire de New Waterford. Mary Rose doit son existence au racisme.

Depuis toujours, la position de repli de Dolly est d'appeler tout le monde – toutes les femmes – «*doll*». Mary Rose a compris que ce petit mot tendre pourrait un jour servir d'*aide-mémoire** dans l'hypothèse où Dolly en viendrait à oublier son propre prénom. Mary Rose repose le téléphone sur sa base et se lave de nouveau les mains. Alors qu'elle a depuis longtemps dressé la liste de tous les facteurs qui la distinguent de sa mère, Mary Rose n'a que récemment pris conscience du gouffre béant entre elle et sa grand-mère, la fiancée enfant qu'elle n'a jamais connue, mais dont la stature tient de la légende. Pendant toute son enfance, on lui a raconté cette histoire : *Ton grand-père avait vingt ans et ta grand-mère douze quand ils sont tombés amoureux et ont fui ensemble pour se marier...* C'est l'un des aspects de l'histoire familiale que Mary Rose a commencé, depuis peu, à voir sous un autre angle, comme si elle émergeait tout juste d'une anesthésie générale. Ce réexamen des tropes et ce nouveau bilan de sa propre enfance s'expliquent peut-être par sa maternité. *Ma grand-mère était une enfant...* La mère de Mary Rose, par contraste, s'était mariée à l'âge vénérable de vingt-cinq ans. Pourtant, elle prenait plaisir à répéter :

— Mama était douée pour avoir des bébés.

Elle laissait ainsi entendre qu'elle-même ne l'était pas.

---

* Les mots en italique suivis d'un astérisque sont en français dans le texte. (*N.d.t.*)

•

Décembre à Winnipeg, 1956

Le ciel est immense et gris. L'autocar régional geint, ses gaz d'échappement sont saturés de carbone – personne ne s'en inquiète encore, l'air et l'eau et les arbres sont toujours majoritaires, en particulier au Canada –, et le véhicule bringuebale légèrement, surpris par le vent au carrefour de Portage et de Main, avant de se diriger laborieusement vers les limites de la ville, laissant derrière lui un modeste horizon dominé par les élévateurs à grain d'un côté et la grande cheminée de l'hôpital de l'autre. Il passe devant une mission de l'Armée du Salut, une taverne avec une porte réservée aux dames et aux escortes, un aréna, un cimetière. Les limites des villes ne sont pas encore tombées sous la coupe des commerces franchisés, les gens économisent et paient leur maison comptant, le revenu n'est pas encore disponible, mais le boom qui engendrera la future dégringolade est déjà bien amorcé ; les usines vrombissent, les emplois ne manquent pas. Peu de temps après, le gros autocar joufflu, en route vers le nord, roule entre des champs couverts de chaume, où persistent quelques plaques de neige.

À en juger par le spectacle qui défile par la fenêtre, l'autocar pourrait être immobile, tant la prairie est immuable… à moins que l'on soit d'ici, auquel cas elle est richement texturée et se transforme sans cesse, chaque champ unique sous le vaste ciel qui surplombe toutes choses. Mais la jeune femme au foulard qui regarde par la fenêtre, assise à l'arrière, n'est pas d'ici. Comme beaucoup de monde, de nos jours, elle est loin de chez elle.

Elle a entrouvert la fenêtre – un homme monté devant l'aréna s'est allumé une cigarette. Sur ses genoux, à côté de son sac à main, elle a un sac de la Baie d'Hudson. Elle est aussi grosse qu'une maison. C'est souvent le cas lors des deuxièmes grossesses. Son mari est au travail, à la base. Une dame du club des épouses d'officiers s'occupe de son enfant de trois ans, mais elle sera de retour à temps pour préparer le souper. Un poulet décongèle dans l'évier.

—Rentrez chez vous et attendez, a dit le médecin. Revenez quand les contractions auront débuté.

—Quand ?

—Dans deux semaines environ. Si elles ne débutent pas, revenez de toute façon.

Elle est infirmière, elle est au courant.

Avant de prendre l'autocar pour la base de Gimli, elle s'est arrêtée à la Baie d'Hudson – elle ne vient pas souvent au centre-ville et le cabinet du médecin est juste à côté. Il y avait une scène de Noël dans la vitrine : à bord d'un train, le père Noël buvait du coca-cola. Elle a acheté des gants. Ils n'étaient même pas en solde. Au comptoir, la dame a demandé en souriant :

—C'est pour quand ?

—Le bébé est mort, a-t-elle répondu.

Et la vendeuse a fondu en larmes.

—Ne pleurez pas, a dit la jeune femme. Je ne pleure pas, moi, alors ne pleurez pas.

Elle a consolé la vendeuse et a acheté les gants pour se sentir mieux.

●

Mary Rose tend la main vers les ciseaux lorsque le téléphone sonne de nouveau. Elle regarde avec convoitise le poulet cru posé sur le comptoir, les ciseaux dans leur bloc de bois, son *Cook's Illustrated* documentant avec une précision chirurgicale, étape par étape, le démembrement de la bête, puis elle décroche.

— Salut, maman.

— Je t'ai envoyé un paquet ! crie Dolly, triomphante.

Dolly a une drôle de façon de prononcer le mot *paquet. Paquiet.* Dernièrement, a remarqué Mary Rose, l'accent de ses parents revient en force, même s'ils ont quitté l'île du Cap-Breton depuis plus de cinquante ans.

— Qu'est-ce qu'il y a dedans ?

— C'est une surprise.

Une volée de jappements monte vers Mary Rose.

— Qu'est-ce que j'entends?

— C'est seulement la chienne, maman.

— Tu devrais peut-être aller voir.

— Pas la peine. Le portail est fermé.

Une nouvelle volée. Elle jette un coup d'œil dans le couloir et décèle un mouvement dans la porte vitrée.

— Tu m'attends une seconde, maman?

— T'attendre? C'est un interurbain! Rappelle-moi. À frais virés.

Elle court vers la porte, le combiné pressé contre l'oreille, et voit le facteur sauter à reculons la clôture basse.

— Daisy!

— Coucou, Daisy! hurle sa mère de Victoria, en Colombie-Britannique, en plein dans son oreille. C'est Sitdy!

Si c'était Maggie, Mary Rose lui dirait d'utiliser sa voix feutrée, sa voix d'intérieur, mais Dolly, elle, en est dépourvue.

— Il faut que j'y aille, maman.

Elle raccroche.

— Daisy! lance Mary Rose avec sa voix d'extérieur. Viens ici!

Daisy s'approche, souriante, mais rasant le sol en signe de repentir. Mary Rose salue de la main le facteur de Postes Canada, mais déjà il s'éloigne au volant de sa fourgonnette. Contrairement à l'usage et peut-être aux règlements, il a laissé l'objet de sa visite sur les dalles de l'allée : un paquet assez volumineux. Le *paquiet*! Il y a des marques de dents dessus. Daisy n'a tout de même pas mordu le facteur, non? Un examen plus approfondi révèle que le colis ne vient pas de sa mère. *L.L. Bean*, proclame l'étiquette. Glissant le téléphone dans sa poche arrière, Mary Rose saisit le colis, ravie – ô doux mystère de la vie, enfin je t'ai trouvé! –, et le transporte sur la galerie, où elle intercepte Maggie, qui fonce tout droit vers un précipice de plus d'un mètre. Mary Rose agrippe Maggie par le bras et Maggie hurle. Une main sur son enfant, la boîte en équilibre dans l'autre, elle tente d'ouvrir la porte moustiquaire et, du coin de l'œil, se rend compte que le couvercle du baril destiné à recueillir l'eau de pluie, posé tout contre la galerie, tient mal, à cause d'un boulon manquant. Aussitôt, elle a une vision de Maggie flottant la tête en bas dans l'eau sombre. Elle resserre sa poigne et est récompensée par un coup de pied. Cet après-midi, pendant que Maggie fera la sieste et que Matthew construira un pont pour son train Brio, elle sortira réparer le couvercle. Et quand elle se sera révélée incapable de régler le problème à l'aide du seul outil qu'elle sache manipuler – le ruban à conduits –, elle fera venir quelqu'un. Quel est le nom qui figure sur le flanc de la fourgonnette qu'elle voit partout dans le quartier? Rent-A-Husband? Elle s'en occupera tout de suite après avoir appelé le ramoneur et s'être arrangée pour qu'il vienne au même moment que le réparateur de la chaudière, après avoir rempli un formulaire «simplifié» de l'Agence du revenu du Canada, pris rendez-vous pour sa mammographie et rappelé sa mère. Comment assurer la survie d'un enfant au milieu d'un tel flot de distractions?

Dans la cuisine, elle laisse Maggie tenter de déballer le colis, puis perd patience et va chercher les ciseaux dans leur bloc. Elle adore ces ciseaux, qu'elle a achetés au Shopping Channel dans sa chambre du Fort Garry Hotel de Calgary à l'occasion de sa dernière tournée de promotion – *les seuls ciseaux dont vous aurez besoin!* Elle s'agenouille, ouvre la boîte, et regardez! C'est l'ingénieux et infaillible pied pour sapin de Noël qu'elle a commandé. Elle le sort de son nid de styromousse, prend un moment pour admirer le dôme vert et lisse, les crochets ergonomiques conçus pour mordre dans un tronc fraîchement coupé. Au contraire des supports de son enfance, qui laissaient craindre les pires désastres, il est muni d'une base stable, d'un mécanisme d'inclinaison facile spécialement breveté et d'un réservoir intégré. Luttant contre un sentiment de déloyauté – elle est fière d'avoir surpassé son propre père et toute une génération d'hommes de sa famille qui, la saison des Fêtes venue, ont sué et juré sous cape –, elle emporte son acquisition dans le couloir. Elle franchit la barrière de sécurité, la referme derrière elle – nouveau concert de protestations – et monte précautionneusement le pied au grenier, où elle le range dans un coin facile d'accès, sachant que, même s'il ne servira qu'une fois par année, elle se félicitera d'avoir choisi cet endroit chaque fois qu'elle n'aura pas à se frayer un chemin parmi une multitude de cochonneries pour le sortir de son trou, jurant, en sueur, blessée et épuisée. Mary Rose MacKinnon a un pied de sapin de Noël fonctionnel et facile d'accès. Elle a cette maison. Elle a ce grenier. Elle a cette vie.

Elle tend l'oreille. Deux étages plus bas, les protestations s'es-tompent. Elle est certaine que rien de grave ne peut arriver à Maggie pendant la minute où elle sera absente : elle a tout fait pour que sa maison soit sans danger pour les enfants, n'est-ce pas ?

•

Les contractions sont faibles, c'est trop long, potentiellement dan-gereux, alors on la provoque. On installe le goutte-à-goutte dans son bras et un rideau chirurgical pour l'empêcher de voir, puis le travail débute.

On facilite la sortie du bébé en lui comprimant le crâne – la parturiente est une femme de petite taille, on veut éviter de déchi-rer les tissus. En tant qu'infirmière, elle sait ce qu'on lui fait. C'est d'ailleurs ce qu'on a voulu lui faire pour son premier bébé, qui s'est présenté par le siège, au Cap-Breton, tout à l'est : le sortir, un membre à la fois, pour sauver la mère. « C'est ce qu'on ferait dans mon pays », a dit l'infirmière antillaise. Mais la jeune mère a dit : « Sauvez le bébé. » Elle a réclamé un prêtre, qui lui a administré le sacrement de l'extrême-onction. Contre toute attente, la mère et sa fille ont toutes deux survécu. « Parturition traumatique », a-t-elle lu dans son dossier.

Ce bébé-ci, cependant, est mort depuis des semaines. Dès le début, elle a su que quelque chose clochait. Lorsqu'elle a compris qu'elle était déjà retombée enceinte, elle s'en est voulu de ne pas être plus heureuse. Elle s'en est confessée au prêtre, qui lui a dit qu'il était normal de regretter l'absence de sa propre mère dans de telles circonstances, mais que Dieu ne nous impose jamais d'épreuves au-dessus de nos forces. Même s'il l'a absoute, elle n'a pas pu se débarrasser de ses mauvais pressentiments. *Si seulement Dieu avait attendu que je sois moins fatiguée… Si seulement mama n'était pas si loin… Si seulement je n'étais pas enceinte…*

Lorsqu'elle a dit au médecin qu'elle croyait que quelque chose n'allait pas, il lui a répondu : « Ne soyez pas ridicule. » Mais puisqu'elle avait fait le voyage jusqu'à Winnipeg, il s'est dit qu'il allait l'examiner. Il a posé le disque de métal froid sur son ventre et il a écouté. Il a déplacé le disque. Une fois. Deux fois. Il a tendu l'oreille, mais il n'a pas détecté de battements de cœur. Il a lancé son stéthoscope avant de sortir sans un mot. Elle s'est relevée, a pris son manteau de mouton et a dit à la réceptionniste :

— J'ai l'impression de le dégoûter.

Elle se demande à présent : a-t-elle eu de mauvais pressentiments parce que le bébé était mort ou est-ce plutôt le contraire ?

Derrière le rideau, ils chuchotent tous. On lui a administré un sédatif, mais elle est consciente, capable de pousser. Il est gros, comme souvent les bébés bleus. La procédure se déroule rondement. Elle sent un petit coup, un arrachement. Le bébé est parti, elle est vide.

Un bruissement… Le froissement du tissu. Une infirmière emmaillote le bébé. Des bruits de pas assourdis par des semelles de crêpe, de plus en plus faibles. On l'emporte.

•

De retour au rez-de-chaussée, Mary Rose a droit à une vision remarquable : dans le salon, Maggie, dos à la porte, est assise, immobile, captivée par une activité motrice fine, pour le moment invisible. Sans doute connaît-elle une poussée de développement. Tout près, Daisy se lèche innocemment la patte et évite le regard de Mary Rose – c'est une bonne vieille bête, un peu impulsive il est vrai, mais, à l'instar des meilleurs chiens, dotée d'une infinie capacité d'absorber la honte. Les pit-bulls sont interdits en Ontario, mais Daisy bénéficie d'un droit acquis : née avant l'entrée en vigueur de la loi, elle peut vivre, mais elle risque d'être exécutée sommairement si on détermine qu'elle est dangereuse. À l'heure actuelle, elle doit être muselée en public, disposition qui, aux yeux de Mary Rose, s'appliquerait mieux aux législateurs qu'aux chiens.

Lorsqu'elle est arrivée de la Toronto Humane Society, elle s'appelait Daisy. Elles ont voulu la rebaptiser Lola, mais un seul coup d'œil à ses tétines fatiguées les avait convaincues qu'elle en avait déjà assez bavé. C'est un terrier américain Staffordshire fauve et musclé, d'un âge indéterminé, qui ronfle plus fort encore que le faisait Sadie, la regrettée tante de Mary Rose, et vit dans la terreur de se faire couper les griffes. Son crâne a la forme d'un casque militaire allemand de la Seconde Guerre mondiale. Deux ou trois fois par année, le vétérinaire doit exprimer ses glandes anales, conséquence de la mise bas d'un trop grand nombre de chiots. Elle dort sur le ventre au milieu des fêtes d'anniversaire les plus bruyantes, les pattes tournées en dehors comme une caille aplatie. Quand elle sourit, elle ressemble à Mickey Rooney. Si le vétérinaire n'exprime pas ses glandes anales, elle les exprime toute seule en se frottant le derrière sur la moquette.

Sous les yeux de Mary Rose, Daisy roule sur le flanc et s'étire derrière Maggie, à qui elle sert de dossier. Adorable, à condition que Maggie ne s'endorme pas, compromettant son dodo du matin. Hilary préconise l'élimination de cette sieste, sous prétexte que Maggie dormirait mieux la nuit. Mary Rose a pensé tout bas : «Tu veux dire que tu dormirais mieux, *toi*. Sais-tu seulement ce que c'est que de passer toute une journée enfermée avec une enfant grincheuse ?»

Comme toutes les pièces de la maison, le salon est désormais une zone sans danger, à moins que Maggie elle-même compte comme un danger. La semaine dernière encore, Mary Rose a équipé la table basse d'une bande pare-chocs extensible (qu'Hil ne manquera pas d'enlever à son retour) ; sur la table proprement dite, il n'y a que des objets inoffensifs, surtout des livres, mais aussi une pile de numéros du *New York Review of Books*, que Mary Rose projette de lire quand elle aura le temps ou une bronchite, ce qui, dans son cas, revient rigoureusement au même. Elle les savourera dans un brouillard induit par les antibiotiques, un jour qu'Hil sera à la maison et qu'elle pourra se permettre de tomber malade. Sur la moquette serpente un intimidant réseau de rails Brio où Thomas et ses amis à la mine souriante ou renfrognée sont attelés dans l'attente du retour de Matthew, qui verra au premier coup d'œil si l'un d'eux a été déplacé. Pour le moment, Maggie ne donne aucun signe de vouloir dévaliser les wagons ou dynamiter la voie ferrée – à l'Ouest, rien de nouveau. Mary Rose tente sa chance et regagne furtivement la cuisine.

En aplatissant la boîte du pied du sapin de Noël pour la mettre au recyclage, elle aperçoit, au milieu du matériel d'emballage, sa clé de voiture. *Maggie!* Elle saisit la clé et la glisse dans la poche de son jean. Il s'en est fallu de peu… Elle finit de plier la boîte et se dirige vers le tiroir profond qui abrite le bac de recyclage. Là, pendant un moment, le verrou à l'épreuve des enfants lui résiste. Elle finit par l'ouvrir, mais pas avant de s'être pincé le doigt dans le mécanisme. Après s'être une fois de plus lavé les mains, elle revient vers le poulet, blafard et mou à côté du porte-livre de recettes. *Désosser sans frustration? C'est possible.*

Dans la cuisine, Mary Rose a pu surmonter la plupart de ses dégoûts, mais l'un d'eux persiste: elle ne tient jamais un poulet cru par l'aile. Quelque chose à propos de la peau flasque entre l'aile et le corps… Comme si c'était douloureux. Enfant, elle avait vu sa mère se préparer à enfourner un poulet, le saisir par une aile dans l'évier et le poser sur le comptoir avec un bruit sourd. Ou plutôt un bruit mouillé. Que le poulet soit mort et ne sente plus rien ne changeait rien à l'affaire. Elle sentait quelque chose, elle.

Dans l'échelle de ses phobies, celle-ci venait au troisième rang, loin derrière le vertige et la claustrophobie, deux aspects du même phénomène, en réalité. Mary Rose connaît bien le tandem, elle qui a connu la seconde en gravissant les marches de l'étroite tour de la cathédrale de Münster derrière sa sœur Maureen et la première tout de suite après en parcourant sa flèche hérissée de gargouilles, cent mètres au-dessus de la Forêt-Noire. Mo, lisant dans son esprit, l'avait regardée droit dans les yeux. « Tout va bien, Rosie. Avance vers moi. » Jusque-là, Mary Rose n'avait pas eu peur des hauteurs. En fait, dans l'un de ses premiers souvenirs, elle est placidement accrochée par les poignets au balcon d'un troisième étage. Dans le même pays, à bien y réfléchir. Et en compagnie de la même personne.

•

— On a perdu le bébé, dit la mère à la petite de trois ans.
— Où ça? demande l'enfant.
Le père explique:
— Le bébé est mort.
— Parce que vous l'avez perdu?
— Non. Ce sont des choses qui arrivent.

Il ne l'a pas vu lui non plus. On l'a emmené.

—Où est-il?

—Avec Dieu, dit-elle.

—Où?

La mère ne dit rien.

—Elle est au paradis, dit le père.

—Je peux la prier?

—Bien sûr, dit le père.

—Elle peut me donner un bonbon?

— Ne sois pas ridicule, Maureen, dit la mère.

La mère sait que le bébé n'est pas au paradis. Il est dans les limbes, l'«autre lieu» réservé à ceux qui n'ont pas reçu le sacrement du baptême et dont l'âme, par conséquent, conserve la tache du péché originel. Ils ne sont donc pas dignes de la vision béatifique. Ils ne souffrent pas, mais ils ne voient pas Dieu.

—Mais où elle est? Où est-*elle*?

Nulle part.

—Elle est dans une tombe?

Pas de tombe.

—Elle va vivre à Winnipeg?

—Chut, Maureen, dit le père. Ça suffit, maintenant.

—Comment elle s'appelle?

En principe, le bébé, n'ayant pas été baptisé, n'avait pas de nom.

La mère répond:

—Nous allions…

Elle est incapable de prononcer les mots.

—Nous allions l'appeler Mary Rose, répond le père.

•

Les yeux rivés sur la recette, elle cherche les ciseaux à tâtons lorsque, quelque part, le système d'alarme d'une voiture retentit. La main en suspension, elle lève les yeux et regrette une fois de plus de ne pas vivre à une époque plus simple, avant que les objets les plus anodins soient munis d'avertisseurs – disons, les années cinquante, moins la poliomyélite, l'homophobie et les laveuses à rouleaux essoreurs. Elle glisse un pouce dans la poche de son jean et attend que l'infortuné automobiliste appuie sur le bon bouton – tout le monde sait que les systèmes d'alarme ne sont jamais déclenchés par les voleurs de voiture – et le bruit s'arrête brusquement. Elle revient à *Cook's Illustrated* et au dessin sur lequel la poitrine se laisse désosser sans effort… et l'alarme retentit de nouveau. Ne lui accordera-t-on pas un seul petit moment de calme absolu pour se détendre en suivant sa recette ? Elle jette un coup d'œil par la grande fenêtre de la cuisine, mais aucune des voitures garées dans la rue ne clignote. Alors qu'elle se penche par-dessus le comptoir pour mieux voir, la détestable sonnerie s'interrompt de nouveau. Revenant à son magazine, elle tend la main vers le bloc, mais ses doigts se referment sur du vide. Elle lève les yeux. L'espace dévolu aux ciseaux est vide. Elle balaie les environs des yeux. Les ciseaux ont disparu. Comment est-ce possible ? Les meilleurs ciseaux du monde. Les ciseaux du Shopping Channel. Les ciseaux de cuisine sans aiguisage de qualité chirurgicale Sloan Kettering, capables d'abattre un jeune arbre, légèrement recourbés pour faciliter le désossage ; des ciseaux si efficaces qu'elle se ferait enterrer avec eux, leurs lames d'un éclat toujours mortel. Où sont-ils passés ? Qui dérobe les choses ? Hilary les aurait-elle rangés dans le tiroir de débarras ? À plus d'une reprise et aussi raisonnablement que possible, Mary Rose a supplié Hilary de les remettre à leur place dans le bloc – elle conçoit qu'il puisse ne pas s'agir d'une priorité pour une femme qui, habillée de vêtements propres, se rend chaque jour dans une salle de répétition, souvent dans une autre ville, et qui n'a pas encore eu à composer avec une seule infestation de poux à la garderie, mais, pour Mary Rose, c'est important. C'est elle qui fait les courses et la cuisine, prend au sérieux les arts ménagers, dont l'apprentissage lui a coûté des efforts infinis. Dans le jargon militaire, on pourrait même dire qu'elle est sur la première ligne du front intérieur. De quel droit Hilary peut-elle se considérer comme une féministe et, a fortiori, comme une lesbienne si elle ne respecte pas assez Mary Rose pour remettre les ciseaux à leur place ? Mais, évidemment, Hilary ne se qualifie pas de lesbienne et refuse en fait de s'accoler une « étiquette », quelle qu'elle soit. Attitude typique des bisexuels !

Mary Rose sent la rage monter en elle et elle explose. Elle saisit le téléphone sur sa base – en cette ère où il est impossible d'«arracher» un téléphone de sa base, sur quel objet inanimé une ménagère en furie peut-elle se défouler? – et fait défiler les numéros, sur le point de composer celui du BlackBerry d'Hilary – elle sera en réunion, mais pourquoi une réunion devrait-elle avoir la préséance sur la capacité de Mary Rose à couper un poulet en morceaux afin de le congeler en prévision de son retour, la semaine prochaine? –, quand l'appareil se met à sonner dans sa main. Elle le repose avec fracas sur sa base au moment où le système d'alarme de la voiture redémarre. Elle sortirait, la taille toujours ceinte de son tablier, à la recherche de la satanée voiture qui émet le signal, si ce n'était qu'elle ne doit pas laisser son enfant sans surveillance. C'est comme une valise renfermant une bombe. Elle hésite. À part les *miiip-miiip* de la voiture et le *dring-dring* du téléphone, elle n'entend que les ronflements de Daisy dans le salon. Maggie doit s'être assoupie. Pourrait-elle s'éclipser en douce? Où est le mal? Ce n'est pas comme si elle abandonnait sa famille – elle se souvient des menaces proférées par sa mère: «Un de ces jours, je vais sortir de cette maison et ne plus jamais y remettre les pieds!» Dès l'âge de quatorze ans, Mary Rose avait pris l'habitude de marmotter «Vas-y, personne ne te retient», mais assez loin pour ne pas être entendue.

Miiip! Miiip! Miiip! fait la voiture, tel Bip Bip gavé de stéroïdes.

À pas de louve, Mary Rose s'avance dans le couloir et jette un coup d'œil dans le salon. Daisy est couchée sur le flanc, ses paupières papillotent, son ventre aux tétines bousillées se soulève. Maggie, toujours assise dos à la porte, s'amuse tranquillement. Mary Rose met un moment à traiter les informations visuelles: Maggie est entourée de lambeaux, de bandes, de bouts du journal de toutes les formes – non pas déchirés, mais coupés proprement. Derrière les ronflements cadencés de Daisy et la sonnerie stridente du système d'alarme de la voiture, elle distingue maintenant un autre son: *tchic-tchic*.

— Maggie? fait-elle doucement.

Maggie se retourne, ses yeux exprimant un profond ravissement.

— Donne les ciseaux à mama, ma puce.

Le sourire de Maggie trahit l'intelligence et une infinie bienveillance.

— Non, mama, répond-elle gentiment avant de recommencer à découper une chronique sur l'Inde post-impériale.

Mary Rose revient dans la cuisine, prend le téléphone et compose le numéro de sa mère…

— Allô, maman?

— C'était le *paquiet*?

— Non.

Elle s'avance posément vers le salon – surtout, pas de geste brusque.

— Je vais brancher le haut-parleur, maman. Maggie veut te parler…

— Coucou, Maggie, c'est Sitdy!

— Sitdy! s'écrie Maggie en lâchant les ciseaux.

Mary Rose tend l'appareil à sa fille et ramasse les ciseaux.

— Comment ça va, *fuhss*? crie Dolly.

Maggie secoue l'appareil à deux mains, comme pour l'étrangler de bonheur.

Mary Rose tremble. Quel est donc ce nouvel enfer qui s'ouvre devant elle? Comment a-t-elle failli s'y engouffrer? Comment Maggie a-t-elle fait pour mettre la main sur les ciseaux, alors qu'ils étaient bien rangés, telle une épée scellée dans la pierre, dans le bloc à couteaux, hors d'atteinte? Mary Rose n'a pas encore pris conscience du silence qui fait suite à l'arrêt purement aléatoire du système d'alarme de la voiture lorsque la sonnette résonne et que Daisy perd la tête. Mary Rose hésite. Elle n'attend personne. Et si c'était le facteur de Postes Canada qui revenait avec la fourrière municipale? Daisy l'a-t-elle mordu? *Nous avons un mandat qui nous autorise à emmener et à détruire votre chien.* Avec un douloureux malaise au creux de l'estomac, Mary Rose jette un coup d'œil par le judas. C'est Rochelle, qui habite trois maisons plus loin. Mary Rose ouvre.

Chez Rochelle, rien ne cloche vraiment. Mais c'est la fille à laquelle vous redoutiez d'être jumelée à l'occasion de la journée de danse carrée, en sixième année.

— Tu sais que le système d'alarme de ta voiture se déclenche à tout bout de champ depuis ce matin?

Sa voix est comme un sac de ciment.

Mary Rose, sur le point de lui répondre, est victime d'un déraillement linguistique – comme à l'école élémentaire et, des années plus tard, à l'occasion de certaines signatures de livres, dans les moments de surcharge sensorielle. Depuis Maggie, il lui arrive fréquemment de perdre les substantifs, à l'occasion les verbes et la phrase au complet; elle en est alors réduite à s'accrocher comme elle peut dans un éboulis de prépositions.

Rochelle, se méprenant peut-être sur le sens de l'aphasie passagère de Mary Rose, jette un coup d'œil aux ciseaux dans sa main et, avec une cordialité inhabituelle, lance:

— J'ai pensé que tu voudrais le savoir.

Sa bouche s'étire en un rictus de bonne volonté et elle recule. Elle a des dents de cheval.

— Merci, dit Mary Rose avant de lever machinalement les ciseaux en signe de salutation.

Elle se rend alors compte que Rochelle, qu'elle-même considère depuis toujours comme une vieille chouette, est sans doute plus jeune qu'elle. Elle referme la porte, cherche la clé de voiture dans sa poche – *Miiip! Miiip!* – et trouve le bouton. Silence. Elle pose la clé sur la table du vestibule, loin de son os iliaque qui, apparemment, a la gâchette facile, et se glisse dans la salle d'eau.

Elle libère le nouveau verrou de sécurité qui retient le couvercle de la toilette. Elle sait déjà ce qu'Hil va dire, mais c'est rempli de bon sens: Maggie risque de tomber dans la cuvette et de se noyer. C'est déjà arrivé. Quelque part. Mary Rose s'assied et fait un de ces pipis d'une durée improbable. Par la porte entrouverte, elle entend Maggie hurler de rire et la voix de sa mère chanter des comptines absurdes. Mary Rose se frotte le bras, le gauche, qui a recommencé à lui faire des misères. Elle ne se souvient pas de s'être cognée, mais il suffit de peu. On dit de certains boxeurs qu'ils ont la «mâchoire en verre». Mary Rose, elle, a un bras en verre. Une portière de voiture qui la frôle, le coin d'une bibliothèque, un petit pinçage pendant qu'on joue... il n'en faut pas plus pour provoquer une douleur profonde, irradiante. Jamais de bleu... Peut-être a-t-elle heurté quelque chose en cherchant frénétiquement les ciseaux. Sinon, c'est Maggie qui lui aura donné un coup de pied.

— *Tirons-la par la queue, elle ira bien mieux, dans un jour ou deux...*

Elle découvre ses dents dans la glace. Ça va encore. Elles ne sont pas d'un blanc surnaturel, suivant cette mode complètement débile qui fait à toute personne de plus de trente-cinq ans une tête de cadavre par rapport à sa dentition. Mais pas jaunies non plus comme la plante des pieds de cette personne dans le poème. Mary Rose a de magnifiques dents naturelles, mais l'émail fragile. Elle se demande parfois si sa propension aux caries est liée au vieux problème qu'elle a eu avec son bras quand elle était petite – cette «tumeur osseuse bénigne de l'enfant» l'avait plus d'une fois conduite à l'hôpital. On ne savait trop si c'était son père ou sa mère qui lui avait transmis cette anomalie, mais, en tant que mère adoptive, Mary Rose ne risque pas de la refiler à ses propres enfants. Elle ouvre la bouche et scrute les couronnes hors de prix au fond.

Peu après la parution de son deuxième livre, il y avait eu une période au cours de laquelle elle avait grincé des dents dans son sommeil, tellement que l'émail, en se fissurant, avait laissé les nerfs à vif. Le dentiste avait dû les tuer. Il avait harponné ces sombres serpents de douleur, puis il les avait emmurés dans des caveaux orthodontiques qui survivront à son squelette et qui, un bon jour, tomberont, *bing*, au fond de son cercueil. Si elle opte pour la crémation, on les raclera au milieu de ses cendres. Elle doit son seuil de douleur élevé à ses mésaventures avec son humérus – l'os long du haut du bras –, depuis longtemps corrigé par voie chirurgicale. Malgré tout, les douleurs aux dents sont dans une catégorie à part. C'est Mahler par opposition à Beethoven. Mary Rose s'y connaît en douleur – peut-être même y a-t-il chez elle une sorte de snobisme de la douleur. Une chose est sûre, une certaine douleur a sur elle un effet apaisant. Dans la souffrance, elle se sent comme chez elle.

Elle a cessé de grincer des dents depuis une séance d'hypnotisme dans un immeuble de bureaux anonyme d'un coin de la ville, par ailleurs huppé, connu sous le nom de Yorkville. On y faisait des rénovations à l'époque et, pendant qu'elle était «sous le charme», les marteaux pneumatiques résonnaient dans le couloir. Elle se demande encore si elle a vraiment été «sous le charme», mais, par mesure de précaution, elle avait supplié ses amis de la prévenir si elle commençait à afficher des tics alarmants, par exemple glousser comme une poule au moindre claquement de doigts. Quoi qu'il en soit, les résultats ont été concluants et elle a pu jeter son vieux protège-dents tout rongé. À présent, il lui reste seulement son genou et les fibromes utérins – les douleurs récentes dans son bras, non seulement inconstantes, mais fantômes, ne comptent pas.

Elle passe ses doigts dans ses cheveux noirs coupés court, parsemés de gris, mais pas autant que ceux de certaines personnes qui ont dix ans de moins qu'elle. En tant que «mère d'un certain âge», elle fait partie d'une cohorte démographique croissante dont les membres, à une autre époque, auraient été grands-mères. Elle a toutefois le sentiment de mettre certains atouts au service de la famille : la stabilité financière et la patience (même si, dernièrement, Maggie en éprouve les limites comme Matthew ne l'avait jamais fait).

— *Am, stram, gram, pic et pic et colégram…*

Sa mère lui a légué, en plus de ses cordes vocales, une peau à l'aspect juvénile, résultat de son héritage méditerranéen et d'une diète à base d'huile d'olive. Peau, cheveux, dents : indicateurs qui ne mentent pas. Souvent, c'est une boule de ces tissus qu'on découvre dans le corps d'un adulte parfaitement sain qui, jusqu'au jour où un chirurgien lui retire une masse bénigne, ignorait qu'il avait eu un jumeau… et que, en servant d'incubateur aux tissus atrophiés de son frère ou de sa sœur, il avait, dans les faits, servi de cercueil vivant.

Elle s'est toujours passionnée pour les marges de la science – le genre de fascination qui se traduit par de grandes découvertes, des théories du complot complètement loufoques et des romans. Dans *JonKitty McRae. Voyage dans l'autre dimension*, Kitty, âgée de onze ans, a un œil bleu et l'autre brun. Elle a aussi commencé à avoir des «épisodes». On la transporte dans un autre monde, où elle apprend la vérité tapie derrière ses yeux…

«Crise psychosenzoïque du spectre de l'épilepsie.» Tel est le diagnostic d'un neuropsychologue qui lui a écrit après la parution du livre pour lui dire que Kitty montre des signes de «crises attribuables à la présence d'une sœur ou d'un frère atrophié» et que la capacité de l'enfant à entrer «en transe» est en réalité «la manifestation d'un traumatisme». *Lâche-moi un peu*, a-t-elle songé. *On peut dire la même chose de la capacité à voler à l'aide d'un parapluie ou à aller de l'autre côté du miroir.*

Elle a fait son gagne-pain de cette fascination morbide qu'elle ne sait pas expliquer. En réponse à la question la plus souvent posée à l'occasion des lectures littéraires («Où prenez-vous vos idées?»), elle a l'habitude de répondre: «Chez les morts.» Elle obtient quelques rires, mais elle a l'impression que c'est la vérité, même si, à quarante-huit ans, elle n'a encore vraiment perdu personne, en tout cas pas de membre de sa famille immédiate.

Elle n'a pas connu ses grands-mères, mortes l'une et l'autre avant d'avoir soixante ans. Elle a vu son grand-père paternel une seule fois, dans un hôpital pour anciens combattants d'Halifax. Victime d'un AVC, il était incapable de parler, mais il a ri. C'est son grand-père maternel qui a vécu le plus longtemps, et elle se souvient d'avoir été plongée dans la perplexité par son accent arabe, mais pas indûment troublée, puisqu'il lui adressait rarement la parole à elle, fille surnuméraire d'une fille surnuméraire. Il avait un jour dit une phrase complète à sa sœur Maureen: «Croise tes jambes.»

Qui plus est, Mary Rose avait grandi dans des bases des forces armées ou dans des banlieues remplies de jeunes familles qui reflétaient l'immortalité joyeuse de leurs premières contreparties dans les séries télévisuelles diffusées aux heures de grande écoute. On ne voyait pas vraiment de visages ratatinés à la télé, sauf peut-être celui de la grand-maman dans les *Beverly Hillbillies*. Ses parents sont les premières vieilles personnes qu'elle a l'occasion de connaître. Et ils ne se considèrent toujours pas comme «vieux».

Elle n'a jamais voulu être une mère biologique. En plus de n'avoir aucun désir de découvrir par elle-même le miracle de la naissance, elle s'est dit qu'elle risquait moins de gâcher la vie de ses enfants si son «ça» ne pouvait pas les revendiquer comme la chair de sa chair. Hil avait tenté de tomber enceinte en faisant appel au sperme donné par un ami – persuadées que leurs enfants devraient connaître leur histoire, elles avaient renoncé à la procédure anonyme. Entre-temps, elles s'étaient inscrites auprès d'un certain nombre d'agences d'adoption – le monde, en gros, leur était interdit, exception faite de quelques provinces canadiennes et d'une poignée d'États américains. Formant une équipe de deux mères, elles se trouveraient au bas de la liste de priorité de la plupart des mères biologiques. Après qu'elles eurent mis en branle les lents rouages de l'adoption, Hil avait commencé à prendre sa température avec un soin jaloux et, au moindre pic, Mary Rose l'accompagnait, avant l'aube, à la clinique de fertilité, où, avec une dévotion digne d'un chemin de croix, elles prenaient place dans une salle d'attente silencieuse en compagnie de femmes de plus de trente-cinq ans, au teint gris, venues recevoir leur dose intra-utérine de sperme lavé. Un coup de fil les avait tirées du supplice mensuel du test du pipi : une femme enceinte de l'Oregon les avait choisies, elles, à partir d'une pile de lettres commençant par « Chère mère biologique ».

Anna, qui travaillait comme gréeuse pour le Cirque du Soleil, parcourait le monde. Elle venait de la Virginie-Occidentale, mais elle avait « pas mal bourlingué ». Hilary et Mary Rose l'avaient tout de suite aimée. Avant la naissance, elles avaient passé quelques semaines ensemble, toutes les trois, à explorer le nord de la côte Ouest. Tout ce qu'Anna savait ou voulait dire à propos du père, c'est qu'il était russe. Mary Rose était si débordante d'hypothèses qu'elle en tremblait. Un acrobate? Un Romanov dont on avait perdu la trace? Un membre de la mafia russe? Puis elles avaient vu Matthew, et tout ce qui avait compté, c'était qu'il était en bonne santé. Elles avaient assisté à sa naissance. Anna avait signé les papiers. Elle avait pressé des feuilles de chou sur ses seins pour étancher le lait. Et elle était partie. Sans prendre le petit garçon dans ses bras.

Elles lui avaient écrit, lui avaient envoyé des photos ainsi qu'un billet d'avion. Puis elles avaient perdu sa trace. Elle avait disparu, en fait. On les avait prévenues du risque. Moins de deux ans plus tard, elles ont reçu un appel de la banque de sperme : elle fermait ses portes. Souhaitaient-elles récupérer le « matériel »? Dernier coup de dés. Elles ont joué de chance. Hil est tombé enceinte et elles ont eu Maggie.

Leur donneur, Ian, est une invention moderne : « oncle papa ». Il n'oublie jamais l'anniversaire des deux enfants et passe faire un tour à Noël. Hil a étudié avec lui. Il est prof de maths à Kitchener-Waterloo et joue de la guitare. C'est une situation rêvée. Elles avaient songé à faire appel au frère de Mary Rose, mais une telle requête aurait eu pour effet, entre autres, de tuer ses parents. Et elle les avait déjà tués une fois.

Si Mary Rose éprouve un malaise vis-à-vis de son prénom, c'est notamment parce que ce n'est pas le sien. En principe, il devrait y avoir une autre sœur entre Maureen et elle : une fille, née à Winnipeg. L'«Autre Mary Rose». Béatifique. Immaculée. Mort-née. Selon l'Église catholique, son âme était allée directement de Winnipeg aux limbes – vaste étendue qui n'est d'ailleurs pas sans rappeler la prairie. Dans l'esprit de Mary Rose, la petite aura toujours la taille et la sérénité d'un bébé de Gerber, les yeux fermés. Allez directement dans les limbes, ne passez pas Go et ne réclamez pas le Sacrement du Baptême.

●

— Vous êtes jeune, lui dit le médecin. Vous aurez un autre bébé.

«Peut-être même un garçon», songe-t-elle. *Inshallah.*

Lorsque son mari est réaffecté, ils laissent la prairie derrière eux ainsi que l'hôpital dont la haute cheminée se voit à des kilomètres à la ronde. Cette fois-ci, ils vont plus loin vers l'est, plus loin que le Cap-Breton, même. Ils vont jusqu'en Allemagne.

Et elle a effectivement un autre bébé. En automne. Une autre fille. Ils la prénomment Mary Rose – d'après la première.

Tout se passe normalement. Le bébé va bien, mais Dolly est très fatiguée. Elle reste à l'hôpital de la base. On lui trouve une chambre plus paisible, à un autre étage.

«Bébé blues», dit-on. Mais Dolly sait qu'une femme qui a la chance de donner naissance à un enfant en santé n'a pas le droit d'être déprimée. Mary Rose – la seconde Mary Rose – rentre à la maison sans elle. On dit que c'est préférable.

—Le temps de le dire, tu seras comme neuve, affirme son mari.

Elle sourit pour lui laisser croire qu'il l'a rassurée.

En dehors du temps, voilà où elle est. Cet hôpital pourrait être n'importe où. Elle pourrait être n'importe qui. Ou personne. Elle reste couchée, tandis que le temps s'écoule autour d'elle.

•

Les MacKinnon en étaient à leur deuxième affectation lorsque Mary Rose est née dans ce qui était alors l'Allemagne de l'Ouest. Ils vivaient dans une base aérienne de l'OTAN appelée 4ᵉ Escadre, à la lisière de la Forêt-Noire, territoire riche en grands méchants loups et en pavés ronds, en scènes de contes de fées peintes sur les murs de villages où dominait l'odeur de la fumée de bois et des vaches. Chaque matin résonnaient les sabots des chevaux qui tiraient la citerne où était chargé le contenu des pots de chambre; dans le village, des femmes, prodigues de *Schokolade für die Kinder*, sortaient des pains tressés du four, la tête sous un fichu. Les roses sauvages abondaient et le Rhin coulait, fécond et paisible. À Munich, on voyait des espaces vacants entre les immeubles – des murs intérieurs s'offraient à la vue de tous, tatoués d'absence: la silhouette d'un cadre, d'une tête de lit, d'un crucifix. La lumière du jour fragmentait le dôme de la Frauenkirche, à Cologne un panneau de rue disait Jüdengasse... «N'y pense pas», disait Duncan. «Pense plutôt à des choses agréables», disait Dolly.

En voiture, ils ont parcouru l'Europe libre en tous sens avec leurs enfants, leur tente et leur gros sens canadien de l'aventure. Ils découvraient le monde, grâce à une guerre mondiale. Et, simplement en en profitant, en visitant des châteaux et des fontaines, le Vatican et la Côte d'Azur, les canaux, de Venise à Amsterdam, ils contribuaient à guérir le monde. Ils ont pique-niqué dans les Alpes – dans les virages en épingle, Dolly a paniqué et Duncan a ri, le soleil ricochant sur sa dent en or. Dans un belvédère aménagé sur une route de montagne, ils sont sortis de leur Coccinelle VW pour s'étirer les jambes et étudier la frontière invisible avec «l'Est», alors que Duncan leur expliquait la situation. Les maisons de ferme de l'autre côté de la vallée, avec leurs toits de chaume, étaient identiques à celles de ce côté-ci. Sauf qu'il s'agissait d'un miroir sinistre, d'un horrible monde parallèle : c'étaient des *communistes*. Le mot lui-même se terminait par un sifflement de serpent.

Mary Rose sait bien qu'elle ne peut pas se rappeler tous ces détails ; pourtant, les scènes sont gravées dans sa mémoire, font partie intégrante des légendes familiales qu'elle a absorbées, au fil des ans, à force d'entendre les réminiscences de sa sœur et ses parents. Par exemple, l'arrivée de Mary Rose à la maison, au sortir de l'hôpital, version Maureen :

— J'étais terrorisée à l'idée que tu sois mort-née, comme l'autre Mary Rose. En plus, maman a mis des siècles à rentrer : te mettre au monde l'avait épuisée. Papa m'a dit que tu étais magnifique. Alors je me suis imaginé une princesse aux longs cheveux blonds. Tu avais des cheveux noirs frisés comme Groucho Marx et, quand tu pleurais, ton visage devenait rouge comme une tomate.

— Pas étonnant que tu m'aies accrochée au balcon.

— Mary Rose ! Je ne me souviens de rien !

Aux yeux de Mary Rose, c'est l'équivalent d'un aveu de culpabilité. Elle ne s'est jamais lassée de la vive réaction que l'évocation de cet épisode suscite infailliblement chez sa sœur, par ailleurs imperturbable.

•

Le jour, le ciel est sillonné d'avions de chasse et de sirènes qui répètent en prévision d'une guerre chaude qui ne vient jamais. Au crépuscule, ce sont les chants d'oiseaux qui saturent l'air. Il emmaillote le bébé dans une couverture et sort avec elle sur le balcon de l'appartement. Le soleil, jaune avec des stries rouges, puissant, paisible et lent, fait une énorme tache brûlante. Ils sont au niveau de la cime des arbres. Près de l'immeuble, une rangée de tilleuls a commencé à changer de couleur, mais, au-delà des pelouses uniformes, s'étend la Forêt-Noire, hérissée de conifères.

— Tu entends ? murmure-t-il. C'est le coucou.

•

Mary Rose se souvient de son premier chez-elle dans un immeuble d'appartements en stuc blanc qui scintillait sous le soleil. Elle peut voir en esprit le salon avec sa table basse lustrée et la porte vitrée qui s'ouvre sur le balcon et le ciel bleu invitant – c'était comme passer de la photo en noir et blanc à la « couleur vivante ». Le balcon était un lieu magique, où elle se sentait à la fois en danger et en sécurité. Ils habitaient au troisième étage, mais, dans son souvenir, la hauteur était vertigineuse. Par beau temps, elle y jouait avec Maureen, qui déposait deux seaux d'eau pour permettre à Mary Rose de nager de l'Atlantique au Spécifique, ou du moins elle croit s'en souvenir puisque Maureen lui en a souvent parlé – encore des légendes familiales. De la même façon qu'elle croit se souvenir de l'avoir fréquenté dans les bras de son père au crépuscule, encerclée par sa chaleur, et d'avoir contemplé la vaste étendue des arbres et du ciel. C'est du haut de ce balcon que son père lui a offert le monde en cadeau pour la première fois.

Elles n'étaient pas autorisées à y jouer toutes seules, surtout lorsque traînaient des seaux qu'elles n'auraient eu qu'à renverser pour enjamber la balustrade. Il est normal qu'une mère se montre vigilante, et Maureen se souvient d'avoir été punie à cause de seaux oubliés à cet endroit ; pourtant, l'angoisse de leur mère ne surprend pas Mary Rose. Après tout, elle avait déjà perdu un bébé. Ou deux, à cette époque ? Quand Alexander était-il né, au juste ? Lorsqu'elle a été assez vieille pour parcourir à la nage les océans du monde sur un balcon, Mary Rose devait avoir deux ans. Quoi qu'il en soit, il ne fait aucun doute qu'elles s'y sont trouvées toutes seules au moins une fois.

— La fois où tu m'y as suspendue.

— Tu as sûrement rêvé, Mary Rose !

•

Il engage une Allemande pour s'occuper du bébé lorsqu'il est au travail et la plus vieille de ses filles à l'école, mais, chaque nuit, il se lève au premier couinement. Il tripote maladroitement les biberons et se pique les doigts aux épingles à couche. Il fait les cent pas, le petit visage hurlant humide contre sa nuque. Bien que sa formation militaire de base ait stimulé son endurance, rien dans son éducation ne l'a préparé à affronter la solitude bouleversante d'un bébé dans la nuit. Non plus qu'à la paix profonde qui l'envahit lorsqu'il parvient à la consoler. Il la berce contre sa poitrine, les gencives sans dents de l'enfant suçant son épaule.

— Là, là, tout va bien, maintenant. Papa est là.

•

Les terrains entourant les immeubles où habitaient les « personnes à charge » des militaires étaient immaculés : on avait planté et paillé des tilleuls, et des trottoirs conduisaient à la zone opérationnelle de la base, où travaillait son père et d'où décollaient les avions de chasse. Mais, à un jet de pierre de leur immeuble, juste au-delà de la nouvelle pataugeoire et du vieux bunker, s'étendait la Forêt-Noire. Ce n'était pas un espace sauvage au sens nord-américain, la forêt étant sillonnée de sentiers que, les week-ends, les gens du coin et les familles militaires empruntaient pour des *Wanderungen*, mais la végétation y était dense. Les arbres, des conifères surtout, y poussaient les uns sur les autres et bloquaient le soleil, d'où le nom de la forêt. Dans cet univers ombragé, le sol couvert de mousse, qui semblait élastique, était auréolé de mystère par toutes sortes de champignons et animé par des ruisseaux qui descendaient des Alpes en caracolant. L'effet était à la fois enchanteur et menaçant. En vous écartant des sentiers et en vous enfonçant assez profondément dans les bois, vous risquiez d'être chargé par des sangliers ou attiré dans la tanière d'un loup beau parleur. Maureen lui dit que, à Noël, les lutins décoraient les arbres au cœur de la forêt, mais que seul le père Noël les voyait.

•

Sa femme quitte l'hôpital plus ou moins un mois plus tard et Duncan remercie l'Allemande de ses services. Dolly l'a exigé : on n'a plus besoin d'aide dans la journée. « La mère, c'est moi. » Et, établit-elle clairement, plus rien n'oblige Duncan à faire les cent pas durant la nuit.

•

Grâce au plaisir sans bornes que lui procure la découverte des gens et des lieux, ainsi qu'à son recours intrépide à une forme de *Kanadische Deutsch* complètement absurde, Dolly devient la coqueluche des *Frauen* du coin, qui donnent l'impression d'avoir souri pour la dernière fois avant la guerre. Elle habille la petite Maureen avec un soin méticuleux et lui fait des nattes serrées. C'est l'approbation générale, partout où elle va. «*Aber schön!*» Flanquée de Maureen, elle pousse le landau qui renferme le bébé – la deuxième Mary Rose.

On organisait des soirées au mess des officiers, des fêtes étincelantes avec orchestre de danse et *smorgasbord* – à des années-lumière des *pierogis* et de la côte de bœuf qu'on proposait de loin en loin à Gimli. Mary Rose chérit le souvenir de sa mère qui, dans sa robe de bal, pose à côté de son père en grand uniforme – ce qu'il appelait sa «tenue de pingouin». Mais ce sont peut-être les récits s'y rattachant qu'elle chérit.

Dolly s'est fait élire à la tête du Club des épouses, machine bien rodée au sein de laquelle l'ordre hiérarchique reflétait les grades respectifs des maris des unes et des autres; les écueils politiques étaient donc nombreux. Elle a défait la femme du commandant, Eileen Davies – qui a courageusement proposé de piloter la préparation d'un livre de recettes commémoratif – et s'est retrouvée au centre névralgique d'un joyeux tourbillon domestique: réceptions, comités d'accueil, concerts scolaires, bazars et aide pour toutes les mères dépassées par les événements. Avec sa peau basanée, la petite Dolly de Sydney, au Cap-Breton, a compris qu'elle avait de l'autorité. Son mari, lui, ne s'en est pas étonné. «Penses-tu que je me suis marié avec toi juste pour tes beaux yeux?» Elle s'est moquée de lui parce qu'il la trouvait jolie pour vrai. Quand elle allait bien, elle allait très, très bien.

•

Mais elle reste fatiguée. Encore plus qu'avant, maintenant qu'elle passe ses nuits debout avec le bébé. Quand le bébé fait la sieste, elle dort elle aussi sur le canapé du salon, face à la table basse. Au-delà, la porte vitrée s'ouvre sur le balcon. Au-dessus de la balustrade, le ciel ; en bas, les barreaux. Sont-ils assez rapprochés pour empêcher le bébé de tomber ? Elle se lève pour vérifier.

Les arbres qui procurent de l'ombre en été sont dénudés à présent et donnent l'impression de se recroqueviller, apeurés. Les conifères qui ceinturent la base, eux, semblent s'être rapprochés. Dolly sent la neige. Elle retourne se coucher sur le canapé. Elle entend le bébé pleurer. C'est la première fois qu'elle habite dans un appartement, haut dans le ciel, avec une vue à couper le souffle. Elle n'a jamais rêvé qu'elle vivrait un jour en Europe, mariée au meilleur homme du monde. Si elle a toujours su qu'elle aurait des bébés, elle a longtemps cru que, le moment venu, elle serait comme sa propre mère. Elle ne pleure pas, ce sont ses yeux qui coulent. Comme ses seins, mais ils finiront par se tarir – son lait ne vaut rien. De nos jours, le lait maternisé est préférable, de toute façon.

Elle entend un bébé pleurer. On est quel jour, aujourd'hui ? Un jour de semaine, sans doute, puisque son aînée est à l'école, son mari au travail. Elle se lève et entre. Le bébé pleure, qu'elle le prenne dans ses bras ou pas. Qu'elle lui donne le biberon, le change, le berce, le fasse sauter doucement ou le secoue, le bébé la regarde comme s'il savait quelque chose à son sujet.

— Mary Rose, dit-elle.

Sa voix manque de conviction, même à ses propres oreilles. Comme si elle avait raconté un mensonge.

Le coucou sonne le quart d'heure.

•

Durant la journée, Duncan «pilote un bureau», comme il le faisait au Canada, mais il a cessé de pleurer sa chance de faire partie du personnel navigant – avec ses yeux bleus et ses réflexes de boxeur, il était pourtant le candidat idéal. Il a été mis de côté le jour où le commandant de l'escadre a constaté que, dans la case relative à l'état civil, il avait coché « Marié ». À l'époque, les avions de chasse avaient la réputation de fabriquer des veuves et l'armée, au sortir de la Seconde Guerre mondiale, en avait déjà créé une quantité alarmante. Derrière un bureau européen, la vue était indiscutablement plus intéressante. Il était du bon côté du stylo, mais aussi de la guerre froide. L'Union soviétique n'était qu'à un rassemblement de trente secondes. Dans ce contexte, le mot « logistique » prenait un sens tout à fait différent. Sur le balcon, chaque soir, au crépuscule, sa petite dans les bras, il comprenait un peu mieux le sens de la Paix. Et il avait un rôle à y jouer.

•

Le laisse-t-elle pleurer trop longtemps ? Les bébés doivent pleurer pour renforcer leurs poumons.

Sur le balcon, la lumière du jour reste longtemps la même. Elle aimerait sortir sous le soleil… Mais elle se sent trop lourde.

Elle est couchée sur le canapé, face à la table basse.

Un bébé pleure.

Le soleil a bougé.

Il est tranquille à présent.

Quelqu'un frappe à la porte.

On est quel jour, aujourd'hui ?

Quelqu'un frappe à la porte. On est aujourd'hui ou hier ?

Une voix de femme :

— Dolly ? C'est Eileen. Je suis avec Mona…

Elle ferme les yeux.

La voix de Mona :

— Dolly, si tu es là, ouvre, ma chérie, nous t'apportons un ragoût…

Elle se tourne face au dossier du canapé.

Eileen :

— Pense à Duncan, ma chérie.

À la porte, elle leur dit qu'elle s'était allongée avec le bébé. Elles vont lui jeter un coup d'œil.

—La petite est magnifique. Dolly. Elle te ressemble, dit Mona.

—Réchauffe le plat dans le four à cent soixante-quinze degrés, dit Eileen. Et mets un peu de rouge à lèvres.

•

Duncan sait que sa femme a eu un moment d'abattement après la naissance du bébé, mais elle s'est bien ressaisie. En rentrant chez eux, certains hommes trouvent une femme qui donne l'impression d'avoir passé la journée la tête dans un four sale, mais ce ne sont pas des épouses d'aviateurs. Malgré tout, la plupart des femmes n'arrivent pas à la cheville de Dolly.

—Vous m'en mettez plein la vue, chère madame. Qu'est-ce qu'on mange?

—Du ragoût.

—Miam. Mon plat préféré.

•

Les bébés meurent, ça arrive des fois. Subitement. Il suffit de penser une chose pour qu'elle se produise… Pense à des choses agréables. Mais la terreur envahit le salon, la trouve sur le canapé, se plaque contre elle, s'insinue en elle et grandit si vite qu'elle devient bientôt plus grosse qu'elle et c'est elle qui, du mince cercle d'ombre de l'intérieur de la terreur, regarde dehors. Tout pourrait arriver à son bébé. Se noyer dans sa bassine, tomber du haut du balcon. Être enlevé dans son landau pendant qu'elle a le dos tourné. L'Allemande engagée par son mari pourrait revenir et l'enlever. Tant qu'il est ici, son bébé risque de lui être pris. Comme si, tant qu'il serait en vie, il allait être en danger.

Dort-elle? Elle n'est pas éveillée, en tout cas. Là, la table basse, là, la porte vitrée, là, le balcon. S'ils sont là, c'est que quelqu'un les voit. Il y a forcément un «je».

Un bébé pleure.

Au bout d'un moment, il s'arrête.

Le bébé pleure moins, désormais. Certains jours, il ne pleure pas du tout. Elle se lève et entre. Il ne bouge pas, mais il est réveillé. C'est une petite chose toute foncée. Il la regarde et elle comprend le problème. Il ne m'aime pas.

— Tu te sens mieux, aujourd'hui, maman?

Son aînée lui est d'un grand secours. Elle rentre de l'école à trois heures trente.

— Occupe-toi du bébé pendant que je prépare le repas, Maureen.

À cinq heures:

— Mets la table pendant que je m'habille, Maureen.

Et quand il franchit le seuil:

— Ce que vous êtes élégante, madame. C'est une occasion spéciale?

Un jour, c'est comme si, en elle, l'horloge se remettait en marche. Elle est de retour. Le temps arrange bien les choses.

— Ça sent pas la rose, Mary Rose!

Le bébé glousse. Le bruit lui fait penser à un paquet de Chiclets.

— Coucou! fait-elle en surgissant du rempart de ses mains comme le coucou peint du pendule. Coucou!

Le bébé imite son grand sourire.

Elle n'arrive pas à comprendre ce qui l'a troublée pendant tout l'hiver. C'est à peine si elle réussissait à quitter le canapé.

— Qu'est-ce qui n'allait pas chez moi, Dunc?

— Rien du tout. Tu as eu un bébé. Tu étais fatiguée, c'est tout.

— J'ai eu un gros coup de cafard, quand j'y pense.

— N'y pense plus.

Agrippé à la table basse, le bébé se hisse sur ses pieds.

— Regarde ta fille, Dunc! Elle se tient debout toute seule.

— Bonne fille, Mister!

Les enfants n'avaient pas la permission de jouer seuls dans la Forêt-Noire, mais d'autres attractions compensaient l'insignifiance du terrain de jeu nouvellement aménagé. La guerre avait laissé un bunker en béton ; les fentes pour les canons et les impacts de balle en attestaient l'authenticité. Si, vingt ans plus tôt, vous vous étiez mis à cet endroit, on vous aurait tiré dessus. Une plaque de fer était soudée dans le sol, et Maureen lui a dit que c'était l'entrée d'un abri souterrain où il y avait des provisions et une table bien mise et une salle de jeu pour les enfants. Puis elle a ajouté qu'Hitler y était mort. Qu'il avait crevé de faim avant de se transformer en squelette. «Il est encore là, sous terre, assis à table, une tasse de thé à la main.» Mary Rose absorbait tout. *Hitler* était un mot. Il y a «*hit*» dedans. Frapper. Tout le monde sait que c'est mal de frapper. Un jour, un garçon plus âgé est arrivé avec le vieux masque à gaz de son père sur le visage. Des yeux de verre vides, un obscène museau plissé, pas d'oreilles – son premier souvenir de la peur.

•

Au printemps suivant, elle apprend une nouvelle, la meilleure qui soit. Elle est de nouveau enceinte. Elle va avoir un autre bébé, peut-être même un garçon. Elle a le devoir d'être heureuse.

•

Le bébé suivant a vécu assez longtemps pour être baptisé, et donc son nom lui appartient légitimement. Alexander. Mary Rose a vu la tombe quand ils sont allés au cimetière, quelque part au printemps ; elle se souvient d'avoir baissé les yeux sur elle, les mains en croix. Elle était habillée en blanc, sa tenue assortie à la pierre tombale, posée à plat dans l'herbe. Le chandail de sa mère était confortablement drapé sur ses épaules – et elle se souvient de la douce pression exercée par la main de sa mère pour le retenir. Mary Rose a rompu le silence.

— Pourquoi il est là-dessous ?

— Chuut, a répondu son père avec la même douceur.

Et elle s'est rendu compte que sa question était d'une grossièreté horrible. Elle s'est aussi rendu compte qu'elle aurait déjà dû connaître la réponse. Il est possible aussi qu'elle se souvienne seulement de la photo : un cliché en noir et blanc dans le vieil album qu'elle avait l'habitude d'étudier en secret. Quand son père avait pris la photo, elle avait deux, trois ans. Pourtant, elle savait déjà la différence entre un bunker et une tombe. Hitler dans l'un, son frère dans l'autre. À l'orée d'une forêt remplie de sapins de Noël.

Avec les années, il est devenu Alexander-le-Mort. Son mythe est demeuré statique, au même titre que ses cheveux roux et sa petite couverture jaune – détails que son père n'omet jamais. Jaune, peut-être, pour la jaunisse qui l'avait emporté.

— Rien qui, de nos jours, n'aurait pu être facilement guéri...

Dans l'esprit de Mary Rose, il est suspendu dans les airs, enveloppé dans sa petite couverture jaune, tel un soleil couchant. Pas de date, pas de saison, le sentiment que l'image ne s'inscrit pas dans une séquence. Une seule station du chemin de croix. À la manière d'un mythe, il est en dehors du temps, où il persiste, aussi muet que la photo de la tombe, qu'elle visite et revisite dans l'espoir d'y découvrir quelque chose de neuf. Jusqu'au jour où, ouvrant l'album, elle a constaté sa disparition.

•

Le prêtre administre le baptême juste à temps, et l'infirmière demande au jeune officier de l'armée de l'air s'il aimerait tenir le bébé. Il hoche la tête et elle dépose dans ses bras son fils emmailloté dans sa petite couverture jaune. Le corridor est décoré de guirlandes. Dans la station des infirmières, un petit sapin de Noël est posé sur le comptoir.

Ils l'ont nommé Alexander.

•

Mary Rose était sur le point de célébrer son quatrième anniversaire lorsqu'ils ont été rapatriés au Canada, de l'autre côté d'un océan de temps. Ils l'ont laissé derrière, lui. De la même façon qu'ils ont laissé derrière le ciel, la cime des arbres, le balcon et le gros soleil brûlant qui se couche. Le temps, fracturé, a repris.

— De retour chez nous, les enfants.

La neige. L'anglais. Des saisons extrêmes, des routes larges. Une odeur différente. L'école. «Un peu d'attention, je vous prie!» La base aérienne de Trenton. Nulle trace de chevaux tirant une citerne chargée du contenu des pots de chambre. L'air saturé du lourd vrombissement des ravitailleurs Hercules. Toujours en vue, la vaste étendue qu'on aurait qualifiée de mer dans la plupart des autres pays, mais que, au Canada, on se contentait d'appeler «l'un des Grands Lacs». Bordé d'usines, siège des «Mille Îles», traversé dans le sens de la longueur par la frontière avec les États-Unis, le lac Ontario était un tombeau pour les épaves de navires et les déchets ou encore une immensité azur, selon la saison et le point de vue. Ils vivaient de nouveau sur une base, mais les gracieux tilleuls et les immeubles d'appartements rutilants avaient cédé la place à trois styles de maisons fonctionnelles, immaculées, sans le moindre jardin en vue – les jardins requéraient un engagement à long terme.

— Un de ces jours, je vais planter un arbre, méditait son père.

Son frère – le-frère-qui-a-vécu – était né là, puis ils avaient été mutés de nouveau, à Hamilton, cette fois, à trois heures de route sur la 401. *Regarde Jane courir!* Ville différente, même lac. Nouvelle école. *Regarde Jane tomber!*

Chaque fois, les MacKinnon laissaient des objets derrière : des jouets cassés, des vêtements trop petits, des bébés. Au lieu de se souvenir de ces objets, ils les transformaient en mythes. Mary Rose a ainsi abandonné ses amygdales à Hamilton. Bien que moins lyriques qu'un cœur laissé à San Francisco, les amygdales de Mary Rose, soutenait son père, avaient la distinction d'avoir été jetées dans les égouts de la rivière Niagara et d'avoir franchi les chutes.

— Tu peux maintenant te vanter d'avoir descendu les chutes sans baril, lui a-t-il dit avec un sourire en coin.

Elle s'est sentie à la fois excentrique et brave. Pendant un moment, la sensation de brûlure causée par l'épée de feu plantée dans sa gorge s'est atténuée.

En vieillissant, elle a compris que ses amygdales avaient plus vraisemblablement été incinérées avec les déchets médicaux de l'hôpital et s'étaient envolées en fumée par la haute cheminée. Quoi qu'il en soit, elles étaient quelque part. Tout était quelque part. Chaque soir, dans ses prières: «Que Dieu bénisse maman et papa et Maureen et l'Autre Mary Rose et Alexander-le-Mort et Andy-Patrick et les autres Autres…»

Ces derniers étaient les âmes des frères et des sœurs qui auraient pu naître. Ils expliquaient les propos que Dolly tenait fréquemment:

— Vous auriez pu être sept et non trois. Attendez, disons huit, plutôt.

Les fausses couches. Les «autres» sans nom qui, au même titre que l'Autre Mary Rose et Alexander-le-Mort, étaient entrés dans la légende familiale.

Le facteur Rh était la cause de tous les décès: la première grossesse ne pose pas de problème, mais, par la suite, les anticorps de la mère attaquent les fœtus dont le sang n'est pas Rh négatif. Mary Rose s'est toujours considérée comme chanceuse, croyance peut-être fondée sur le fait qu'elle est née entre une sœur et un frère morts: elle avait gagné à la roulette du type sanguin. D'où sa présence ici – sans oublier que sa sœur aînée ne l'avait pas laissée tomber du haut du balcon, là-bas, en Allemagne.

Elle se souvient d'un dessin humoristique dans le *New Yorker*: un kangourou est debout à un carrefour passant. À ses pieds, sur le trottoir, gît un homme en costume, face contre terre, un trou de projectile dans le dos. Le kangourou regarde de côté d'un air coupable. La légende résume sa pensée: *Celle-là, elle était pour moi.*

Chaque fois que le passé commençait à s'accumuler derrière Mary Rose et menaçait de s'écrouler, la famille déménageait et, presto, on lui accordait une deuxième chance. Elle était douée pour la nouveauté. Ils l'étaient tous. Les MacKinnon étaient toujours nouveaux et presque, presque comme les autres. Toujours à une porte de la normalité. C'était comme grandir au sein du programme de protection des témoins, mais sans changer de nom.

Mais ce n'est pas qu'une question de chance – sa vie scintillante, malgré le courant d'air froid qui lui souffle dans le dos. Bien qu'elle ne le dise pas tout haut, Mary Rose MacKinnon estime avoir bénéficié d'une intervention divine. Pour une athée, ce n'est pas un mince exploit. Sur son bulletin de première année, à l'école de Trenton, son institutrice a écrit: «Élève lente». Désignation qui lui a collé à la peau dans deux écoles et menaçait d'en ruiner une troisième lorsqu'ils étaient repartis dans l'autre sens le long du lac Ontario. Jusqu'à Kingston, cette fois, à quatre heures de route.

Kingston était surnommée la «ville du calcaire», avec ses forts et ses prisons historiques, son université et ses hôpitaux. Au nombre de ces derniers figurait l'asile de fous, ainsi que tout le monde appelait l'Hôpital de l'Ontario – nom qui, en raison de sa banalité même, avait acquis un aspect sinistre. C'est à Kingston que sir John A. Macdonald, «père de la Confédération» du Canada, avait ourdi le complot qui allait devenir un pays, et les bâtiments les plus anciens hébergeaient une multitude de récits, construits à même les fossiles de plantes et d'animaux sédimentés et pétrifiés.

Elle était sur le point de faire son entrée à l'école catholique Notre-Dame-de-Lourdes, en quatrième année, lorsque Duncan avait pris rendez-vous avec la directrice.

Mary Rose s'était habituée à être lente. Inexplicablement, d'autres enfants sortaient des livres de leurs pupitres et les ouvraient à la page soixante-dix-neuf ou produisaient des pommes de terre qu'ils avaient apportées de la maison et les taillaient pour en faire des lettres qu'ils trempaient dans la peinture. Elle était incapable de tracer un cercle ou de colorier dans les lignes. Infractions qui lui valaient des coups de règle. Les coups n'étaient pas violents. L'objectif était plutôt d'humilier. La règle, c'était pour les garçons. Une fille qui en recevait devenait un paria. Par chance, elle était déjà tellement ailleurs qu'elle n'avait pas conscience d'être rejetée. Tout avait commencé à la maternelle, avec son incapacité à faire la sieste. Par la suite, la situation s'était encore détériorée.

Elle mettait l'accent sur les visages, les tons de voix, les pulsations de l'air autour de son interlocuteur, la forme et la texture des sons, la couleur et le caractère des chiffres et des lettres – *a* était rouge, *e* vert, *4* brun, *5* rouge, *3* féminin, *7* masculin, *b* stupide, *3* méchant, *4* gentil, *m* bleu, *q* jaune, *j* solitaire, *7* sexy, *8* orange, *2* blanc comme une pierre tombale… Elle ratait beaucoup de choses. « Un peu d'atten-tion, je vous prie! » Les lettres changeaient de place, les mots sau-taient sur la page. *Regarde Jane tomber!* L'univers cessait-il d'exister chaque fois qu'elle clignait des yeux? Vide noir, béant pendant une seconde. Sinon, tout le monde se mettait-il à manger du gâteau au chocolat dès qu'elle fermait les yeux et le cachait-il quand elle les rouvrait? *Regarde Jane courir!*

La directrice de Notre-Dame-de-Lourdes était sœur O'Halloran – religieuse moderne vêtue d'un tailleur qui lui donnait la forme d'une boîte. Seuls son crucifix et son visage non maquillé indiquaient qu'elle était une fiancée du Christ. Duncan l'a rencontrée et, en-semble, ils ont concocté un plan visant à faire sauter la quatrième année à Mary Rose. Une nouvelle mythologie a alors vu le jour : elle était non pas lente, mais futée. Il était là, le problème. « *Je ne suis pas un vilain petit canard. Je suis un cygne magnifique!* »

Elle s'était ennuyée, lui a dit son père. Ce qu'il lui fallait, c'était un défi. Comme Einstein, a-t-il précisé. *Surtout, pas de pression.* On va te mettre en classe accélérée. Elle avait huit ans, elle a bu ses pa-roles. *Je vais être excélérée.* Aux yeux de son père, c'était une expéri-mentation dont le résultat, quel qu'il soit, ne pouvait être qu'hono-rable. Si, au terme de la période d'essai, elle préférait redescendre en quatrième, avec les élèves de son âge, rien ne l'en empêcherait. Pas de malaise. Mais si elle s'épanouissait en classe de cinquième, alors… « Tout est possible! »

Le temps s'est ouvert et a avalé la quatrième année (brune). Le chan-gement a été radical : avant, le Chaos; après, la Lumière. Elle a com-mencé la cinquième année (rouge) et est passée du statut d'âne à celui de petit génie. Miracle digne de Lourdes : Notre-Dame lui a fait sauter une année. Elle a prêté attention et s'est habituée à être la plus jeune.

Ces jours-ci, elle s'habitue à être la plus vieille, à fréquenter le terrain de jeu aux côtés de femmes de dix à quinze ans plus jeunes qu'elle. Il y a des destins moins enviables que celui d'être admise d'emblée dans le club des « mamans appétissantes ». Ce qui ne veut pas dire qu'elle flirte. Du salon lui parviennent des échos de la version de *Carmen* que chante sa mère au téléphone :

— *Toréador, en ga-a-a-rde, toréador, prends ta veste, pis va jouer dehors!*

Elle sort de la salle de bains et remet les ciseaux à leur place – elle se souvient alors de l'endroit où elle les a vus la dernière fois : dans sa main, quand elle a ouvert la boîte du pied pour le sapin de Noël. Elle a dû les oublier sur le sol de la cuisine, au milieu du matériel d'emballage, et Maggie a laissé tomber la clé de voiture pour les prendre. Même si elle a très envie de reprocher à Jésus d'avoir inventé Noël, Mary Rose sait que c'est par sa faute que sa fille a joué avec des ciseaux. Des ciseaux qui auraient pu sectionner un doigt, couper l'os tendre d'un enfant…

Dans le salon, Maggie démolit les rails en bois de Matthew, tandis que, dans le combiné posé à plat sur le sol, Sitdy chante infatigablement «Hello, Dolly!». Mary Rose se penche et ramasse l'appareil.

— Salut, maman. Merci d'avoir diverti Maggie.

— Où est Hilary?

L'écoute n'a jamais été le point fort de Dolly.

— Elle est à Winnipeg, maman, elle…

— Tu as eu des nouvelles de ton frère?

— Quoi? Non, pas récemment.

Elle commence à éprouver un vieux sentiment désormais familier – à quoi bon s'accrocher à un train de pensées qui, de toute manière, va dérailler d'une seconde à l'autre?

— Veux-tu bien me dire ce qu'il fabrique, celui-là? Il n'a pas donné signe de vie depuis…

— Il va bien, maman, il est en vie, occupé.

Elle suit Maggie dans la cuisine. La petite doit être changée. Le soleil matinal s'intensifie, inonde la pièce de lumière. Bientôt, le lierre encadrera les fenêtres et ce sera comme voir le monde par la lorgnette d'un enchantement… Peut-être devraient-elles renoncer à la sieste matinale et aller au parc.

Faussement timide, tout d'un coup, sa mère chuchote théâtralement :

— Tu crois que Shereen et lui vont avoir un bébé?

— J'espère que non.

— Pourquoi pas? Il est le dernier représentant de la lignée des MacKinnon.

Nous sommes des rois, à présent?

— Il y a des tas de MacKinnon dans le monde, maman.

Sa mère est une Mahmoud, une Arabe – *pas Arabe, Libanaise!* –, et pourtant la gardienne autoproclamée du clan MacKinnon. À l'image des juifs d'Hollywood qui ont créé *Noël blanc*. À l'image des gays qui ont créé… tout le reste.

— Il est le dernier représentant de la lignée de ton père.

Dolly se fait plus insistante, et son ton est celui de la mise en garde.

— Ils en auront peut-être un, maman.

Elle n'a rien contre la fiancée de son frère – rien ne cloche chez Shereen, et c'est la seule chose qui cloche chez Shereen.

Dolly redevient faussement timide.

— Ils auront peut-être un fils.

La vérité, c'est qu'Andy-Patrick a déjà deux enfants : deux filles adultes issues de son premier mariage. Dolly a beau les aimer, elles ne comptent pas, à ses yeux, dans la perspective de «la lignée de ton père», pas plus que Mary Rose et sa sœur. Mo, elle, ne s'est pas laissé préoccuper par si peu : elle a épousé un gentil Polonais, a pris son nom et s'est abritée derrière les *zs* et les *vs*.

— Possible, maman.

Il est aussi possible que Shereen, beaucoup plus jeune, exige une égalité absolue sur le front domestique.

— Ce serait génial pour lui.

Soudain, Dolly est solennelle.

— Je n'étais pas douée pour avoir des bébés.

Nous y voilà…

— Mais oui, maman, tu étais super.

— Quel âge avais-tu quand ton frère est né?

— Cinq ans.

— Tu as eu tes cinq ans en Allemagne?

— Quoi? Non, j'étais sur le point d'avoir quatre ans quand nous sommes rentrés au Canada…

— Je veux parler d'Alexander-le-Mort.

— Ah! Je ne sais pas, maman. Un an ou deux, je suppose. Trois ans.

— C'était avant ou après la mort de ma mère?

— Je ne sais pas, maman. Peut-être que papa se…

— Tu te souviens de ce que tu m'as dit quand j'étais enceinte d'Andy-Patrick et que je t'ai expliqué que, si c'était un garçon, nous allions l'appeler Alexander…

— Oui, maman. Je m'en souviens.

— Tu avais seulement cinq ans et tu m'as dit, commence Dolly avant d'emprunter la voix d'enfance de Mary Rose: «Faut pas l'appeler Alexander parce que z'ai peur qu'on devra le mette dans la messante terre!»

Dolly rit.

Mary Rose se demande si elle parlait vraiment comme Titi.

— Qu'est-ce qu'il y a dans le paquet, maman? dit-elle.

Obsession pour obsession, elle préfère encore celle-là.

— Je t'ai envoyé un *paquiet*.

— Je sais.

— Ah bon?

— Tu me l'as dit.

— L'est là?

Mary Rose grimace. Depuis quand sa mère s'exprime-t-elle de façon aussi exécrable?

— Non, *il* n'est pas encore arrivé. Quand l'as-tu posté?

— Juste avant Noël, non, attends, juste après Noël, juste avant de vous voir après Noël.

— Avant la visite d'après-Noël que vous nous avez rendue après Noël?

— C'est ça, Sadie, Flo, Mo…

— C'était il y a presque trois mois, maman.

— Ah bon? Ben, veux-tu bien me dire ce qui se passe au nom du ciel, nom de nom?

— Tout va bien, maman. Ne t'en fais pas pour des babioles.

— Des rabioles? Tu prépares des rabioles? J'adore les rabioles!

— BABIOLES! NE T'EN FAIS PAS POUR DES BABIOLES!

— Pas la peine de crier.

— Excuse-moi, maman. Il vaut mieux que j'y aille. C'est l'heure du dodo de Maggie.

— Elle dort encore le matin?

Soupir.

— Où est Hilary?

— Elle est à…

— Qu'est-ce qu'elle fait à Winnipeg?

— *L'importance d'être…*

— On arrive le sept.

— Ah, d'accord. À quelle heure?

Mary Rose ouvre le tiroir de la table du téléphone à la recherche d'un stylo.

— Sept heures.

— À sept heures le sept? Sept heures du matin?

Pas de stylo. Des crayons à la mine cassée.

— Onze.

— À onze heures le sept?

Il sera facile de s'en souvenir.

— J'ai dit ça?

— Je… Je ne sais pas, maman. Oui ou non?

Où sont passés tous les stylos?

— C'est quel jour de la semaine, au juste?

— Tu m'as toute mélangée… Où est le calendrier que je t'ai donné?

— Désolée, maman. Papa est là? Tu veux me le passer pour que je…

Elle exhume le calendrier du tableau d'affichage où il est punaisé depuis la visite de ses parents en janvier.

— Attends, je vais chercher mon sac…

— Non, maman, ne va pas chercher ton sac, c'est bon, téléphone-moi quand tu sauras à quel…

— Prends quelqu'un pour t'aider avec les enfants, tu l'as bien mérité, ma chérie.

— J'ai déjà Candace, maman.

— Prends-la à plein temps.

— Je n'ai pas besoin d'aide.

— Prends le temps de vivre un peu, Mary Rose!

Chaque fois que sa mère prononce d'emblée son prénom, Mary Rose a le sentiment de le voir entre guillemets, comme si Dolly débitait une réplique dans une pièce.

— Merci, maman.

Elle raccroche et examine le calendrier punaisé au tableau d'affichage – unique îlot de désordre dans une cuisine bien rangée. On y voit une série de fleurs à l'aquarelle peintes par un artiste limité à l'usage de son pied. Il n'y a rien à en dire, sinon qu'elles ont été peintes avec un pied. Dans le coin inférieur gauche, une légende la remercie de son soutien à la Ligue des femmes catholiques. Ses parents viennent-ils le sept à onze heures ou le onze à sept heures ? Mo saura, elle.

Elle aperçoit le poulet mort sur le comptoir. Soudain, il ne lui dit plus rien.

« Plus de frissons », songe-t-elle.

Évitant l'aile, elle le saisit par en dessous et il repose dans sa main. Image elle-même troublante dans la mesure où la volaille lui fait penser à un bébé. Peut-être devrait-elle s'essayer de nouveau au végétarisme. Elle laisse tomber le poulet dans un sac en plastique refermable et, au même moment, un éclair de lucidité la traverse : l'hôtel Fort Garry est à Winnipeg et non à Calgary. C'est à Winnipeg qu'elle a fait l'acquisition *des couteaux qui vont rester mieux aiguisés que votre esprit !* Prairies contre montagnes. Vertige contre claustrophobie…

Elle se penche sur le tiroir du congélateur et glisse le poulet entre un sac de petits pois biologiques et un bac à glaçons rempli de purée de patates douces. Elle admire une fois de plus le panier de la machine à glace plein de glaçons tout frais pondus et se félicite de ne pas avoir laissé les aliments le coloniser, comme chez certains. Comment les gens peuvent-ils vivre ainsi ? Au fond, il y a un mystérieux objet. Elle tend la main vers lui, puis s'écarte : il suffit parfois de prélever un seul fragment givré pour finir par nettoyer tout le réfrigérateur. Elle a une liste de choses à faire aujourd'hui et le ménage du réfrigérateur n'en fait pas partie. Son frère envisage-t-il sérieusement de fonder une nouvelle famille avec Shereen ? Mary Rose veut son bonheur, bien sûr. S'il a envie d'un autre bébé à ce stade avancé de sa vie de petit garçon, grand bien lui fasse. C'est juste que… il est irritant de constater l'orgueil suranné, typique des vieux pays, que les prouesses reproductives de son fils inspirent à sa mère. Sans compter que Shereen n'est pas assez bien pour son frère. *Je me contredis, là ? Bon, d'accord, je me contredis.*

Elle referme le congélateur et grimace à la vue des bosses sur le tiroir. Dans la couronne de la cuisine rénovée, le réfrigérateur était le joyau en acier inoxydable, et Mary Rose a laissé croire à Hilary que c'est Maggie qui a fait ces marques avec sa poussette. Elle le remplacerait volontiers si l'appel de service ne représentait pas un défi logistique presque insurmontable.

— Non, Maggie, le caca reste dans la couche !

Mobilisant toutes ses forces, Mary Rose agrippe sa fille et, en la tenant à bout de bras comme un sac de déchets toxiques, monte à l'étage.

En général, elle n'abîme plus les choses ; le réfrigérateur est une aberration. Dans le pire des cas, elle se frappe la tête à coups de poing ou se la cogne contre un mur. À l'époque, avant Hilary, elle avait l'habitude d'aller dans la cuisine, d'ouvrir le tiroir, puis de prendre le plus gros couteau par la lame et de la serrer jusqu'à ce que la peau soit sur le point de se fendre. Elle n'a toutefois jamais versé dans la pathologie, celle des coupures nettes et franches. Ces jours-ci, elle ne risque pas de jouer avec des couteaux ; elle est beaucoup trop lucide. D'ailleurs, il ne lui viendrait pas à l'idée de garder ses bons couteaux dans un tiroir.

•

Elle se réveille. Ils l'ont gardée. Elle est dans une aile plus tranquille, à un autre étage. Il y a quelque chose dans la pièce, une chose qui prend de la place, une présence… cette chose a des informations sur elle… Elle sombre de nouveau dans le sommeil.

Elle se réveille. Par la porte entrouverte, elle aperçoit les guirlandes qui décorent le couloir… C'était un garçon. Il est mort.

•

Le temps est presque tropical. Mary Rose pousse Maggie dans son landau, Daisy trottinant à côté d'elles. Elles vont chercher Matthew pour dîner. Les dernières croûtes de glace brune finissent de s'écouler dans les égouts pluviaux, tandis que, au-dessus de leurs têtes, les arbres sont chargés de bourgeons ; chaque année, elle se promet de saisir le moment où ils s'ouvrent et, chaque année, elle est surprise de trouver la ville envahie par les feuilles. Le bruit de la circulation s'intensifie au fur et à mesure qu'elles s'approchent du coin de Bathurst, une rue très passante. Près du feu, devant le dépanneur, la propriétaire pose des plantes vertes sur des tablettes, au rythme du majestueux *Adagio* d'Albinoni.

— Salut, chantonne la dame. Comment ça va ?

— Salut, Winnie.

La musique et les plantes créent une zone tampon entre le trottoir et les aspérités de la rue Bathurst. En attendant que le feu passe au vert, Mary Rose est enveloppée dans une bulle, un instant cotonneux et doux. Dès qu'elle tourne le visage vers le soleil, cependant, elle éprouve un pincement de culpabilité. Elle doit téléphoner à sa mère sans tarder et écouter patiemment les radotages de la pauvre chère vieille. Sa mère a pris l'habitude de parler des bébés morts, de répéter les même phrases toutes faites – Mary Rose a observé le phénomène l'été dernier et, plus récemment, en janvier, à l'occasion de la dernière visite de ses parents. C'est peut-être une conséquence du vieillissement : des marchandises du passé, serrées les unes contre les autres, se détachent, glissent à fond de cale, et font sentir leur présence, des décennies plus tard. Mary Rose comprendrait si le besoin de sa mère de dire et de redire les choses était le symptôme d'un deuil différé. Le plus déconcertant, le plus sinistre même, c'est l'espèce de gaieté qui s'insinue dans les récits de Dolly. À l'entendre, on croirait presque que ce sont des histoires drôles.

Dolly ne se souvient jamais de la chronologie des événements, pas plus que Duncan, pourtant d'une précision ahurissante. La mention d'Alexander provoque invariablement une confuse remontée dans le temps dont le but est de déterminer si la mère de Dolly est morte avant ou après la naissance du petit et combien de jours il a vécu. Huit ? Trois ?... Comme si tout cela s'était produit en temps de guerre et que, une fois les bombes larguées et les sirènes réduites au silence, on avait recollé les fragments épars dans le mauvais ordre, avec des trous çà et là.

La lumière passe au vert et elles s'avancent – Mary Rose tousse et sent une sorte de constriction dans sa gorge. Elle ne doit surtout pas tomber malade avant le retour d'Hil. La poussette s'arrête au milieu de l'intersection, devant les voitures immobilisées au feu rouge, tels des chevaux qui tirent sur les rênes. Maggie a réussi à se défaire d'une de ses bottes, qui s'est logée dans l'espace de rangement. Mary Rose se penche pour la récupérer, a droit à un bécot à l'émeri de la part de Daisy et se relève à temps pour éviter d'être heurtée par un imbécile au volant d'une Smart.

— Pousse-toi ! hurle-t-elle.

Regrettant déjà ce gaspillage d'adrénaline, elle les guide sans encombre de l'autre côté de Bathurst.

Elle n'est pas certaine du nombre d'« autres », mais, par Maureen, elle sait que l'un d'eux a été jeté dans les toilettes, à Kingston. Leur maison était neuve et donc, se disait-elle, non hantée. Mais qui peut affirmer qu'un embryon n'a pas la force de hanter une maison – même une maison à demi-niveaux de banlieue ? Selon l'Église, il avait une âme. Et pourtant, son âme n'a pas été la bienvenue au paradis, pas plus que celle de l'Autre Mary Rose. Que faisait Dieu de toutes les âmes des limbes ? Étaient-elles recyclées ? Récoltées comme des âmes souches, capables de conférer l'immortalité ? Il arrive souvent que des héros descendent aux enfers à la recherche d'une âme perdue, mais, à la connaissance de Mary Rose, aucun n'est jamais allé dans les limbes – « l'autre lieu » – dans le même dessein. Elle devrait noter cette idée. Pour son troisième roman.

Plus tard, plus tard. Elles sont arrivées à l'école. Et son magnifique garçon est là, en rang avec ses camarades de classe, de l'autre côté de la porte de verre, attendant d'être libéré. Et de courir vers elle.

•

Elle ne se rappelle pas si c'est son mari qui l'a apportée, mais elle est ouverte sur la table de chevet : une boîte à bijoux recouverte de velours gris. Elle contient une bague. Une pierre de lune d'un bleu laiteux, légèrement iridescente. La boîte est ouverte, c'est sans doute elle qui l'a ouverte. La même chose lui arrive fréquemment. Elle a le sentiment d'ouvrir les yeux sur une scène de film, puis le film saute, parfois à l'envers, parfois à l'endroit. Elle a du mal à suivre l'histoire. Entre deux séquences, l'écran devient tout noir. Sans doute à cause des médicaments qu'on lui administre. Pourquoi lui administre-t-on des médicaments? Elle n'est pas malade.

C'est son deuxième séjour dans cette aile, elle y est venue après la naissance de Mary Rose – la deuxième Mary Rose, celle qui a survécu. Elle n'est pas folle, c'est l'Allemagne, ici, pas Winnipeg, elle sait que c'est Noël. La bague dans la boîte est bleue. Comme un bébé mort-né. Ce bébé-ci n'est pas mort-né, alors pourquoi lui a-t-il offert une bague mort-née? Ce bébé-ci est né vivant. Elle l'a entendu pleurer. On ne lui a pas permis de le prendre – «C'est mieux comme ça», lui a-t-on dit. Ils l'ont emmené et ils ont appelé un prêtre.

Elle ouvre les yeux. Son mari est là, assis près de son lit, derrière un journal. Il est en uniforme. Il a dû venir du travail. Elle porte la bague.

—C'est joli, dit-elle.

Il lève les yeux.

—Comme toi.

Il se lève et se penche pour l'embrasser sur le front.

Elle a le visage humide. C'est fréquent. Elle serre la main de l'homme dans la sienne pour le rassurer. Il a maigri.

— Qui te fait la cuisine?

—Armgaard.

Elle laisse une bouffée d'air dédaigneuse s'échapper d'entre ses lèvres sèches.

—Eileen et les autres femmes sont venues, dit-il. Elles ont apporté un ragoût. Moins bon que le tien.

Il sourit.

—Et ne t'en fais pas pour le bébé. Il va bien.

Elle met un moment à comprendre qu'il veut parler de Mary Rose qui, après tout, est encore le «bébé» de la famille – le bébé qui est à la maison, et non celui qui est à la morgue. Il referme sa main sur la sienne et elle sent la bague mordre les doigts voisins. Il est si bon pour elle.

Quand elle se réveille, il fait noir et il est parti.

•

Cinq heures de l'après-midi : heure fatale pour les enfants et les chiots, qui tendent à faire des crises, heure brutale pour ceux qui rentrent du travail, heure de tracas et d'errance pour les vieux en proie à l'agitation vespérale. Point de basculement primal entre le jour et la nuit qui plonge dans le cœur de l'*Homo sapiens* une terreur diffuse, vestige d'une époque où nous étions des proies. D'où l'invention de l'heure de l'apéro.

Dans la cour, Mary Rose parvient à négocier une heure sans apéro. Elle souffle des bulles de savon pour Maggie et Daisy, qui bondissent et referment allègrement leurs crocs, tandis que Matthew dessine calmement sur les dalles avec des craies. Ses cheveux de lin tombent sur ses yeux bleus au regard grave pendant qu'il esquisse une voiture, un dinosaure… Sa capacité de concentration s'accompagne d'un petit corps fort et bien coordonné, lui conférant une maturité au-delà de ses cinq ans. Avant d'aller le chercher, Mary Rose a tenté de rétablir les rails fractals, de remettre Percy, Thomas, Annabel et les autres au bon endroit parmi toutes les permutations possibles, mais il s'est tout de suite douté de quelque chose.

— C'est pas pareil, a-t-il déclaré d'un ton solennel.

Elle a songé à lui dire que le train avait pris vie et qu'il s'était réorganisé tout seul. Y croirait-il ? Serait-ce mal ?

— J'ai bien peur que Maggie se soit amusée avec ton train, Matthew.

Elle s'est blindée en prévision d'une explosion, mais il s'est montré philosophe. Voire indulgent.

— Oh, Maggie, a-t-il laissé tomber. C'est encore un bébé.

C'est donc avec la sensation d'une paix troublée, celle d'un lac à la surface vitreuse qu'une brise légère fronce au crépuscule, qu'elle voit son frère, Andy-Patrick, garer devant chez elle une rutilante

BMW flambant neuve. Il ne passe pas souvent – il s'arrête en gé-néral quand l'intervalle entre deux conquêtes se transforme en disette de quelques jours ou, plus récemment, chaque fois qu'il sent le besoin de renouveler sa promesse de rester fidèle à sa fian-cée, Shereen, qui voyage beaucoup dans le cadre de ses activités professionnelles de dealer. De représentante d'une compagnie pharmaceutique. Mary Rose tend à s'énerver chaque fois qu'elle rend service à Andy-Patrick en profitant de son statut de grande sœur pour le sermonner à propos de ses défauts. À la façon d'une entraîneuse qui, après avoir rafistolé le boxeur, le renvoie dans le ring : « Bouge-toi, écoute-la sans essayer de la transformer et change ton pantalon de survêtement. »

— Shereen est partie, hé, dit-il en refermant la portière avec un solide *fomp* bavarois.

Les enfants l'assaillent, Daisy danse avec lui sur les dalles, lui administre des baisers d'une force bovine.

— Où, cette fois-ci ?

— Elle est partie *partie*.

— Oh.

— Ça va, dit-il en verrouillant les portières avec un *bip*. Je suis guéri.

Il sent l'euro-mâle : café, cigarettes, eau de Cologne *pour lui**. Il partage leur repas composé de sandwichs au fromage grillés, de soupe aux tomates, de brocolis et de popsicles faits avec de vrais fruits. Il joue à la cachette, fait le cheval dans toute la maison et aide même avec le bain. Ensuite, il lit une histoire aux enfants – *Ils venaient de la planète Aargh!* –, puis il les « bordouille », mot-valise qui mêle *border* et *chatouiller*. Il descend et Mary Rose entreprend de calmer les en-fants dans le sillage des stimulations glamours offertes par leur oncle – même le hamster de Matthew s'est mis à courir dans sa petite roue en métal, et les ballons à moitié dégonflés, vestige de la fête organisée pour son cinquième anniversaire, flottent au-dessus du sol, soulevés par les vagues d'hilarité. L'un d'eux effleure le dos de Mary Rose, assise sur le bord du lit de son fils, dans le noir, et elle le repousse – que Dieu bénisse le Roi des ballons et son hélium qui vaut son pesant d'or. Il serre contre lui son bien-aimé Jeannot, lapin miteux souvent toiletté par Daisy. Mary Rose caresse le dos de son petit garçon, qui soupire d'aise.

— Tu as éloigné le nuage, mama.

— J'ai éloigné le ballon, mon ourson.

— C'était un nuage dans mon dos.

— Il est parti, maintenant?

— Tu l'as éloigné.

Sans doute est-il trop jeune pour être assailli par un «nuage». Il dit parfois des choses à faire frémir. *Je me souviens de la première fois que je suis né…* Il est peut-être médium. Ou seulement triste, peut-être. Il a déjà subi une rude épreuve. Les battements du cœur d'Anna, sa voix, son rythme, le parfum de sa mère biologique. Envolés. Sur sa commode, une photo d'elle, la grande tente à rayures du cirque en toile de fond; elle agite la main, équipée de son gilet de sécurité et de son casque de protection. Entrée dans la mythologie. C'est peut-être mieux ainsi, mais il se souvient sans doute d'elle, au niveau cellulaire. Il sait ce que c'est que d'être hanté. Mais il sait aussi ce que c'est que d'être consolé. Elle remonte sa licorne en verre, dont la petite mélodie tinte.

Elle entre dans la chambre de Maggie, se penche sur le montant du berceau et remonte le duvet sur ses épaules. Maggie le repousse aussitôt.

— Lait, prononce-t-elle sur un ton menaçant.

Mary Rose cède et lui apporte un biberon. Juste cette fois-ci. Elle essaie de la câliner, mais Maggie n'a pas envie d'être câlinée. Du moins pas par mama. Elle s'empare du biberon et roule sur le côté.

Depuis le début, Mary Rose réussit moins bien à réconforter sa fille que son fils. En un sens, c'est normal: Hil est la mère biologique de Maggie, et c'est elle qui l'a allaitée. Mary Rose a compris ce que les pères ressentent souvent: l'impression de venir au second rang dans l'affection de la mère, mais aussi dans celle du bébé, malgré les longues nuits passées à marcher avec lui dans les bras. Son propre père l'a promenée dans la nuit pendant des semaines – des mois? –, tandis que sa mère séjournait à l'hôpital. Malgré son sexe et sa génération, il l'a maternée pendant cette cruciale période précoce. Pour elle, son corps, sa voix, son regard étaient synonymes de douceur, et elle se sentait en sécurité dans ses bras, sur le balcon, au crépuscule. *Bonne nuit, mon petit lapin. À demain matin…* Mary Rose a été une Autre Mère moderne exemplaire : d'un grand soutien pendant l'accouchement, toujours prête à se lever la nuit, elle a attendu, avec une infinie patience, que la passion d'Hil se rallume. Et attendu encore.

En bas, Andy-Pat joue au piano le thème de *Joyeux Noël, Charlie Brown* – on est presque à Pâques, il a peut-être besoin d'un calendrier peint avec le pied. Le bras de Mary Rose lui semble trop chaud. Elle entre dans la salle de bains, où elle avale un comprimé d'Advil – même si, la douleur étant purement psychosomatique, elle devrait plutôt prendre un placebo.

À la table de la cuisine, elle leur sert un scotch :

— Tu veux voir le cadeau d'anniversaire que j'ai acheté pour Shereen ?

— Pourquoi lui acheter un cadeau d'anniversaire si vous n'êtes plus ensemble ? Qu'est-ce que tu cherches à accomplir ?

Elle s'en veut d'être une fois de plus passée en mode « sermon » – il a beau être son petit frère, il a quand même quarante-trois ans.

— Demande-moi seulement de te le montrer.

— O.K. Montre-moi son cadeau.

Il tend son poignet, où est accrochée une grosse et clinquante montre Tag Heuer.

— Et la BMW ?

— Ça ? Ce n'est pas un achat thérapeutique, c'est une nécessité.

Il se penche, adopte un ton de conspirateur.

— Je l'ai eue pour une bouchée de pain, O.K. ? Slavko, le mécanicien qui s'occupait de la Hyundai ? Je t'ai peut-être déjà parlé de lui.

Un sourire chaleureux éclaire son visage puéril.

— Un colosse, un vrai ours, hé, un type qui jure comme un charretier et pourrait facilement te casser en deux, mais qui te donnerait sa chemise sans hésiter, tu vois ? Alors il m'a mis en contact avec un concessionnaire essentiellement virtuel, O.K. ?

Son ton se fait saccadé, viril.

— Pas d'inventaire. On déplace les voitures au besoin. Pas de frais généraux… Bonne nouvelle pour bibi, donc.

Il s'assied, nonchalant, et fixe un coin du plafond.

Mary Rose connaît cette expression, c'est celle de son père, qu'elle-même avait l'habitude de cultiver à son avantage – la bonne vieille expression qui affirme qu'il faut se méfier de l'eau qui dort. En ce qui la concerne, elle masque une dissociation et une propension à se leurrer soi-même, légères mais chroniques. Son frère s'en tire haut la main parce que c'est un homme – en fait, elle l'aide même à baiser. Il est bel homme, il faut bien le dire. Au chapitre de la beauté conventionnelle, Mary Rose et lui bénéficient d'un avantage : leur mère a un gros pif, leur père un bec d'aigle et Maureen un profil romain, mais les deux plus jeunes, par suite d'un coup de chance récessif, ont un joli petit nez. Phénomène lié au type sanguin chanceux, peut-être.

Bien qu'Andy-Patrick soit bien pourvu côté charme, c'est la lueur dans son œil qui le rend si séduisant, et elle est de retour. Adieu chinos bouffants, laine polaire décolorée des Noëls d'antan et kilos (deux ou trois) en trop. Il porte un t-shirt neuf avec la sérigraphie d'une antique pub de café, un jean Diesel et une ceinture western dans l'air du temps. Bref, la métamorphose de celui qui a eu le cœur brisé.

Il plisse les yeux – *Bond, James Bond* – et dit :

— Je vais me faire coiffer, mercredi. Quelques mèches de couleur discrètes. Tu veux venir ?

Il est agent de liaison pour la Gendarmerie royale du Canada ; tout indique qu'il travaille quand bon lui semble, mais il doit être prêt à revêtir sa tenue écarlate et à monter sur une estrade à quelques minutes de préavis. On n'associe pas nécessairement les policiers aux achats thérapeutiques somptuaires. Une motoneige ou un téléviseur à écran plat, passe encore. Mais les soins capillaires ? Un jean moulant ?

— Écoute, je ne suis pas du genre à traiter mon ex de grosse p, comme certains types que je connais, mais Shereen est… jeune, tu sais, elle a des choses à faire, elle est… M'avoir planté là ne fait pas d'elle une salope.

— « Grosse p » ?

Il se fend d'un large sourire.

— J'ai recommencé à regarder *Les Soprano*, hé. C'est ma thérapie.

— Je sais. Une série super réconfortante.

— Je sais, c'est bizarre, hé ? Je ne vais pas rester là à la traiter de…

Il gratifie Mary Rose d'un clin d'œil d'excuse qui rappelle son père, puis il articule en silence le mot pute, ce que leur père n'aurait pas fait.

Elle prend une gorgée.

— « Guéri » comment ? Tu m'expliques ?

En guise de réponse, il esquisse un sourire malicieux.

Pince-sans-rire, elle lance :

— Gérald McBoing Boing, tu connais ?

— L'effet rebond ? Je ne suis pas sous le coup d'une déception amoureuse, Mister. Celle-ci est purement… récréative.

— C'est la raison du départ de Shereen ?

— Non, non, pas du tout. C'est venu bien après.

Elle attend le signe qui ne trompe pas. Il se gratte la joue. Satisfaite d'avoir vu juste, elle demande :

— Je me donne la peine de retenir son nom ?

— Non. Elle est gentille, mais…

— Quel âge a-t-elle ?

— C'est une de tes ferventes admiratrices.

— Dis-moi qu'elle a au moins vingt-cinq ans, c'est-à-dire la limite supérieure de la cohorte des lecteurs de fiction pour jeune adulte.

Elle a parlé durement, mais réprime une sorte d'élan de machisme par procuration – comme si elle venait elle-même d'inscrire une conquête sexuelle.

— Elle va avoir vingt-trois ans dans deux semaines. Je l'ai arrêtée pour virage à gauche interdit.

— Tu ne fais pas la circulation.

— Je suis toujours en service.

Elle sent son visage s'empourprer.

— Laisse les jeunettes tranquilles, Andy-Pat. Tu perds ton temps. Même avec les femmes de trente ans… La trentaine, c'est l'âge où les gens commencent à se laisser aller parce qu'ils ne se rendent pas compte qu'ils vieillissent, leur divorce est trop récent et ils sont dans les problèmes de garde jusqu'au cou. Trouve-toi plutôt une gentille enseignante dans la quarantaine, ses enfants sont grands, elle est intelligente, équilibrée, sans compter qu'elle soigne son apparence à présent, c'est une bombe de sexe au stade de la périménopause, sans givre et sans accumulation de cire. Tu sais, Andy-Pat, rien ne t'oblige à avoir l'air d'un apollon pour trouver une femme géniale : être un mâle blanc hétéro avec un emploi et un pouls, ça suffit largement.

Elle les ressert.

— Passe-toi ça sous le kilt.

— En réalité, nous ne sommes pas *blancs*, Mary Rose. Maman fait partie d'une minorité visible.

Il a suivi des cours de sensibilisation au sein de la Force.

— Elle n'est pas non blanche, Andy-Pat. Elle est juste libanaise, elle est canadienne…

— Elle est d'origine arabe. Je pense que nous savons tous les deux ce que ça signifie de nos jours, Mister ma sœur.

Il fait tourner son scotch d'un air légèrement contrit.

— Ça signifie que tout le monde veut manger comme nous, même si, quand nous étions petits, les autres enfants se moquaient de nos lunchs.

— Essaie d'entrer aux États-Unis avec, dans ton passeport, le nom Mahmoud au lieu de MacKinnon, dit-il avec une gravité digne de la force policière.

Essaie de grandir comme lesbienne au sein de notre famille. Elle ne le dit pas à haute voix.

— Qu'est-il arrivé à ton réfrigérateur ? demande-t-il.

Elle lui dit la vérité : elle a lancé la poussette de Maggie à l'autre bout de la cuisine. La poupée ne s'y trouvait pas. Mary Rose cherchait quelque chose dans la maison – les objets perdus sont ses *bêtes noires** – quand son regard s'est posé sur l'objet et elle s'en est servie pour passer sa frustration.

— Tu te souviens de la fois où papa s'est cassé la main sur le pas de la porte ? demande-t-elle avec un grand sourire.

La question est posée purement pour la forme : la fois-où-papa-s'est-cassé-la-main est canonique, un repère classique. Ou plutôt, comme l'avait un jour affirmé Andy-Patrick, un « re-père ».

Des deux, c'est leur mère qui avait un tempérament bouillant. Pourtant, leur père avait la manie d'agresser des objets inanimés, toujours avec une expression d'innocence indignée, suivie d'un visage cramoisi et triomphant, à la manière des Highlands. «Là, ça lui apprendra, à cette satanée tondeuse! C'est sûrement un Français qui l'a conçue!» Les tuyaux d'arrosage, les rayons des roues de vélo, les porte-bottes, toutes sortes d'objets faisaient les frais de son courroux – sauf la fois où il a serré Mo à la gorge à cause des piquets de tente qui avaient disparu, mais c'était presque aussitôt devenu une histoire drôle.

L'affaire du pas de la porte s'est produite il y a très longtemps, à l'époque où ils vivaient à Kingston; la porte moustiquaire s'est refermée sur le talon de papa et il a poussé un cri – réaction que Mary Rose et Andy-Patrick ont trouvée dangereusement drôle et qui, sans doute, a suscité leur hilarité, d'où l'assaut contre le pas de la porte, qui a aidé leur père à sauver la face. Celui-ci s'est retourné, s'est mis à genoux et a frappé du poing, comme avec un marteau de magistrat, geste qui a entraîné la fracture de l'une des innombrables petites arêtes de poisson qui composent la main humaine. Il a eu besoin d'un plâtre, dont ils tiraient tous un orgueil pervers, et leur père racontait l'histoire mieux que quiconque, affirmant avec insistance, un éclat malicieux dans le regard, que le pas de la porte «avait eu ce qu'il méritait». Était-ce avant ou après la première intervention chirurgicale de Mary Rose, qui lui avait valu son propre plâtre? Était-ce avant ou après la dernière fausse couche de leur mère? Le temps se mesurait en bébés morts, en os brisés et en affectations militaires. Ils avaient beaucoup ri, à l'époque, mais c'étaient des rires d'initiés.

Elle s'attend à ce que la bosse sur le réfrigérateur fasse rire Andy-Patrick – elle-même ne s'en prive pas.

— Nous avons été élevés dans un climat de rage, dit-il plutôt.

Elle hoche la tête. S'il veut aller par là, elle ne sera pas en reste.

— C'est exact, admet-elle. Et voilà pourquoi je sais faire la différence entre un réfrigérateur bossé et un enfant battu.

— Quoi? Ce n'est pas ce que j'ai voulu dire.

— Je suis parfaitement consciente de l'éducation que nous avons reçue, Andy-Pat. Je suis arrivée des années avant toi.

— Désolé. Je sais que tu n'es pas comme ça.

— Comme quoi ?

— Comme maman.

— Serais-tu en train d'insinuer que maman nous a battus ? réplique-t-elle avec désinvolture.

— Non ! Non, non.

— C'est pourtant ce que diraient certains.

— Et toi ?

— Je dirais que notre enfance a été…, commence-t-elle avec hésitation… colorée.

— Moi aussi.

— V'nez ici que j'vous anéantisse ! hurle-t-elle soudain.

— V'nez ici que j'vous étripe !

Il rend bien la vulnérabilité tremblante au cœur blanc de la colère.

— Viens ici, p'tite démone !

— Viens ici, p'tite boule de haine !

Ils rient.

Boivent.

— Maman était le produit d'un autre temps et d'un autre lieu, dit-il, plus calme, en étirant les jambes.

— Maman était incroyable, c'est incroyable tout ce qu'elle a accompli, elle est la seule de sa famille à avoir fait des études post-secondaires.

— À part le prêtre et la religieuse, souligne-t-il.

— Exactement. Maman était remarquable. Tu te souviens de la fois où elle a dirigé la chorale de l'église et lui a fait chanter *Hava Nagila* ?

— Tu te souviens de la fois où tu as ouvert la porte de derrière sur mon gâteau d'anniversaire ? Elle l'a glacé de toute façon et dit que c'était un « gâteau ouragan ».

Nouveau fou rire. Ils boivent.

— À l'époque, les gens faisaient toutes sortes de choses à leurs enfants, sans même y penser.

— À l'école, j'ai eu droit à la lanière de cuir, dit-il.

— Et moi, à la règle.

— Et la ceinture ?

Elle lève les yeux.

— Non. Toi?

— Une ou deux fois.

— Maman ne s'est jamais servie de la ceinture.

— Pas maman. Papa.

— Papa t'a frappé avec sa ceinture?

Elle hésite. Ça change quelque chose? Maman en furie, passe encore, mais papa… papa, l'image même du discernement et de la pondération. Le seul fait qu'il ait pu penser qu'une telle humiliation était justifiée… et qu'il soit passé à l'acte…

— Quand?

— Tante Sadie était en visite à la maison, je devais avoir cinq ans.

— Pourquoi? demande-t-elle.

— Je ne sais pas, j'étais une petite peste…

— Il devait être sous pression. Tu imagines la vie avec maman…

— Pas besoin de l'imaginer, dit-il avec un large sourire.

La ceinture veut-elle dire que son frère a souffert plus qu'elle? À la loterie de la souffrance familiale, c'est forcément elle, la gagnante. Cette réflexion a surgi dans sa tête comme une balle perdue passe par-dessus la clôture et atterrit dans votre cour… Elle creusera la question plus tard; dans l'immédiat, Andy-Pat a besoin de toute la précision dont elle est capable.

— O.K., c'est justement à ça que je veux en venir, A&P.

Elle sait qu'il ne s'est jamais formalisé d'être surnommé d'après une chaîne de supermarchés. Mieux vaut cela que porter le nom d'un bébé mort.

— J'ai Hilary et les enfants, à présent, et j'évite de trop penser à ce que j'ai vécu avec papa et maman, mais toi, il faut que tu examines de très près certains conflits irrésolus…

— Je veux rencontrer quelqu'un comme Hilary. Une femme belle et gentille et drôle et un peu plus intelligente que moi.

— Elle n'est pas plus intelligente que moi.

— À la façon de papa, oui. C'est une femme avec un esprit en ordre.

— Je veux dire, Hil est intelligente, mais…

— J'aimerais bien être lesbienne, moi.

— Maman était... dure avec nous – d'accord ? –, par rapport aux normes d'aujourd'hui, mais...

Elle a l'impression que le scotch lui dissout la paroi de l'estomac... Boire avec de l'Advil, ça va. C'est avec le Tylenol que ça pose problème.

— Que ce soit physique ou verbal, c'est... c'est l'humiliation qui compte, non ? Ce que je veux dire, c'est que ça ne nous a pas détruits, que nous avons eu beaucoup de bons moments...

— Nous avons eu des tonnes de bons moments.

— Mais on est quand même démolis, dit-elle.

— On est un peu démolis.

— En même temps, on est supers. Maman et papa étaient supers.

— Ils étaient supers.

— Mais c'est pour ça qu'on se déteste, dit-elle.

— Et c'est pour ça qu'on est dangereux.

— ... Répète ça, pour voir.

— C'est pour ça qu'on est dangereux, dit-il. Les personnes qui se haïssent sont dangereuses.

— C'est très profond, Andy-Patrick.

— Ça vient d'Amber.

— Qui est Amber ?

— La conseillère matrimoniale. Nous l'avons vue ensemble, Mary Lou et moi, puis j'ai continué d'y aller pour mes... hm... problèmes personnels, tu sais.

— Wow, Andy-Pat. C'est bien. C'est très bien.

Son frère a été en psychothérapie. Aux frais de la GRC, évidemment, et donc du gouvernement du Canada... Ce qui embête tout de même un peu Mary Rose, en dépit de son attachement à la démocratie sociale, c'est que, si elle avait besoin de psychothérapie, elle, elle devrait payer de sa poche. Et ce ne serait même pas déductible d'impôts. Elle ne peut pas déduire un seul petit cours de Pilates de ses revenus, alors que c'est le renforcement de sa force musculaire qui lui évite de se pendre aux mamelles de l'État et d'exiger le remplacement de ses deux hanches. À force de courir, elle a littéralement devancé la malédiction familiale de l'hypercholestérolémie, au détriment de son genou, qui a besoin d'une arthroscopie, intervention pour laquelle elle est inscrite sur une liste d'attente, derrière des gros ploucs qui ne lèvent jamais leur gros cul de leur canapé. Et si, d'aventure, elle avait besoin de psychothérapie pour s'empêcher de battre ses enfants ou de les pourchasser en hurlant dans toute la maison, armée d'une cuillère de bois, elle n'aurait droit à aucune déduction, malgré les économies indirectes que la société réalisera en évitant d'avoir deux écorchés de plus sur les bras.

— Alors, comment, dans ces conditions, expliques-tu ton besoin d'aller de conquête en conquête, à la recherche de ton reflet dans les yeux adorateurs de femmes de plus en plus jeunes à qui tu ne laisses même pas le temps de constater que tu es un bon à rien, question d'éviter d'être replongé dans la honte?

Il fronce les sourcils.

Elle poursuit :

— Tu as un profond sentiment d'infériorité causé par la rage de maman et l'aveuglement de papa – sauf quand il t'a frappé à coups de ceinture, évidemment –, mais voici où je veux en venir : ça t'a coûté deux mariages et une fiancée, ta relation avec tes filles, qui est en danger, et ça t'empêche d'être bien dans ta peau.

— J'aime mieux la peau de quelqu'un d'autre, dit-il avec une bonne humeur plutôt canaille.

— Idéalement, tu serais bien dans les deux.

— Je sais que tu as raison, Mary Rose. Je comprends parfaitement, mais...

La lueur est de retour dans son œil.

— Je m'amuse plutôt bien, en ce moment.

— Je suis juste une ménagère jalouse. Tu as une mine géniale.

— Non, c'est toi qui as raison. Je suis un salaud.

— Je n'ai pas dit ça.

— C'est ce que répétait papa, et c'est lui l'étalon-or, non? Papa est un gentilhomme.

— Toi, tu es un gentilhomme.

Elle regrette de ne pas être plus convaincante.

— Pas comme papa.

Comment le soutenir sans nourrir son sexisme?

— Tu es un oncle très gentil, dit-elle faiblement.

À quoi bon lui gâcher son plaisir, au fond ? Si c'est sans importance pour lui, pourquoi devrait-elle se soucier de tout le bagage que trimballe Andy-Patrick ? Des malles et des sacs marins et des sacs bananes…

Et maintenant, il a une voiture volée, dit Hil au téléphone, plus tard ce soir-là.

— Mais non, voyons. Il est policier. Il se serait douté de quelque chose.

— Je suis certaine qu'il a compris.

Hilary a une touche légère, même dans sa voix, satinée, un peu voilée. Au début, Mary Rose trouvait cette caractéristique sexy – c'est toujours le cas, évidemment, même si, après quelques années de mariage, elle y détecte aussi un fond d'autorité inflexible. Ce qui, naturellement, est sexy aussi.

— Oh, mon Dieu. Tu veux dire qu'il est au courant ?

Mary Rose est adossée au comptoir de la cuisine, devant les grandes fenêtres toutes noires.

— Il ne veut peut-être pas savoir qu'il sait, d'où le luxe de détails concernant ce Boris…

— Slavko.

— … Slavko. Ceux qui viennent de rencontrer ta mère parlent d'elle avec l'affection… la ferveur de ton frère pour cet homme.

— Tu compares ma mère à un mécanicien automobile qui a des liens avec la mafia russe ?

Silence.

— C'était une blague, Hil.

Hil a l'art d'utiliser le silence, de petits fragments acérés de silence, à son avantage. Autre talent dont Mary Rose est complètement dépourvue.

— Pourquoi faut-il que tu découpes toujours tout avec ton esprit tranchant comme un diamant ? Pourquoi ne pas te contenter de rire face à l'absurdité du monde ?

— Pourquoi est-ce que je rirais ? Ton frère est en crise.

L'inflexibilité se montre le bout du nez…

— Mais non, il est seulement… C'est seulement un homme blanc de la classe moyenne et d'âge moyen, qui se croit un peu trop tout permis et qui a un peu trop de charme. Du point de vue démographique, il est dans une position idéale.

— Comme toi.

— Oh. La position idéale de la mère célibataire lesbienne d'âge moyen qui reste à la maison, tu veux dire?

Mary Rose se demande si sa remarque a été reçue comme une cuillérée de confiture ou de vinaigre jusqu'au moment où Hilary éclate enfin de rire.

— En plein celle-là!

Ouf. Confiture. Querelle téléphonique évitée de justesse.

Elle raconte l'incident de Rochelle et du système d'alarme de la voiture – mais passe sous silence celui des ciseaux – et Hilary rit de nouveau. Mary Rose va du comptoir à la table et se détend en caressant au passage la large tête de Daisy: la bonne vieille fille, d'un pas lourd, passe de son lit au sous-sol à son lit à l'étage.

— Puis ma mère a téléphoné et Maggie a eu l'idée de changer sa couche elle-même.

— Elle est peut-être prête à être propre.

Mary Rose réprime un soupir. L'idée de la scrupuleuse attention requise, des visites aléatoires au petit pot, des longues séances improductives aussitôt suivies d'accidents, distille dans son cœur un ennui sisyphéen. Rien ne l'oblige à commencer avant le retour d'Hilary, la semaine prochaine.

— Je ne veux rien précipiter. Et toi, comment ça va? demande-t-elle, préférant naviguer dans des eaux plus sûres. Vous avez répété?

— Aujourd'hui même, avec les costumes. Maury a dû jouer le deuxième acte sans perruque.

— Oh mon Dieu.

Maury joue Lady Bracknell.

— Ouais.

— Vous avez droit à combien d'avant-premières dans le cadre des Alberta Theatre Projects?

— Huit.

Huit chances de trouver la bonne formule devant des spectateurs payants avant la première.

— Excellent.

Hil tire normalement son épingle du jeu avec beaucoup moins.

Hil parle à Mary Rose des machinistes et des «cintres» – ceux qui tirent les décors dans les airs et non ceux sur lesquels on accroche ses vêtements –, savoure les défis techniques tout autant que les défis esthétiques, aimant par-dessus tout les liens entre eux.

— Il les lubrifie, bien que personne ne s'en soit servi depuis des années.

— Qui ça?

— Paul, le directeur technique.

— Super. Faire descendre le labyrinthe de haies du ciel, ce serait extraordinaire.

— Je sais. Et drôle, en plus.

L'importance d'être Constant contient la réplique favorite de Mary Rose, qui la déclame au profit d'Hilary, de la voix taillée à la serpe de Lady Bracknell :

— «Perdre un enfant peut être considéré comme un malheur. Mais perdre les deux ressemble à de la négligence. »

Elle parle à Hilary du «*paquiet!* » perdu et de l'adorable courriel de son père. «C'est moins sur avec le temps… » Elle lui raconte que Daisy a failli mordre le facteur, mentionne le pied du sapin de Noël…

— Je croyais que nous en avions déjà un.

— Pas comme celui-ci.

— Nous allons nous débarrasser du vieux?

— Nous allons le garder comme substitut.

— Pourquoi avons-nous besoin d'un substitut si le nouveau est parfait?

— O.K. Nous allons le jeter. Je m'en fous complètement.

— Qu'est-ce que tu vas faire pendant que Candace sera là, demain?

La question déconcerte Mary Rose. *Que pense-t-elle que je vais faire pendant que la nounou sera là? Dîner avec «les filles »? M'acheter un chapeau?*

— J'ai rendez-vous chez le médecin, répond-elle lugubrement, avec une infinie patience.

— Pour ton bras?

— Mon bras? Non.

— Il te faisait mal.

— Ouais, et je m'en suis occupée. C'est essentiellement démon.

— Démon?

— Fantôme. Ce n'est rien. Je vais faire une recherche sur Google.

— Oublie Google! Va voir le médecin!

— Je suis allée chez le médecin et ce n'est rien.

Elle tousse.

— Tu as attrapé quelque chose?

— Non. C'est juste que j'ai fait beaucoup de lessive, ce soir. Je suis un peu fatiguée.

— Ne te laisse pas abattre.

— Il est normal que je sois fatiguée, Hil. Je suis toute seule pour tenir le fort et…

— Et tu t'en sors admirablement.

— En tout cas, ils sont vivants.

— Je t'aime. Je pense beaucoup à toi.

— Ah ouais?

— Tu es magnifique, dit Hil. J'espère que tu ne m'en voudras pas… de m'être servie de toi.

— Mais je t'en prie.

Silence chaleureux.

De l'étage provient un cri ensommeillé.

— Maggie est réveillée. Mieux vaut que j'y aille. Sinon, elle risque de réveiller Matthew.

— Elle se réveille encore toutes les nuits?

— Ouais.

Soupir de martyre.

— Même sans le dodo du matin?

— Il faut que je monte.

— Je t'aime.

— Moi aussi.

— Attends. Ils arrivent quand, tes parents?

— Je ne sais pas. Bientôt.

— Tiens-moi au courant.

— Pourquoi? Au début de la semaine prochaine. Ou vers la fin de cette semaine-ci.

— Je sais, mais… Je sais dans quel état tu te mets quand tu les vois.

Elles ont eu certaines de leurs pires querelles dans le sillage des visites des parents de Mary Rose, même si tout s'était bien passé. Pourquoi Hil ressassait-elle maintenant ces mauvais souvenirs?

— Ne t'en fais pas, Hil, tu ne seras même pas là.

— Ce n'est pas ce que j'ai voulu dire, mon trésor.

Elle s'est préparée à un assaut de malice, mais le ton d'Hil est… aimable. Mary Rose se raidit.

— J'y vais.

À l'étage, Maggie s'est mise à chanter.

— Ça ira, je t'assure. Ma mère est si joviale, dernièrement, que c'en est bizarre. Pour un peu, je dirais que c'est une bonne chose qu'elle perde la boule.

— Tu penses qu'elle commence à souffrir de démence?

— Non, je ne sais pas, pas comme ça, c'est juste qu'elle commence à s'effilocher comme un vieux chandail.

— … Elle ne me semble pas tellement changée.

— Eh bien, ce n'est pas ta mère. Je vois bien, moi, qu'elle commence à radoter.

— Elle perd les pédales?

— Elle tourne en rond, tu sais? Le paquet, les bébés, le paquet.

— Quels bébés?

— Les morts. Aujourd'hui, elle m'a demandé au moins vingt fois où tu étais. J'ai répété Winnipeg, Winnipeg, Winnie-l'ourson-peg!

Silence.

— Hil?

— … Je suis à Calgary.

À l'étage, Maggie est de nouveau tranquille – peut-être chantait-elle dans son sommeil. Hil rit parfois en dormant. Mary Rose avale sa salive. Seraient-ce les premiers signes de la maladie?

— Tu en as beaucoup sur les bras, mon trésor, dit Hil.

— Tu es à Calgary. Doux Jésus.

— Peu importe où je suis. Ce qui compte, c'est que je ne suis pas là et…

— Je le savais, pourtant. Je sais que tu participes aux ATP.

Alberta Theatre Projects. Mary Rose vit à Toronto, en plein centre du pays, pour ne pas dire de l'univers, mais elle sait tout de même faire la différence entre les provinces du Manitoba et de l'Alberta.

— Mon Dieu.

— C'est dans l'Ouest, dans un cas comme dans l'autre, dit gentiment Hilary.

Mon Dieu.

Montagnes contre prairies.

— Tu es obnubilée par les enfants et c'est à peine si…

— Il vaut mieux que j'y aille. J'entends Maggie.

Mensonge.

— Je t'aime.

— Moi aussi.

Son bras ne la faisait pas souffrir quand Hil l'a interrogée à ce sujet, mais il lui fait mal à présent. Son grand sac est accroché au poteau de la rampe, en haut de l'escalier du fond. Elle en sort le tube d'Advil qu'elle a pris l'habitude de trimballer partout et avale un comprimé. C'est le troisième aujourd'hui, mais il vaut mieux devancer la douleur. Quand la souffrance commence, elle a tendance à poursuivre sur sa lancée. Son bras n'a rien : l'automne dernier, elle a vu un chirurgien orthopédiste à ce sujet. Apparemment, la douleur est une simple nuisance. Il a dit que c'était une douleur… pas exactement «fantôme», c'était autre chose… elle a oublié. Elle devrait se mettre au lit, mais un lutin pervers se cache dans son ordinateur portatif. Sinon, comment expliquer qu'une adulte fatiguée, qui devra se lever de bonne heure avec des enfants, soulève le couvercle de cette rutilante boîte de démons ?

Elle se retient de chercher *kyste osseux pédiatrique chez l'adulte*, moins à cause de l'absurdité des mots de l'interrogation que de sa conviction qu'elle se diagnostiquera un cancer des os au bout de quelques minutes. Pendant les vacances de Noël, elle a innocemment cherché des remèdes à une infection des sinus et a fini avec une rare tumeur des cavités paranasales.

Il y a un courriel de Kate, qui confirme la sortie au cinéma de mercredi soir. Une soirée de congé lui fera le plus grand bien – lui permettra de sortir de sa tête avant de la perdre complètement. Bridget et Kate sont riches et très amusantes – du moins dans les intervalles entre deux creux de vague. Elles donnent beaucoup d'argent pour la santé des femmes et rénovent leur maison avec assiduité. Il y a aussi un courriel de son vieux copain Hank, qui est quelque part au Mexique. Il a joint une photo. « Est-ce que ce chopper Harley-Davidson fait paraître ma prostate plus grosse ? » Hank et elle sont devenus bons amis dans la vingtaine. En fait, c'est le dernier des rares hommes avec qui elle a plus ou moins couché. En gros, Mary Rose a abordé l'hétérosexualité comme les mathématiques : elle a bûché jusqu'à l'obtention d'un C avant d'abandonner le cours. Même si elle préférerait oublier cet épisode gênant, le fait qu'ils s'étaient « embrassés avec la langue », des années plus tôt, conférait à leur amitié une dimension à la fois tendre et ironique. À la faveur de l'explosion culinaire des années quatre-vingt-dix, Hank s'est hissé au sommet de la chaîne alimentaire de Toronto. Aujourd'hui, il a sa binette sur des bouteilles de sauce, ce qui ne l'empêche pas d'affirmer :

— Si je pouvais écrire comme toi, Mister, j'échangerais ma vie contre la tienne, et plus vite que ça.

Il lui a aussi conseillé d'écrire de la pornographie lesbienne.

— Des trucs de bon goût, tu sais, a-t-il ajouté. *Cinquante nuances de gay.*

Les résultats du dernier examen annuel d'Hank ont été coucicouça et il a acheté la moto.

Bing.

Duncan MacKinnon, nous avons maintenant trouvé 454 parents au troisième degré !

Le message vient d'Origin-eology.com, au Texas. Mary Rose a commandé une trousse d'ADN pour son père à l'occasion de son quatre-vingtième anniversaire et elle reçoit désormais toutes sortes d'offres spéciales relatives au chromosome Y. Depuis des années maintenant, Duncan travaille à l'arbre généalogique de la famille; il a réussi à suivre la trace de leurs premiers ancêtres jusqu'à un bateau de pestiférés qui a quitté l'Écosse pour le Nouveau Monde. Pourquoi les gens sont-ils si excités par des parents au énième degré qu'ils n'ont jamais rencontrés, eux qui supportent à peine ceux qu'ils connaissent? *Bing!*

> Objet: C'est moins sur avec le temps
> Cher Mister,
> Quel suspense! Tu devrais essayer d'écrire ;-) (Je viens d'apprendre à faire une binette souriante!) Qu'allais-tu me dire? Tu as l'art de me tenir en haleine.
> Bisou.
> Papa

Elle jette un coup d'œil au fil.

> Cher papa,
> Je

Et clique sur *répondre*.

> Cher papa,
> Désolée, Maggie a cliqué sur *envoyer*, puis quelqu'un est venu à la porte en même temps que le téléphone sonnait, et Daisy a failli manger le facteur! Tu crois que maman est au premier stade de

Effacer.

> Maman me dit que vous allez quitter Victoria et revenir vers l'est d'ici quelques jours. Je suis impatiente de vous retrouver à la gare pour votre «escale» habituelle. Je préviens le Tim Hortons! Tu veux bien m'indiquer à quel moment arrive votre train? Au fait, maman m'a-t-elle envoyé un paquet? Ça, c'est un «suspense» ☺. (Hé, qu'est-ce que tu dis de ça?)

Tu parles d'une « réponse ». Elle a signé deux livres et elle n'est même pas foutue d'écrire un courriel à son père. Elle esquive son touchant message de la matinée. Mais non, rien à voir, elle est fatiguée, c'est tout – comme pour lui donner raison, ses yeux papillotent à gauche et à droite. Elle n'est pas une experte-conseil en gestion à la retraite, elle n'a pas le temps de pondre des courriels attendrissants. Elle lui téléphonera demain et aura avec lui une conversation dans le monde réel.

Effacer.

… à moins que son cortex visuel soit détraqué. Dans Google, elle tape : *mouvements de côté des yeux rapides et involontaires, symptôme d'AVC ?* Il suffit de trente secondes pour confirmer qu'elle a subi une série d'accidents ischémiques transitoires. Le risque d'en mourir est faible. Ils reproduisent les effets du déjà-vu et induisent un « sentiment d'irréalité » symptomatique de la dépersonnalisation, de la dépression et de la psychose. Sinon, ils sont asymptomatiques. « L'autopsie confirme la présence de tissus nerveux cicatriciels. » Si seulement elle pouvait assister à sa propre autopsie, elle pourrait s'exclamer : « Je le savais ! » Elle décide de garder cette information pour elle-même. À quoi bon inquiéter Hil ?

Pour une raison qu'elle ignore, Mary Rose a dit à Hil qu'elle avait fait la lessive, ce soir, et c'est faux, mais seulement en vertu des lois universelles qui font que nous nous souvenons du passé, mais pas de l'avenir ; elle n'avait aucune raison de mentir à propos de la lessive. Le sac amniotique entre les mondes serait-il déchiré ? Les souvenirs fuient, se mêlent les uns aux autres… Elle notera cette idée aussitôt qu'elle aura mis une brassée de linge dans la machine.

Elle monte à l'étage, ramasse les vêtements des enfants qui débordent du panier et, en redescendant, pose le pied sur l'ourlet de sa robe de chambre et vient bien près de débouler jusqu'en bas. Elle doit faire plus attention, sinon elle finira par peindre des calendriers avec sa bouche. Dans la salle de jeu du sous-sol, elle allume l'écoute-bébé, met la brassée de t-shirts et de culottes minuscules dans la machine et s'installe devant une reprise de *La Loi et l'Ordre*. Jerry Orbach et Chris Noth font irruption dans une salle de conférences de Manhattan et mettent la main au collet d'une grosse huile – c'est le genre d'épisode qu'elle préfère. Elle incline sans honte le dossier de son canapé La-Z-Boy et se détend, regrette qu'Hil ne soit pas là, en même temps qu'elle s'en réjouit. Sur les murs, les affiches de spectacles et les jaquettes de livres encadrées sont éclipsées par des dessins au crayon de cire laminés où figurent d'obscurs représentants de la faune et de la flore, ainsi que par divers objets sur roues, sans oublier des photos de famille, notamment un portrait à l'ancienne d'eux quatre déguisés en gangsters en compagnie de Daisy coiffée d'un bonnet.

Chris et Jerry viennent tout juste de s'arrêter devant un stand de hot-dogs du centre-ville lorsque retentissent dans l'écoute-bébé les premiers reniflements qui, elle le sait, se transformeront bientôt en « ma-a-a-ma » hurlés à pleins poumons. Elle gravit les marches au pas de course. Après avoir changé Maggie, apporté un verre d'eau à Matthew, remonté sa licorne, puis recouché Maggie avec un autre biberon, elle va dans sa salle de bains, gobe un autre comprimé d'Advil (à quatre par jour, on est encore loin de l'overdose) et remonte sa manche.

Sur le devant de son bras gauche, de l'aisselle jusqu'à quelques centimètres au-dessus du coude, courent les cicatrices, en couches superposées. Ce sont des cicatrices sédimentaires – à la façon du calcaire, elles racontent une histoire. La cicatrice la plus longue, qui est aussi la plus ancienne, grandit avec elle depuis l'année de ses dix ans. Son père lui a dit qu'elle recevrait de l'os de la banque d'os et elle s'est imaginé un coffre-fort métallique avec des fragments d'os dedans. « Probablement un bout de la rotule de quelqu'un », a-t-il ajouté avec un sourire en coin, conférant à ses paroles un petit côté décalé et espiègle. Songeant au déguisement de squelette qu'elle avait porté à l'Halloween, elle lui avait rendu son sourire. La base de la cicatrice la plus courte forme un petit creux en s'évasant, conséquence d'une infection postopératoire assez grave, a-t-elle compris, car sa mère faisait calmement « tss-tss » en tamponnant le pus qui suintait avec un coton-tige stérile. Cette cicatrice plus courte date de sa deuxième chirurgie orthopédique, réalisée quand elle avait quatorze ans. Cette fois-là, elle avait été sa propre donneuse.

Mary Rose est O négatif, c'est-à-dire une donneuse universelle. À ce titre, elle peut donner des tissus à tous les humains de la planète, tandis que seule une personne ayant le même type sanguin qu'elle peut lui faire un tel don. La deuxième fois, le chirurgien a prélevé de l'os de sa crête iliaque – appellation beaucoup plus impressionnante qu'«os de la hanche» –, d'où la présence d'une troisième cicatrice, le long de la ligne du maillot, laquelle a tendance à se mêler de ses affaires, sauf lorsqu'on la cogne sur le coin d'un comptoir, auquel cas elle provoque une douleur rayonnante comme un vampire réveillé à midi.

Les greffes osseuses avaient pour but de réparer des kystes osseux. Contrairement aux autres kystes, constitués de tissus malades, les kystes osseux se caractérisent par une absence : ce sont des cavités qui se remplissent d'un liquide jaunâtre. Parfois, on y trouve des fragments d'os, de petits morceaux qui s'écaillent et tombent de l'intérieur, à la manière d'une feuille d'automne. Non traités, les kystes envahissent parfois la plaque de croissance, et le patient risque de se retrouver avec un membre plus court que l'autre – membre qui finira simplement par se casser. Mary Rose a eu de la chance et elle a des cicatrices pour le prouver.

•

Le directeur des pompes funèbres parle bien l'anglais. Il demande au jeune officier de l'air s'il aimerait tenir le cercueil. Duncan tend les bras et prend le petit cercueil blanc. Son commandant est présent, ainsi que l'infirmière de la base de la force aérienne. Sa femme est encore à l'hôpital et, de toute manière, rien ne servirait de lui imposer un tel calvaire. Après, il roule jusqu'au cimetière, le cercueil sur le siège du passager à côté de lui.

•

Mary Rose ne s'appesantit pas sur ses séjours à l'hôpital. En fait, elle y songe rarement, sauf quand elle doit entrer dans l'un de ces établissements. Les souvenirs, quoique vifs, sont stockés dans un dossier distinct : en cas d'expérience de mort imminente, les blessures et les chirurgies répétées ne feraient pas partie du film de sa vie qui défilerait à toute vitesse devant ses yeux, sauf peut-être dans la section des gaffes de tournage. Cette expérience se situe en marge de sa chronologie personnelle parce qu'elle représente une anomalie : les kystes osseux sont anhistoriques. « Idiopathiques, une tare vraisemblablement congénitale », a dit le médecin. « Ça veut dire que c'est de naissance, a expliqué papa. Pas que tu es une idiote pathétique. » Les kystes osseux sont singuliers, à la façon des chutes de météorite ; en soi, ce sont des histoires intéressantes, mais ils ne font pas partie du récit principal. Elle avait plus de trente ans lorsque la bombe à retardement avait explosé : l'os (partagé aussi gaiement qu'une pinte de bon sang) de la banque d'os était venu non pas de la rotule d'un courageux donneur, mais bien d'un cadavre. D'où, peut-être, son refus de grandir avec elle.

Avant ses dix ans, elle ne se souvient pas d'une seule journée où elle n'a pas eu « mal au bras ». Pour elle, c'était normal, et elle croyait que c'était la même chose pour tout le monde. Dans sa fratrie, c'était un objet reconnu : « le bras douloureux de Mary Rose ». Même Andy-Patrick respectait le « bradouloureux » et la frappait sur l'autre. Une douleur chaude et cuisante ou une douleur sourde, grise et froide. L'une avec plus de sang et de bleus, l'autre avec plus d'os. Intermittente.

Son premier souvenir de la douleur cuisante remonte à l'été de ses quatre ans. Ayant quitté l'Allemagne pour le Canada, ils étaient « chez eux », à l'île du Cap-Breton, dans l'ample giron de la famille de Dolly, au bord des magnifiques lacs Bras d'Or. Sur une colline dominant le rivage, des chalets appelés bungalows parsemaient la clairière. Un ruisseau d'eau pure et froide, enjambé par une minuscule passerelle et bordé de rochers tapissés de mousse, serpentait au milieu des arbres. Le sol spongieux semblait animé d'une vie propre. Ce n'était pas la Forêt-Noire – on avait plus de chances d'y croiser une fée qu'un loup qui parle –, mais les lieux étaient enchantés à leur façon. Sur le rivage, des cousines et des cousins se comptant par douzaines sprintaient sur le quai branlant avant de se jeter à l'eau, les plus vieux pilotaient le bateau et le soda coulait à flots. La nuit, Mary Rose comptait ses piqûres de moustique et se demandait où dormir. Sa sœur habitait avec les enfants plus vieux, sa mère avec ses sœurs à elle. Quant à son père, il n'était pas encore arrivé. Il viendrait les rejoindre au début de sa permission.

Au sein de sa famille, Dolly était adorée. Mais comme elle était jeune et de sexe féminin, elle avait tendance, au milieu des siens, à régresser, à être une petite sœur plutôt qu'une mère. Conséquence? Dans ce lieu où était célébrée la nourriture, abondante et libanaise – broches tournant sur le feu, tables à pique-nique gémissant sous le poids des victuailles, glacières débordantes –, Mary Rose se couchait parfois le ventre creux. À quatre ans, elle avait le sentiment qu'il serait grossier de demander à manger, que ce serait comme dire «Vous avez oublié de me nourrir» et qu'elle se montrerait malpolie. Les hommes et les garçons étaient servis en premier – *sab t'ein!* – et le repas du soir, lorsque Mary Rose se rendait compte qu'il était servi, avait déjà pris fin. Tout irait mieux lorsque papa serait là. Elle s'assiérait sur ses genoux et se servirait dans son assiette. La nuit venue, il la borderait, quelque part. Entre-temps, elle pouvait aller et venir à sa guise, l'eau de mer guérissait toutes les égratignures et le monde vert des bois lui ouvrait les bras.

Un après-midi, il est arrivé.

— Papa!

Comme un prince, il s'est avancé sans se presser dans l'allée de terre sinueuse, sous la voûte de pins et de bouleaux. Comme une vedette de cinéma, comme un dieu. Il a fait faire l'avion à tous les enfants, les a fait tournoyer en les tenant par la cheville et le poignet, les cousins et les cousines alignés devant lui en attendant leur tour.

— Onc' Dunc!

Il avait l'unique tête blonde dans une mer d'ébène, les seuls yeux bleus au milieu des yeux bruns luisants.

— Moi, moi!

Infatigablement, il les a fait tournoyer. Mary Rose a tourné et tourné, une délicieuse sensation dans le ventre, jusqu'à ce qu'un incendie se déclare dans son bras. Qu'il s'enflamme comme un feu de brindilles qui bondit, se répand. Lorsqu'il l'a déposée, elle se tenait le bras à la hauteur du coude. Elle n'a pas vomi.

— Qu'est-ce qu'il y a, ma puce?

— Rien.

— C'est ton bras ? Laisse-moi regarder. Tu es sûre que ça va ?

Elle ne voulait pas le vexer en lui laissant croire qu'il lui avait fait du mal.

— Oui.

— Tu peux le plier ?

Elle ne voulait pas qu'il s'en aille et arrête de jouer. Elle a plié son bras et a réclamé un autre tour d'avion parce qu'il semblait inquiet. Cette fois-ci, elle lui a tendu son bras droit et, trop tard, a pris conscience de son erreur : si son bras droit ne lui a pas causé de souci, le gauche, lui, projeté, incapable de revenir le long de son corps, a tourné et tourné. Elle a attendu la fin.

Elle n'a pas pleuré.

— Encore un tour, ma puce ?

— Non, merci. C'était bien.

Puis ils sont allés nager. Le froid lui a fait du bien. À la façon d'un chien blessé, elle a caché sa douleur, comme si elle avait quelque chose de honteux. Le soir venu, elle devait utiliser son bras valide pour tenir l'autre contre son corps, et c'était plus difficile à cacher. Sa mère lui a demandé ce qu'elle avait manigancé.

— Rien.

Les lacs Bras d'Or ne sont pas vraiment des lacs. Ils forment plutôt une mer intérieure où se mêlent eau douce et eau salée.

Le lendemain, sa mère lui a confectionné sa première écharpe à l'aide d'un foulard en nylon de couleur vive. Au bout d'un certain temps, Mary Rose a cessé d'avoir mal et ils n'y ont plus pensé. Jusqu'à l'écharpe suivante. Et à celle d'après.

Les kystes osseux ont été diagnostiqués juste à temps grâce à un autre miracle. Sur les eaux glacées de l'école catholique Notre-Dame-de-Lourdes, Mary Rose MacKinnon, âgée de dix ans, a perdu pied et est tombée la première fois. C'est cette chute qui la conduirait enfin vers un médecin, un diagnostic et un traitement. C'est Notre-Dame qui lui a cassé son bras.

L'incident a eu lieu durant la récréation. Elle était une élève exemplaire de sixième année, excellente en histoire. L'ostracisme dont elle était victime s'expliquait désormais par ses bonnes notes. Personne n'aurait pu la soupçonner d'avoir déjà été lente. Elle avait une seule amie, une fille studieuse à l'aspect un peu sinistre appelée Jocelyn Fish. Pendant la récréation, cependant, il était plus amusant de jouer avec les élèves des niveaux inférieurs. Elle faisait partie d'un groupe d'élèves qui couraient et se laissaient glisser sur une plaque de glace le long du mur de briques jaunes de l'école lorsque, son troisième tour venu, elle était tombée et que les flammes avaient pris naissance dans son bras. La douleur était vite passée du rouge au noir, puis, retentissante, avait pris la forme d'un V. Elle était devenue plus grande que Mary Rose, tel un monstre de cauchemar, puis Mary Rose avait abouti dans une sorte d'enceinte, d'où elle voyait l'air palpiter. Elle avait dans son bras quelque chose de dur, quelque chose qui ne l'aimait pas, qui ne savait pas qui elle était, qui ne savait pas qu'elle existait. Elle s'est adossée au mur et a attendu que la douleur passe. Elle tenait son bras par le poignet. La cloche a sonné.

Son bras était lourd et, après la récréation, il n'a pas réussi à sortir tout seul de la manche de son blouson. Elle a baissé les yeux sur sa main, molle et asservie par la douleur en amont. La main semblait inquiète. Un peu honteuse aussi de se sentir bien – comme l'amie qui vous accompagne lorsque vous êtes renversée par une voiture. Mary Rose s'est assise à sa place, incapable de se concentrer sur le Boston Tea Party. Quand sa main bougeait, la douleur se réveillait en hurlant. Sa main restait donc la tête basse. La douleur refusait de partir. Elle lui donnait envie d'aller aux toilettes, pressée contre elle à la façon d'un enfant retardé et effrayant, elle se faisait de plus en plus lourde, tel un manteau mouillé, de plus en plus sombre aussi. À la fin, elle ne lui a pas laissé le choix. Mary Rose est allée voir l'institutrice et lui a dit :

— Je me suis fait mal au bras.

L'institutrice, qui savait que la mère de Mary Rose était partie en visite dans sa famille à l'île du Cap-Breton, a dit à la nouvelle directrice qu'elle avait juste besoin d'«être bichonnée». Incertaine de la signification du mot, Mary Rose a souri et hoché la tête dans l'espoir de faire oublier les mauvaises manières de son bras, et la directrice l'a renvoyée à la maison.

— Dis à ton père que tu t'es étiré un muscle.

Sœur O'Halloran aurait peut-être appelé le médecin, mais elle avait été mutée en Afrique, où on avait davantage besoin d'elle. Le muscle a refusé de guérir, malgré les massages administrés par son père et par sa sœur aînée, quand il l'appelait en renfort.

— J'ai besoin de toi, Maureen.

Il y avait, à l'endroit où le muscle était enflé, une petite bosse à laquelle il accordait une attention toute particulière. Mary Rose restait parfaitement immobile. Un muscle étiré, c'était donc ça. Elle ne pleurait pas, seules les mauviettes pleuraient, pleurer, c'est comme vomir avec ses yeux.

— Merci, papa. Je me sens mieux, maintenant.

Ne sachant pas comment nouer une écharpe, il utilisait un bout de ruban à conduits pour serrer le bras de Mary Rose sur son côté.

— C'est bon, comme ça ?

— Beaucoup mieux.

Et c'était la vérité.

À son retour, sa mère lui en a fabriqué une en nylon – motif cachemire, cette fois – et c'était encore mieux parce que sa mère, infirmière, était une experte. Mary Rose a ainsi eu droit à sa deuxième écharpe.

Son bras lui faisait encore un peu mal lorsque, quelques semaines plus tard, elle est tombée pour la deuxième fois. Les vacances de Noël étaient arrivées. Elle a perdu pied à cause des dents de ses patins neufs – ils étaient apparus sous le sapin –, ses premiers « patins de fille ». Blancs, le talon surélevé et dangereux, ces patins de fantaisie lui épargnaient malgré tout la honte d'être vue avec des « patins de gars ». Ils étaient flambant neufs et elle avait esquissé un gros sourire pour chasser le pathos associé à l'idée de faire de la peine à ses parents s'ils constataient sa déception. Andy-Pat, lui, a reçu un ensemble de Hot Wheels avec un coffret pour les transporter.

Le beau Danube bleu jouait lorsqu'elle est tombée à plat ventre sur la glace de l'aréna Memorial de Kingston. Elle était avec une sorte d'amie – une gentille fille dont les parents connaissaient les siens par la force aérienne. Elle a failli vomir en atterrissant sur la glace, mais il suffit de ne pas pleurer pour que tout se passe bien. Pourtant, les ténèbres ont explosé dans son bras et elle a compris qu'elle avait une fois de plus étiré son muscle. Elle a sorti le bras de la manche, l'a glissé dans son blouson pelucheux et est allée chez son amie comme prévu. C'était une maison à étage avec une salle familiale qui se trouvait dans un lotissement situé à l'autre bout de la ville. Il y avait un téléviseur couleur.

À l'heure du coucher, la douleur était froide et métallique comme une aile d'aéronef, mais tranquille, à condition qu'elle ne bouge pas. Le lendemain matin, elle s'est sentie grossière de ne pas manger ses Lucky Charms et de demander à la mère de son amie si elle pouvait rentrer chez elle. C'était inopportun et le papa n'avait prévu de la ramener que dans l'après-midi. Mary Rose a dit:

— J'ai oublié que je devais rentrer pour dîner.

Elle a senti la désapprobation de la mère et l'irritation du père. Elle voyait bien qu'ils croyaient qu'elle mentait – elle mentait effectivement, mais elle ne voyait pas comment leur expliquer qu'elle n'était pas une menteuse. Il ne lui est jamais venu à l'idée de leur dire qu'elle avait mal au bras.

Elle n'a jamais été réinvitée. Mais elle savait qu'elle devait rentrer, coûte que coûte. La cuisine de son amie était trop lumineuse. Il y avait trop d'échos et le plafond était de travers. Et la forme dans son bras était un triangle noir. Cette fois, sa mère était à la maison.

Mais c'est son père qui, une fois de plus, s'est chargé des premiers soins.

— Je pense que j'ai encore étiré mon muscle.

Elle ne bougeait pas durant les massages. *Fâche-toi contre la douleur.* Pourtant, il lui semblait injuste qu'elle soit encore plus aiguë, cette fois-ci. Au bout d'un moment, elle a dit:

— O.K., tu peux arrêter de me masser si tu es fatigué.

— Je ne suis pas fatigué, ma puce.

— Tu peux t'arrêter, maintenant, papa. Je vais mieux.

Autre foulard, autre écharpe. Sa troisième. La douleur est restée.

— Bon, je pense qu'il vaut mieux que j'appelle le Dr Ferry, a dit sa mère.

Il est passé à la maison. Mary Rose l'aimait bien, il la traitait comme si elle était géniale et que la question de savoir si elle était une fille ou un garçon importait peu. Le Dr Ferry a examiné son bras et a dit :

— Je croyais t'avoir interdit de sauter du haut du toit.

Elle a souri et s'est sentie mieux.

Il a emmené la mère de Mary Rose à l'écart, dans le hall d'entrée. Ils avaient l'habitude de plaisanter entre eux – après tout, ils appartenaient tous deux à la profession médicale –, mais, cette fois-ci, Mary Rose, en entendant le ton du médecin et certains de ses mots, a éprouvé une sorte de vertige :

— … tu me dis qu'elle… et tu as attendu jusqu'à maintenant pour… ce qui peut arriver ? Qu'est-ce que ça peut bien être ?!

Il réprimandait sa mère. Personne ne parlait à sa mère sur ce ton, sauf, à l'occasion, le père de Mary Rose, qui tapait du plat de la main sur la table de la cuisine : « Ça suffit, madame ! »

Les radiographies ont révélé la présence de kystes osseux. Depuis le début, son bras était différent, mais trop modeste pour se vanter. Sa mère prenait plaisir à raconter cette histoire :

— Le Dr Ferry m'a passé un de ces savons ! Son bras était fracturé depuis des lustres ! Mais comment aurions-nous pu le savoir ? Elle ne pleurait pas, ne se plaignait jamais !

Mary Rose, qui savourait le compte rendu de son héroïsme, impressionnée par la majesté de son « seuil de douleur élevé », a donc décidé de ne pas rappeler à sa mère que même Andy-Patrick connaissait l'existence de son *bradouloureux*.

— Bonne nouvelle, a déclaré son père. Tu vas être opérée.

Le miracle s'est produit. *Lève-toi, va dans la vallée !*

•

Cette portion du cimetière militaire canadien est réservée aux personnes à charge – femmes et enfants. C'est un coin tranquille, plus proche de la forêt, parsemé de pierres tombales et de croix, aucune plus ancienne que la Paix elle-même. Pas de neige, bien qu'on soit à moins d'une semaine de Noël. Le sol, cependant, est dur et terne ; dans l'herbe aplatie, il transporte le cercueil en regardant, loin devant lui, les sapins plus gris que verts, qui forment une vaste masse indistincte.

Il contemple le fond de la petite fosse. Il aperçoit des racines, blanches là où elles ont été sectionnées, la terre formant toujours un réseau vivant, vestige des arbres qu'on a abattus depuis peu pour créer cette nouvelle section du cimetière. Il tend le cercueil et on enterre son fils.

•

Le miroir lui indique qu'il n'y a effectivement pas de bleus. Que la veine vert pâle qui serpente sous les cicatrices forme des angles droits et disparaît derrière son bras. Mary Rose en est venue à voir ses cicatrices comme une garantie : si, par un lointain jour de démence, elle devient amnésique et part à l'aventure sans sa pince à épiler, elle sera, comme Ulysse, reconnue à son retour chez elle, malgré son monosourcil.

Allongée dans le noir, elle pense à Hil qui pense à elle... mais son esprit part sans cesse à la dérive. La maternité a-t-elle temporairement eu raison de sa libido ? Est-ce plutôt un signe de déclin induit par la périménopause, c'est-à-dire la descente dans une « intimité encore plus profonde », comme on l'affirme dans le livre au ton compassé envoyé par sa sœur Maureen ? *Je ne veux pas d'intimité plus profonde. Ce que je veux, c'est du cul.* Son incapacité à se concentrer est-elle une conséquence des plaques en forme de toiles d'araignée qui, en ce moment même, colonisent son cortex ? Hil l'a rassurée, et c'est vrai : quelle importance qu'elle se trouve plus ou moins à l'ouest ? Dans l'immédiat, le monde de Mary Rose est un univers domestique circonscrit, un maelström composé de tâches multiples et simultanées, où Hil n'est qu'une simple fonction binaire : là/pas là. Pourtant, la méprise est bizarre. Elle devrait faire une petite recherche sur Google. Non. Ça, ce serait carrément de la démence. Chercher « premiers signes de la maladie d'Alzheimer » au milieu de la nuit avec deux enfants qui dorment et une pit-bull asthmatique. Elle allume la lumière, tend la main vers la pile de livres posée sur sa table de chevet. Bien qu'elle lise lentement, elle a toujours quatre ou cinq livres en cours… Un autre signe? Elle essaie de se concentrer sur *Le drame de l'enfant doué*, mais ses yeux s'égarent sur la page. Le matin venu, elle téléphonera à son médecin de famille et prendra rendez-vous pour un test de mémoire – le genre de test où on vous demande la date et le nom du premier ministre… Dans ce dernier cas, à vrai dire, elle préfère oublier. Elle échange les angoisses de l'enfance contre le *Guide pour des relations lesbiennes harmonieuses* et somnole.

•

Elle a reçu son congé de l'hôpital de la base ce matin. Son mari ouvre la porte et tend la main pour l'inviter à passer devant. Il porte son sac. Elle a mis la bague en pierre de lune pour lui faire plaisir. Son aînée est assise sur le canapé, vêtue d'une robe de fête en velours, ses cheveux coiffés en nattes maladroites séparées inégalement au milieu.

— Tu es très jolie, Maureen.

— On a gardé le sapin de Noël pour toi, maman.

Elle ouvre les bras et sa fille vient se blottir contre elle. Elle essaie de ne pas laisser voir ses larmes à Maureen.

— Tu es triste parce que le petit garçon est mort, maman?

— Ne pense pas à ça, dit Duncan.

— Je pleure parce que je suis si heureuse de te voir, Mo-Mo.

Elle libère son enfant et vacille un peu. Son mari la retient.

— J'ai passé trop de temps en position couchée, dit-elle.

Elle sourit. Elle a maigri, mais elle s'est coiffée et a mis du rouge à lèvres. Un disque joue, Nat King Cole. Sur la table basse, il y a un service à thé en argent et une assiette de biscuits au gingembre du commerce.

— C'est adorable, dit-elle.

Elle n'est pas vieille, elle aura un autre bébé. Peut-être même un autre garçon.

Dans un coin du salon, près de la porte vitrée qui ouvre sur le balcon, se dresse le sapin décoré de guirlandes en papier et surmonté d'une étoile faite à la main. Par terre, des aiguilles sèches entourent le pied de l'arbre. Elle observe son mari. Il est blême.

Personne ne lui a fait la cuisine.

—Avec un seul poulet, mama aurait pu nourrir une armée, dit-elle.

Pendant un moment, il semble perdu. Puis il dit :

— Tu veux voir le bébé ?

Qu'est-ce qu'il raconte ? Elle se sent mal. Puisqu'elle est folle, c'est sa méchanceté qui ressort. Bien fait pour elle. Est-elle réveillée ? *Le bébé est mort.*

Il la dévisage. *Il va me renvoyer.* Il se tourne vers le couloir et crie :

—Armgaard !

À cet instant, elle comprend ce qu'il veut dire par «bébé». Sous ses yeux, la même Allemande, avec son chignon impeccable et ses bras capables, émerge du couloir et dépose une enfant dont les cheveux, à deux ans, sont trop courts pour être tressés. Ils sont noirs et aussi fournis que ceux de Dolly. L'enfant regarde Dolly et sourit. Dolly perçoit quelque chose dans ce sourire... une chose méchante qui regarde par ces grands yeux foncés... se moque d'elle. Dolly fronce les sourcils, implore déjà Dieu de chasser la pensée de son esprit – pas étonnant qu'elle ne soit pas douée pour avoir des bébés, elle ne mérite même pas ceux qu'elle a. L'enfant enfouit son visage dans le tablier de l'Allemande.

— *Geh zu Mutty*, dit la femme en poussant la petite.

— *Nein !* crie l'enfant.

Son mari rit et balance la petite dans ses bras.

—Allez, Mister, va faire un bisou à ta maman.

Elle se cramponne à lui et crie, tandis qu'il la penche vers sa mère.

—Elle s'est ennuyée de toi, lui dit-il.

Mais Dolly sait la vérité. Son bébé ne l'aime toujours pas.

•

Elle se réveille environ une heure plus tard avec une vieille sensation de moiteur : coupable, comme si elle avait tué quelqu'un ou maltraité un enfant et qu'elle avait complètement oublié. Mélange de honte et de pathos qui, dans son ventre, lui fait l'effet d'un accident de voiture… le père mort au volant, la tête projetée en arrière, le visage de la mère voilé, son ventre de femme enceinte plaqué contre le tableau de bord, les effets personnels de la famille pitoyablement éparpillés çà et là, offerts à la vue de tous. Autrefois, cette sensation l'attendait à son réveil, sa forme bien personnelle de nausée matinale. Elle se lève pour faire pipi – encore heureux parce qu'elle a recommencé à saigner. Dans le tiroir, elle cherche un tampon super absorbant, si volumineux qu'elle se demande si elle doit l'insérer ou l'attacher à l'aide d'une courroie. Soudain, elle crève de chaleur. Au rez-de-chaussée, elle traverse le salon plongé dans l'obscurité, pose son pied nu sur un bloc Lego égaré, renverse «Chatouille-moi, Elmo» – *Salut, la compagnie!* – et ferme le chauffage. La chaudière s'arrête en soupirant. Dans la cuisine, elle sort une boîte de céréales anciennes qui n'ont pas réussi à prévenir l'extinction d'un peuple tout entier et ouvre son *Cook's Illustrated* : «Les macaronis au fromage repensés…»

Andy-Pat lui a offert pour son réfrigérateur un aimant à l'effigie d'un clown mort qui a des *X* à la place des yeux. «Je ne peux pas dormir, les clowns risquent de me manger.» Pour sa part, elle lui en a donné un sur lequel un train de dessins animés complètement hagard est dans un bar, penché sur une bière : «La petite locomotive qui s'en foutait complètement.» L'absence de bosses sur la porte du réfrigérateur d'Andy-Pat ne signifie pas qu'il est moins dysfonctionnel qu'elle – et le fait que papa l'ait un jour corrigé avec une ceinture ne veut pas dire que papa était pire que maman.

Il est vrai que maman était souvent rigolote. Sur des fauteuils inclinables, elle tombait à la renverse, sautait du haut du quai et atterrissait en plein sur le ventre, tandis que les autres femmes restaient échouées sur le rivage en pantalon extensible, elle commettait des faux pas énormes et était toujours la première à rire d'elle-même. Mais sa rage n'avait rien d'amusant. L'humour ne la tempérait pas. Elle n'était pas non plus persillée par le gras de l'hilarité.

— Viens ici que j't'assomme!

D'ailleurs, Mary Rose ne faisait qu'obéir aux ordres. Son père lui répétait toujours : «Ne te laisse pas faire! Fâche-toi!» Ça valait pour les problèmes de maths, les blessures, le stationnement en parallèle. Longtemps, les résultats ont été concluants.

Sa mère répétait : « Fais de ton mieux. Puis fais mieux que ton mieux. » Credo des immigrants.

Si elle a lancé la poussette contre le réfrigérateur, c'est parce qu'elle ne trouvait pas son tapis de yoga. Puis elle a dérangé Hil au milieu d'une répétition pour lui demander où il était. Hil a répondu :

— Probablement sous tes yeux.

Et il était là. C'est une plaisanterie entre elles, désormais. Chaque fois qu'elle ne trouve pas une chose, c'est généralement là qu'elle se trouve.

VOYAGE DANS L'AUTRE DIMENSION

Kitty McRae a toujours bien joué toute seule. Non pas qu'elle soit du genre à perturber les jeux des autres ou à se montrer désagréable. C'est seulement que, depuis la mort de sa mère, quand elle était encore bébé, Kitty a appris à s'amuser sans aide. Elle n'a jamais été très portée sur les jouets, en particulier les poupées – elle en a eu une, autrefois, mais, en grandissant, elle s'en est désintéressée et n'y a plus pensé. Kitty McRae n'avait pas de jouets parce qu'elle avait à sa disposition quelque chose d'infiniment mieux. Elle avait son père.

Et il occupait un emploi d'une très grande importance qui l'obligeait à se déplacer sans préavis. Kitty l'a ainsi accompagné aux quatre coins du monde. Dean McRae possédait plusieurs qualités admirables, mais l'une d'elles risquait de passer inaperçue : il s'arrangeait toujours pour que sa fille se sente absolument indispensable.

Onze ans est un âge peu banal. Kitty avait maîtrisé les logarithmes qui aidaient son père à suivre les vents et les conditions météorologiques, l'informaient des transformations subies par la croûte terrestre et de la formation des tsunamis bien avant qu'ils balaient le rivage avec une force destructrice, lui permettaient de prédire la trajectoire des incendies et des inondations. Kitty avait détecté de nombreux avenirs sur l'écran de l'ordinateur portatif de son père, des scénarios qui se déploieraient sur mille ans. Pour en changer, on n'avait qu'à modifier un seul facteur parmi une multitude – le niveau de plancton dans le fleuve Saint-Laurent, un effondrement des populations de moucherons dans la vallée du Rift. Son père observait la progression des déserts sur les continents ou celle des jungles qui prenaient des villes entières en étau. Cependant, il n'y avait rien de « virtuel » à propos des hélicoptères à bord desquels elle avait volé, les paumes plaquées contre la vitre, en rasant les toits de maisons presque entièrement submergées ou réduites à l'état de squelettes par des flammes, en contemplant des autoroutes emportées par un éboulement, des ponts tordus. Et, chaque fois, les feux s'étaient éteints, les eaux s'étaient retirées, puis, petit à petit, la vie avait repris son cours. Dans son dernier article publié dans le *Journal of Geo-Engineering*, son père lui avait même conféré le titre d'assistante de recherche. «Fais les choses à ta façon, Kit-Kat», lui répétait-il, qu'il s'agisse d'un problème de maths ou de la recette d'un sundae. Dean McRae était spécialiste des secours aux sinistrés et Kitty n'avait pas d'autre ambition que de marcher sur ses traces.

Maintenant qu'elle était presque grande, Kitty voyait clairement la situation : son père, le plus aimable des hommes, lui avait toujours fait sentir qu'elle était nécessaire, alors que, en réalité, elle avait souvent été dans ses jambes. D'où la forte sensation, un peu oppressante, qu'elle ressentait dans sa poitrine, comme si son cœur était à la fois brûlant et trop gros. C'était attribuable, croyait-elle, à un surplus d'amour, à une forme d'énergie exploitable. Elle avait onze ans, elle était au sommet de sa forme, prête à se montrer vraiment utile.

— Kitty, lui dit-il, tu veux bien venir me voir dans mon bureau ? J'ai à te parler.

Le bureau était l'endroit de prédilection de Kitty. Par contraste avec les outils de haute technologie qu'employait son père pour son travail, cette pièce renfermait des objets alimentés uniquement par l'histoire. Il y avait là des gyroscopes et des sextants qui dataient de l'époque de Colomb ainsi que des instruments mathématiques à l'aspect menaçant qui avaient appartenu à son grand-père. Une carte antique était accrochée au mur, au-dessus de la table de travail. Selon le cartographe de l'époque, le monde se composait d'une fine bande d'Europe, d'une cuillérée d'Afrique, d'une tache d'Asie et d'une croûte sinistre de *Terra incognita*. Dans les coins opposés, des Zéphyr aux joues gonflées soufflaient les vents sur le globe, tandis qu'un monstre marin tentaculaire ballottait sur les vagues et que des dragons crachaient du feu et hantaient les bords inexplorés. Sur cet assemblage hétéroclite présidait un imposant bureau à cylindre muni de casiers rappelant la paroi de nidification des oiseaux de mer, chacun renfermant un trésor : la dent d'un ichtyosaure, une graine de lotus vieille de deux mille ans que son père se promettait de semer un de ces jours, un tourbillon de pierre datant de soixante-cinq millions d'années appelé ammonite, un flacon de cendres volcaniques provenant de la dernière éruption survenue en Islande… La table de travail était perpétuellement jonchée de papiers, car son père disait réfléchir mieux avec un stylo à la main.

Sur l'unique coin libre de la table de travail de son père, on voyait une photo dans un cadre ovale. C'était la seule photo qu'ils possédaient de la mère de Kitty ; pour Kitty, c'était la seule image, point, puisqu'elle ne gardait aucun souvenir du visage de sa mère. Asha Singh. Si jolie, si animée. S'il s'agissait d'un album de finissants, on aurait sans doute lu sous la photo : *La moins susceptible de mourir jeune.* Le sourire de sa mère avait quelque chose de mélancolique. Elle semblait presque dire : *Je suis désolée.*

Kitty était forte en maths, mais, malgré tous ses efforts, elle était incapable de se souvenir de l'âge qu'elle avait quand sa mère était morte. Elle n'aimait pas interroger son père à ce sujet à cause de la peine que ses questions lui faisaient… il semblait alors se tasser sur lui-même et Kitty pouvait presque voir l'énergie le déserter. Chaque fois qu'elle évoquait sa mère, il perdait un peu plus, lui semblait-il, de son élan vital. Et elle avait la conviction troublante que c'était à elle de le garder en vie. Pourquoi n'avait-elle pas tout simplement noté les informations quand l'occasion s'en était présentée ? C'était non seulement embarrassant, mais carrément bizarre. Quel être doué de raison oublie le jour où sa mère est décédée ? Elle a posé la question à Ravi, qui n'a pas semblé trop sûr de son fait, lui non plus.

—C'est une question que tu dois poser à ton père, Kitty.

Ravi ne parlait que l'hindi et n'était encore qu'un enfant, ou presque, lorsque Dean McRae l'avait engagé dans les rues de Lucknow et ensuite parrainé. Ravi était désormais plus canadien que sir John A. Macdonald, un fervent partisan des profonds hivers de Montréal, un alchimiste des épices, armes avec lesquelles il combattait les toux et les rhumes de Kitty. Dans les premiers temps, il avait huilé et natté les cheveux de la petite fille. À neuf ans, Kitty y avait mis le holà, mais, encore aujourd'hui, c'était grâce à lui que Kitty, qui refusait d'être vue en robe, acceptait de porter un sari à

Noël. Les mains fortes et ridées de Ravi, de la couleur du bois lisse, étaient synonymes de sécurité. Après son père, c'était la personne qu'elle aimait le plus au monde.

Au-dessus de la cheminée était accroché un miroir rond au cadre doré, semblable à un gros œil, qui reflétait toute la pièce, comme par le mauvais bout d'un télescope. On avait récupéré ce miroir à bord du bateau de l'arrière-arrière-grand-père de Kitty, après son naufrage. À cause de l'âge, il était moucheté par endroits, là où le mercure commençait à en ronger la surface. Kitty n'aimait pas s'y mirer parce qu'il donnait un drôle d'air à ses yeux, comme si des éclats argentés balayaient la vitre à la façon de la neige dans un presse-papier. C'était, selon le médecin, un symptôme des « migraines idiopathiques atypiques » à l'origine de ses « épisodes ». Les migraines ne provoquaient pas de douleur, et c'est pour cette raison qu'elles étaient « atypiques ». Et « idiopathiques » ne signifiait pas qu'elle était idiote et pathétique. « Ça veut simplement dire qu'elles sont de naissance », lui avait expliqué son père. Kitty n'avait pas été impressionnée par le diagnostic : c'était un nom aux sonorités adultes donné par des adultes à un phénomène qui les dépassait. Dans le bureau où l'avait convoquée son père, elle se regarda brièvement dans le miroir, petite et lointaine, campée sur le tapis, prête à recevoir ses « ordres de marche ».

Cette pièce et tout son contenu lui reviendraient un jour, mais le tapis était déjà à elle. Il avait été tissé pour elle par un vieux Bédouin en signe de reconnaissance : en effet, le père de Kitty avait éteint un incendie qui faisait rage depuis des mois, alimenté par une nappe de pétrole dans le sous-sol du désert. Tous les tapis tissés à la main sont des pièces uniques, évidemment, mais celui-ci, de plus, était parcouru par une bande écarlate qui formait son initiale : *K*.

Leurs aventures débutaient toujours de la même manière : Kitty au garde-à-vous sur le tapis, son père détendu dans le fauteuil en cuir. C'est donc avec un agréable pincement d'anticipation qu'elle le vit s'y installer. Et avec une certaine surprise qu'elle l'entendit dire :

— Assieds-toi, Kitty.

Elle hésita, puis s'assit en tailleur sur le tapis et repoussa la mèche qui lui barrait les yeux. Ses cheveux étaient en quelque sorte la manifestation physique de son énergie cérébrale. Ils poussaient dans toutes les directions, amas fractal chaque jour plus complexe. «À quoi bon se coiffer?» «Tous les prétextes sont bons, non?» répétait Ravi. Il avait renoncé à la convaincre de se brosser les cheveux, mais, à propos des dents, il était intraitable, et elle devait lui donner raison sur ce point. D'aussi loin qu'elle se souvienne, Ravi s'occupait d'elle et c'était grâce à lui qu'elle baragouinait et comprenait un peu la langue maternelle de sa mère. Elle goûtait fort la réaction qu'elle obtenait en le présentant comme son «gouvernant»; et, dernièrement, elle en avait eu maintes fois l'occasion, car, à l'instigation de sa «tante» Fiona, elle avait assisté à un véritable défilé de filles de son âge, en vertu d'un tour de passe-passe qui sentait le marketing à plein nez. Associée du cabinet de relations publiques Tullimore-Spinx, Fiona Tullimore était non pas la tante de Kitty, mais bien la petite amie de son père, et c'était à ces deux titres que cette femme merveilleuse débordait littéralement de projets visant à «améliorer» la vie de Kitty. Sauf que la vie de Kitty était déjà parfaite. Elle avait son père, elle avait Ravi et elle avait son secret.

— Qu'est-ce que c'est, papa?

— Comment te sens-tu, aujourd'hui, Kit-Kat?

— En pleine forme.

Il hésita, comme s'il se demandait s'il devait la croire, puis il laissa tomber:

— Bien.

— Ne t'en fais pas, papa, dit-elle pour le rassurer.

Il l'avait emmenée voir un spécialiste à propos de ses «épisodes», même si Kitty avait tenté de le convaincre que tout allait bien. Le Dr Quinn lui avait plu. Il lui avait fait subir des tests, mais très différents de ceux de l'école. La seule chose qui effrayait Kitty, c'était l'odeur de l'hôpital. Elle lui glaçait le ventre et mettait sa peau en état d'alerte, comme si, à tout moment, quelqu'un risquait de la piquer avec une seringue ou pire encore. Mais l'odeur et même les inquiétudes inutiles de son père étaient amplement justifiées par l'introduction de tout son corps dans le grand tube cliquetant qui avait pris des photos de son cerveau, en couches successives. Elle les avait vues ensuite, sur l'ordinateur du médecin : cartes bleutées, silhouettes ombragées…

— Où allons-nous, cette fois-ci ? demanda-t-elle à son père.

— Un voyage se prépare effectivement, Kitty, mais j'ai peur de ne pas en être.

Pendant un bref moment de vertige, Kitty craignit que son père lui annonce qu'elle devait retourner à l'hôpital pour enfants afin de subir une intervention chirurgicale… Et si elle avait effectivement quelque chose au cerveau ? Et si on devait lui percer un trou dans le crâne ? Peu après, il interrompit ce qu'elle avait cru être son pire cauchemar en le remplaçant par un autre, encore plus effroyable. Bien que ne supposant pas de scalpels, il entraînerait une rupture à laquelle elle avait tout de suite eu la certitude de ne pas survivre.

Il l'envoyait au loin.

MARDI

Entend-on la feuille morte
qui tombe dans une fissure ?

Elle rentre tout juste avec Maggie d'un atroce cours de natation parents-bambins dans la piscine à l'eau tiède du centre communautaire. Dans un chaos à peine maîtrisé, les pères et les mères blafards ballottaient çà et là, cramponnés à leurs tout-petits de dix-huit à vingt-quatre mois, sous l'œil d'une monitrice adolescente arborant un pince-nez. Les parents qui avaient un peu de couleur dans leur héritage prenaient une teinte particulièrement malsaine, le lustre attribuable aux pigments terni par le chlore – le papa libyen était le plus touché. Ils ont chanté *Un mille à pied...* et risqué *À la claire fontaine*, les poils de la poitrine flottant, la graisse des bras tremblotant et, dans le cas de Mary Rose, les sinus d'âge moyen bloqués, tandis que les minuscules adultes en puissance hurlaient ou rigolaient comme des fous, selon la proportion de nature et de culture propre à chacun. Puis on a produit la glissoire en plastique rouge qui séparait les collectionneurs de timbres des investisseurs en capital de risque. Après avoir sagement attendu son tour, Maggie a grimpé les deux marches – en soi une entreprise risquée, digne d'un vieux loup de mer, pour un enfant de cet âge –, tandis que Mary Rose entrait dans l'eau dans l'intention de l'attraper.

— O.K., Maggie !

Sauf qu'au lieu de se laisser glisser sur les fesses, Maggie s'est lancée à la tête de Mary Rose. Elles ont calé jusqu'au fond, le derrière en premier, et Mary Rose, accrochée à Maggie, a eu du mal à reprendre pied sur les carreaux glissants. Elles ont enfin refait surface au milieu d'un grand éclat de rire de la part de Maggie, d'un halètement de Mary Rose, qui a cru se vomir le cœur, et des regards ahuris des autres parents.

— La prochaine fois, tu dois glisser sur ton derrière, Maggie.

— O.K.

Elle est remontée et a récidivé.

Il est maintenant neuf heures et demie en ce mardi, le plus inoffensif des jours de la semaine, et Mary Rose est en sécurité dans sa cuisine. Sa peau sent le chlore et elle a les cheveux sérieusement aplatis, mais elle baigne dans le *gemütlichkeit* – sentiment de bien-être à la fois intraduisible et universellement reconnu. Celui qu'on éprouve quand on a vidé sa boîte de réception ou survécu à un écrasement d'avion. Assise par terre, Maggie réorganise l'armoire où sont entreposés les Tupperware – ce ne sont pas vraiment des Tupperware et, de toute façon, Mary Rose devra les remplacer par des contenants sans BPA. Elle ne devrait peut-être pas laisser Maggie manipuler ces objets, mais elle ne les met pas dans sa bouche, alors… Daisy apparaît et se dirige vers son écuelle, où elle engloutit un petit-déjeuner tardif en poussant une série de grognements – ces jours-ci, le cabot observe un horaire de douairière.

Appuyée sur le comptoir en stéatite, devant les grandes fenêtres de sa cuisine, Mary Rose lit le *Toronto Star* – dans le cahier gastronomique, il y a un article sur une femme ordinaire qui fait sa propre ricotta… et dirige une multinationale. Le mardi, c'est la matinée de Candace, qui sera bientôt là. Mieux vaut que Mary Rose s'écrase par terre et joue avec Maggie avant son arrivée. Elle ferme le journal et aperçoit du coin de l'œil une femme debout au coin de la rue. Elle tient un tout-petit par la main et a un autre enfant dans une poussette qui croule sous le poids des sacs d'épicerie. Elle essaie de traverser la rue, mais le tout-petit refuse. Il s'assied par terre. Il pleure. La mère attend – elle a la bonne attitude. La plus difficile à adopter. Mary Rose est passée par là.

Récemment, elle a lu dans le journal l'histoire d'une femme qui s'est tuée, a tué son mari et a tenté de tuer ses trois jeunes enfants. C'est arrivé à dix minutes à pied de chez elle, dans Harmony Street. L'article faisait mention d'un chien qui «errait sur les lieux».

Elle observe Daisy, qui dort comme une souche devant la porte coulissante s'ouvrant sur la terrasse, ses pattes agitées de soubresauts – sans doute poursuit-elle un écureuil en rêve.

Dans l'article, on cite une voisine qui dit avoir vu la jeune femme, «gentille et tranquille, c'était un couple adorable», revenir du Loblaws en poussant son bébé dans un landau chargé de sacs, le tout-petit et un enfant de six ans à la main. «Elle avait le visage inexpressif.» Mary Rose se souvient d'une chose qu'a dite son amie Andrea – la sage-femme qui a «attrapé» Maggie. Dans l'ivresse de la première heure, marquée par une félicité sans mélange, les embrassades, les larmes et les rires, Andrea s'est tournée vers Hilary.

— Je vais te dire ce que je dis à toutes les mères post-partum : dans trois mois, tu auras envie de lancer ton bébé par la fenêtre. Appelle-moi.

Et si quelqu'un s'était approché de la gentille jeune femme d'Harmony Street et lui avait proposé de porter ses sacs ? Le résultat aurait-il été le même ? Était-elle déjà perdue ?

Les enfants ont survécu. Grâce au chien, probablement.

La mère avait tenté de leur trancher la gorge.

Mary Rose songe à sortir donner un coup de main à cette femme, peut-être moins patiente que dépressive. Si elle tue ses enfants une fois chez elle, ce sera la faute de Mary Rose – elle entend un bruit métallique derrière elle. Maggie secoue un objet dans un contenant en plastique… un cent ! Hil a trié de la petite monnaie avant de partir et elle a laissé tomber une pièce par terre. Elle a juré les avoir ramassées toutes et voilà que Maggie en tient une à la main, prête à la mettre dans sa bouche et à s'étouffer.

— Hé, donne le sou à mama, mon lapin.

— Non.

La petite serre le poing sur la pièce.

— Moi.

Mary Rose ouvre de force les doigts de Maggie et lui arrache le contenant, puis elle le lance dans le couloir, regrettant son geste avant même que l'objet rebondisse innocemment sur la porte. L'enfant hurle comme si elle venait d'assister à l'éviscération de son lapin de compagnie.

— Ça va, ma puce, mama ne l'a pas brisé.

Elle va chercher le contenant et le tend à Maggie qui, promptement, le jette à bout de bras. Bravo pour la leçon. Hil est une mère encore plus déplorable, elle qui a laissé une pièce de monnaie traîner par terre. Soudain, Mary Rose s'allonge, fait semblant de dormir et laisse Maggie la réveiller, encore et encore. Bientôt, les grands yeux bruns sont mouillés à force de rire et Mary Rose attrape la petite qui se propulse contre elle à répétition – c'est la seule forme de câlin à laquelle consent Maggie avec elle.

La porte de derrière s'ouvre, Daisy fait *mwouf* et Candace grimpe les quatre marches qui conduisent à la cuisine. Déjà, elle remonte les manches de son t-shirt moulant à manches longues, exsudant un air d'autorité joyeuse, attribuable peut-être moins à sa formation de puéricultrice qu'aux années qu'elle a passées comme barmaid à Manchester. En signe de salutations, le postérieur de Daisy bondit de gauche à droite. Maggie abandonne Mary Rose et va serrer «Candies» dans ses bras. Mary Rose voit la petite se blottir contre l'ample poitrine de Candace et elle se dit que Maggie l'aimerait peut-être, elle aussi, si elle passait seulement quelques heures par semaine avec elle, puis elle se reprend; après tout, elle *veut* que Maggie aime Candace. Mary Rose est simplement jalouse. De Candace ou de Maggie? Difficile à dire.

Candace s'adresse à la petite dont elle a la charge au moyen de phrases complètes et directes.

— Bonjour, Maggie, comment vas-tu aujourd'hui?

Maggie répond de même.

— Je bien, Candies. Je vais au parc avec toi.

Mary Rose suit le mouvement.

— Et que vas-tu faire au parc, Maggie?

— Non.

Mary Rose rit pour montrer à Candace qu'elle est cool, puis elle reprend les choses en main.

— En passant, Candace, nous allons progressivement éliminer le dodo du matin.

— Ah bon? Je croyais que c'était déjà fait. Désolée, je la gardais avec moi toute la matinée. Vous préférez que je la couche?

— Non, non, ouais, c'est terminé. Je ne savais juste pas si je vous en avais parlé ou pas. Super, merci.

Maggie sanglote de façon hystérique en voyant sa mère se diriger vers la porte. Mary Rose se dit que c'est la preuve d'un sain attachement.

En s'éloignant, elle entend Candace dire :

— Bon, bon, Maggie Magouille. Inutile de te mettre dans tous tes états.

•

Après Noël, sa mère meurt. Elle ne rentre pas au Canada pour assister aux funérailles. Elle n'a pas de bébé, mais elle a encore l'enfant. Elle l'entend pleurer. Est-il assez grand pour descendre de son berceau ? Elle s'allonge sur le canapé. La lumière venue du balcon reste longtemps la même. Elle entend l'enfant de deux ans pleurer. Le sent lui tirer les cheveux.

•

Douze minutes plus tard, Mary Rose verrouille son vélo devant l'hôpi-tal Mount Sinai, dans University Avenue, au centre-ville, artère large de six voies balayée par le vent et bordée de centres médicaux et de gratte-ciel occupés par des compagnies d'assurances. Puis son frère lui téléphone et lui dit :

— Il faut que tu viennes voir mon derrière.

Il se trouve dans la succursale de Roots du Eaton Centre, dans Yonge Street, deux ou trois coins de rue plus loin.

— Rien ne me ferait plus plaisir, mais je dois passer une sono-hystérographie.

Il ne demande pas de quoi il s'agit.

Dès dix heures quarante-cinq, elle est allongée sur la table d'exa-men, les pieds dans les étriers. Le gynécologue, le Dr Goldfinger – le doigt d'or, il n'y peut rien, c'est son nom de naissance – retire la « baguette magique » et la tend à l'infirmière. Terminée par une caméra, elle est recouverte d'un préservatif. On lui avait promis une gynéco-logue, mais elle a fini par se résigner parce que le Dr Goldfinger a plus de soixante ans et qu'il est très compétent. Et ce n'est pas comme si la D^re Irons – les fers, autre défaut de naissance – avait manié le spéculum avec délicatesse le jour où elle a diagnostiqué les fibromes bénins qui déchiquettent la paroi de l'utérus de Mary Rose.

On lui a donné le choix: tenir bon jusqu'à la ménopause, moment où les fibromes qui carburent à l'œstrogène mourront de leur belle mort, ou subir une procédure nouvelle en vertu de laquelle le chirurgien coupe l'approvisionnement en sang de l'utérus et provoque un infarctus, puis implante une pompe à morphine pour quelques jours – en d'autres termes, l'utérus subirait une crise cardiaque mortelle et elle-même souffrirait le martyre. Sinon, on peut réaliser une hystérectomie. Sa mère a subi une hystérectomie à l'époque où ils vivaient à Kingston. C'était après sa deuxième – troisième? – fausse couche, et le médecin l'avait plus ou moins ordonnée, mais Dolly avait tout de même tenu à demander la permission du prêtre. Après, elle avait commencé à prendre ses «pilules de gentille maman». Parfois, elle oubliait.

Son utérus est l'organe auquel Mary Rose a toujours évité de penser et elle y a bien réussi, nonobstant le calvaire mensuel, mais elle ne peut se résoudre à lancer contre lui une attaque sans merci. Une chose assez moche, d'accord, monsieur, mais qui est à moi. Son aventure au sein du complexe gynéco-industriel lui a appris que l'utérus au stade de la «périménopause» est considéré comme l'était autrefois l'appendice: un aimant à maladies qu'il convient d'éliminer au premier signe d'agitation. Mais comment savoir? Bien qu'il soit trop tard pour ses amygdales, Mary Rose a encore son appendice, organe vestigial de la digestion, et compte donc parmi ceux qui ont une chance de survivre dans l'hypothèse où l'espèce serait condamnée à manger de l'écorce pour cause de changement climatique. C'est comme la section qu'on trouve à la fin de certains livres: *Appendice*. Des informations superflues dans l'immédiat, mais qui pourraient plus tard se révéler d'une importance vitale. Difficile, toutefois, d'imaginer l'autre organe faire double emploi comme terme littéraire: *Utérus*.

Mo a dit:

— On va essayer de te faire croire qu'il ne sert à rien, mais c'est faux. Il sert à quelque chose, alors garde-le.

Elle y a donc réfléchi pendant six mois, puis elle a surpris une conversation dans le brouhaha du vestiaire de la piscine :

— Essaie le lait de soja. C'est rempli de phyto-œstrogènes, et ça vaut mieux que de prendre de la pisse de jument gestante – c'est ça, le Premarin.

Le déclic n'a pas été immédiat, mais la lumière a fini par se faire dans son esprit, avec éclat par-dessus le marché.

Forte de sa volonté d'être une végétarienne au-dessus de tout soupçon, Mary Rose, depuis un an, remplaçait tout par le soja. Lait de soja, hamburgers de soja, bacon de soja – le soja, ce champion des métamorphoses, se prête à toutes les mutations. Comme la syphilis, il se déguise. Bref, c'est le Zelig du monde alimentaire. Elle s'est toujours doutée que le soja avait quelque chose de sinistre. Elle a enfin compris : elle gavait ses fibromes. Elle est rentrée de la piscine et a jeté toutes ses réserves de soja, tel le narcotrafiquant qui s'efforce de devancer la police.

Mary Rose tourne la tête pour observer le Dr Goldfinger, appliqué à examiner le champ gris qui palpite sur l'écran de l'ordinateur, fenêtre ouverte sur son utérus. Elle tend le cou pour les apercevoir dans l'obscurité. Ce sont seulement des fibromes, d'accord, mais y en a-t-il plus qu'avant ou moins ? Une infirmière entre en bruissant, arrache le préservatif sur la caméra et ressort en bruissant. Sans doute Mary Rose peut-elle retirer ses pieds des étriers – ceux-ci sont en métal nu, contrairement à ceux du cabinet de son médecin de famille, qu'on a la prévenance de recouvrir de gants isolants comme ceux dont on se sert pour sortir des plats du four. Elle interroge le visage du Dr Goldfinger dans l'espoir d'y lire le verdict. À une époque révolue, il l'aurait traitée, en redingote et lavallière, pour une « grossesse hystérique » – le mal qui a emporté Charlotte Brontë. Une autre infirmière entre en bruissant, sans raison apparente, et ressort de même. Mary Rose est consciente de sa chance : non seulement ne vit-elle pas à proximité d'un cimetière du Yorkshire, mais, en plus, elle n'a eu à endurer que des règles d'un mois, accompagnées de contractions comme en a une femme en plein travail, appelées « crampes » par les profanes, ainsi que de « ménorragies », journées de saignements abondants où elle a mis au monde des caillots de tissus utérins du calibre d'un avorton. Ils tombent dans la cuvette

avec le *plop* d'une soupe épaisse – baroud d'honneur d'un système re-
productif féminin qui ne rend pas les armes sans un dernier combat
sanglant. En contradiction flagrante avec le personnage d'androgyne
souple qu'elle cultive depuis toujours.

Elle n'a pas dit à Hil pourquoi elle avait rendez-vous chez le
médecin. Inutile de trop insister sur les aléas de la ménopause avec sa
petite amie. Partenaire. Épouse. Quelle importance ? Pourquoi ne
dispose-t-on pas d'un meilleur mot ? Hormis *amoureuse* flagrante,
partenaire platonique (ou asexuée) et *conjointe* démodée… Elle déteste la plupart des mots associés à la féminitude. Elle a du mal à
utiliser le mot *règles* en dehors du contexte de la grammaire. Ce sont
des mots poisseux, désagréables à prononcer. Ou encore inadéquats :
vagin, par exemple, comme si tout était dit. *Lesbienne :* lézardeux.
Ménopause : une femme acariâtre assise à côté de vous dans l'autocar
qui va à Brockville. Bizarrement, le mot *utérus* convient dans la mesure où il fait penser à une congrégation de religieuses.

— Ils diminuent, déclare le Dr Goldfinger.

Il sourit brièvement et quitte la pièce.

Yes ! Pour un peu, elle brandirait le poing, mais c'est trop américain.

La première infirmière entre et lui tend une énorme lingette stérile pour essuyer le gel lubrifiant. Pendant que Mary Rose fait sa
toilette, la deuxième infirmière entre à son tour. En souriant timide-
ment, chacune produit, en même temps qu'un stylo, un exemplaire
de *JonKitty McRae. Voyage dans l'autre dimension* et de *JonKitty
McRae. Évadés de l'autre dimension.*

Elle écrit :

Meilleurs vœux !

M (ister) MacKinnon

Salle UL230B

Service d'imagerie médicale

Hôpital Mount Sinaï

" Souriez, vous êtes filmés ! "

Puis elle remet son pantalon.

— Le troisième, c'est pour quand?

●

Elle pense que c'est peut-être encore l'hiver, mais elle n'en est pas sûre. Du canapé, par la porte du balcon, elle ne verrait, même si elle se mettait en position assise, que la cime des arbres et le ciel – la Forêt-Noire est couverte de conifères, alors, sans neige, elle ne peut jurer de rien. Elle a l'idée de punaiser un calendrier au mur: ainsi, sans avoir à se lever, elle saura quelle est la saison. Elle est couchée de côté sur le canapé, une main sous la joue, l'autre tendue, la paume sur le dessus. La pierre de lune est à sa main, et son bébé est mort. Elle a envie de faire un interurbain pour dire à sa mère: «J'ai perdu le garçon, mama.» Puis elle se rappelle que sa mère est morte.

Elle a renvoyé l'Allemande. Elle n'a pas besoin d'aide, elle a juste un enfant à la maison pendant la journée.

L'enfant, debout de l'autre côté de la table basse, en maillot et en couche, hurle. Rigide. Sur ses joues, des larmes rondes semblent jaillir directement de son visage. Dolly ferme les yeux. Tant qu'elle restera couchée, rien de mal ne peut arriver.

●

Mary Rose sort de la salle UL230B et se perd aussitôt. L'ascenseur qu'elle a pris en venant était-il orange ou jaune? Elle balaie des yeux un couloir qui se termine par une porte à double battant marquée: SALLE D'INTERVENTION. Elle part dans la direction opposée en regrettant de ne pas avoir songé à prendre un sac de miettes de pain et en essayant de ne pas respirer trop à fond. En contexte médical, des mots parfaitement hygiéniques finissent par donner la nausée: *intervention*… L'euphémisme se charge de tous les traits négatifs qu'il avait pour but de cacher. Mary Rose ne prise pas beaucoup les hôpitaux, mais, dans cette aile, au moins – et elle en est reconnaissante –, on lui épargne l'odeur du désinfectant et de l'alcool à friction, ces odeurs chirurgicales qui provoquent l'effroi, lui donnent le frisson et font monter à ses yeux des larmes d'histoires de fantômes. L'odeur des os qu'on... Elle se rappelle à elle-même que la pire odeur est celle de la nourriture d'hôpital. Le pain – la compote de pommes, les pois verts mous – du chagrin, en vérité. Elle n'a jamais compris qu'on puisse avoir envie de faire carrière à l'hôpital. Sa propre mère était infirmière diplômée. Infirmière de salle d'opération, par-dessus le marché. Il faut dire qu'elle n'avait pas peur du sang.

Elle passe devant la MAMMOGRAPHIE – au moins, la presse à paninis lui est épargnée aujourd'hui – et, au coin, tombe sur la CLINIQUE DE DENSITÉ OSSEUSE. Est-ce là la cause de la douleur fantasque dans son bras? Et s'il s'agissait non pas d'une douleur fantôme, après tout, mais bien des signes avant-coureurs de l'ostéoporose? Une autre des «largesses de la ménopause»? Sur les radiographies, rien du tout. Mais c'était il y a six mois...

Elle s'imagine dans la peau du lieutenant Columbo de la vieille série télévisée des années soixante-dix. Fripé, borgne, la démarche traînante, il était le maître absolu de la fausse sortie. Alors que le suspect croyait le niais lieutenant de police reparti les mains vides, Columbo s'arrêtait sur le pas de la porte, se retournait et disait: «Vous savez, il y a encore un détail qui me chicote...» Puis il coinçait le coupable.

Mary Rose aperçoit une sortie de secours à côté du symbole d'un escalier et d'un avertissement: «L'OUVERTURE DE CETTE PORTE DÉCLENCHERA UNE ALARME.» Elle ouvre.

•

Un son différent, à présent. Une plainte rauque, gémissante. Plus de larmes. Un souffle chaud contre son visage. Une odeur de coton mouillé, d'urine. Le mot, une supplication sèche, «maman». Répété. De plus en plus insistant – venu d'une source nouvelle, d'une terre brûlée. Elle sent la petite main se poser sur son visage, chaude. Le mot est là, de nouveau, en accéléré, métal contre métal, le mot va s'embraser: *Maman!* Des doigts palpent ses paupières, les soulèvent. La main remonte jusqu'à son crâne, agrippe une poignée de ses cheveux et tire, fort, sa tête va de gauche à droite, l'enfant la secoue. Elle n'ouvre pas les yeux. Au prix d'un effort surhumain, elle parvient à se retourner face au dossier du canapé. Au bout d'un moment, la pluie de coups sur son dos et ses épaules s'arrête. L'enfant ne peut pas vraiment lui faire du mal, elle a seulement deux ans.

•

Depuis qu'elle a subi sa dernière chirurgie orthopédique à quatorze ans jusqu'à tout récemment, Mary Rose n'a eu aucun motif de se plaindre de son bras, hormis, de loin en loin, une légère secousse histrionique. En bon petit soldat, il a tenu le coup pendant un été dans la Réserve de l'armée, les rigueurs de l'école de théâtre, d'innombrables escapades avinées, des séances d'improvisation corporelle intensives, deux bébés. Jusqu'à l'été dernier.

C'était leur premier été sans la maman d'Hil. L'automne précédent, Patricia était morte de complications consécutives à une intervention chirurgicale de routine. C'était une femme magnifique avec des yeux bleu cristal et d'exquises manières – une femme qui, par jeu, appelait son mari « le docteur », mais parlait avec vénération de leurs « royaumes » respectifs – le sien étant la maison et les enfants. Hil a eu le cœur brisé, évidemment… même si, pendant la réception qui a suivi les funérailles, Mary Rose avait été sidérée de l'entendre dire sur un ton amer à une amie d'enfance :

— Ma mère est morte parce qu'elle avait mal au dos.

C'était vers la fin de leurs épuisantes vacances d'été sur la côte Est. Maggie aurait bientôt deux ans et Matthew, en proie à une régression soudaine, avait exigé ses propres couches. Le rivage était hospitalier, mais un enfant pouvait se noyer dans trois centimètres d'eau et les bois étaient remplis d'ours et d'insectes porteurs de la maladie de Lyme…

— C'est faux, Mister. Pas « remplis ».

— L'*Ixodes scapularis* migre vers le nord. Il suffit d'une seule tique.

Sans compter que les enfants risquaient de s'aventurer dans la forêt et de mourir d'hypothermie.

— Comment ? a demandé Hilary qui, par miracle, était parvenue à lire un roman complet au cours de ces deux exténuantes semaines.

Elles ont fermé le vieux camp de chasse et chargé les bagages dans la voiture en surveillant d'un œil leurs deux tout-petits – sa mère avait peut-être raison, en fin de compte, Mary Rose était simplement trop vieille pour jouer à ce jeu. Ils s'apprêtaient à mettre le cap sur Halifax, où ils passeraient une dernière nuit avec le père d'Hil et sa sœur cadette. Là, Mary Rose, avant le souper, est montée se coucher sur le canapé de la salle de loisirs de son beau-père et a été seize heures sans pouvoir se lever.

Tout le monde a cru qu'elle était fatiguée, mais Mary Rose, elle, a compris qu'elle était partie. Elle était passée sous une ligne. Comme dans le diagramme de son manuel de science à l'école secondaire, celui où on voyait une coupe transversale de l'écorce terrestre. Loin sous la surface se trouvait la « nappe phréatique ». Mary Rose était descendue sous la nappe phréatique, paralysée. Incapable de cligner de l'œil, de dormir, elle s'imaginait étalée et suspendue dans le sol. À un moment donné, elle a entendu la famille chanter « Joyeux anniversaire », au rez-de-chaussée, et elle s'est souvenue : ce jour-là, Maggie célébrait ses deux ans.

Où était l'interrupteur ? Elle ne savait pas qu'il était possible de se coucher un jour pour ne plus jamais se relever. Était-ce une forme de « paralysie hystérique » ? Même si elle se relevait cette fois-ci, elle risquait, dans un proche avenir, d'être tétanisée de nouveau. Elle avait mis les pieds là, il y avait un tracé, un sentier.

Où était l'interrupteur ? Daisy est entrée et, avec sa truffe humide, lui a donné un petit coup de boule. Hilary n'a pas arrêté de lui apporter du jus. Le père d'Hil est venu la voir. Les cheveux blancs, grand, il était à la fois l'archétype du médecin des séries télévisées des années soixante et un vrai médecin – « plus ou moins vrai », se plaisait-il à dire. Un psychiatre. Il a tiré une chaise et lui a doucement demandé si elle avait « pris quelque chose ». Elle a failli répondre : « À part le lit ? »

— Non, a-t-elle dit. Je suis juste fatiguée.

Il a hoché la tête, puis il lui a demandé si elle avait besoin de quelque chose. Lui aurait-il filé un comprimé de Valium, là, sans hésiter? La mère d'Hil avait effectivement eu mal au dos. Un verre de vin est une chose, un verre de vin accompagné d'un comprimé de Percocet en est une autre…

— C'est très gentil, Alisdair, a répondu Mary Rose, mais je me sens mieux, maintenant.

Elle aimait son beau-père, mais se réjouissait de ne pas avoir été la bénéficiaire de ses méthodes modernes, dans le bon vieux temps. Elle se demandait s'il avait déjà administré des électrochocs. Au moins, lui et sa femme n'avaient pas fait campagne pour tenter de changer l'orientation sexuelle de leur fille. Mary Rose a remballé cet épisode hystérique et l'a laissé derrière elle.

Puis elles ont entrepris le périple vers l'ouest en s'arrêtant comme d'habitude à Ottawa, où les parents de Mary Rose, bercés par de la musique d'ascenseur, habitent dans le confort climatisé d'un tout nouveau projet de copropriétés appelé Corrigan's Keep pour des motifs au moins aussi obscurs que ceux qui justifient les Vale, Height, Castle View et Down en tous genres qui entourent les villes nord-américaines. La douleur lui a tendu une embuscade, la deuxième nuit, dans la chambre des invités, au sous-sol. Elle s'est réveillée, surprise. 2:00, indiquait le réveil en chiffres rouges scintillants. Elle s'est levée avec précaution pour ne pas réveiller Hil – le matelas était comme une plaque de plâtre posée sur des ressorts. Selon Hil, il avait simplement besoin d'une couche de mousse à mémoire. N'était-ce pas notre cas à tous? Mary Rose est passée entre Maggie dans son petit parc et Matthew sur la chaise-lit pliante IKEA.

Elle s'est glissée dans la salle de bains et a allumé la lumière. Le miroir lui a rendu une image d'une précision chirurgicale: cheveux ébouriffés, joues fripées par les draps. Sur son bras, les cicatrices, la veine, pas de bleus.

Mary Rose a l'habitude des milliers de maux qui sont le lot de la chair maternelle. Elle s'est fait des coupures aux doigts qui ont mis des mois à cicatriser parce qu'elle passe son temps à rincer toutes sortes d'objets dans l'évier, a découvert des bosses sur sa tête en se lavant les cheveux, des bleus sur ses jambes en se rasant. Tout cela faisait partie du quotidien d'une mère. Qui songe à s'épargner la morsure de la table basse sur un mollet lorsqu'il s'agit d'empêcher un enfant de tomber? La douleur qui ne laisse pas la moindre trace engendre une forme d'insatisfaction.

La douleur ne l'a pas lâchée d'une semelle jusqu'au retour à Toronto et elle a persisté durant l'automne. Mary Rose était sur le point de faire une recherche sur Google lorsque Hil l'avait surprise et lui avait dicté sa loi.

— Appelle la D^{re} Judy.

Mary Rose avait donc docilement pris rendez-vous avec le médecin de famille. Puis, comme si le simple fait de demander une vraie aide médicale avait éveillé un soupçon, quelque chose avait commencé à la « chicoter ».

De vieux souvenirs avaient pris une signification nouvelle. Elle s'était rappelé le jour où le Dr Ferry avait réprimandé sa mère dans le hall d'entrée. Âgée de dix ans, elle étrennait sa troisième écharpe : «... *ce qui peut arriver? Qu'est-ce que ça peut bien être?!*» Elle avait entendu sa mère raconter l'incident encore et encore, comme si c'était une histoire drôle – «*Il m'a passé un de ces savons!*» –, preuve irréfutable, déjà à l'époque, que quelque chose n'allait pas. Elle a revu le profil fermé de son père qui faisait les cent pas dans les couloirs du service de radiologie, s'est rejoué les propos qu'il a tenus d'un ton guilleret : «Ils vont prendre des photos de tout ton squelette pour voir s'il y a des trous ailleurs.» Et elle a alors compris : il était terrifié.

Quatre ans après la première opération, debout dans le cabinet de consultation du chirurgien, elle a détecté autre chose sur le visage de sa mère lorsque le médecin a déclaré :

— Ils sont revenus.

Ils vivaient à Ottawa, à l'époque, mais, deux fois par année, ils faisaient le trajet jusqu'à l'hôpital général de Kingston pour son examen – après, ils s'arrêtaient toujours manger de la pizza et c'était agréable d'avoir ses parents à elle toute seule. Imposant, le Dr Sorokin se tenait devant les radiographies insérées dans la boîte à lumière et indiquait, avec le bout de son crayon, les ombres nouvelles sur son humérus.

— Ici, ici et ici.

Son père a hoché la tête, les lèvres pincées. Mary Rose et sa mère, en un rare moment d'unisson, se sont tournées vers la fenêtre – on distinguait au loin la grande cheminée de l'hôpital, les briques ternes contre le ciel de novembre. Elle a vu des larmes glisser sur les joues de sa mère et, à sa grande consternation, s'est rendu compte qu'elle était sur le point de l'imiter. Avec le détachement d'une fille de quatorze ans, elle s'est dit intérieurement : « Ce n'est pas moi qui pleure, c'est juste mon corps qui se souvient de la douleur. »

Elle ne se souvenait pas d'avoir vu sa mère pleurer. Ces larmes lui avaient donné à réfléchir, mais le visage de sa mère regardant par la fenêtre trahissait autre chose. Quelque chose de grave. Quelque chose de digne. Du chagrin.

Les interventions chirurgicales avaient un avantage : c'étaient les meilleurs moments passés avec sa mère. À l'hôpital, Dolly était dans son élément, et ce n'est qu'avec elle que Mary Rose se sentait en sécurité – grâce à son visage, à sa voix, même la douleur semblait neuve et raisonnable. En particulier la dernière fois, alors que Mary Rose était assez vieille pour craindre une erreur du chirurgien.

— C'est le bras gauche, celui qui a déjà une cicatrice, leur a-t-elle dit pendant qu'ils poussaient son lit à roulettes vers la salle d'opération.

Ils firent ceux qui n'avaient rien entendu. Ils portaient des masques. Une grosse lumière était suspendue au-dessus d'elle. Tout n'était que cliquetis et acier, les avant-bras du médecin étaient poilus, ses mains d'une blancheur crayeuse. Elle ne pouvait pas bouger, mais elle pouvait parler. On lui avait fait une piqûre dans le couloir, où on l'avait parquée parmi d'autres lits à roulettes, semblables à des avions qui attendent leur tour sur le tarmac, à la queue leu leu. Une infirmière était arrivée et avait planté l'aiguille dans sa cuisse, sans avertissement. Le médicament s'était douloureusement infiltré dans son système sanguin.

— Qu'est-ce que c'est ? a demandé Mary Rose.

— Un calmant, a répondu l'infirmière.

Mary Rose était déjà calme, mais, au fur et à mesure que ses membres prenaient la lourdeur du béton, elle a senti l'angoisse monter en elle.

Le temps a vacillé et disparu et sauté, puis son tour est venu de décoller. On l'a introduite dans la salle d'opération, glissée sous les lampes d'interrogatoire, puis on a planté une aiguille plus fine dans le dos de sa main – la seringue reposait contre sa peau, à la façon d'un insecte patient. Avant que l'anesthésique l'éclabousse de noir, elle a dit :

— Ne le coupez pas.

Elle a peut-être entendu un rire.

Elle était aussi assez lucide pour savoir qu'elle risquait de ne pas se réveiller.

— C'est pratiquement impossible, avait dit son père avec son petit rire incrédule.

À quatorze ans, cependant, Mary Rose n'avait pas particulièrement apprécié le mot « pratiquement ».

Pendant la convalescence de Mary Rose, Dolly entrait en coup de vent, très « Broadway » avec son béret écossais à motif léopard et son manteau assorti. Les autres, y compris son père, fatiguaient beaucoup Mary Rose. Elle souriait, faisait semblant que tout allait bien. Maman, elle, entrait en coup de vent, appelait les infirmières par leur prénom et changeait ses draps. Dolly, ayant constaté l'apparition de plaies de lit sur les talons et les coudes de Mary Rose, l'a obligée à se lever.

— C'est bien. Maintenant, fais tourner tes pieds sur tes chevilles, ouvre et ferme tes poings, parfait, n'arrête pas de bouger.

À force de rester immobile, on risquait la gangrène. Dolly l'obligeait à respirer à fond pour lui éviter la pneumonie.

— C'est ça, remplis bien tes poumons. Vide-les, maintenant.

À rester trop longtemps en position allongée, on risquait la mort.

Les infirmières adoraient Dolly, elle était l'une des leurs. Par conséquent, elles avaient des attentions particulières pour Mary Rose. Sauf l'infirmière de nuit, qui n'avait pas rencontré sa mère.

L'automne précédent, quand la douleur dans son bras s'était incrustée, une idée qui la chicotait inconsciemment depuis un certain temps s'était imposée à son esprit : elle a commencé à se demander si, à propos de son bras, ses parents savaient des choses qu'ils lui cachaient. Et si les kystes osseux chez l'enfant n'étaient pas *bénins*, en fin de compte ? Et si, en réalité, elle avait souffert d'un cancer des os et qu'ils ne lui avaient rien dit parce que tout était rentré dans l'ordre ? Elle devait savoir. Que se passerait-il en cas de récidive ? Elle devait savoir parce que... c'était son histoire à elle, et ses parents, s'ils gardaient cette histoire en otage, devaient la lui rendre. Tout de suite après avoir pris rendez-vous avec la D^{re} Judy, elle a téléphoné de nouveau et réclamé ses dossiers médicaux à l'hôpital général de Kingston, où avaient été réalisées les deux greffes osseuses.

C'était un mardi matin, comme aujourd'hui, un matin sans enfants du début de l'automne dernier. Assise dans la salle d'examen de la D^{re} Judy, Mary Rose évitait les objets trop cliniques comme les trousses de prélèvements et les seringues hypodermiques, se concentrait plutôt sur les gants à four colorés qui recouvraient les étriers. Malgré tout, elle a senti son ventre se glacer en voyant Judy ouvrir la grande enveloppe en papier kraft et parcourir en diagonale quelques pages photocopiées avant de dire à voix haute :

— Kystes osseux bénins de l'enfant.

— C'est tout ?

— À quoi t'attendais-tu ?

— Cancer ?

Hypocondriaque. Pense un peu à toutes les personnes vraiment atteintes d'un cancer, tandis que toi, tu es là à renifler des tumeurs, comme un cochon chercheur de truffes toxiques.

— Absolument pas.

C'était une bonne nouvelle, assurément, et elle a proprement remis sa queue entre ses jambes, prête à sortir du cabinet de Judy, consciente de sa dette envers cette bête mythique, « le contribuable », qui avait financé sa lubie, et se reprochant amèrement d'avoir eu une réaction exagérée, typique de la pseudo-artiste un peu fofolle qu'elle était. Souhaitant que son bras si spécial le soit encore davantage.

— Pas si vite. Et la douleur ?

— Ah ouais, j'oubliais, dit Mary Rose.

— C'est pour ça que tu es venue.

Judy lui a fait enlever son haut et a palpé le bras, l'os... Sensation sinistre, mais pas vraiment douloureuse.

— Ils peuvent revenir ?

— Bien sûr que non.

— Parfait.

Rien n'est plus rassurant que d'entendre un médecin tuer vos craintes dans l'œuf.

Mais Judy a ajouté :

— Pourquoi est-ce que je dis ça ? En fait, je n'en suis pas absolument certaine. Si tu es inquiète, je peux t'envoyer consulter un chirurgien orthopédiste.

— Tu es inquiète, *toi* ?

— Non, mais je préfère pécher par excès de prudence.

La D^re Judy l'a donc dirigée vers un spécialiste et, par un mardi plutôt chaud d'octobre, quelques semaines plus tard, Mary Rose a laissé Maggie avec Candace et est partie sur son vélo. Cette fois, elle a traversé Kensington Market, en voie d'embourgeoisement rapide, pour se rendre au Toronto Western Hospital, dans Bathurst Street, en face de la boutique appelée Balloon King. Dans la vitrine du Roi du ballon, des squelettes enjoués batifolaient avec des sorcières et des citrouilles. Elle a verrouillé son vélo près du service des urgences et retiré son veston. « Il fait trop chaud pour la saison. » Quand renoncerons-nous enfin au déni ? Comme si, ce jour-là, la Terre était un peu décoiffée, rien de plus.

Elle a attendu un bon moment à la Radiologie, mais elle avait apporté un livre, *Les étonnants pouvoirs de transformation du cerveau*. Naturellement, son bras se portait comme un charme.

Elle s'est allongée sur le billard pour la radio. Le technicien a demandé :

— Est-il possible que vous soyez enceinte ?

Tu veux rire ? a-t-elle songé.

— Non, a-t-elle répondu poliment.

Elle a dû s'avouer que la question lui avait fait plaisir, de la même façon qu'une femme de trente ans est heureuse qu'on demande à voir sa carte dans un bar. Il s'est glissé derrière son abri antinucléaire, dans un coin, et il en est aussitôt ressorti. Terminé. Pas de *cashounk* comme dans le bon vieux temps.

Le technicien, ex-citoyen du bloc de l'Est à la mine lugubre – sans doute un chirurgien du cerveau interdit de pratique par la bureaucratie canadienne – a semblé oublier sa présence. Elle s'est sentie penaude, elle n'avait rien du tout. *On demande le Dr Freud au téléphone!*

Elle a attendu que le *komrad* lui tende ses radios pour les apporter elle-même au spécialiste, mais, après quelques instants, il a levé les yeux et, surpris de la trouver encore là, il s'est contenté de marmonner :

— Numérique.

En plus d'être une hypocondriaque, elle était un dinosaure... Plus personne ne se baladait avec des radiographies. Il lui a expliqué comment se rendre à la clinique d'orthopédie et elle a hoché la tête :

— ... aile ouest, ascenseurs nord-est...

... deuxième étoile à gauche et tout droit jusqu'au matin...

D'un pas traînant, elle est passée devant un placard rempli de Phisohex, des portes qui lui ont laissé voir, malgré elle, des couvre-lits tout bossés, s'est efforcée de ne pas respirer trop à fond les miasmes hospitaliers, a croisé une station d'infirmières où personne ne s'est donné la peine de lever les yeux sur elle. *Et si j'étais une maniaque venue massacrer des patients innocents ?* Elle a croisé une douche oculaire d'urgence, un tableau laminé illustrant les divers degrés de «déchets dangereux», jusqu'à ce qu'elle trouve enfin les ascenseurs. Au cinquième étage, elle a émergé dans une aire ouverte éclairée par un puits de lumière, où une rondelette bénévole portant un badge lui a dit de suivre les traces de pas blanches.

— Blanc comme les os! a-t-elle pépié.

Mary Rose a trouvé une chaise dans la salle d'attente – encore tiède après le passage de l'occupant précédent – et, en se calant dans l'ample empreinte laissée par un cul plus gros que le sien, a frémi à la pensée des exhalaisons qui émanaient du vinyle. Tel un papillon de nuit séduit par une flamme, ses yeux ont été attirés par l'écran muet du téléviseur juché dans un coin – des caméras de surveillance en temps réel montraient l'autoroute Don Valley, tandis que, au bas de l'écran, des manchettes défilaient en bande étroite, à la façon d'un roman postmoderne, son contenu ni chronologique ni lié aux paroles que l'animatrice articulait sans bruit, reproduites en sous-titrage dans une bande au haut de l'écran, mais manifestement inexactes : ... «CE QUE VŒUX DIRE ETRE HUMIN AU

JOUR DE D'HUI...» Elle détache son regard, ouvre le livre et lit l'histoire d'une fille née avec la moitié de son cerveau.

— Mme MacKinnon, annonce la brusque réceptionniste antillaise.

Mary Rose lève les yeux – *Mme MacKinnon, c'est ma mère, ma vieille!* – et se lève docilement.

Le Dr Ostroph tourne vers Mary Rose l'écran de son ordinateur – elle est bien révolue, l'époque des radiographies ombreuses tenues devant la boîte à lumière. Tout aussi ombreux, mais sur un écran d'ordinateur à présent, figurait, dans toute sa gloire médicolégale, l'os long du haut de son bras gauche. Son humérus.

À l'aide d'un crayon – certaines choses ne changent pas –, il a pointé les anciennes fractures, indiscernables aux yeux de Mary Rose :

— ... on voit les endroits où l'os s'est cicatrisé, ici, ici et ici...

Elle a remarqué que le Dr Ostroph était très pâle, mais doté d'une excellente structure osseuse. Elle a décidé d'être sa meilleure patiente de la journée, la plus éclairée, la moins désespérée. Il avait des bâtons de golf sur sa cravate. Il parlait vite, elle a parlé plus vite, surpassant le spécialiste dans le registre de la précipitation.

— Alors une blessure qui serait sans effet sur un os normal entraîne la fracture d'un os avec un kyste.

Serviable, elle a paraphrasé les propos du médecin, au cas il ne se comprendrait pas lui-même.

— On parle alors de fracture pathologique.

— Bien sûr, dit-elle.

Comme sur la flaque d'eau gelée.

— Les kystes osseux passent souvent inaperçus parce qu'ils sont asymptomatiques, sauf en cas de fracture.

Comme sur la patinoire.

— Pardon? Vous avez dit?

Il a parlé avec lenteur – la prenait-il pour une idiote?

— On ne sent les kystes qu'en cas de fracture de l'os.

Comme quand son père lui a fait faire l'avion.

Et parce qu'elle doit avoir un faciès aussi expressif que celui d'une carpe, il ajoute :

— Ça fait mal. C'est le premier indice.

Comme… toutes les autres fois.

Il racontait quelque chose. Elle s'est demandé s'il savait qui elle était – peut-être ses filles ou sa femme avaient-elles ses livres. Ce soir, en rentrant à la maison, il dirait : « *Hé, vous ne devinerez jamais qui j'ai reçu à la clinique, aujourd'hui…* » Il s'est interrompu. Elle a cligné des yeux.

— Pardon ?

— Je vous demande où vous vous situez sur l'échelle de la douleur.

— Qu'est-ce que c'est ?

— Une échelle de un à dix, un représentant une douleur faible.

Elle a décidé de jouer franc jeu.

— En ce moment, je ne suis même pas sur l'échelle.

— Mais vous avez souffert, ces derniers temps.

— Ça va et ça vient.

Comme la grenouille en haut-de-forme et redingote du dessin animé, celle qui chante et danse à condition que personne ne la regarde. Elle a ri.

— De un à dix ?

Il s'impatientait. Quelle était la bonne réponse ? C'était quoi, la question, déjà ?

— Euh, trois. Huit ?

Il a haussé le sourcil.

— J'ai un seuil de tolérance plutôt élevé, a-t-elle dit.

— La douleur est subjective.

— Ils sont revenus ?

— Non.

— C'est une possibilité ?

— Je ne connais aucune étude qui permette de le croire.

— Est-ce une question d'adhérences…, a-t-elle demandé. Comme de vieux tissus cicatriciels ?

— Quoi donc ?

— La… sensibilité.

— Tout cela devrait s'être résorbé il y a longtemps déjà.

— D'accord. Alors il n'y a rien que je doive faire ou éviter ?

— Ne vous jetez pas devant une voiture.

— Ha ! ha !

Il n'était pas fâché contre elle, après tout.

— Mais chez les enfants, les fractures sont difficiles à diagnostiquer, n'est-ce pas ?

— Chez les très jeunes enfants, on parle de fractures en bois vert. Et non, on ne les détecte pas toujours.

Il tapait sur son clavier. Sans doute, en ce moment même, facturait-il la consultation au gouvernement. Sa façon de la congédier, peut-être ?

— En particulier quand on ne sait pas qu'il s'est passé quelque chose. Si, par exemple, l'enfant n'a pas pleuré, ne s'est plaint de rien.

Il a levé les yeux.

— Pourquoi l'enfant ne se serait-il pas plaint ? Mon enfant à moi n'arrête jamais de se plaindre.

— J'ai le cancer ?

Il n'a même pas esquissé un sourire.

— Je n'en vois aucune indication.

— Merci. Je pose la question parce que ma partenaire et mon médecin de famille ont insisté. Alors elles seront heureuses de savoir que…

Il avait retourné l'écran et elle avait franchi la moitié de la distance qui la séparait de la porte lorsqu'il a lancé :

— Et à propos de la douleur ?

— De toute évidence, c'est dans ma tête.

Elle a souri. Elle n'allait pas lui laisser la satisfaction de prononcer les mots.

— Ouais, eh bien, c'est justement ça, la douleur. De l'information.

— Absolument.

La plasticité cérébrale. Elle a brandi son livre.

— Je lisais justement un passage à propos des…

— … messages.

— Exactement. Des messages neurologiques…

— C'est comme si une sorte de vieux sentier se rouvre dans le cerveau, et on a littéralement affaire à la « mémoire de la douleur ».

Une illustration d'un livre de contes de fées de son enfance est apparue soudain devant les yeux de Mary Rose : à coups d'épée, un prince se fraie un chemin au milieu des ronces dans un sentier envahi par la végétation, au-delà duquel il aperçoit le château de la Belle au bois dormant. Elle a imité le ton saccadé du Dr Ostroph.

— Alors on ferme le sentier de la douleur avec quoi, hein, avec quoi ? La chirurgie ?

— En général, ça ne marche pas.

— Alors…

— Les antidépresseurs.

— Ah bon ?

Avait-elle raté quelque chose ?

— Je ne peux pas en prescrire.

— Non, ça va, je n'en veux pas, même s'il s'agit d'une idée plutôt fascinante…

— Tenez…

Il griffonne quelques mots sur son bloc d'ordonnances et lui tend une feuille.

Tylenol 4.

— Ah.

— Vous voulez des 5 ?

— Non, non, ça ira, j'en suis certaine.

— Il s'agit bien ici de douleurs osseuses, n'est-ce pas ?

— Ouais, c'est juste que je n'aime pas beaucoup prendre des médicaments, vous comprenez ?

Il s'est de nouveau penché sur son bloc, a déchiré une autre feuille et la lui a remise en disant :

— Ça, c'est ici, dans l'immeuble.

Elle a cru qu'il parlait de la pharmacie et s'est dit que, dans cette seconde ordonnance, il lui prescrivait du Tylenol moins fort.

— Merci.

Elle a suivi à l'envers les traces de pas blanches jusqu'aux ascenseurs et a traversé l'aire de restauration remplie d'échos jusqu'à la pharmacie – autant avoir quelque chose sous la main, au cas où la douleur reviendrait en force, se munir de ses propres pilules de « gentille maman ». Apprendre que son bras avait été dans un état de friabilité chronique tout au long de son enfance – et que, en fait, il s'était cassé à quelques reprises – lui avait donné à réfléchir. À quelques reprises.

Souvent. Mais qu'est-ce que ça changeait, au fond? C'est dans la nature des kystes osseux de se fracturer sans tambour ni trompette – à preuve, le tour d'avion qu'elle avait fait, à quatre ans, et qui expliquait sans doute l'un des *ici* au bout du crayon du Dr Ostroph… Combien d'*ici* en tout? La tour d'avion avait été à l'origine de la première écharpe, mais elle avait pu subir des fractures au préalable. Pourtant, comment expliquer que ses douleurs aient été suffisantes pour justifier une écharpe, mais pas des radiographies? Parce que personne n'a cru qu'elle avait pu se fracturer le bras parce que les kystes osseux entraînent des fractures et que personne ne savait qu'elle avait des kystes osseux – lequel est venu en premier, l'œuf ou la poule? Sa mère lui a confectionné une écharpe parce que Mary Rose semblait s'être étiré un muscle. Dans cette optique, Dolly peut être considérée comme très attentive – faire autant d'histoires pour un simple muscle. Si Mary Rose avait indiqué clairement que son bras la faisait souffrir – si elle avait pleuré –, elle aurait peut-être eu droit à des radiographies et elle se serait évité toute cette saga. Elle n'avait qu'à s'en prendre à elle-même.

Elle a tendu la seconde ordonnance et le pharmacien se dirigeait déjà vers l'officine lorsqu'il s'est arrêté et a fait demi-tour.

— Ce n'est pas une ordonnance, a-t-il dit avec son accent chinois.

— Mais oui. C'est le D^r…

— Le Dr Ostroph, oui, mais pas pour des médicaments, mademoiselle, regardez…

Elle a jeté un coup d'œil. Il l'orientait vers un psychiatre.

— Merci, a-t-elle dit avant de repartir les mains vides.

Ce soir-là, Hil a apporté un bol de nachos, de la salsa et deux verres de vin dans la salle de loisirs du sous-sol. Elle portait sa robe de chambre violette duveteuse, qu'on pourrait croire démodée, mais qui est en réalité super sexy – Hil a l'art de transformer un torchon à vaisselle en septième voile. Sa frange foncée a effleuré la joue de Mary Rose quand elle s'est penchée pour lui administrer un bisou on ne peut plus conjugal disant *je t'aime et je sais qu'on est toutes les deux trop fatiguées, alors regardons simplement la télé*, puis elle lui a demandé :

— Et alors, comment ça s'est passé chez le médecin ?

— Il a dit que je n'avais rien physiquement.

Mary Rose était agenouillée devant le lecteur de DVD.

— On en était à quel disque ?

— La douleur ?

— Pas de douleur sans fracture.

— Mais alors…

— Ouais, non, mon bras n'est pas cassé en ce moment, c'est un phénomène appelé «souvenir de la douleur», un truc neurologique, est-ce qu'on regarde ?

— Quoi ?

— *Les Soprano*.

Mary Rose insère le disque cinq dans l'appareil.

— Mais s'il te fait mal seulement quand il est cassé, ça veut dire que…

— Il ne me fait pas mal. J'ai mentalement chassé la douleur.

Élancement.

— Ça veut dire que, quand tu étais petite, il était cassé chaque fois que tu avais mal.

— Impossible à déterminer sans radio. Nous en étions à quel épisode ?

— Au milieu du troisième, je crois.

Mary Rose a appuyé sur *lire*.

— Pourquoi ils ne t'ont pas fait passer des radiographies ?

— Ils ont fini par le faire.

— Pourquoi ont-ils attendu si longtemps ?

Mary Rose a appuyé sur *pause*, légèrement contrariée – c'était leur seule chance de revoir un épisode entier avant de sombrer dans le sommeil, sous l'effet de l'épuisement, ou d'être interrompues par un réveil intempestif de Maggie.

— Parce que personne n'a jamais pensé que mon bras pouvait être cassé, voilà pourquoi.

Elle a mis le DVD en avance rapide et ri en voyant les images familières défiler à toute vitesse, avec des secousses.

— Mais tu avais mal, a insisté Hil.

— Oui, mais j'étais si stoïque que personne ne se doutait de rien.

— Même ton frère était au courant.

Mary Rose a de nouveau appuyé sur *pause*.

— O.K., ma chérie, ma mère était occupée, en deuil, O.K.? En colère, enceinte, je ne sais pas, elle a eu une enfance difficile, alors, par comparaison, elle a dû croire que, pour moi, c'était du gâteau.

— Elle était infirmière.

— Exactement, les enfants des professionnels de la santé ont rarement droit à un pansement, regarde ton père et toi, par exemple. Il ne t'a même pas donné une aspirine quand il a recousu ton doigt pendant ce fameux voyage de pêche, et tu avais seulement huit ans.

— Il est psychiatre.

— Justement.

Lire. Tony Soprano s'est calé dans son fauteuil rembourré et…

— Combien de fois ta mère t'a-t-elle fait une écharpe avec un vieux foulard? Elle devait bien se douter de quelque chose.

Mary Rose a soupiré.

— Trois fois, et c'était un foulard neuf, en général, alors on regarde ou pas?

La robe de chambre d'Hil s'est légèrement entrouverte – façon ménagère des années cinquante, c'est très séduisant. Mary Rose l'imagine qui se penche pour nettoyer le four… en string et jarretelles. *Qu'est-ce qu'un beau brin de fille comme toi fait dans un endroit pareil?* Entre alors la femme venue poser les carreaux, une ceinture à outils à la taille. *Hé, je peux te donner un coup de main?…* Hank a raison, elle devrait écrire de la littérature érotique, terme que les femmes utilisent pour éviter le mot «pornographie».

— Excuse-moi, Hil. Qu'est-ce que tu as dit?

— Je n'ai rien dit.

Hilary était un détecteur d'authenticité fait femme. Les petits mensonges qui permettent à de nombreux mariages de flotter gaiement, ou au moins doucement, étaient pour elle de véritables provocations. Non pas que Mary Rose mentait. Dans le regard d'Hil, Mary Rose reconnaissait à présent le mélange de curiosité et d'inquiétude indiquant qu'Hil s'était mise à écouter «au-delà» des mots. C'était une bonne et une mauvaise nouvelle. En tout cas, Mary Rose serait bientôt comprise, que ça lui plaise ou non.

— Écoute, Hil, il faut que tu comprennes : c'était une autre époque.

— L'époque des gens stupides ?

— Je t'en prie !

— Désolée…

— Pas la peine, c'est juste que… Je n'ai pas le cancer, O.K. ? Je n'ai pas de kystes osseux, je ne bats pas mon enfant.

Elle a ri.

— Quel est le rapport ?

De manière très peu seyante, les adorables yeux bleus d'Hil se sont plissés, en même temps que sa bouche.

— Essaies-tu de me dire que tu as frappé les enfants ?

— Bien sûr que non.

Sur l'écran, Tony Soprano est paralysé, les paupières mi-closes, le doigt levé, comme pour ordonner un meurtre ou commander une pizza. *Lire.*

— C'est nouveau, a dit Hil.

Pause.

— Quoi donc ?

— Chaque fois que tu as eu mal, ton bras était cassé. C'est de l'information nouvelle.

Impossible de gagner une joute oratoire vous opposant à Hilary Creaghan du moment qu'elle vous a dans sa mire socratique – elle a raté sa vocation de procureure de la Couronne. Peut-être est-il encore temps pour elle de s'inscrire à l'école de droit et de trouver un travail assorti d'un régime d'avantages sociaux : ainsi, Mary Rose n'aurait pas à écrire le troisième tome de sa trilogie.

— D'accord, tu as raison, mais ça ne change rien, et c'est justement ce que j'essaie de…

— Tu as grandi en normalisant la douleur.

— Je le savais déjà.

— Non, tu savais que tu avais un seuil de tolérance à la douleur élevé, mais tu ne savais pas pourquoi. Je ne crois pas qu'on naisse avec un seuil de tolérance à la douleur de la même façon qu'on naît avec des kystes osseux. C'est de l'acquis. Si Maggie avait mal au bras…

— Ce n'est pas le cas.

— Comment le sais-tu?

— Je suis sa mère.

— Tu viens de répondre à ta propre question.

— Pourquoi me soumets-tu à un contre-interrogatoire, Hil? Je te répète seulement ce que le docteur a dit.

— Pourquoi es-tu tellement fâchée contre moi?

— Je déteste discuter, contrairement à toi, je déteste débattre, au secondaire, on m'a forcée à faire partie d'un club de débats et j'ai été marquée pour la vie, le club était présidé par Dwight Dumphy, qui avait une petite barbe humide. Je ne suis pas fâchée, je plaisante, c'est tout, c'est toi qui es fâchée et hostile.

— C'est faux, Mister. Et ça me blesse quand tu me parles comme ça.

Soupir.

— Comme quoi?

— Comme si j'étais ton ennemie.

— Excuse-moi, c'est culturel, tu comprends? Je suis à moitié méditerranéenne, et non wasp, c'est toi qui es effrayante avec ton calme et ta raison – où vas-tu?

— Je pense que je vais me coucher.

— Ne t'en va pas! Ça me rend folle quand tu…

Mary Rose a serré les poings et les a appuyés sur son front.

Hilary s'est rassise.

— Qu'est-ce que tu veux que je fasse, Mary Rose?

Mary Rose enfonçait ses jointures dans son front, paralysée par la colère, furieuse contre elle-même d'être furieuse. La seule façon de désamorcer cette fureur consisterait à avoir, avec Hilary, une énorme querelle au cours de laquelle celle-ci donnerait libre cours à son courroux de victime avant de se réhumaniser, aux yeux de Mary Rose, en pleurant, après quoi elle remonterait, de manière rassurante, sur son piédestal, d'où elle se montrerait froidement critique envers Mary Rose, qui se cognerait la tête en silence et finirait par se balancer en position fœtale sur le lit de la chambre d'amis pour ne pas réveiller les enfants, où elle attendrait le retrait de la vague d'agents neurochimiques corrosifs, se repentirait de tout et notamment, avec un maximum de ferveur, du fait d'être née. À moins qu'Hil la gifle. Elle a furtivement levé les yeux entre ses poings serrés.

Hil, cependant, ne pleurait pas. Elle ne semblait pas non plus sur le point de la frapper. Elle posait sur elle un regard... qui a dérouté Mary Rose. Et l'a détournée de la fureur.

— Regarde *Les Soprano* avec moi, a répondu humblement Mary Rose.

— O.K.

Lire. Tony était furieux contre la D{re} Melfi pour avoir dit du mal de sa mère, qui venait de mettre sa tête à prix. Mary Rose a ri. Hilary restait silencieuse.

Mary Rose a dit :

— Je viens de me souvenir d'une chose que me répétait ma mère quand je lui disais que j'avais mal au bras : « Si tu souffres, c'est à cause du mal qui sort de toi. »

— Tu ne m'as pas dit qu'elle ignorait que tu avais mal ?

Mary Rose a décidé de laisser Hil avoir le dernier mot. C'était une femme, après tout. Mary Rose aussi, mais... Hil était plus traditionnellement féminine... même si elle ressemblait beaucoup au père de Mary Rose. Vous épousez votre père en la personne d'une femme qui a un faible pour les talons hauts et les sacs à main. Qu'est-ce que ça veut dire ?

Plus tard ce soir-là, elles étaient au lit et Mary Rose sombrait délicieusement dans le sommeil lorsqu'elle s'est réveillée sans raison. Elle a tendu l'oreille. Hil dormait.

— Tu es réveillée, Hil ?

— Hm ?

Mary Rose a senti la main d'Hil lui enserrer la taille — même à moitié endormie, Hil avait un toucher élégant. Elle a entremêlé ses doigts à ceux d'Hil et s'est tournée vers elle. Peut-être pourraient-elles faire l'amour en dormant à moitié — comme dans le bon vieux temps, à l'époque où Hil n'avait pas besoin de se faire masser le dos pendant vingt minutes pour se mettre en train. Mais, comme si elle avait entendu Mary Rose réfléchir, Hilary s'est levée d'un bond.

— Désolée, a dit Mary Rose.

— De quoi ?

— De t'avoir réveillée.

— Tu ne m'as pas réveillée, j'ai faim.

— Ah ! J'ai cru que tu… J'ai pensé que tu avais pensé que j'essayais de… Laisse tomber.

— Désolée, mon ange, a dit Hil. Je t'ai réveillée.

— En fait, c'est le contraire.

— Tu avais envie de faire l'amour ?

— Non, non, je voulais juste… hum…

— Je vais aller manger des céréales.

— Tu veux que je te masse le dos ?

— Non, j'ai faim, c'est tout.

— Tu permets que je descende avec toi ?

— À t'entendre, j'ai l'impression d'être un ascenseur. Bien sûr que tu peux descendre, Mister.

Mary Rose ne parvenait pas à se débarrasser d'un sentiment abject – imputable peut-être à la désorientation causée par l'absence d'une énorme querelle avec Hil –, mais c'était comme si elle était de retour en troisième année et qu'elle avait ce honteux béguin pour Lisa Snodgrass. En se levant, elle sent la capsule familière se briser dans son ventre et l'élixir sombre se répandre dans son sang. *La culpabilité.* Mais pourquoi ? Par suite de son éducation catholique, elle était sujette à des attaques de culpabilité, comme les vieux soldats à des crises récurrentes de paludisme. Peut-être aussi était-elle née avec un faible seuil de tolérance à la culpabilité, de la même façon que certaines personnes naissent avec les yeux verts ou les cheveux noirs. Ou des kystes osseux.

Elle a suivi Hilary au rez-de-chaussée. Daisy a fait irruption et, en véritable véhicule d'urgence sur quatre pattes, les a devancées, puis la lumière s'est faite d'un coup dans l'esprit de Mary Rose : elle était coupable d'avoir gaspillé l'argent des contribuables en allant voir l'orthopédiste, *eurêka*. L'élixir sombre a été chassé par un nauséabond nuage de honte, comme si on l'avait surprise en train de se masturber dans la salle d'attente du Dr Ostroph – encore une réflexion aussi absurde qu'inopportune, *clitoris humérus!*

Elle préfère encore la culpabilité à la honte – l'élixir sombre au nuage pestilentiel. *Élixir sombre…* Rappel des Larmes noires avec lesquelles l'Elfe d'ébène remplit sa mare enchantée. Dans le deuxième livre, Kitty, qui a pour mission de sauver Jon, reçoit l'aide d'une fille aux pieds jolis mais douloureux qui est en réalité une licorne sous l'emprise d'un sort de désenchantement. La fille peut conduire Kitty au Pays-qui-n'a-pas-de-nom, où coulent les Larmes noires, à condition que Kitty lui apporte l'instrument magique dont le chant lui rendra sa vraie nature : une flûte faite à partir de l'os d'un Oiseau de prière… Mais, s'est demandé Mary Rose, de quoi les Larmes noires étaient-elles faites ? Et comment le Dr Quinn s'en servirait-il pour mener à bien son projet diabolique ? Ces questions, elle les réservait pour le troisième tome, *Retour dans l'autre dimension.*

Elle a pris le stylo aimanté posé près du téléphone et a griffonné sur la liste d'épicerie : *Larmes noires = chagrin/culpabilité? Guérit/cause cancer?*

Hil, devant le garde-manger, s'est servi un bol de céréales.

— Il manque quelque chose pour demain ? Je peux m'arrêter à l'épicerie, si tu veux.

— Non, j'ai juste pensé à quelque chose.

— Pour le troisième ?

— Peut-être.

Elle a senti Hil lui poser un baiser sur la nuque, mais elle s'est esquivée et dirigée vers le réfrigérateur, où elle a tiré le tiroir du congélateur et promptement oublié ce qu'elle cherchait.

— Tu veux recommencer à travailler ? a demandé Hil.

— Pourquoi ? Je suis si nulle à la maison ?

Elle fait celle qui a voulu plaisanter.

— Qu'est-ce que tu fabriques ?

— Je nettoie la bande de vinyle du tiroir du congélateur, répond Mary Rose. Tu devrais voir ça. Elle est sur le point de germer.

— Regarde les emporte-pièces que j'ai achetés pour faire des biscuits d'Halloween, a-t-elle lancé, le lendemain, en montant des sacs de jute dans la cuisine. Deux pour un dollar.

— Tu n'étais pas obligée d'aller faire les courses, bébé. J'aurais pu m'en occuper.

— Tu peux m'aider à vider les sacs.

Hilary a brandi une boîte bleue.

— Nous avons déjà des cotons-tiges.

— Dans notre salle de bains. Ceux-ci sont pour la cuisine.

— … Pourquoi?

— Avec quoi penses-tu que je nettoie la bande de vinyle du congélateur? Et regarde les boutons du Bose. On voit les bords, maintenant. Avant, ils étaient tout poisseux. Et là? Tout le monde pense qu'un lave-vaisselle est propre par définition, non?

Elle l'ouvre et montre l'étendue des dégâts avec délectation.

— Regarde bien sur les côtés. C'est dégueulasse, non?

Elle a retiré la pellicule de plastique recouvrant la boîte de cotons-tiges.

— Tu ne pourrais pas monter chercher des cotons-tiges quand tu en as besoin?

Mary Rose s'est redressée et a soupiré sans se douter, jusqu'à ce qu'elle ouvre la bouche, de la profondeur de son indignation.

— Pourquoi veux-tu que je fasse une chose pareille? Qu'est-ce qui m'empêche, dans ma propre maison, d'avoir une réserve de cotons-tiges destinés à un usage particulier? Rien ne t'oblige à les voir, rien ne t'oblige à les utiliser – pourquoi le ferais-tu puisque c'est moi qui m'occupe des courses et du gros ménage?

Elle s'entend articuler avec trop de précision, selon l'habitude de son père, faire étalage d'un calme proprement caricatural, mais elle est incapable de se retenir.

— Je ne comprends pas pourquoi, à quarante-huit ans, je n'aurais pas gagné, en plus d'un magot intéressant, le droit d'avoir des cotons-tiges dans la cuisine.

En voyant l'expression d'Hilary se durcir, elle s'est mise à trembler. Cette fois, elle était allée trop loin. Elle a ri.

— Je me moque de moi-même, Hilary. Rien de plus.

Maggie est montée sur l'escabeau, a ouvert le robinet et a commencé à «faire la vaisselle». Matthew est arrivé dans la cuisine en poussant son train. Mary Rose était consciente de n'avoir aucune chance : Hilary l'achèverait d'un coup, sachant que Mary Rose ne courrait pas le risque d'une escalade en présence des enfants et que, par conséquent, elle encaisserait stoïquement les coups portés par sa partenaire.

Hil, cependant, a dit :

— Tu as raison. Je me demande juste s'il est nécessaire de nettoyer autant.

— C'est important pour moi. Ça fait partie de mon travail.

— Nous avons une femme de ménage.

— Elle nettoie sommairement.

— On n'a qu'à lui demander de laver la cuisine avec des cotons-tiges.

Hil semble amusée.

Mary Rose se rend compte qu'il lui tardait de renouer avec cette expression, avec l'Hilary indulgente, la femme facile à vivre qui sait rire des travers de Mary Rose et les transformer en simples lubies. Et elle était là, magnifique, souriante, surpassant même sa tolérance sympathique de la veille, alors que Mary Rose jouait les Tony Soprano. *Je t'aime, Hil.*

Pourtant, elle a dit :

— À tes yeux, c'est peut-être méprisable, mais je considère que c'est un emploi du temps légitime. Il y a des maîtres zen qui le font.

Hilary s'est carrément esclaffée, mais Mary Rose a conservé son maintien de pierre.

— Si ça fait ton bonheur, a dit Hil.

— Ça fait mon bonheur, a sifflé Mary Rose entre ses dents serrées.

Et elle a vu la lueur d'amusement s'éteindre dans les yeux d'Hilary.

●

L'enfant est debout, les paumes à plat sur la porte vitrée du balcon.

—Ne reste pas là, dit Dolly.

Bang. Bang, bang.

C'est une journée chaude et ensoleillée. Avril, maintenant. Mais elle a fermé et verrouillé les portes – son mari a beau affirmer que les barreaux sont trop rapprochés pour que l'enfant puisse tomber, elle n'en est pas convaincue.

Bang, bang!

— Arrête ça immédiatement.

Bang. Bang. Bang.

Elle se tourne vers le dossier du canapé. Elle peut rester couchée, rien de mal ne peut arriver.

•

L'alarme ne sonne pas – en tout cas, elle n'entend rien –, mais elle descend quand même au pas de course les six ou sept volées de marches. Tout en bas, elle pousse une autre porte de secours, certaine d'émerger dans la galerie commerciale et l'aire de restauration de l'hôpital Mount Sinai. Elle débouche plutôt dans un couloir paisible fait de parpaings vert chagrin. Droit devant elle est parqué un chariot à roulettes jaune sur le flanc duquel est écrit en majuscules INCINÉ-RER. Elle retourne dans la cage d'escalier et ne respire qu'après avoir traversé la galerie bondée et gagné University Avenue, où elle inhale une profonde bouffée de la saine circulation du mardi. Il est onze heures dix. Elle dispose donc de cinquante minutes de temps complètement libre avant de devoir rentrer pour relever Candace.

Elle enfourche son vélo, consciente de la sensation spongieuse plutôt agréable laissée par le gel lubrifiant, et remonte le canyon urbain. Sur sa gauche, le Princess Margaret, l'hôpital construit par le cancer; sur sa droite, l'hôpital pour enfants, dont l'entrée principale est ornée d'un train au néon ayant pour but d'apaiser les craintes – surtout celles des parents. Debout sur ses pédales, elle grimpe le versant d'un lit lacustre ancien, roule sur des mystères séculaires ainsi que sur des os et des batailles jusqu'à Queen's Park, noble édifice néogothique où siège le gouvernement provincial, celui avec lequel son frère assure la liaison. Elle contourne l'Assemblée législative et s'engage en roue libre dans le parc proprement dit, sur lequel préside un roi Édouard VII en cuivre, monté sur son fougueux coursier. En dépit des efforts de la municipalité, le pénis du cheval est perpétuellement peint en rouge, peut-être à cause de la proximité de l'Université de Toronto et de ses flèches malicieuses. Elle lève les yeux sans s'arrêter – en hauteur, le thrène des branches dénudées annonce la nouvelle vie sur le point d'éclater. Cette année, elle ne ratera pas le moment où le monde se change en vert.

Elle sort du parc devant le monument commémoratif des guerres, et le Musée royal de l'Ontario (ROM) est sur sa gauche. Avec ses squelettes de dinosaures et ses momies, ses totems et ses trésors funéraires, c'est le rite de passage obligé de tous les écoliers de la province. La seule chose qui sépare un monument commémoratif d'un musée, c'est le temps. Et le pouvoir. Au vainqueur, les récits… Elle atteint Bloor Street et prend à gauche, vers l'ouest.

Le musée a récemment fait l'objet d'une vive controverse due à une annexe en verre que certains ont qualifiée de monument architectural de classe mondiale et que d'autres ont vilipendée en la traitant de bernache. Toronto est ainsi. Les immeubles vraiment magnifiques font leur boulot sans attirer beaucoup d'attention, sans hauteur excessive ni fractionnement de la lumière. Certains, l'hôtel de ville, par exemple, témoignent de l'optimisme des années soixante, où l'espace était abondant et où il n'y avait qu'à le courber. Quant au reste, l'utilitarisme victorien prédomine. Si certains quartiers se sont embourgeoisés et que d'autres sont devenus branchés, de vastes secteurs conservent la rectitude spartiate qui a valu à la ville son surnom de «Toronto la Vertueuse». Un mélange de corruption et de consensus a souvent freiné les visionnaires. Et donc, dans l'imaginaire populaire, la ville ne s'est pas cristallisée autour d'une icône unique. La tour du CN est haute. Comme beaucoup d'autres choses. Ce que Toronto a à revendre, c'est de la vitalité. Elle en déborde. C'est une métropole composée de non-suiveurs, une collection de collectivités venues des quatre coins de la planète qui gonflent et se chevauchent mutuellement. Au coin de Spadina Avenue, Mary Rose s'arrête au feu. Elle devrait peut-être traverser et aller faire un saut au Centre communautaire juif, question de se remettre sérieusement en forme – «Bienvenue aux non-juifs!» En se faufilant tant bien que mal parmi la foule des piétons, elle aperçoit toutefois Renée, son ex, assise dans la vitrine du Second Cup adjacent, et elle poursuit son chemin, s'arrête le temps de donner un dollar à une femme qui, au coin nord-ouest de Bloor et Spadina, poste qu'elle occupe depuis dix ans, scande :

— Z'avez un dollar pour moi pis mon fils ?

Mary Rose se retient à grand-peine de la corriger, « *mon fils et moi* », en laissant tomber une pièce de un dollar dans la tasse Tim Hortons qui semble avoir été rongée. Elle n'a jamais vu la moindre trace du fils en question – de toute évidence, la femme a des problèmes bien plus graves qu'une grammaire déficiente. Mary Rose poursuit sur Bloor Street, passe devant la pharmacie où Hil et elle ont dépensé une petite fortune en tests de grossesse et se demande quoi faire des quarante minutes qu'il lui reste.

Elle habite là depuis assez longtemps pour avoir vu la rue changer de vêtements, sinon de personnalité ; derrière chaque façade, elle voit encore les couches précédentes, comme des affiches de cinéma superposées. Elle passe devant le Bloor Superfresh que tout le monde appelle encore le Bloor Super Save – le premier établissement ouvert vingt-quatre heures de ce bout de rue. Avant l'ère des magasins ouverts le dimanche, certaines allées étaient bloquées par un cordon de sécurité, car, pour d'obscurs motifs juridiques, il était permis, le jour du Seigneur, d'acheter du lait, mais pas des cotons-tiges. Elle croise l'un des papas de l'école de Matthew.

— Salut, Mary Rose.

C'est le caricaturiste politique… ou le physicien ? Elle ralentit.

— Salut… Keith.

— Quand le prochain va-t-il sortir ?

Drôle de formulation, comme si le livre se terrait dans un placard.

— Quand Maggie sera à l'université ! réplique-t-elle.

Elle passe devant la boutique d'aliments naturels au parfum médicinal de sarrasin. Autrefois, les végétariens étaient des rabat-joie cadavériques qui ne mangeaient que pour éliminer la nourriture qu'ils avaient déjà ingurgitée. À présent, cependant, le secteur regorge d'aimables végétaliens – certaines choses sont effectivement moins dures avec le temps.

Passé le coin de Brunswick Avenue, où des universitaires tire-au-flanc se blottissent au-dessus d'un cappuccino sur la terrasse en décrépitude du By the Way Café (ex-Lickin' Chicken), une femme assise à une table branlante la salue d'un geste de la main. Mary Rose lui rend la pareille.

— Salut… (*Aucune idée*).

Cette femme était autrefois guichetière au Poor Alex Theater – elle a beaucoup vieilli. Elle fait peut-être seulement son âge. Mary Rose prend note : passé cinquante ans, éviter à tout prix les châles boliviens, à moins d'être soi-même bolivienne. Elle passe devant la confiserie qui a été un restaurant hongrois, la boutique de vêtements branchée qui a été un restaurant hongrois, la quincaillerie Wiener's qui a toujours été la quincaillerie Wiener's – devant Indra Crafts, une phalange d'écolières sentent des bâtonnets d'encens et examinent de minuscules éléphants sculptés sur une table jonchée d'articles ; parmi la cohorte de piétons qui s'étire sur tous les trottoirs de la vie, elle reconnaît l'autochtone qui marche avec son berger allemand sans laisse. Elle poursuit, passe devant le vieux Bloor Cinema d'un côté et Lee's Palace de l'autre, temple du rock indépendant où, dans le bon vieux temps, elle a exécuté quelques performances, s'est soûlée et a rencontré Renée ; ses murs extérieurs sont toujours tapissés de graffiti, mais, désormais, ils sont l'œuvre de professionnels. Elle passe devant un restaurant libanais qui a été un restaurant hongrois, un restaurant hongrois, la librairie qui est encore une librairie et le Starbucks qui a été tout le reste.

Elle se dit que Renée a peut-être pris deux ou trois kilos, mais elle était très belle quand Mary Rose l'a croisée un peu plus tôt ; elle s'est laissé pousser les cheveux et elle ressemble un peu à Carole King si Carole King portait un cafetan en laine bouillie bleue et des bijoux faits de galets et de pièces d'ordinateurs. Mary Rose et Renée sont en bons termes depuis des années. Même Hilary a réussi à vaincre son allergie à l'ex de Mary Rose. Renée est du genre à pouvoir transformer n'importe quel bidule en objet d'art. Quand elles étaient ensemble, elle était également incapable de transformer quoi que ce soit en emploi. En la quittant, Mary Rose était rongée par la culpabilité, persuadée que Renée se décomposerait, boirait jusqu'à ce que mort s'ensuive et finirait dans la rue. *Z'avez un dollar?* Renée s'est trouvé un poste dans un collège communautaire et a acheté une copropriété. Elle a gardé les chats, dont l'un, toujours en vie, a dix-huit ans.

Mary Rose freine au feu et songe à traverser la rue pour aller faire un tour chez Honest Ed's, le grand magasin aux néons clignotants «où seuls les planchers ne sont pas droits!». Mais elle aurait besoin de plus de temps, sans parler d'un GPS pour trouver la sortie. Elle traverse la rue et hésite devant la boutique Secrets From Your Sister. Des spécialistes de l'ajustement, et nulle part en vue de vieille dame noueuse qui tente par la force de vous pousser vers le bon soutien-gorge. (Le mot lui-même est un bêlement de clairon et une éructation, annonciateur d'humiliation, tante Sadie palpant la poitrine de Mary Rose à onze ans, «Elle a des bosses, Dolly!») Mary Rose cadenasse son vélo. Elle est une femme d'âge moyen, une mère tout ce qu'il y a de plus mariée, rien n'est moins suggestif que la décision spontanée de s'arrêter pour s'acheter un soutien-gorge par une matinée du milieu de la semaine. La vérité, c'est qu'elle a besoin d'un solide *büstenhalter*, comme on dit en Allemagne.

Elle entre dans la boutique, qui propose un savant mélange de lingerie et de «vêtements intimes» – en janvier, elle a emmené sa mère ici. Une jeune femme efficace, avec des talons hauts et un chignon retenu par des baguettes chinoises, lui sourit pour indiquer qu'elle la reconnaît, et Mary Rose se prépare à accueillir avec sérénité le flot de témoignages d'admiration de même que l'inévitable «Le troisième, c'est pour quand?». La jeune femme, cependant, dit:

— Vous êtes la fille de Dolly.

— C'est exact.

— Comment va-t-elle?

Dûment informée de la situation de Dolly, la jeune femme déclare:

— Pour vous faire un bon ajustement, j'aurai besoin de plus que cinq minutes.

Elle examine d'un œil inquisiteur la poitrine de Mary Rose, comme si elle avait la faculté de voir à travers et jusqu'au soutien-gorge de sport élimé et mal ajusté.

— Je vais vous donner un rendez-vous.

Comme pour une *intervention*.

— Pas la peine. Je ferai une saucette à la boutique à la première occasion.

Faire une saucette. Une expression de sa mère.

Elle essaie de fuir, mais elle est arrêtée dans son élan par une petite chose en dentelle, aussi ornée qu'immatérielle. Hil serait absolument irrésistible là-dedans. Ce sous-vêtement léger comme l'air vaudrait son non-pesant d'or en massages de dos…

— Cette coupe vous irait comme un gant, dit la jeune femme. Vous êtes en super forme et plutôt petite.

— Pas pour moi. Pour ma partenaire.

La jeune femme ne cille pas.

— Votre femme adorera.

Mary Rose se tourne brusquement vers elle, mais, de toute évidence, la jeune femme a employé le mot en *f* sans la moindre intention ironique. Mary Rose a soudain conscience d'avoir raté quelque chose et éprouve une fois de plus de la difficulté à suivre l'évolution d'un monde qu'elle a elle-même contribué à changer.

— Ma… femme ne devrait pas venir pour un ajustement?

— Non, c'est pour vous.

Tout se précipite. Et soudain, Mary Rose est de retour dans la rue avec l'émoustillante tenue hyper-féminine enveloppée dans du papier de soie. Elle fourre le paquet dans son blouson en laine polaire trois-saisons de L.L. Bean, saute sur son vélo et, avec une énergie renouvelée, pédale jusqu'à Howland Avenue en roulant contre le flot de voitures à sens unique.

Tante Sadie a fait un mariage arrangé qui, vingt-cinq ans plus tard, a fini par se transformer en amour ; elle a alors lancé un couteau à la tête d'oncle Leo, qui s'est penché. La relation de Mary Rose avec Renée s'est prolongée bien après sa date de péremption et aurait sans doute pris fin beaucoup plus tôt si Dolly et Duncan ne s'étaient pas opposés aussi vivement à cette union et à tout ce qu'elle représentait. Renée l'a soutenue dans les pires moments ; ensemble, elles ont essuyé la tempête, d'abord tendrement dans leur appartement, puis dans leur propre maison, où Dolly et Duncan n'ont jamais mis les pieds. À titre de féministe certifiée, Mary Rose aurait dû comprendre la première fois que Renée l'a frappée. Mais il y avait des circonstances atténuantes… l'alcool, la reconnaissance professionnelle (celle de Mary Rose), la dépression (celle de Renée)… Sans parler de l'exaspérante manie qu'a Mary Rose de trouver à redire sur tout à propos de l'autre, dès qu'elle a obtenu son attention pleine et entière. *Paf.* En toute justice, Hil l'avait frappée une ou deux fois, elle aussi, dans les premiers temps. Mary Rose aurait su se faire cogner par n'importe qui. Mère Teresa elle-même n'aurait sans doute pas résisté à l'envie de lui en allonger une.

Elle lâche le guidon et se détend, surfe sur les dos d'âne de l'Annex avec ses grandes et vieilles maisons victoriennes. Une femme passe au volant d'une Volvo ; on dirait Margaret Atwood. C'est Margaret Atwood.

Elle range son vélo dans la remise, entre dans la maison et gravit à pas feutrés les marches du fond : Candace et Maggie sont assises devant la petite table en bois qui, dans un coin de la salle à manger, sert au bricolage. Candace tend à Maggie le bouchon d'un crayon feutre et attend qu'elle le mette en place. C'est très long. Puis elle lui en passe un autre et attend. Maggie est concentrée au maximum, Candace d'un calme parfait.

En haut, dans sa salle-penderie, Mary Rose sort la ridicule poignée de matière vaporeuse de Secrets From Your Sister et la cache derrière une paire de richelieus dans son rangement pour chaussures suspendu. L'objet y sera en sécurité en attendant qu'elle trouve un moment pour le rapporter, un jour que Mlle Baguettes ne sera pas en service.

Au rez-de-chaussée, le voyant lumineux des messages clignote.

— C'est ta mère, tu n'es pas là.

Clic.

— Toujours pas là ? Tu as reçu le *paquiet* ?

Clic.

Un message automatisé.

— Pour réclamer votre prix, faites le deux…

Et un autre message de sa copine Gigi, aux intonations piquantes.

— Salut, Mister. Je fais de la sauce à spaghettis. Je t'en apporte ou tu passes avec les enfants ?

Sans doute Gigi est-elle entre deux épisodes de la série policière qu'elle pilote à titre de directrice de production. Le commandement d'une équipe d'intervention tactique fictive ne l'a jamais empêchée de confectionner des boulettes de viande, remarquez. Il serait peut-être amusant de la voir – à moins que le fait de passer du temps avec une personne dotée d'une vie sociale fonctionnelle se révèle trop accablant.

Elle glisse la main dans sa poche pour payer la nounou.

— Merci, Candace. À jeudi.

— Vous n'avez plus besoin de moi demain soir ?

— Ah ouais, c'est vrai, le cinéma. À demain.

Candace sort par la porte de derrière et Mary Rose ouvre celle de devant pour vérifier la boîte aux lettres. Pas de paquet. En revanche, il y a une lettre de Postes Canada. Elle la décachette. AVIS DE SUSPENSION DE LA TRAHISON À DOMICILE. Elle cligne des yeux. LIVRAISON. Suit une liste de motifs assortis de cases à cocher. ATTAQUE PAR UN CHIEN. *Crochet.* Elle sent sa langue s'épaissir, son œsophage s'engluer. Daisy va être emmenée et éliminée. C'est la loi. Peu importe qu'elle soit à moitié aveugle et douce avec les enfants, peu importe qu'elle soit vieille, c'est une pit-bull.

Que dira-t-elle à Matthew ? Hil va être catastrophée. Maggie grandira avec un sentiment de deuil, sans savoir pourquoi. Mary Rose se force à lire la suite.

Son cœur recommence à battre. Elle doit seulement signer un formulaire dans lequel elle s'engage à garder Daisy à l'intérieur pendant les heures de livraison du courrier, sans quoi on demandera au Contrôle animal de procéder à une inspection. La case MORSURE DE CHIEN n'est pas cochée. Dieu merci.

Autrefois, on surnommait les pit-bulls les «chiens-nounous» parce qu'ils étaient parfaits avec les enfants. Dans les années soixante-dix, il y a eu une épidémie de saint-bernards qui ont défiguré des enfants. Pourtant, personne n'a songé à les interdire. Elle signe le formulaire et le pose sur un coin de la table de la cuisine. Maggie et elle le laisseront au bureau de poste en allant chercher Matthew à l'école, cet après-midi – il y en a un au fond de la pharmacie, dans Bloor Street. Sans doute le *paquiet* y est-il retenu. Elle pourra téléphoner à sa mère et dénouer le nœud le plus récent ; c'est beaucoup mieux que de l'endurer en personne quand elle ira accueillir ses parents à leur descente du train, la semaine prochaine. Cette semaine ? Quand arrivent-ils, au juste ?

Dring-dring.

•

Sa fille rentre de l'école.

—Te sens-tu mieux, maman ?

—Occupe-toi de ta sœur.

À l'âge de sa fille, elle aidait déjà à élever les plus jeunes. Sa propre mère s'était mariée à douze ans.

Avant que son mari rentre du travail, Dolly se change, met une jolie robe, se peint les lèvres et enfile des chaussures à talon haut.

—Viens m'aider à préparer le souper, Maureen.

Puis elle prend un chiffon et efface les minuscules empreintes et les traînées de mucosités sur la porte du balcon.

Il entre et l'embrasse.

—Dites donc, quelque chose sent rudement bon, madame !

Il suspend sa casquette d'uniforme à la patère à trois crochets du vestibule et prend l'enfant dans ses bras.

—Salut, Mister. Comment va mon petit voyou ?

—Mets la table, Maureen, dit Dolly.

•

— Maggie, il faut y aller, pose le crayon feutre et viens voir mama.

Maggie obéit. Wow. Puis, sans qu'on le lui demande, elle se dirige vers le haut des marches qui, de la cuisine, vont à la porte de derrière, puis elle s'assied en souriant à Mary Rose. Ce sourire a quelque chose de déconcertant… de moqueur, presque. Si c'était Matthew, Mary Rose le qualifierait d'espiègle. Consciente de ces deux poids, deux mesures, Mary Rose lui rend son sourire et se positionne sur la marche inférieure. Daisy passe devant elles et s'assied

d'un air impatient. Elle agite la queue en prévision de la promenade imminente. Mary Rose prend un petit pied dans une main et
une botte de neige dans l'autre – elles passeront chercher Matthew
et s'arrêteront au bureau de poste au retour pour y déposer le formulaire, ce qui lui rappelle qu'elle devra le prendre sur la table de
la cuisine avant de sortir – et a le geste de glisser la botte sur le pied
de Maggie, mais celle-ci se dégage et s'empare d'une botte décorée
de coccinelles. Mary Rose décide de ne pas insister. Il fait assez
chaud pour les bottes de caoutchouc. En fait, il fait carrément
doux, dehors.

— D'accord, Maggie, mais prenons plutôt celles-ci.

Des bottes durables, de bon goût et munies de réflecteurs, signées
L.L. Bean.

— Pas ces bottes, mama.

— Oui, ce sont des bottes de pluie, Maggie.

— Je vais porter bottes de Sitdy.

Une autre phrase complète. Très bien.

— Non, ma puce.

Elle saisit de nouveau le pied de Maggie et, pour sa peine, a droit
à une ruade bien appuyée.

— NON!

Respire.

Lorsque Matthew avait l'âge de Maggie, Mary Rose était comme
Daisy: il avait beau lui fourrer le doigt dans l'œil, lui tirer la queue,
rien ne la faisait sortir de ses gonds. Avec Maggie, c'est une autre
histoire. Et Mary Rose est une autre chienne.

— Tu ne peux pas donner des coups de pied à mama, Maggie.

— Moi peux!

Coup de pied.

Le truc, c'est de faire comme si de rien n'était. Elle a repris le
petit pied et a réussi à y enfoncer la botte de L.L. Bean, mais, tandis
qu'elle tend la main vers l'autre, Maggie se débarrasse de la première
et dévisage sa mère avec une jubilation franche et exaspérante. C'est
la certitude qu'a l'enfant d'être dans son bon droit qui plonge Mary
Rose dans la fureur – au nom de quoi cette petite ose-t-elle présumer
que ce monde est sûr et qu'elle y exerce des privilèges? Maggie rit et

agrippe la botte aux coccinelles. Mary Rose la lui enlève. Maggie lui assène un autre coup de pied…

— *ARRÊTE ÇA !*

Mary Rose fait claquer la botte sur la marche, effleurant les petites jambes. Maggie se fige. Daisy aboie, sa queue toujours agitée.

Respire.

— Je vais lâcher ton pied, Maggie, mais tu ne dois pas me frapper.

Elle lâche le pied.

Maggie ne la frappe pas.

— C'est bien, Maggie.

— Bottes Sitdy.

Mary Rose soupire. Si elle cède maintenant, sa fille aura appris qu'elle n'a qu'à donner des coups de pied pour avoir gain de cause. D'un autre côté, peut-être doit-elle récompenser la petite pour ne pas l'avoir frappée cette fois, comme elle le lui a demandé. Elle aurait dû donner les « bottes de Sitdy » à Goodwill tout de suite après le départ de ses parents, en janvier. Rouge vif avec des yeux noirs et des antennes, *Coccinelle, demoiselle, vole jusqu'aux cieux !*

— D'accord, dit-elle en tenant les coccinelles hors d'atteinte. Qu'est-ce qu'on dit ?

— Si tou paix ?

Elle tend les bottes à Maggie.

— Me'ci, mama.

— De rien.

Elle résiste à l'envie d'aider Maggie à les mettre : d'un point de vue développemental, la détermination de la petite à s'habiller toute seule est tout à fait appropriée. Elle attend. Et se dit que l'éducation d'un enfant ressemble à la guerre : de longues plages d'ennui ponctuées d'épisodes d'une sauvagerie sans nom. Enfin, la botte est mise.

— Bien, Maggie. Laisse mama t'aider à mettre l'autre.

— Non, me'ci.

Au bout de *Guerre et Paix*, la botte est en place.

— Réveille-toi, Daisy. On y va.

Maggie se lève et lui sourit fièrement. Comment, dans le sourire de son enfant, Mary Rose peut-elle voir autre chose que d'infinies variations sur le thème de la joie? Un rayon de soleil s'infiltre par la fenêtre de la porte de derrière et adoucit le contact avec l'enfant, transforme les cheveux fous soulevés par l'électricité statique en un halo qui auréole son visage joufflu de toute petite fille, sa bouche rouge vif, ses yeux aux lueurs vertes. Elle a une fossette. Les bottes sont du mauvais pied.

Qu'est-ce qui empêche donc Mary Rose de profiter du moment? C'est un moment doux. Elle en est consciente. Elle peut le voir de l'extérieur. Mère et enfant sur les marches. *Regarde, mama, j'ai réussi tu-seule*. La mère est en bonne santé, elle a l'air jeune. C'est une belle maison. C'est une belle journée. Une bonne chienne. Ne manquent que les sentiments.

Les bottes seront de plus en plus grandes. Dans le rangement, les petites chaussures seront remplacées par des chaussures toujours plus grandes. Par étapes, le temps progresse vers l'âge adulte et au-delà, puis il disparaît. Aies-en conscience maintenant. Sens-le à l'intérieur de toi.

Morte. Aplatie et grise, comme la tôle qui pèse sur sa poitrine, là où il devrait y avoir des sentiments spongieux. Les autres font-ils semblant d'avoir des sentiments? se demande-t-elle. Ou les éprouvent-ils vraiment? Tout va bien – coccinelle lustrée, tête soyeuse, mère sur les marches. Mais la mère a le visage inexpressif. Souris: *bon, je souris*. À présent, fais comme si tu étais sincère. Ce n'est qu'un moment. Qui sera suivi d'un autre et d'un autre et d'un autre, fugitif, une image à la fois... Peux-tu saisir l'un de ces moments, le saisir comme la vitre d'un train qui passe, en saisir un et entrer dans le Temps?

Mais le train disparaît, la prairie est vide, à part les rails, silencieux à présent, bien qu'encore chauds au toucher. Vibrants.

•

Tant qu'elle restera couchée, rien de mal ne peut arriver. *Bang. Bang, bang.*

•

À mi-chemin de l'école, Maggie a insisté pour marcher. Un autre bon signe, évidemment, mais quiconque a un jour tenté de franchir la moindre distance avec un tout-petit sait que le trajet se révèle souvent sinueux et éprouvant pour le dos. Et maintenant, Mary Rose boucle soigneusement la petite dans la poussette pour franchir la piste de course qu'est Spadina Avenue.

Elle se fond dans la foule animée qui s'agglutine devant le vieux presbytère abritant l'école Montessori de Matthew et bavarde avec des parents et des nounous. Certains, comme elle, sont à pied et accompagnés de chiens et d'enfants plus petits, d'autres à bicyclette et d'autres encore à bord de fourgonnettes ou de 4 X 4 éco-conscients. Revoilà Keith – ou Kevin? Il s'avance vers elle en souriant. Mary Rose se tourne vivement vers la maman debout à côté d'elle et, du coin de la bouche, lui demande :

— C'est Keith ou Kevin?
— Philip, répond Saleema.
— Désolé de t'avoir abordée de cette manière, Mary Rose. Tu en as sûrement ras-le-bol qu'on te demande quand le troisième tome va paraître.

Elle lui rend son sourire.
— Pas du tout, Philip, c'est… gentil de poser la question.
Il est cytologiste.
— Pourquoi est-ce que je te prenais pour un caricaturiste?
Il la regarde d'un drôle d'air.
— Je rêvais de devenir caricaturiste.

Philip roule à vélo à longueur d'année, et Mary Rose a vu son nez en toutes saisons : brûlé par le soleil en été, gercé par le froid et morveux en hiver, tandis qu'il remorque ses jumelles dans une voiturette couverte. Il est peut-être en congé sabbatique. Peut-être aussi est-il un père à la maison… où il prépare des collations, encaisse des coups, se demande s'il aura un jour un peu de temps pour lui-même, regrette que sa femme, en rentrant le soir, ne fasse pas un peu plus attention à lui et un peu moins aux enfants… Lequel d'entre eux a le plus besoin de se faire masser le dos?

— J'ai hâte de le lire, dit-il. Mon club de lecture au grand complet n'attend que ça.

Mary Rose discute avec un hétérosexuel qui fait partie d'un club de lecture. *Ô glorieux nouveau monde, qui contient de pareils habitants !*

La porte vitrée du rez-de-chaussée de l'école s'ouvre et les enfants «Casa» du préscolaire sortent, chacun s'arrêtant pour serrer la main de l'institutrice avant de recevoir son congé. Mary Rose aperçoit Matthew qui attend son tour, en grande conversation avec Youssef, le fils de Saleema.

— On peut emprunter Youssef pour l'après-midi, Saleema ?

— Ce serait super, répond Saleema avec son ton d'urgence habituel – comme si elle passait sa vie en mode d'alerte orange. Mais on peut remettre ça à demain ? Demain, il faut que j'aille faire des courses avec ma mère.

Sa mère est assise dans une Toyota Matrix dont les feux de détresse clignotent. Le tchador qui la couvre de la tête aux pieds est noir, tandis que le voile de Saleema est fuchsia.

— Ta mère peut venir jouer à la maison, elle aussi.

Saleema rit. Étant ingénieure, elle a bien besoin de rire.

Soudain, les marches sont remplies de petits enfants qui se cramponnent à des bricolages et sont happés un à un par celui ou celle qui en a la charge. Quelques-uns des plus petits encerclent Daisy, encombrent le trottoir, et Mary Rose s'efforce de démêler la laisse de la poussette et des enfants. Maggie hurle pour être intégrée, devenir le centre d'attention :

— Vous pouvez flatter mon chien !

Décidément, le désespoir fait des merveilles pour la syntaxe. L'automne prochain, elle rejoindra son frère à l'école et la vie de Mary Rose se transformera de nouveau. Les chaussures auront gagné une pointure.

Entre deux poignées de main, l'institutrice lève les yeux.

— Comment ça va, Mary Rose ?

Keira est une jeune femme au sourire énorme et au ventre épanoui. Elle attend son premier enfant.

— Super bien, Keira. Vous êtes resplendissante !

Mary Rose voit ce que voit Keira, entend ce qu'elle entend : la mère heureuse et énergique de deux magnifiques enfants en parfaite santé. Keira est adorable, intelligente et honnête, comme les autres instituteurs et membres du personnel – Mary Rose a plus d'une fois regretté de ne pas pouvoir s'inscrire ici et recommencer l'école depuis le début, apprendre à éplucher des carottes, à tracer des lettres, à s'initier, dans un sain climat, à la grâce, aux bonnes manières et à la théorie du big bang.

— Mama!

Chaque jour, il court vers elle. D'ici deux ou trois ans, cela aussi changera. Il lui tend son papier de construction.

— Mon Dieu Seigneur!

— C'est une baleine.

— C'est magnifique, mon lapin.

— Maffiou!

Penchée dans sa poussette, Maggie a lancé un hurlement d'une puissance d'au moins dix décibels. Quelques adultes se tournent et rient : Mary Rose les imite.

— Elle te ressemble tellement, Mary Rose, dit Saleema en poussant son fils vers la Matrix.

— Merci, Saleema. Je suppose.

Elle se tourne vers Matthew, aperçoit de nouveau Keira et voit un couteau s'enfoncer dans son ventre de femme enceinte. Par réflexe, elle cligne des yeux, inspire brusquement et se détourne.

— Arrête de taquiner ta sœur, Matthew.

Il tangue et zigzague devant la poussette, juste hors d'atteinte, et Mary Rose entend le cri prendre forme derrière les rires de Maggie. Il danse un peu trop près et Maggie saisit une poignée de ses cheveux. C'est lui qui crie, à présent.

— Maggie, non! crie Mary Rose.

Onze décibels. Elle regarde autour d'elle pour voir si les autres parents l'observent. Se met-elle trop en colère? Sue croise son regard et agite la main. A-t-elle entendu? Mary Rose sourit et se penche sous prétexte de dépêtrer Daisy de sa laisse. Il faut que Mary Rose se sente vraiment bien pour se sentir bien en présence de Sue. Avec sa queue de cheval blonde et haut perchée, ses bottes de pluie montantes Hunter, son blouson de duvet et l'air de confiance issue de l'école privée qu'elle exsude, Sue est en plein le genre de femme que, sans leurs enfants, Mary Rose ne connaîtrait pas. Sue, c'est Hilary moins le théâtre plus le conseil de l'école. En fait, elles ont toutes deux des yeux bleus saisissants et projettent un air d'autorité. En théorie, Mary Rose devrait se sentir en terrain familier en présence de Sue, mais elle a plutôt le sentiment d'être complètement inadéquate. Pire encore : honteusement homosexuelle. Quelque chose en Sue déclenche chez Mary Rose son ancien dégoût d'elle-même… l'effet Lisa Snodgrass. *Le souvenir de la honte.*

Elle en a confié à Gigi une version aseptisée :

— J'ai beau en avoir épousé une, j'ai encore peur des wasps.

Daisy pousse son jappement mutin à cinq centimètres de la tête de Mary Rose – l'effet auriculaire d'un coup de bêche sur l'oreille – et elle se redresse en grimaçant. Matthew a les mains plaquées sur les côtés de la tête.

— Doucement, Daisy, tu fais mal aux oreilles de Matthew.

— Non, c'est toi, dit-il.

Elle rit, au cas où on les aurait entendus.

— À quoi ressemble ton emploi du temps, demain après-midi, Mary Rose MacKinnon ?

Mots prononcés sur un ton de près d'un mètre quatre-vingt.

— Oh ! salut, Sue. Comment vas-tu ?

— J'emmène les garçons au Jungle Wall.

Mary Rose lui rend son sourire.

— Quel concept de génie, hein ? Les enfants nous font grimper aux murs, alors autant en escalader un avec eux.

Sue rit.

— Tu veux savoir le plus beau ? C'est Steve qui fait à manger.

— Ça me plairait beaucoup, Sue, mais… j'ai promis à Saleema de prendre Youssef chez moi.

— Il n'a qu'à venir aussi.

— Oh ! J'oubliais. Incroyable. Demain, c'est mercredi, non ? Je sors voir *Water* avec mes amies Kate et Bridget.

Trop d'informations. Sue va croire qu'elle ment.

— Après le départ de Youssef. Évidemment.

Faut-il qu'elle invite Ryan, le fils de Sue, à venir jouer avec Matthew et Youssef ?

— *Water* est extraordinaire, déclare Sue. Disons ce week-end, alors ? Hil est toujours à l'extérieur ?

— Elle rentre la semaine prochaine.

— Comment t'en sors-tu, toute seule ?

La sollicitude socialement appropriée de Sue et le froncement de sourcils parfaitement calibré qu'elle exécute en signe de sympathie éprouvent les nerfs de Mary Rose.

— Super.

Sourire plastique.

— C'est bien, parfois, de juste, tu sais, faire les choses à sa façon, sans avoir à obtenir l'approbation de sa partenaire.

Sue lui rend son sourire – pattes-d'oie Calvin Klein.

Gigi, à titre de lesbienne professionnelle autoproclamée, lui a dit :

— Tu en pinces pour elle, voilà ton problème.

C'est faux – en fait, en ce moment même, Mary Rose sent son sourire fondre comme un pneu qui brûle, certaine que son visage dégage une vilaine odeur. *C'est moins sur avec le temps.*

— Mama, dit Maggie, je marche maintenant.

— Cool, les bottes, Maggie, lance Sue en gratifiant Mary Rose d'un clin d'œil complice, peut-être pour indiquer qu'elles sont du mauvais pied. Je te relance ce week-end, MacKinnon.

Elle s'éloigne au pas de course avec bébé Ben dans sa poussette tout-terrain, Ryan, cinq ans, sur la marche du passager et Colin, sept ans, fonçant sur le trottoir à bicyclette. Superwoman qui porte un petit collier orné d'un diamant pour jouer au tennis. Mary Rose les regarde s'éloigner et se demande si Sue a décidé de faire d'elle un « projet spécial ». Mary Rose semble-t-elle à ce point dépassée par les événements ? Les bottes du mauvais pied sont peut-être un indice. *Comment t'en sors-tu, toute seule ?* Sue est la dernière personne au monde à qui Mary Rose avouerait avoir des doutes sur sa maternité – c'est le type de femme qui n'a aucune idée de ce que veut dire descendre dans le terrier du lapin.

Autour de Mary Rose, la marée parentale s'inverse, et c'est au tour des enfants plus vieux d'être libérés. Keira est rentrée dans l'école en agitant la main. Mary Rose décroche la laisse de Daisy du poteau de la clôture en fer forgé et prend la main de Matthew : des voitures se rangent le long du trottoir ou s'en détachent, sortent du torrent sur quatre voies de l'heure de pointe ou y rentrent. L'image du couteau n'était qu'une autre désagréable fausse note, une pensée incontrôlée de plus.

— Mama, dit Matthew, tu me fais mal à la main.

Bien que ces idées désastreuses lui soient une ou deux fois venues en tête pendant la grossesse d'Hilary, Mary Rose avait cru que la magnifique explosion planétaire qui avait eu lieu le jour où Hilary s'était posée sur le sol pour donner naissance à Maggie les avait chassées pour de bon, ces idées, en même temps que tous les démons qui s'enfuyaient comme des rats dans le sillage d'une vie nouvelle. À présent, elle se voit s'emparer de la poussette avec Maggie dedans et la faire basculer au milieu du flot de voitures. Elle bannit l'image en défaisant la ceinture de sécurité de la petite et en la prenant dans ses bras. Si on les observe en ce moment, on verra qu'elle aime son enfant.

∗

Tant qu'elle restera couchée, rien de mal ne peut arriver.
Elle se lève.

∗

Ils sont en route. Matthew pousse Daisy dans le landau, Mary Rose transporte sur ses épaules Maggie, dont le rire crépitant rappelle le son d'un paquet de Chiclets. Ils s'arrêtent au parc, Daisy jaillit de la poussette et Mary Rose attrape la laisse juste à temps, au risque de se démettre une épaule – les chiens sont interdits dans l'aire de jeu et Daisy adore s'accrocher par la gueule aux balançoires, plaisir simple qui rappelle un peu trop qu'elle est une pit-bull. Matthew fonce vers les balançoires, et Maggie, lancée à ses trousses, tombe avec la légèreté propre aux tout-petits, se relève tant bien que mal, court, tombe de nouveau comme une pelote de laine, se relève, court. Mary Rose attache Daisy à la clôture, où elle jappe avec envie, d'un air protecteur, et Mary Rose se rend compte que le flou entre ses oreilles s'explique par la faim. Par chance, elle a pris des collations pour les enfants. Elle vide deux boîtes de mini-raisins secs dans sa bouche et les fait descendre avec une poignée de biscuits à l'épeautre en forme d'animaux. Matthew se balance déjà, tandis que Maggie est tombée deux fois à la renverse en voulant grimper sur une balançoire pour les grands. Mary Rose la prend par terre et la dépose dans une balançoire pour bébés – et ses protestations se muent en jubilation dès qu'elle sent la pression de la main de Mary Rose dans son dos. Elle pousse les enfants en tandem, une main pour chacun. Maggie fait voler ses bottes, la gauche du côté droit, la droite du côté gauche. Matthew penche la tête vers l'arrière, son chapeau tombe et ses cheveux s'envolent. Elle les chatouille à des intervalles imprévisibles, un serrement du genou par-ci, une petite tape sur le talon par-là ; ils rient et leurs souffles s'élèvent vers le ciel en bulles légères, petits fragments d'eux, signature cosmique, et l'univers qui les traverse se transforme à jamais, de manière indélébile, à chacune de leurs respirations, portant leur message, *nous sommes ici, nous sommes ici, nous sommes ici !*

Mary Rose pousse sur les balançoires ses doux enfants si jeunes… Une femme pousse ses enfants sur les balançoires, tandis que sa chienne danse et aboie. *Cette femme est heureuse.*

•

Elle se lève.

•

La baleine de Matthew est punaisée au tableau de liège voisin du calendrier peint avec le pied – l'aquarelle d'avril représente une tulipe. Mary Rose prépare le souper, tandis que Matthew fait des bruits de chantier et, avec ses blocs Lego format géant, érige sur le sol de la cuisine une tour de plus en plus haute. Il est tout à fait prêt à manipuler des blocs plus petits, mais, comme sa sœur n'a pas encore trois ans, la maisonnée n'accueillera pas de jouets propices à l'étranglement avant quelques mois. Maggie, plutôt que de poursuivre sa carrière dans le démolissage, est dans la salle à manger, penchée paisiblement sur la table de bricolage – le regard de Mary Rose se porte automatiquement sur le bloc à couteaux, mais les ciseaux sont à leur place, inoffensifs.

Elle s'approche et jette un coup d'œil par-dessus l'épaule de la petite.

— Qu'est-ce que tu fais, Maggie ?

— Z'écris.

Tourbillons et hiéroglyphes… L'enfant utilise un vrai stylo, qu'elle a pris dans l'agenda de Mary Rose. Sous son petit poing prend forme une mosaïque, graphèmes torsadés enchâssés dans des carrés et des spirales qui rappelleraient Hundertwasser si Hundertwasser avait décoré des sépultures égyptiennes. Mary Rose entrouvre les lèvres, comme pour lire à voix haute, mais le sens reste caché sous la surface. Elle observe, éblouie et déterminée à imiter davantage Hil, qui laisse les enfants fouiller dans son sac à main et jouer avec son téléphone et son rouge à lèvres. Mary Rose n'a pas de « sac à main ». Elle a un sac avec des pochettes munies de fermetures éclair, une pour chaque usage, assez grand pour accueillir un manuscrit, à supposer que, un jour, cela soit de nouveau nécessaire. En plus d'un éventail d'objets pratiques, elle trimballe un stylo-plume qu'elle se promet toujours de remplir. Elle devrait sans doute avoir un stylo Bic – elle a lu quelque part qu'on peut s'en servir pour pratiquer une trachéotomie d'urgence. Hil se moquerait d'elle, mais Mary Rose sait pertinemment que la plupart des accidents graves surviennent à la maison.

— Beau travail, Maggie.

La petite est si concentrée. Candace ne passe avec elle que cinq ou six heures par semaine, mais déjà les progrès sont sensibles. Mary Rose aimerait bien l'engager pour s'occuper d'elle aussi – y a-t-il des nounous pour les adultes ?

Bien sûr que si. Ce sont les psychothérapeutes.

— Me'ci, mama.

Mary Rose retourne dans la cuisine en se demandant si elle arriverait à *zécrire* un livre avec un stylo. Comment les Victoriens s'y prenaient-ils ? Ils perdaient la vue et mouraient jeunes.

Elle se sert un scotch et allume la radio de la CBC. Voici… *As It Happens*… Pendant que joue l'indicatif musical familier, elle exécute une petite danse plutôt nulle en versant dans la poêle à frire des cubes de tofu marinés dans la sauce tamarin… *édition du mardi 2 avril*… et saisit le téléphone pour appeler sa sœur à Victoria… mais il n'y a pas de tonalité.

— Allô?

— Rosie?

— Mo? Je viens juste de composer ton numéro.

— Je viens de t'appeler, moi.

— Ça, c'est bizarre.

Ce n'est pas bizarre. En fait, ça arrive souvent.

— Comment ça va, Rosie Posie?

— Super. Je prépare du tofu.

— Beurk.

— Je sais, mais c'est bon pour les enfants.

Maureen travaille comme conseillère auprès de détenus, de détenus en libération conditionnelle et d'agents correctionnels en burnout. *Mais qui conseille les conseillers?* Duncan a posé la question lorsque Maureen a abandonné sa spécialisation en cartographie pour se tourner vers la criminologie. Elle n'a toutefois pas travaillé à l'extérieur de la maison avant que son cadet commence ses études secondaires. Désormais, Maureen est la dame blanche sans prétention assise au fond de la «suerie», la femme seule au repas-partage organisé toutes les semaines par la maison de transition; elle fait partie de la chorale de son église, jardine, confectionne des courtepointes, appartient à deux clubs de lecture et va à Vegas deux fois par année avec son mari. Il lui arrive de voir des fantômes et de poursuivre par voie télépathique des conversations amorcées avec Mary Rose.

Mo, au mépris des tendances générationnelles, était encore jeune quand elle s'est mariée et a eu ses cinq enfants. Aujourd'hui, elle est grand-mère et a un fils qui, par effet de boomerang, vit dans son sous-sol.

— Comment va Rory?

— Plutôt bien, il travaille sur ses sites Web, il a été super avec papa et maman.

Comme si Rory était un chien thérapeute, songe Mary Rose. Autrefois, les familles ne s'accommodaient-elles pas de ce genre de chose? Des parasites qui se rendaient indispensables? Rory est-il un parasite ou un reclus? Un homme heureux ou un dépressif? Peut-être les confondra-t-il tous en faisant fortune avec un jeu électronique de son invention.

— Dis donc, Mo, tu sais quand maman et papa vont quitter Victoria? Je suis censée être là quand leur train va faire escale ici.

— Je n'en suis pas certaine. Maman a égaré les billets.

— Sans blague? Encore!

— En fait, je me fais du souci pour eux, Rosie.

— Je sais. Tu penses que maman commence à perdre le nord?

Mary Rose se ressert de scotch.

— Pauvre maman. Elle a été un peu embrouillée pendant tout l'hiver.

— Je sais. Elle ne fait plus la différence entre Winnipeg et Calgary.

Mary Rose avale une gorgée coupable.

— Il y a de nombreuses personnes dans le même bateau et nous ne leur demandons pas de passer un test d'évaluation cognitive.

Mary Rose note le reproche sous-jacent et se demande pourquoi elle a si souvent le sentiment de commettre une infraction, même quand elle donne raison à sa sœur aînée. Pourtant, Mo passe la moitié de sa vie avec des contrevenants. Mary Rose remue la poêle et le tofu éclabousse.

— Ils sont probablement dans son sac à main.

Mo rit.

— J'ai peur de regarder là-dedans.

Mary Rose rit à son tour.

— Je sais. Qui sait ce qui se tapit au fond!

— Ce n'est pas ce que je voulais dire, Rosie. Ce que j'insinuais, c'est que ce serait comme entreprendre des fouilles archéologiques. Il faudrait planter des épingles et des petits drapeaux, rameuter le British Museum.

— On risquerait de trouver les marbres d'Elgin ou un morceau de la Vraie Croix.

— On risquerait même de trouver Jimmy Hoffa, dit Mo.

Mary Rose s'esclaffe et s'en veut de ne pas avoir songé à cette repartie. Mais, alors, Mo l'aurait peut-être jugée moins drôle. Elle décide de tenter sa chance.

— Maman devrait peut-être avoir un scan du cerveau.

— Pourquoi?

— Je me disais juste que... Tu penses qu'il est possible qu'elle subisse des transformations de son... la partie du cerveau, tu sais bien, ça s'appelle comment, le... hum... lobe de la mémoire... on dirait le nom d'une espèce en voie d'extinction?

— Non.

Mary Rose détecte de l'agacement dans la voix de sa sœur. Il est important de ne pas mettre Mo en colère. Elle se charge de tout et ça commence à paraître. Elle est en rémission d'un désordre auto-immun que les médecins ont fini par appeler « polymyalgie » parce qu'elle avait mal partout et qu'ils n'avaient aucune idée du nom à donner à cette condition. Collez le suffixe « poly » à quelque chose et vous aurez un imposteur sur les bras – pourquoi pas « bobopartou-tose », tant qu'à y être? Quoi qu'il en soit, la maladie a fini par se lasser d'attendre que quelqu'un devine son nom et s'est estompée peu à peu. Mais qui sait ce qui risque de déclencher sa réapparition?

— Parfait. C'est la réponse que j'espérais entendre, Mo. Je commençais à me faire du souci, surtout après leur dernière visite ici. Maman a été tellement *gentille*! Ha! ha!

— Maman a toujours été gentille.

Maureen se droguerait-elle, par hasard? Est-elle simplement plus charitable que Mary Rose?

— Ne t'en fais pas, Rosie. Je ne souffre pas de démence. Maman se radoucit, rien de plus. Autrefois, on considérait que c'était un aspect tout à fait normal du vieillissement.

Mo est-elle sur le point de pleurer? Oh non.

— Désolée, Mo, je ne...

— Ça va. C'est juste que je ne me souviens pas de la même maman que toi, Mary Rose, *snif*, et je regrette que tu n'aies pas eu... ce que j'ai eu, moi.

Jusqu'à ce que j'arrive et que je gâche tout.

— Je sais, Mo, elle était, elle est toujours, ils sont encore, ils sont très gentils.

— Ne t'en fais pas.

— Je ne m'en fais pas. Je suis juste…

… *légèrement contrariée.*

— Elle ne se souvient plus de la date de naissance d'Alexander ni de celle de sa mort. Papa non plus d'ailleurs. Mais maman insiste pour… – *surtout, ne dis pas qu'elle « radote »* – revenir là-dessus. On dirait qu'elle est prise dans un piège de la pensée ; plus elle essaie de se souvenir, plus le collet se resserre.

— Quelle charmante façon de présenter les choses, Rosie ; tu as vraiment de la facilité avec les mots.

— Merci, Mo, répond Mary Rose en buvant. Si nous pouvions établir les dates avec certitude, ça l'aiderait peut-être à passer à autre chose.

— Je détecte ici beaucoup de remords à l'état brut, dit Maureen.

— Et les remords sont toxiques.

— J'ai dit « chagrin ».

— Non, tu as dit « remords ».

— Je sais ce que j'ai dit, Rosie, quand même.

— Comment va Zoltan ?

— Il me rend folle.

Mary Rose rigole.

— C'est parfait, alors.

— Je lui ai lancé un ultimatum : il fait le ménage du garage ou j'appelle 1-800-GOT-JUNK ? En allant chercher des boîtes de jus, j'ai mis le pied sur un râteau et j'ai failli finir avec une commotion cérébrale.

Le nid de Mo ne sera jamais tout à fait vide, et elle achète encore toutes sortes de produits en grandes quantités.

— Comment tu t'en sors, toute seule avec les enfants, Rosie ? On peut dire que tu es vraiment dans les tranchées, là.

— Bien, c'est super, disons que c'est un apprentissage.

— Je regrette de ne pas vivre à côté. Comme ça, je pourrais te donner un coup de main.

L'hiver suivant la naissance de Matthew, Mo est venue leur rendre visite. Elle a fait la cuisine et le ménage en plus de ramasser dans la cour l'équivalent de six mois de crottes de chien congelées. Elles ont bu de l'Ovaltine arrosé de cognac et regardé *Orgueil et Préjugés* ; elle a changé des couches, rangé l'armoire à épices et remplacé le machin appelé clapet dans le réservoir de la toilette du rez-de-chaussée ; elle a ri chaque fois que Mary Rose a imité Melanie interprétant *Ruby Tuesday*. Puis Maggie est née et elle a fait la même chose, en plus d'aider Hil avec le tire-lait et de raccommoder Jeannot, la peluche bien-aimée de Matthew, et de faire de la broderie jusque tard dans la nuit. Malgré tout, Mary Rose a fini par devoir prendre des antibiotiques, dans les deux cas – peut-être est-elle, elle aussi, aux prises avec une maladie à la Nain Tracassin, qui l'affaiblit, une quinte de toux sèche à la fois.

— Tu m'aides déjà beaucoup, Mo. Maman et papa passent tous leurs hivers pratiquement à côté de chez toi, et je n'ai à m'inquiéter de rien.

Toux.

— Maman et papa vont bientôt avoir besoin d'une forme de résidence avec du soutien. Je voudrais vraiment qu'ils déménagent ici pour de bon.

— En as-tu parlé à papa ?

— Il a changé de sujet.

Dolly et Dunc ont passé une grande partie de leur vie commune à déplacer leur famille d'une affectation à la suivante. Tant et aussi longtemps qu'il restera une mutation à l'horizon, ils n'auront pas à considérer l'endroit où ils vivent comme le lieu de leur dernière demeure. Ni à admettre que le prochain déménagement sera aussi le dernier. Comme Mary Rose, du reste. Mais si ses parents s'établissaient sur la côte Ouest ? Adieu les visites régulières. Ses enfants seraient privés du peu de temps qu'il leur reste avec leurs grands-parents. Déjà qu'ils ont perdu la mère d'Hil... Ils n'auraient plus droit qu'à des *paquiets* et à des coups de fil et à des courriels, *Cher papa, je...*

— J'aimerais bien qu'ils s'installent ici, dit-elle.

Ira-t-elle en enfer à cause de ce mensonge ? Est-ce un mensonge ?

Silence. Puis :

— Tu ne penses pas vraiment ce que tu dis, Rosie.

— Non, je suppose que non.

— Tu en as déjà plein les bras.

— Je sais, mais je donnerais cher pour que le pays ne soit pas si grand.

— Je sais. Moi aussi.

Je vais de nouveau perdre mes parents, ma sœur va me les enlever.

— J'aimerais bien que Zoltan soit ici pour débarrasser mon ordinateur de Facebook.

Ça, c'est un mensonge. Son beau-frère est un ingénieur en informatique hautement qualifié, spécialiste des questions de sécurité. Elle ne voudrait surtout pas le voir rôder autour de son ordinateur.

— Je te le passe, si tu veux. Il gare la voiture au moment où on se…

— Non, c'est inutile…

— Zolty ! hurle Mo. Ah non, qu'est-ce qu'il a encore fait ? Pour l'amour du ciel, il sort une grosse boîte d'Home Depot du coffre de la Jeep.

— Il vaut mieux que je te laisse aller.

Mary Rose aime Zoltan. Il lui a appris à jouer à Risk quand elle avait onze ans – sans doute moins en raison de son enthousiasme pour ce jeu, au demeurant considérable, que pour justifier le fait de passer chez les MacKinnon des périodes de douze heures consécutives. Mary Rose se demande si Andy-Patrick serait mieux équilibré s'il avait eu un grand frère. Alexander aurait eu trois ans de plus qu'A&P. Deux ?

Puis, comme si elle lisait dans ses pensées, Maureen dit :

— La date figurerait sur la photo que papa a prise de la pierre tombale.

— Wow, c'est pourtant vrai. Tu es géniale, Mo.

— Cherche l'album la prochaine fois que tu iras à Ottawa.

— Elle n'y est pas.

— Tu l'as enlevée ?

— Non, c'est sûrement maman qui l'a fait. Elle a disparu il y a longtemps.

— Je n'ai jamais aimé la voir, cette photo.

— Moi non plus.

Mensonge.

— Tu penses qu'elle l'a déchirée ?

— Ce serait compréhensible, non ?

Évidemment. Maman a pu se débarrasser de la photo parce qu'elle lui rappelait des souvenirs douloureux. Mary Rose, avec l'égoïsme d'une enfant, s'est reproché la disparition de la photo. C'est rempli de bon sens. De bon sens adulte.

— Il est né en décembre, énonce Mo avec lenteur, mais la pierre a été placée au printemps… Je suis à deux doigts de m'y retrouver dans les dates…

— À peu près à l'époque où tu m'as suspendue au balcon ?

Mary Rose se fend d'un large sourire.

— Pourquoi est-ce que j'aurais fait une chose pareille, Rosie ?

— Parce que tu devais t'occuper de moi et que j'étais dans ma terrible deuxième année.

Elle entend Maureen pousser un soupir.

— D'accord, fin finaude. Dis-moi où était maman lorsque j'aurais fait ce que tu me reproches ?

— Wow, Mo… Je viens de comprendre quelque chose. À mes yeux, le balcon a toujours été une drôle de chose un peu bizarre. Mais… si c'est vraiment arrivé… c'est la preuve que maman était vraiment… larguée.

— Elle était dépressive, Rosie.

— Évidemment. Je suis au courant, je suppose… Seulement, je n'avais encore jamais fait le lien.

Mo soupire de nouveau.

— Je vois ce que tu veux dire. Maman réussissait à peine à se lever de ce canapé. Bien sûr que c'est possible. Oups. Je suis désolée.

Mary Rose dit :

— Je te pardonne.

Puis elle rit.

Mo, cependant, est silencieuse.

— Mo ? C'est un de mes souvenirs préférés, en fait.

Le triomphe que lui inspire l'aveu de sa sœur dans l'« affaire du balcon » est de courte durée. Maintenant, elle se sent coupable d'avoir rendue Maureen coupable.

— Quand leur train arrive-t-il, Mo ? Je n'arrive pas à obtenir une réponse claire de la part de maman.

— Ne t'en fais pas pour ça, Rosie. Je t'appelle dès que je sais quelque chose.

Voilà qui est mieux.

Mo, l'efficacité faite femme. Mo-qui-me-dit-toujours-quoi-faire.

— Merci.

— Essaie d'être là de bonne heure. J'ai peur que maman s'égare. Papa, lui, devra s'occuper des bagages. Il risque d'avoir du mal.

Et de mourir d'une crise cardiaque devant tout le monde, laissant maman perdue et chantant une mélopée funèbre. Ou se faisant une flopée de nouveaux amis. « Je ne pleure pas, moi, alors ne pleurez pas. »

Du coin de l'œil, elle voit Matthew entrer dans la salle d'eau et décide que le moment est venu de prendre son courage à deux mains. Demain matin, à la première heure, Maggie commencera à utiliser le petit pot. C'est Hil qui a raison – il est injuste de retenir la petite.

— Je serai là. Attends, c'est quand, déjà ?

— Quelque part ce week-end. Je te confirme le moment dès que j'ai du solide. Bonne soirée, Rosie Posie.

Mo doit y aller, elle est au travail, après tout, il est trois heures plus tôt à Victoria.

— Ah oui, j'oubliais. Daisy a failli mordre le facteur.

— Je déteste notre facteur, dit Mo avec une amertume soudaine.

Elle prend du Lipitor – comme papa et Andy-Patrick. Maman, elle, prend un médicament pour son diabète de type 2. Mary Rose est la seule à ne rien prendre. Elle se verse un autre doigt de scotch.

— Pourquoi ?

— Il a donné un coup de pied à Molly Doodle.

Molly Doodle est une femelle cairn terrier au moins aussi jalouse de son territoire que Daisy. Mais comme elle ne pèse que quatre kilos, ses transgressions risquent de coûter un nouveau pantalon, tandis que celles de Daisy risquent de lui coûter la vie.

— C'est affreux.

Un hurlement retentit dans la salle de bains.

— Il faut que j'y aille.

Mary Rose entre en coup de vent. Matthew pleure, son pantalon sur les chevilles. Incapable de déverrouiller le couvercle de la toilette, il a fait pipi par terre.

— Désolé, mon lapin. Ce n'est pas ta faute. Viens te changer.

Elle sauve le tofu in extremis et prépare des haricots verts à la vapeur. Après le repas, le marathon qu'est l'heure du coucher, avec son lot habituel de grincements de dents, de serviettes déchirées, d'éclaboussures, de rires et de cris. Du dentifrice est avalé, les cheveux sont peignés, une inondation est évitée de justesse, des pyjamas sont enfilés en douce, des histoires sont lues, des chansons sont chantées, des verres d'eau sont servis et des flaques d'eau sont épongées. À la fin, ils sont couchés.

Elle embrasse Matthew sur le front.

— Bonne nuit, mon petit lapin.

— 'nuit, mama.

Les mots sont étouffés par le pouce qu'il glisse dans sa bouche. Il a seulement cinq ans. On aura largement le temps de se faire du souci pour l'orthodontie et la fixation au stade oral. Il a bien le droit de se consoler tout seul.

Elle remonte la licorne de verre de son fils et sa mélodie préférée tinte. C'est le premier cadeau qu'elle lui a offert et il garde la licorne sur le bord de sa fenêtre où, le matin, elle disperse la lumière à la façon d'un prisme.

Elle se glisse dans la chambre de Maggie et constate que sa fille s'est endormie, ses sourcils de bébé froncés. Elle tire fort sur sa tétine. Mary Rose approche la main pour caresser le dos de la petite, qui s'esquive.

Mary Rose soupire.

Est-ce parce que Maggie est une fille? En principe, pour les féministes certifiées, ça ne devrait pas poser de problème. Dès le début, Mary Rose a été consciente du fossé entre sa fille et elle; c'étaient, de sa part, des omissions que personne ne remarquait et qui n'auraient jamais pu être qualifiées de «négligences». Elle ne détachait pas les yeux de Matthew, se gavait de la vue de son enfant, et lui restait fermement ancré, courageux dans ce faisceau de lumière. Puis il y a eu

Maggie. Qui pleurait dans ses bras, inconsolable. Furieuse. Elle pleurait, que Mary Rose la prenne dans ses bras ou pas. Qu'elle la caresse, la nourrisse, la change, la berce, la fasse sautiller ou pas… Tout le monde évoquait le «parfum de bébé» magique. Matthew l'avait et, en principe, Maggie l'avait aussi, mais pas pour Mary Rose. Parfois – et c'était à en avoir froid dans le dos –, elle oubliait jusqu'à l'existence de Maggie. Peut-être, au plus profond d'elle-même, était-elle jalouse d'Hil, qui avait mis un enfant au monde – malgré tout, Mary Rose reste convaincue que le miracle qui a transformé à jamais l'âme d'Hil aurait été, pour elle, une forme d'annihilation. *Attention à la marche.*

Elle a attendu que le mal se referme, se suture et se cicatrise comme une plaie. Avec le temps, l'absence s'est cristallisée. Une couche s'est formée, semblable à une pellicule savonneuse, puis elle a durci, pris la consistance du plexiglas : *mon bébé ne m'aime pas.*

Maggie la regardait comme si elle savait quelque chose sur elle – une chose que Mary Rose croyait avoir distancée depuis longtemps. Elle savait que c'était de la folie, et elle avait à maintes et maintes reprises tendu la main vers cet amour qu'elle devait ressentir, cet amour qu'elle apercevait au loin. C'était comme dans l'illustration du livre de contes de fées de son enfance : Blanche-Neige inconsciente dans son cercueil de verre, magnifique, hors d'atteinte, une bouchée de pomme empoisonnée entre les lèvres. Mary Rose ne comptait plus les fois où elle avait tendu la main ; chaque fois, sa main s'était heurtée au verre.

Elle quitte la chambre de Maggie, tape sur le ballon qui est sorti de celle de Matthew. Il s'éloigne dans le couloir, à la façon d'un fantôme désœuvré, sa tête jaune penchée d'un air ahuri, le tintement mélodique de la licorne dans son sillage, à la fois doux et plaintif, *Where Have All The Flowers Gone?* Où sont passées les fleurs, en effet ? Elle frotte son bras, en proie à une douleur sourde – c'est toujours pire, le soir.

Elle se dirige vers le salon dans l'intention de dénicher un gentil petit polar dans la bibliothèque. Elle se penche plutôt pour retirer la bande pare-chocs extensible de la table basse. C'est hideux, exagéré et surtout ça n'a pas empêché son enfant de jouer avec des ciseaux.

Mary Rose, à l'instar de tous les enfants de la génération du baby-boom, a grandi au milieu de tables non rembourrées et elle a sur-vécu ; à l'époque, personne ne transformait sa maison pour assurer la protection des enfants. Elle se souvient de la table basse lustrée dans le salon de l'appartement en Allemagne – son premier chez-elle. Elle la voit avec netteté, en noir et blanc, comme sur une vieille photographie. Comme celle que son père a prise de la tombe d'Alexander. Sur la photo, elle se tient à côté de sa sœur, devant sa mère. Ses cheveux sont remontés en un petit chignon, et la main de sa mère, protec-trice, rassurante, repose sur son épaule, retient son chandail, comme si Dolly venait de le retirer de ses propres épaules et de le draper, tout chaud, sur sa fille.

Et c'est peut-être pour cette raison que Mary Rose est revenue à répétition vers cette image – pour y chercher non seulement le fris-son morbide qui traverse toute sa carrière littéraire, mais aussi la preuve que sa mère pouvait être douce. Attentive. *Tu as froid, Mary Rose ?* Bien que la photo fasse partie intégrante de l'imagerie de son enfance, c'est seulement maintenant qu'elle essaie de se voir, à l'âge adulte, devant la tombe de son bébé, à côté d'Hilary. Et prenant une photo parce qu'elles savent qu'elles partiront bientôt au loin et qu'elles ne pourront pas revenir visiter la tombe avant des années… Maureen a raison. Les dates figureraient sur la photo.

Que deviendront toutes ces images en noir et blanc et ces clichés en Kodacolor quand ses parents seront morts et qu'elle, son frère et sa sœur et les enfants de leurs enfants auront disparu ? Elles seront vendues en vrac dans une vente de succession et transformées en cartes de souhaits ironiques. Ou simplement incinérées.

Les difficultés qu'éprouve sa mère à démêler l'avant et l'après, la cause et l'effet – forme de dyslexie temporelle qui a gâché les pre-mières années de Mary Rose à l'école – sont peut-être innées, au même titre que les kystes osseux. *Regarde Jane courir !* Quand, par exemple, l'Autre Mary Rose est-elle née, au juste ? Et qu'a-t-on fait de son corps ? Il est certain, en tout cas, qu'on ne l'a pas inhumée sous une pierre, elle.

Mary Rose se penche et remet l'affreuse bande de protection en place. Les tables basses sont parfois mortelles.

•

Elle se lève
Elle se lève.
Elle se lève.

•

Mary Rose est en train de changer le sac biodégradable du bac à recyclage lorsque Hil téléphone et lui demande :
        — Comment va ton bras ?
        — Mon bras ? Bien, pourquoi ?
        — Tu es allée chez le médecin.
        — L'orthopédiste, je l'ai vu l'automne dernier.
        — Oh. Et aujourd'hui, c'était pour quoi ?
        — Un examen… de routine.
        — Quel genre de routine ?
        — Des fibromes, O.K. ?
    Elle a horreur de prononcer le mot, dégoulinant de *problèmes
féminins.*
        — Ils diminuent. Je les ai tués, c'est fait.
        — D'accord.
        — Et les répétitions, ça se passe bien ?
        — Plus que deux soirs avant l'avant-première.
        — Ah bon ? Wow. Génial.
    Mary Rose met la main sur un stylo dans le tiroir et se prépare à écrire
dans la case correspondant au jeudi du calendrier peint avec le pied.
        — Le 5, donc.
        — C'est vendredi.
        — Ah, d'accord. Vendredi.
        — Ouais.
    Dans la case du vendredi 6 avril, Mary Rose griffonne : *Première
avant-première devant public d'Hil.* Hil, qui brûle les étapes comme
chaque fois qu'elle est stressée, pense que l'avant-première aura lieu
dans deux soirs, et donc jeudi, alors que, dans les faits, c'est dans
trois soirs.

— Les avant-premières ne débutent pas le vendredi, en général.

— Non, en effet. Ça va? demande Hil.

— Oui. Pourquoi? J'ai l'air de ne pas aller?

— Je me demande juste si tu as mal.

— Tout baigne. On peut éviter de parler de mon utérus, s'il te plaît?

Hil ne rit pas. Oh non. Va-t-elle se mettre à pleurer? Veut-elle un autre bébé? Couche-t-elle avec quelqu'un d'autre?

— Et toi, Hil, ça va?

— Ça va. Je me sens seule.

— Aujourd'hui, au cours de natation, Maggie m'a sauté en plein visage. Tordant.

Elle lui raconte la leçon de natation. La libération conditionnelle de Daisy, les bottes que Maggie a envoyées valser au parc – mais pas un mot sur l'altercation dans les marches de l'escalier. Elle raconte la baleine volante de Matthew.

— Les enfants ont tellement de chance de t'avoir. Daisy aussi. Tu me manques.

Dans le silence, elle entend effectivement Hilary pleurer. Mary Rose l'envie, en un sens, cette capacité à recourir aux grandes eaux pour se procurer du soulagement et s'attirer de la sympathie. Elle-même gagnerait à s'offrir une petite douche oculaire – elle dormirait peut-être mieux, après.

— Je suis désolée de ne pas pouvoir voir ton spectacle, mon amour. Je suis sûre que ça va être génial.

Elle emprunte la voix de Lady Bracknell:

— Perdre un enfant peut être considéré comme un malheur. Mais perdre les deux ressemble à de la négligence.

— La citation est inexacte.

— Mais si, voyons. C'est ma réplique préférée.

— Oui, mais la citation est inexacte. C'est «parent» et non «enfant»... «Perdre un *parent*».

— Tu es sûre?

— Je monte la pièce, Mary Rose.

•

Mary Rose est accrochée au balcon par les poignets. C'est une journée ensoleillée. Elle sent dans son dos les barreaux de la balustrade. Trois étages plus bas, sur la pelouse devant l'immeuble, son père et un autre homme se lancent une balle. Tous deux portent une chemise blanche habillée dont ils ont roulé les manches. Elle regarde la balle aller de l'un à l'autre en décrivant un arc de cercle. Si son père lève les yeux et la voit, elle sait qu'elle tombera. Où est maman ?

•

Elle devrait être au lit. Mais d'abord : elle retire le verrou de la toilette – en réalité, il est peu probable que Maggie plonge là-dedans. Et si elle le faisait, elle saurait se sortir de sa fâcheuse position. Dans la cuisine, elle déverrouille le tiroir de la poubelle et y jette l'ingénieux futur petit bout de dépotoir – Hil ne saura jamais qu'il est entré dans la maison. Il y a longtemps, tellement longtemps que c'en est inimaginable, à l'époque où la Terre en était encore à ses premiers balbutiements, se préparaient des changements chimiques qui allaient donner à l'humanité la capacité de fabriquer des verrous de toilette en plastique à partir de la complexe corne d'abondance qu'est notre planète. Combien de temps le voyage de retour prendra-t-il ?

L'été dernier, chez ses parents, elle a vu Dolly chercher frénétiquement ses billets de train pour pouvoir dire à Mary Rose quand elle et Duncan passeraient par Toronto en se rendant dans l'Ouest. Ils ne partaient pas avant des mois, mais, comme beaucoup de personnes âgées, ils aiment tout planifier longtemps d'avance. Elle a vu Dolly retourner le contenu de son sac à main. Elle a vu Dolly disparaître dans sa chambre. A entendu des tiroirs s'ouvrir et se refermer et, de loin en loin, les mots « C'est donc là que c'était ». Dolly a fini par revenir dans la cuisine en brandissant une chemise verte :

— Je les ai trouvés.

Elle a tendu la chemise à Mary Rose, qui l'a aussitôt ouverte. Et a sursauté.

— Ce ne sont pas des billets, maman. C'est un reçu pour le lot que vous avez retenu au cimetière.

Dolly a repris la chemise.

— C'est donc là que c'était !

Duncan a levé les yeux de son journal et, d'un ton pince-sans-rire, laissé tomber :

— En fait, c'est bel et bien un billet. Aller seulement.

Il a surpris le regard de Mary Rose et son visage s'est fendu d'un sourire crispé avant de virer au rouge. Ensuite, il a ri et elle a aperçu sa dent en or. Dolly, pliée en deux dans son fauteuil, a failli faire pipi dans son pantalon.

Les billets de train ont refait surface peu de temps après, de la même façon qu'ils réapparaîtront cette fois-ci. D'ailleurs, il est facile de télécharger des billets de remplacement à partir du site de Via Rail. Contrairement à l'insaisissable *paquiet*, qui est un véritable objet voyageant dans l'espace à la vitesse de la matière.

Elle éteint toutes les lumières de la cuisine, sauf celle de la hotte au-dessus de la cuisinière. À cette heure, elle distingue bien l'école, en face, la rue paisible, bordée de voitures garées et, au bout, le feu rouge clignotant devant le passage piéton qu'empruntent les écoliers. Un jeune homme passe à vélo. Un voisin promène son lévrier vieillissant – il accueille des chiens de course à la retraite. Elle le voit attendre patiemment que le chien renifle et se demande s'il convient de laisser un « message », puis elle se rappelle que cela fait trois lévriers qu'elle habite ici.

À l'étage, elle avale un comprimé d'Advil avant de se mettre au lit – elle n'a pas exactement mal, mais elle sait que le moindre inconfort tend à s'intensifier du moment qu'on tente de dormir – et prend la résolution de téléphoner à sa mère, le lendemain, et d'être gentille. Elle est trop dure avec sa mère – sa drôle de petite mère avec ses grands yeux bruns et sa coiffure blanche comme neige de vieille dame. Et voilà que maman lui a envoyé quelque chose – un cadeau, aussi dingue ou peu judicieux soit-il… Peut-être Dolly a-t-elle confectionné un autre édredoreiller – un ensemble oreiller-édredon qui se plie sur lui-même à la façon d'un sac gonflable. Mary Rose se brosse les dents en évitant son reflet – elle n'aime pas se voir dans la glace, le soir, surtout quand Hil n'est pas là.

Il est trois heures plus tôt à Victoria – elle pourrait encore téléphoner à sa drôle de petite mère, dernièrement si semblable à l'enfant qu'elle a dû être… perdue au milieu de ses frères et sœurs dans
l'appartement que la famille occupait au-dessus du salon de barbier
à Sydney, au Cap-Breton. Enfant d'une enfant. La petite Dolly qui
chantait en échange de son repas du soir… Le pathos élit domicile
dans la poitrine de Mary Rose et accueille la Culpabilité sous Son
grand manteau foncé. Ils fusionnent. Sur une grand-route, vous rou-
lez sur un obstacle en pleine nuit. Vous vous arrêtez, en proie à l'horreur, et constatez… rien du tout. Malgré toutes les preuves du
contraire, vous repartez avec la certitude d'avoir tué quelqu'un. Un
enfant.

Debout en maillot sans manches et boxer de soie décoré de bâtons de rouge à lèvres lavande, elle brave la glace – Dolly répétait
toujours que, à se regarder trop longtemps, on risque de voir le diable
apparaître derrière soi, ses cornes encadrant votre tête. Évitant son
propre regard, elle jette un coup d'œil à son bras – toujours pas de
bleu.

Quand on l'a opérée la deuxième fois, ses parents lui ont dit que,
une fois remise, elle pourrait subir une chirurgie plastique pour cacher ses cicatrices, y compris la nouvelle sur sa hanche : ainsi, elle
pourrait porter un bikini sans embarras. Mais, d'aussi loin que se
souvenait Mary Rose, elle avait soutenu son bras douloureux comme
un camarade blessé. Il avait beaucoup souffert. De quel droit l'aurait-
elle dépossédé de son insigne de courage ? Elle avait gagné ses galons.
C'est peut-être pour cette raison qu'elle n'avait jamais eu envie d'un
tatouage – les misères de l'art corporel gériatrique pendouillant mises
à part. Ses cicatrices, elle les a déjà. Inscrites dans la peau et dans le
muscle, jusqu'à l'os, cousues, scellées.

La troisième cicatrice, celle de sa hanche, est la plus brave d'entre
toutes parce que c'est sa cicatrice de donneuse. *J'ai été une adolescente
donneuse de tissu osseux.* Comme dans un film de série B. Peut-être les
chirurgies expliquent-elles aussi le fait que Mary Rose n'ait pas fait
l'expérience des substances hallucinogènes, en dépit de son statut
d'enfant du baby-boom : après ses *trips* complexes à l'hôpital, elle
associe le « tapis volant » à la douleur et aux fréquents vomissements

qui ont déchiré les bords de l'incision, provoqué un suintement et ébranlé toute sa poitrine en proie à la jaunisse. Non pas qu'elle passe son temps à ressasser tout ça, remarquez.

Elle ouvre la porte en miroir de la pharmacie pour y ranger sa brosse à dents et détecte un mouvement derrière elle, dans l'ombre de la salle-penderie. Elle se pétrifie. Les enfants sont là. S'il y a un intrus, elle doit le trouver. Elle s'oblige à regarder autour d'elle. Elle allume la lumière.

Rien.

Ridicule. Si des intrus étaient venus, Daisy les aurait déjà entendus et dévorés. Pourtant… elle entre dans la salle-penderie et son cœur bondit lorsque, du coin de l'œil, elle aperçoit la tête ratatinée du ballon jaune. Elle le saisit par le ruban, comme pour l'étrangler, et le descend au rez-de-chaussée. À son passage, la queue de Daisy tressaute.

Hésitant à le crever, elle l'enfonce dans la poubelle. Il a beau être ratatiné, il prend beaucoup de place, se gonfle sous la pression de la main de Mary Rose, comme s'il cherchait à reprendre son souffle en grinçant. Soudain, à sa grande consternation, elle a le sentiment de commettre une sorte d'infanticide bizarre. Elle finit par prendre un couteau pour abréger les souffrances de la pauvre chose, qui rend l'âme en faisant *pop*.

Dans la pénombre, le voyant lumineux des messages téléphoniques clignote. À chacune des pulsations, Mary Rose sent un afflux d'adrénaline. Elle devrait retrouver le formulaire de Postes Canada tout de suite et le laisser là où elle le verra forcément avant d'aller reconduire Matthew à l'école demain matin. La trahison postale va reprendre, le satané *paquiet* va être livré et sa mère cessera de lui téléphoner à ce propos.

Sauf que le formulaire n'est pas là où elle l'a laissé sur la table – Candace l'aurait-elle pris ? Maggie l'aurait-elle « rangé » quelque part ? Il n'y a pas de numéro de téléphone à composer pour commander un nouveau formulaire – sauf peut-être celui du centre d'appels de New Delhi. Il faut bien qu'il soit quelque part – tout est quelque part –, ici, dans cette maison, et non dans le cosmos. Elle va à la chasse. Derrière le piano, sous le canapé, dans le congélateur… Elle rôde, se tord la cheville sur Percy, la locomotive perpétuellement renfrognée, et monte rapidement à l'étage. Sous le berceau, derrière les rideaux, dans la toilette...

Elle ne devrait pas chercher le formulaire la nuit. Elle ne devrait jamais rien chercher la nuit. Assieds-toi et respire à fond, cesse de marcher – tel un requin, elle se nourrit du mouvement, s'énerve de plus en plus, seule dans la maison endormie. Sa souffrance s'explique en partie par le fait qu'elle ne peut pas imputer à Hil la responsabilité du formulaire disparu. Elle se force à descendre au sous-sol parce qu'il faut qu'elle tape sur quelque chose.

— Petit Jésus de nom de Dieu de merde, où est ce foutu bout de papier, bande de trous du cul de la poste!

Elle attaque le poteau en métal à l'aide d'un des coussins orange vif du canapé, mais c'est insuffisant. Elle s'empare du panier à linge Rubbermaid vide et le jette contre le poteau, brisant sa poignée ergonomique. Il faut qu'elle fracasse quelque chose, tout en épargnant les articles précieux, comme le téléviseur. Et donc elle craque et se cogne la tête le plus fort possible jusqu'à ce qu'elle s'écroule sur le canapé, soulagée et hors d'haleine.

Quand Matthew était bébé, elle a songé à s'inscrire à des ateliers de maîtrise de la colère. C'était dans les environs de Noël. Elle sortait du stationnement d'un immeuble gouvernemental de banlieue, où elle s'en était violemment prise au fonctionnaire qui lui avait annoncé, au terme d'une longue attente avec son bébé, qu'elle devrait revenir avec les papiers d'adoption pour pouvoir demander une carte d'assurance-maladie en son nom. Elle avait saisi le siège de voiture portable de son bébé, avec son bébé dedans, et était sortie en trombe; dans l'ascenseur, elle avait pris note de fugaces interruptions de sa conscience. Elle est montée dans sa voiture et, en s'avançant vers la guérite, elle a, par habitude, jeté un coup d'œil dans le rétroviseur: sur la banquette arrière, pas de siège pour bébé inséré dans la base du siège pour bébé et pas de bébé. Elle l'avait oublié, dûment bouclé, à côté de sa place de stationnement. Sur la ligne jaune. Elle avait seulement franchi une dizaine de mètres. Quinze secondes, maximum. Largement le temps que les portes de l'enfer s'ouvrent et se referment sur lui. Mais il était indemne. Elle s'est juré de demander de l'aide. Puis Maggie est arrivée et le temps lui a de nouveau manqué.

Les crises sont imprévisibles. La rage. Dans ces cas-là, elle perd le contact avec elle-même – au sens propre. Par moments, elle jurerait voir un autre moi – un fantôme noir lustré, sans visage, qui semble vêtu d'une combinaison – jaillir d'elle et entraîner le reste de son être dans son sillage. Par-dessus bord.

Si quelqu'un lui avait injecté une potion étiquetée *Mr. Hyde*, elle comprendrait, car la rage lui semble toujours venir de nulle part. Ce n'est qu'après qu'elle se rend compte que des pans entiers de son cerveau, des circuits imprimés complets, ont cessé de fonctionner. Par exemple, elle perd la faculté de la parole. Envolée. Comme autrefois, pendant sa période sombre, à l'époque où, dans son champ visuel, une section du monde cessait d'exister, comme si elle n'avait jamais été là. Ou, phénomène tout aussi déconcertant, un globe jaune géant se matérialisait devant elle, lui bloquait la vue – c'était comme essayer de voir derrière un gros soleil jaune. « Migraine classique incomplète », a déclaré l'ophtalmologiste. « Crise de panique », a déclaré la D^{re} Judy, qui lui a demandé si elle aimerait « voir quelqu'un ». Mary Rose, cependant, savait qu'il s'agissait de sortilèges maléfiques – elle avait besoin d'un sorcier, et non d'un psy.

Ces épisodes sont comme des rêves ou comme la douleur consécutive à une intervention chirurgicale – ils sont classés séparément. Depuis qu'elle est devenue mère, elle a surmonté de nombreux sortilèges maléfiques – malgré tout, il reste un fuseau dans le royaume et elle ne sait jamais quand elle va s'y piquer le doigt…

Tout va bien dans sa vie. Elle a une partenaire qui l'aime et deux beaux enfants en santé. Elle a mis de l'argent de côté pour leurs études, collé des photos dans des albums. Elle peut faire des pancakes sans recette, elle sait où se trouve la clé Allen IKEA, elle a mémorisé les symboles internationaux pour la lessive – elle n'a pas fait de photos au polaroïd de ses chaussures, elle tient la bride à sa Martha Stewart intérieure. C'est une pente savonneuse : un jour, on fait sa propre ricotta, le lendemain, on se retrouve en prison.

•

Ce printemps-là, ils posent une pierre sur sa tombe. Ils sont venus avec les enfants. Il dit à sa cadette :

— Mets-toi à côté de maman, Mister. Très bien.

Puis il prend une photo de sa femme et de ses enfants.

•

Mary Rose se réveille à trois heures du matin, recroquevillée sur le vieux canapé La-Z-Boy, et monte calmement se coucher.

•

L'autre Mary Rose n'est jamais devenue Mary Rose-la-Morte parce qu'elle est mort-née. La question de savoir si elle a vécu et été quelqu'un reste floue. Non baptisée. Et donc non complètement nommée. Comme si son nom avait été posé sur elle à la façon d'un drap qui glisse sans arrêt. Rien ne colle à un bébé mort.

VOYAGE DANS L'AUTRE DIMENSION

Son père lui montrait un dépliant. *L'Académie pour jeunes filles Sainte-Gilda compte parmi les plus prestigieuses écoles privées du pays. Sise au cœur des splendides Laurentides…*

— C'est complètement insensé. Pourquoi m'envoies-tu dans une école catholique? Nous sommes athées, non? fit-elle lorsqu'elle eut recouvré la voix.

— Tu ne seras pas tenue d'aller à l'église…

— Si je suis quelque chose, c'est hindoue. Et si je décide de devenir dévote?

Elle le vit se retenir de rire et eut une lueur d'espoir.

— Tout est de ma faute, Kitty, poursuivit-il cependant. Je t'ai privée d'une vie normale et…

— Je n'ai pas envie d'une vie normale.

Il secoua la tête.

— Tante Fiona a raison…

— Ce n'est pas ma tante.

À ce train, papa lui demanderait bientôt d'appeler cette femme «maman».

Il avait l'air triste, à présent.

— C'est injuste, Kitty. J'ai essayé de faire de toi une version miniature de moi-même…

— Quel mal y a-t-il à ça?

— Rien, si c'est ce que tu décides de faire plus tard, mais, jusqu'ici, que tu en aies eu conscience ou non, tu n'as eu aucun choix…

— Alors laisse-moi choisir! Je te choisis, toi, et non cette école!

Il la regarda d'un air affligé.

— Dis-moi, Kitty. Tu connais l'expression «C'est pour ton bien»?

— On dirait une chose que les adultes ont inventée pour faire à leur tête et obtenir en même temps que leurs enfants aient de la peine pour eux.

Il secoua la tête.

—Je n'essaie pas d'avoir le dernier mot, dit-il avec un sourire empreint de mélancolie. Tu es comme ta mère.

Elle n'aurait su expliquer pourquoi cette remarque l'avait plongée dans une fureur telle que, pendant une fraction de seconde, elle n'avait vu que du noir.

—Tu peux faire tes bagages toi-même, continua-t-il. Sinon, Ravi te les fera suivre plus tard.

À la mention de Ravi, quelque chose de terrible se produisit. Elle éclata en sanglots. Or Kitty McRae ne pleurait *jamais*. Les larmes avaient jailli avec l'inexorabilité des déluges dont elle avait été témoin.

Il grimaça et se leva de son fauteuil en cuir.

—Désolé, ma puce. Parfois, je ne vaux rien pour toi.

Elle pressa ses poings fermés contre ses yeux jusqu'à ce que la douleur étanche ses larmes. Pendant qu'il s'éloignait, elle lança à son dos :

—Si j'étais un garçon, tu ne te débarrasserais pas de moi comme ça !

Son père s'arrêta sans se retourner. Ses épaules s'affaissèrent et Kitty vit un éclat argenté, de la taille d'un mouchoir, se détacher de son côté, tandis qu'il gagnait la porte, la laissant seule dans le bureau qui avait été pour elle l'endroit le plus sûr du monde. Jusqu'à ce que, dix minutes plus tôt, tout bascule.

MERCREDI

Je suis un bébé. Je peux conduire ta voiture.
(Et tu vas peut-être m'aimer.)

Il tombe de la neige fondante. Elle laisse des traînées grises dans la fenêtre de la cuisine. Mary Rose jette un coup d'œil au chef-d'œuvre de Maggie sur la table de bricolage. La page est maintenant couverte de ses *zécritures*. Se pourrait-il, se demande-t-elle, que Maggie parvienne à *li'e* ce qu'elle a *zécrit*? S'agit-il d'une forme de littératie infantile qu'elle désapprendra en vieillissant? Peut-être la petite est-elle une copiste transcrivant la chronique d'un autre monde, les plumes des bébés dévoilant les secrets de l'univers, si seulement nous savions les traduire... une pierre de Rosette cosmique. Elle devrait noter cette idée pour le troisième volume de la trilogie. Elle demeure toutefois immobile devant la page, à demi concentrée... et son intuition se confirme: il y a bel et bien un message secret. Il miroite sous le voile de couleur, les surfaces, et Mary Rose parvient à lire: AVIS DE SUSPENSION DE LA LIVRAISON À DOMICILE.

Assise dans sa chaise haute, Maggie redistribue son gruau autour de son bol Bunnykins.

— C'est un beau dessin, Maggie, mais tu as pris une feuille qui appartenait à mama.

— Lapin remplit voiture, répond Maggie.

— Maggie...

Je ne suis pas en colère. C'est un bébé et elle a fait quelque chose de magnifique.

— C'est pour maman? À son retour?

Maggie secoue la tête en souriant d'un air rusé. Mary Rose lui rend son sourire : elle sait que la patience dont elle a fait preuve dans les marches et pendant le trajet jusqu'à l'école, sans parler de la tolérance phénoménale qu'elle vient d'afficher à propos du formulaire, sera bientôt récompensée. De toute évidence, c'est pour elle que Maggie a exécuté son chef-d'œuvre avec amour : *mama*.

— Candies, dit Maggie.

Mary Rose sent le sourire se figer sur ses lèvres.

— C'est gentil, Maggie. Candace va être très contente.

Maggie soulève et brandit son bol, assez vide désormais pour laisser voir les Bunnykins déposer un pique-nique dans le coffre de leur Coccinelle VW – les fabricants, apparemment, ignoraient que le coffre d'une Coccinelle se trouve à l'avant, anomalie qui, soupçonne Mary Rose, fera du bol un article recherché par les collectionneurs. Elle le reprend avant que Maggie le laisse tomber par terre ; pendant ce temps, le gruau de Matthew refroidit. Elle s'avance jusqu'au pied de l'escalier et l'appelle. Pas de réponse. Elle monte dans sa chambre.

Il est assis au bord de son lit. Il a réussi à enfiler son maillot de corps, son pantalon et une chaussette – il a commencé à s'habiller tout seul et Mary Rose a appris à fermer les yeux sur les chemises à l'envers et les chaussettes dépareillées.

— Tu as besoin d'aide, mon chou ?

Il éclate en sanglots.

— Matthew, mon amour, qu'est-ce qu'il y a ?

Le chagrin du garçon exerce toujours une pression mortelle sur le cœur de Mary Rose, comme si le coin qui lui était attribué avait été attendri par une blessure préalable. Il garde le silence, tête baissée.

— Qu'est-ce qui se passe, mon ourson ? C'est Tico ?

Elle jette un coup d'œil dans le dédale plastifié de tunnels et de petits compartiments, mais le hamster, roulé en boule, respire dans sa cage. Dieu merci.

Elle s'assied à côté de Matthew. Il serre un objet dans sa petite main.

— Qu'est-ce que tu tiens ?

Il gémit.

Tout doucement, elle tente de l'obliger à desserrer le poing. Il s'esquive, mais pas avant qu'elle ait eu le temps de voir ce qu'il renferme. Du verre.

— Tu t'es coupé?

Il secoue la tête en évitant de la regarder dans les yeux.

Elle jette un coup d'œil au bord de la fenêtre. La licorne de verre est à sa place, décapitée.

Non!

— Que s'est-il passé?

Il secoue encore la tête.

D'une voix égale, elle demande:

— C'est Maggie qui est entrée dans ta chambre et qui a fait tomber la licorne?

Pas de réponse.

Elle se lève. Avant même qu'elle ait atteint la porte, le cri lui échappe:

— *Maggie!*

— Non! hurle Matthew, hystérique. Non, non!

Il ponctue chacun des mots d'un coup de poing sur sa propre tête. Elle accourt et lui agrippe le bras.

— Tout va bien, mon lapin. C'est un accident. Donne la tête de verre à mama, s'il te plaît, je ne veux pas que tu te coupes.

Elle passe le bras autour des épaules du garçon et lui ouvre la main. Elle prend la tête avec sa corne minuscule. Rien qu'un peu de Krazy Glue ne pourra arranger. Elle glisse l'objet dans sa poche.

— Mama peut la réparer.

— Je veux pas que tu la répares.

— Mais pourquoi, Matthew?

Il pince les lèvres.

Elle l'embrasse sur la tête.

Il se crispe.

— J'aime pas ça quand tu cries.

Elle dépose son fils à l'école, puis se dirige vers le Whole Foods. Au milieu du quartier huppé de Yorkville, elle aperçoit l'immeuble où elle s'est fait hypnotiser. Par miracle, il y a une place de stationnement libre juste devant. C'est un signe. Elle s'apprête à s'y garer lorsqu'elle voit son comptable sortir du bâtiment – elle passe la marche avant et s'éloigne.

Sans doute s'était-il rendu dans un autre bureau – il y a une société spécialisée dans le traitement de la paie, là-dedans –, mais elle y voit un autre signe : si un hypnotiseur réussit à lui faire oublier la douleur dans son bras, que pourrait-on dérober de plus dans son portefeuille psychique ? Peut-être aussi est-ce signe qu'elle dépense trop au Whole Foods. Elle fait demi-tour et se dirige vers son quartier. Il commence à pleuvoir.

Dans le rétroviseur, elle jette un coup d'œil à Maggie qui, ficelée dans son siège, s'amuse avec des contenants empilables. Elle n'a pas cessé de babiller, là, derrière. Pas de dodo, ce matin. Après les courses, elles pourraient arrêter au Early Years Drop-In pour permettre à Maggie de courir et de renforcer son système immunitaire en jouant avec des jouets grouillant de microbes. Le service de garde sans rendez-vous se trouve dans le centre communautaire du parc du quartier. Mary Rose y a fait un saut en février dernier et s'est assise sur une minuscule chaise en plastique dans un gymnase étouffant, au milieu de petits enfants qui titubaient et rongeaient des objets divers, tandis que, dehors, tombait de la neige fondante. Une séduisante maman plus jeune – elles étaient toutes plus jeunes – était assise à côté d'elle. Elle s'appelait Anya. Jolie, mais fatiguée, ses cheveux rebelles coiffés en queue de cheval, sa tenue de yoga Lululemon ayant fait un tour de piste de trop dans la sécheuse. À la voir, on avait l'impression qu'elle avait été au sommet de sa forme environ deux ans plus tôt. Anya s'est mise à parler et Mary Rose a vite compris qu'elle ne pouvait pas s'arrêter. Son sourire était adorable, malgré ses lèvres gercées, et elle parlait vite, les yeux rivés sur ses deux tout-petits. Elle a raconté à Mary Rose sa fausse couche. Survenue la semaine précédente.

Mary Rose passe devant Honest Ed's d'un côté, Secrets From Your Sister de l'autre, s'engage dans le coin des restaurants coréens. Elle tourne à droite et le grand bassin formé par le parc Christie Pits s'étire sur sa gauche. L'ancienne carrière de gravier constitue une enclave verte au cœur de la ville : on y trouve une patinoire en plein air, une piscine, un terrain de jeu. En hiver, c'est la destination de choix des néo-Canadiens qui s'initient à la glissade; en été, le parc attire des vedettes du soccer autoproclamées au torse nu, issues de toutes les nations du monde où-on-ne-joue-pas-au-hockey. Les soirs de canicule, un lampadaire géant éclaire le terrain de base-ball, où des parties sérieuses sont commentées de la cabine et applaudies du haut de la colline. Au début des années trente, le parc a été le théâtre d'émeutes déclenchées par une swastika brandie lors d'une partie de base-ball, mais Toronto, comme une bonne partie du Canada, a la mémoire sélective: c'est ainsi que seule une infime minorité des maîtres qui promènent leur chien dans le parc aujourd'hui ont une idée de son passé parfois douteux. Elle entre dans le vaste stationnement du supermarché Fiesta Farms – entrepôt sans grâce à l'extérieur, véritable jardin d'Éden à l'intérieur.

Elle dépose Maggie dans le chariot et lui tend un récipient antidégât rempli de petits lapins au cheddar biologique. Mary Rose adore Fiesta Farms. Le présentateur des nouvelles de la CBC y fait ses courses – il a l'air bizarre, sans cravate. Sa voisine italienne, la vieille dame qui a une Vierge Marie sur son terrain, y fait ses courses...

— Allô, choupette, comment vas-tu? Et les enfants, ça va?

— Salut, Daria. Ils vont super bien, dis bonjour, Maggie.

Drôle, tout de même, de penser à quelqu'un et de tomber sur...

— Salut, Da'ia.

— *Ma bellissima!*

Elle donne à Maggie un Kiss en chocolat d'Hershey sans demander la permission à Mary Rose – Daria est de la vieille école.

— Prends-en un autre pour Matthew, O.K., choupette?

Mary Rose se dirige vers le rayon des produits laitiers et tombe sur un musicien couvert de tatouages qu'elle croisait autrefois dans les réceptions. Il porte le feutre rond qui ne le quitte jamais, mais aussi un bébé sur la poitrine. Elle lui parle des couches jetables recyclables qu'Hil et elle ont découvertes, et il lui répond qu'il n'y en a plus que pour les papayes. Il a le regard vitreux des biberons à quatre heures du matin, ils parlent rapidement et poursuivent leur chemin en initiés conscients de la futilité des mondanités.

Dans l'allée des pâtes alimentaires, elle aperçoit Anya – y a-t-il donc quelque chose de spécial, aujourd'hui? Si elle pense à Renée, va-t-elle apparaître comme par miracle, elle aussi ? Anya a ses deux petits avec elle. Elle est très jolie, elle a l'air moins fatiguée, ses cheveux sont lustrés. Mary Rose éprouve un élan de sympathie pour elle.

— Salut, Anya, dit-elle en ralentissant son chariot avec bienveillance, prête à essuyer un tsunami de bavardages. Mais Anya lui sourit, passe sans s'arrêter – de toute évidence, elle ne l'a pas reconnue – et disparaît derrière une pyramide de biscottes Paris Toasts.

Mary Rose essaie de s'imaginer en train de révéler à une parfaite inconnue chaque triste détail du bébé qu'elle a perdu pour aussitôt tout oublier. Peut-être a-t-elle fait la même chose sans en garder le moindre souvenir. C'est justement ça, oublier… Elle s'immobilise, momentanément prisonnière de sa psyché, semblable à une gravure d'Escher, et se demande, pas pour la première fois d'ailleurs, dans quelle mesure un ensemble de faits convenus, conjugué à une mémoire fonctionnelle, détermine la réalité. Qu'est-ce donc qui la retient, bien ancrée, dans le moment présent ? Pourquoi ne chute-t-elle pas à travers le temps dans un vertige où se pulvérise l'identité ? Anya se rend-elle compte qu'il lui manque un pan de sa vie ? Sa psyché a-t-elle plaqué un souvenir étranger sur le trou de mémoire ? Anya a-t-elle plutôt arraché le souvenir elle-même et suturé la plaie ? A-t-elle une cicatrice ? Oui, mais elle serait incapable d'en expliquer l'origine. C'est justement ça, une « cicatrice invisible ».

— Paix, mama ? demande Maggie, gentiment.

— Bien sûr, répond Mary Rose.

Elle laisse Maggie choisir les pâtes.

— Me'ci, mama.

Si, par incontinence, Mary Rose décidait de se confier à une inconnue, il ne serait pas question d'un bébé mort – ça, c'est le numéro de sa mère. Bien qu'elle puisse sembler sans cœur en qualifiant cette propension de « numéro » – même dans son for intérieur –, le mot rend bien compte du rythme et du ton à l'ancienne, typiques de la ceinture du bortsch, qu'adopte sa mère pour répéter ces histoires. Les traumatismes s'expriment souvent par le caquetage.

Elle cherche ses lunettes de lecture et examine les ingrédients d'une boîte de soupe de tomates. Le contenu est bio, mais les parois de la boîte contiennent des toxines. La soupe dans le pot en verre, cependant, n'est pas bio… Elle sursaute en entendant quelqu'un bêler son prénom, comme si un goéland l'avait embroché. Elle se retourne. La dominant d'une tête, une femme plus jeune – évidemment – lui sourit de toutes ses dents, un bébé dans son chariot, à ses pieds un tout-petit qui a commencé à vider la tablette du bas. Elle a l'accent britannique.

— Maggie te ressemble un peu plus chaque jour, Mary Rose !
Mais oui ouose, prononce-t-elle.
— Pas vrai, Miss Maggie ?
La femme a de grandes dents carrées. Qui est-elle ?

Elle se lance dans le récit d'un déménagement imminent, comme si elle poursuivait une conversation antérieure : son mari a été muté à Columbus, dans l'Ohio, et il est parti en éclaireur, la laissant derrière, avec les enfants, pour vendre la maison et organiser le déménagement. Pour Mary Rose, le moment est mal choisi d'exercer sa rectitude politique. « En fait, je ne suis pas la mère biologique de Maggie. Je suis son Autre Mère. » D'ailleurs, elle ne réussit pas à placer un mot. La femme, qui parle à n'en plus finir d'un incident au cours duquel elle a failli mettre le feu à la chaussette de son bébé en remuant sa sauce à spaghettis (elle hurle de rire), est stationnée devant le magasin et craint d'attraper une contravention.

— Je reviens de suite, *Mais oui ouose !* s'écrie-t-elle.

Elle court dans l'allée, contourne une colonne de boîtes de sel casher et disparaît. Mary Rose baisse les yeux sur les enfants.

— Salut, les amis.

Maggie entreprend de descendre du chariot. Mary Rose s'apprête à la retenir, mais, se ravisant, la soulève et la pose sur le sol, où elle distrait le bébé en plus de s'amuser avec le tout-petit. Mary Rose joue à coucou avec les trois. Au bout de dix minutes, elle se demande si elle devrait prévenir quelqu'un, faire appeler la femme. Était-elle enjouée ou hystérique ? Réclamait-elle de l'aide avec un large sourire plaqué sur le visage ? Après tout, de son propre aveu, elle avait failli incinérer son enfant – certains soutiendraient que les accidents n'existent pas. Que deviendront ces enfants si leur mère les a abandonnés dans l'allée des pâtes alimentaires ? Leur destin sera-t-il

inextricablement lié à celui de Mary Rose? Des lignes au départ parallèles finiront-elles par se croiser? Le fait qu'ils soient dans l'allée
des pâtes alimentaires plutôt que dans celle des condiments change-
t-il quelque chose à l'affaire? Au moment où Mary Rose s'apprête à
aller chercher le gérant, la femme revient au pas de course sans s'arrêter de sourire et de parler. Elle continue de papoter tandis que Mary
Rose s'esquive du côté du houmous.

Où est-elle allée? Peut-être s'est-elle enfuie avant de se raviser.
Peut-être a-t-elle songé à grimper sur le trottoir au volant de sa fourgonnette, à plonger dans le parc Christie Pits, à accélérer et à foncer
tout droit sur la base du lampadaire en béton, le capot enfoncé fu-
mant, le klaxon coincé jouant sa note unique. Qui donc vient en
aide à ces femmes? Toutes ces femmes logorrhéiques, puits sans fond
de bavardages avec leurs histoires drôles remplies de souffrance et de
pertes, de trahisons et d'ahurissement – *je ne pleure pas, moi, alors ne
pleurez pas.*

Mary Rose choisit trois citrons et se dit que les femmes ont effectivement tendance à caqueter face au traumatisme – ce sont des
sortes de Cassandre inversées qui rient devant les portes, *C'est arrivé,
c'est arrivé, c'est arrivé!* Et le Feutre rond, lui? S'en sort-il mieux
qu'elles? Chez les hommes, cela peut prendre des formes différentes.
Elle songe à son père avec son arbre généalogique aux innombrables
ramifications – «Tu vois, ici? En 1794, on a Angus MacKinnon, qui
aurait possédé trente-neuf moutons, il faut savoir que, dans ce temps-
là... –, où tout est souligné à gros traits, l'équivalent, sur le plan
verbal, de marcher avec des prothèses, une syllabe laborieusement
placée après l'autre. Avec l'âge, leurs dissertations deviennent des îles
de cohérence, détachées du continent: «Il a fallu une commission
gouvernementale sur l'analyse des systèmes pour analyser systémati-
quement...» «Je vais pousser votre fauteuil dans le solarium, monsieur _____.» Bien qu'ils paraissent plus équilibrés que les femmes,
les hommes sont parfois portés à étendre des informations riches et
crémeuses sur des choses qui hurlent tout aussi fort. Dans le rayon
des fruits et légumes, Mary Rose s'immobilise, saisie: peut-être la
femme avec ses *Mais oui ouose* poursuivait-elle effectivement une
conversation antérieure amorcée avec elle, une conversation dont

Mary Rose ne garde aucun souvenir. Quelle part du pétrole brut de son cœur avait-elle déversée dans l'oreille de la géante au sourire comme un raid aérien ? Elle a beau sonder sa mémoire, que le mot soit prononcé avec l'accent britannique ou non, elle ne trouve aucune fausse couche. Et bien qu'elle s'efforce avec irrévérence de repousser cette idée, ses mains qui palpent un avocat sont glacées.

— Comment ça va, ma Fofolle ?

Pourquoi me suis-je permis de penser à Renée ?

— Salut, Renée.

Que je ne me permettrais jamais d'appeler « Doudoune ».

— Salut, Maggie. Contente de te voir, petite. Tu aimes encore les chats ?

Maggie adore Renée. Mary Rose se fait la réflexion que le narcissisme de Renée convient parfaitement aux enfants – un peu comme celui de Dolly. Au bout de quelques secondes, Maggie est fascinée par le collier de Renée – mélange hétéroclite de gaines de fil électrique, de coquillages et d'os de renard que Mary Rose a découverts à l'occasion de leur dernier voyage de camping. Maggie examine le collier avec attention. Renée se penche et sa crinière ondulante de cheveux auburn encadre son visage, de plus en plus bouffi avec l'âge, mais aussi plus radieux. Néanmoins, il est trop tôt pour porter un décolleté aussi plongeant, non ? Mary Rose est tiraillée entre deux pulsions jumelles : se sauver à toutes jambes et se perdre dans un gros câlin étouffant. Quelque part dans un univers parallèle, le passé joue comme un film en reprise dans lequel elle aime et désire une Renée mince et souple, celle dont les baisers goûtaient les Camel et la tequila, la gouine aux cheveux violets coupés en brosse et aux trois boucles d'oreilles en argent qu'elle vient de rencontrer au brunch du défilé de la fierté gaie. Avance rapide jusqu'à la codépendance qui chérit, puis périt, à la pénurie, puis à l'agonie des rapports sexuels, aux disputes et aux gifles induites par l'alcool, au départ de Mary Rose au volant de sa Rabbit de VW dont la boîte de vitesses grince, tandis que Renée, belliqueuse, en larmes et en chômage, reste plantée sur le perron. Jusqu'au supermarché Fiesta Farms, en ce mercredi matin.

— Passe me voir avec les enfants, un de ces jours.

— D'accord.

— Je mettrai du plastique par terre et on fera de la peinture gestuelle avec des teintures végétales.

— Super.

Mary Rose est devant la caisse. Maggie lui tend les provisions à déposer sur le tapis roulant – Mary Rose respire la patience. Elle n'a aucune raison de se dépêcher, se dépêcher n'est qu'une habitude, un explosif métabolique. C'est à cette propension à toujours se hâter qu'elle doit sa belle situation d'aujourd'hui, mais, si Mary Rose ne sort pas de sa torpeur, si elle ne regarde pas la réalité en face, ce penchant risque aussi de lui valoir un trouble auto-immun qui porte de nos jours vingt-cinq noms différents, mais qui, autrefois, n'en avait qu'un : «hystérie».

— Beau travail, Maggie.

L'homme derrière elle dans la queue lui fait les gros yeux. Mary Rose sent des picotements sur son crâne. Il soupire. Elle le dévisage, prête à péter les plombs. *Vas-y, allez! Fais-moi plaisir!* Il détourne le regard. Maggie lui tend les pommes, une par une.

C'est vrai que Maggie lui ressemble. Beaucoup d'enfants lui ressemblent, elle a de beaux traits génériques. Tous les bébés ressemblent à Winston Churchill et tous les enfants lui ressemblent à elle. Et tous les hommes blancs ressemblent à son frère.

Dans la voiture, elle boucle Maggie dans son siège d'auto quand, sans crier gare, la petite la serre dans ses bras avec férocité et laisse entendre un rugissement de bonheur. Il valait la peine de subir le pénible exercice de vidage du panier, une pomme, une boîte et un tube à la fois. Son téléphone vibre dans sa poche. Elle se redresse pour l'en sortir et se cogne la tête sur le cadre de la portière…

— Merde!

Maggie rit. Sur l'afficheur, elle lit *Harlots*. Les putes?

— Allô?

Andy-Patrick téléphone d'un salon de coiffure de Queen Street.

— Il faut que tu viennes voir ça, Mister. J'ai l'air de Billy Idol sans les traces de piqûres.

Il passe son appareil à la coiffeuse, et Mary Rose et elle plaisantent comme de vieilles amies. La fille lui demande si «Andrew» est acteur : elle n'arrive pas à croire qu'un type aussi cool soit policier.

— Hé, Maggie, que dirais-tu d'aller voir ton oncle Andy-Pat?

Elle roule dans Queen Street et, à la faveur d'un autre épisode de karma favorable, trouve une place à quelques pas du salon. Elle détache Maggie et la sort de la voiture. Elle la laisse marcher. Il a cessé de pleuvoir.

C'est une belle journée, en fin de compte, malgré la grisaille. Maggie est super gentille… un vrai « vieux pote ». Mary Rose décide de ne pas lui parler de la licorne cassée. Évidemment, Maggie convoite les objets précieux de son frère. Peut-être même a-t-elle fait exprès de casser la licorne. À deux ans, elle est capable de tout, mais coupable de rien. Pourtant, le cœur de Mary Rose se serre à la pensée de Matthew, ce matin, qui protégeait sa sœur en affirmant que c'est lui qui avait cassé la licorne.

Sans se presser, elles passent devant une petite galerie d'art et un attroupement d'hommes sans abri devant la St. Christopher House, puis elles arrivent au feu.

— De quelle couleur est le feu, Maggie?

— Ve'.

— Bien!

Elles entrent dans le salon de coiffure qui vibre aux accents d'une chanson non familière qui en a pillé une autre, familière celle-là… une chanson folk arrangée à coups de fouets et de chaînes. Mary Rose balaie des yeux l'alignement de coiffeuses sérieusement hip, dont les ciseaux mordillent la nuque des clients, les séchoirs positionnés sur des têtes luisantes. Andy-Pat n'est nulle part en vue. Il doit être aux toilettes.

La réceptionniste gothique écoute Mary Rose d'un air absent. Est-elle droguée? Elle la reconnaît peut-être – elle est assez jeune pour être une de ses fans. Le piercing qu'elle a au cou est singulièrement charmant. Elle tourne sa tête aux cheveux de jais et annonce :

— Cette dame cherche son frère.

Autrefois, Mary Rose habitait, au-dessus de la Légion, un véritable loft – et non un « espace aménagé en loft » – dans ce bout de rue, bien avant qu'il devienne branché. Elle faisait du mime radical dans la rue et portait un blouson de moto pendant tout l'hiver, à l'époque où les hivers étaient encore froids, elle n'est « cette dame » pour personne – *tu vas le regretter, ce tatouage, espèce de crétine de banlieue.*

La fille se tourne vers Mary Rose.

— Vous l'avez raté de peu, madame.

À quoi s'attendait-elle? Elle a botté le ballon de football et s'est une fois de plus retrouvée sur le dos – son frère est probablement déjà rentré chez lui avec la coiffeuse. A-t-il mentionné le nom de Mary Rose pour parvenir à ses fins? Ce ne serait pas la première fois.

— *Je m'essuie les pieds sur le paillasson, et je rentre dans la maison!* chante-t-elle en remettant Maggie dans son siège d'auto.

— Non!

Maggie ne veut pas rentrer, elle veut voir oncle Andy-Pat. Mary Rose s'insère dans la circulation – elle devrait téléphoner à quelqu'un, organiser une journée de jeux impromptue. Sue, par exemple – mais alors, elle devra l'écouter raconter par le menu sa randonnée sur le sentier de la Côte-Ouest en compagnie de son mari, Steve, et, va savoir comment elle s'y est prise, de leurs deux enfants et de leur bébé. Soudain, le pare-brise crépite sous la grêle. Maggie cesse de crier.

— Regarde, Maggie, le ciel nous tombe sur la tête.

Non.

— Pas vraiment, mon amour. C'est juste de la grêle.

— La gale!

Exactement.

Elles pourraient s'arrêter au service de garde – il fait largement assez moche pour cela, mais elles risquent de tomber sur la joviale abandonneuse d'enfants britannique. Elles devraient peut-être passer voir Renée, elle ne fume plus dans la maison et les sculptures de vagin ont presque toutes été vendues – elle a tenté de convaincre Mary Rose de «poser» pour l'un de ces machins, peu avant leur rupture, mais quelque chose l'a poussée à refuser, preuve que les anges gardiens existent bel et bien. Elle compose le numéro en conduisant, mais elle utilise le haut-parleur.

— Salut. Dis donc, tu as encore envie de faire de la peinture gestuelle?

— Quoi? Oh. Hm. Tu sais quoi, ma Fofolle, je suis crevée, là, tout d'un coup. C'est à peine si j'ai eu la force de décrocher le téléphone. Je pensais que c'était la femme de ménage qui rappelait. J'ai dû annuler, c'est trop de stimulations pour moi.

— Ça va ? Tu veux que je t'apporte quelque chose ?

— Nooon, fait-elle.

C'est le registre supérieur et résigné d'une invalide légère.

— J'ai besoin d'un peu de repos pour recharger mes batteries créatives.

Elle est au lit avec les chats, le dernier Alice Munro et une boîte de Timbits. Grand bien lui fasse.

Un coup d'œil dans le rétroviseur révèle que Maggie s'est endormie.

— Maggie, réveille-toi, ma puce ! Réveille-toi !

Si elle dort ce matin, elle ne dormira pas cet après-midi.

— Où est Daisy, Maggie ?

Elle voit Maggie ouvrir les yeux, poser un regard existentiel sur le monde et comprendre qu'il n'y a pas de chien. Son visage – et peut-être aussi sa foi – se désagrège, et elle pleure. C'était un coup bas, mais Mary Rose est parvenue à ses fins.

— Daisy nous attend à la maison, ma puce.

Le vagissement pitoyable se transforme en hurlement au moment où elles tournent dans Bathurst Street, direction nord.

Mary Rose allume le dispositif antibuée et se rappelle le paillis. Il faudra qu'elle en épande dans le jardin avant le gel. Puis elle se rappelle que c'est le mois d'avril. La faute au changement climatique ? À moins que ce soit le signe que quelque chose mijote au fond de son esprit. Le troisième volume de la trilogie, en gestation… filtré par le Temps… Elle a la certitude, soudain, qu'il y sera question d'un voyage dans le temps… C'est rempli de bon sens. L'Autre dimension avait sa composante spatiale ; elle aura désormais sa composante temporelle.

Elle cherche un stylo dans la boîte à gants. Dans le rétroviseur, elle voit Maggie, le visage barbouillé de larmes, mais calme, qui agrippe un crayon de cire.

— Donne à mama, Maggie.

— Non.

Mary Rose étire le bras vers l'arrière de la voiture, sa main comme la tête d'un anaconda à la recherche d'une proie. Son téléphone sonne : *Cap. A.P. MacKinnon*. En Ontario, la loi ne permet plus de parler au téléphone au volant, mais elle répond quand même – après tout, c'est un policier qui l'appelle.

— Où es-tu passé ? Je suis allée jusqu'au salon de coiffure pour te voir.

Il ne répond pas. Elle entend, de son côté à lui, le souffle de la réalité ambiante, *oooush*.

— A&P ? Allô ? C'est quoi, ce bruit ? Où es-tu ?

Il avale de l'air.

— Tu pleures ?

Mon Dieu ! C'est maman, c'est papa, le coup de fil tant redouté – elle a toujours cru que ce serait Maureen qui lui apprendrait la nouvelle.

— Qu'est-ce qui s'est passé ?

— Rien, halète-t-il. Je ne… Je ne peux pas…

— Respire, Andy-Patrick.

Personne n'est mort. Il fait une crise de panique.

— Où es-tu ?

— Ma voiture.

— Tu ne devrais pas parler en conduisant.

Elle donne un coup de volant pour éviter un cycliste et s'engage dans sa rue. Maggie proteste de plus belle.

— Je ne te parlerai que si tu es rangé sur le côté.

— Bon. Je me suis arrêté.

— La voiture est immobilisée ?

— Ouais.

— O.K. Qu'est-ce qui ne va pas ?

Il y a eu un déclencheur – il ne sait pas quoi, au juste – et il ne trouve pas l'interrupteur. Maureen a hérité d'un trouble auto-immun plutôt pépère, tandis que les deux cadets MacKinnon, eux, sont unis par une propension à des crises de vaine panique : un plongeon banal dans une zone de terreur à vous glacer les entrailles, où le moi sombre sans laisser de traces. Sans rime ni raison. Crises parfois accompagnées de phénomènes visuels, de tachycardies et de spasmes œsophagiens, *certaines restrictions s'appliquent, pour plus de détails, consultez notre site web.*

— Où es-tu ? demande-t-elle. J'arrive.

— Sur la 401, à Cobourg.

Il a dû rouler à tombeau ouvert !

— Je ne peux pas aller jusque-là. Je dois passer prendre Matthew à l'école à midi.

Elle se gare dans l'entrée, met la voiture en position de stationnement, coince le téléphone entre son visage et son épaule, se penche pour défaire la ceinture de sécurité en cinq points. Maggie en profite pour lui asséner un coup de poing sur l'oreille. Elle transporte sa fille et son frère, tous deux en larmes, jusqu'à la porte.

— Je ne sais pas ce que j'ai, Mary Rose. Je ne peux pas m'arrêter. Je vais descendre de la voiture et me lancer sur l'autoroute, je ne peux pas… je ne peux pas… je ne peux pas.

— Reste dans la voiture.

Méga-autoroute à six voies.

— Tu m'entends ? Réponds-moi.

— O.K.

— Maintenant, respire par le nez. Tout va s'arranger.

En entrant et en gravissant les quatre marches de la cuisine, elle l'entend respirer convulsivement. Maggie se laisse consoler par Daisy, qui s'attaque aussitôt aux joues salées de la petite, tandis que Mary Rose va prendre dans le réfrigérateur la drogue de choix de sa fille, du jus de mangue – bio, mais les mangues viennent de Chine, alors…

— Tu es toujours en thérapie, Andy-Pat ? Tu vois toujours ta psychothérapeute ? Comment s'appelle-t-elle, déjà ?

— Amber.

— C'est une vraie psychothérapeute ? On dirait plutôt une strip-teaseuse.

Il rit. C'est mieux.

— C'est une vraie, dit-il.

— Tu la vois toujours ?

— Non, ouais, mais…

Il a couché avec elle – oh ! pour l'amour du ciel –, Mary Rose ne veut rien savoir de plus, mais elle se promet de retrouver cette Amber pour lui réclamer l'argent de ses impôts. Elle va punaiser un bout de papier sur le tableau d'affichage, à côté de l'aimant à l'effigie du clown mort : *Amber, cinq mille dollars.*

— Mary Rose ? Pourquoi est-ce que je suis aussi taré ?

— Tu n'es pas taré. Bon, un peu, tout de même, mais dans les limites de la normalité, je pense. Pour un policier blanc et hétéro.

— Tu veux que je te dise ?

Elle l'entend se racler la gorge, refouler de nouvelles larmes.

— Je vous aime plus que tout au monde, Maureen et toi. Sans vous, je serais mort.

— Non, mais tu serais peut-être un peu moins taré.

— C'est ce que papa répétait toujours.

— Il avait peur que le fait d'avoir deux sœurs fasse de toi un homosexuel.

— Ironique, non ? J'aimerais bien être gai, moi.

— Voyons donc.

— Mary Rose ? Comment se fait-il que…

Il s'interrompt, pleure de nouveau, à la façon d'un garçon qui résiste à l'humiliation des larmes.

— Tout va s'arranger, Andy-Pat. Andy-Pat ? Je t'aime. Maggie est là. Tu veux lui dire bonjour ?

— Qu'est-ce qui ne va pas chez moi, Mister ?

— Shereen est partie.

Leurs crises de panique sont peut-être toutes, au fond, des chorégraphies du chaos ayant pour but de fuir cette chose silencieuse qui se tapit derrière le rideau : la perte.

Il gémit. Elle se met à chanter :

— *Boum, boum, j'adore ça, être fou…*

Dans la voiture, ils avaient l'habitude de chanter cette chanson entre deux arrêts pour cause de nausées de Mary Rose. En chantant doucement, comme si c'était une berceuse, elle se demande, détachée : comment en suis-je arrivée là ?

— Pas celle-là, l'autre, dit-il.

Elle chante la chanson au complet. Au moment où on demande où sont allés tous les soldats, elle l'entend se moucher.

Puis, d'une voix rauque, mais ferme, il dit :

— Pourquoi est-ce que tu m'aides toujours, Mister, alors que moi je ne t'aide jamais? Je n'aide jamais personne. C'est papa qui avait raison : je suis un raté, une nullité.

— C'est faux. Il était probablement juste jaloux.

— Hein? Pourquoi?

— Parce que tu avais un père, toi.

— … Wow.

— Ce sera cent vingt-cinq dollars plus la TVH, merci.

— Tu vois? geint-il.

— Tu m'as déjà aidée.

— Quand ça?

Aucun exemple ne lui vient à l'esprit. Maggie renverse son jus et s'en sert pour faire de la peinture avec ses doigts. Daisy en lèche – plus tard, elle aura la diarrhée, son système est très délicat.

— Tu m'aides en étant mon frère.

Elle a parlé comme une carte Hallmark, mais soudain le mot *frère* lui fait mal, comme une écharde dans la gorge. Elle ne doit surtout pas se mettre à pleurer elle aussi. Par la fenêtre de sa cuisine, elle voit passer un joggeur impassible d'âge mûr. Cet homme, c'est l'ici et maintenant.

— Il vaut mieux que j'y aille, dit-il.

Il est de retour.

— J'ai l'air d'avoir pleuré.

— On va penser que tu as la gueule de bois comme tous tes collègues.

— Je suis un homme.

— Tu l'as dit, bouffi.

Il est en route vers Kingston où, aux côtés du premier ministre de la province, il assistera au dévoilement d'un nouveau monument à la mémoire des militaires «tombés» en Afghanistan. Comme s'ils avaient perdu pied au lieu de perdre la vie. *Regarde Jane tomber!* Il lui demande s'ils peuvent prendre un café ensemble, le lendemain matin, à neuf heures.

— Bien sûr. Je passerai après avoir déposé Matthew à l'école à huit heures quarante-cinq.

Soudain, elle s'en veut d'avoir été si fâchée contre A&P à cause du lapin qu'il lui a posé au salon de coiffure. Hil a vu juste : il est bel et bien en état de crise. Sa frénésie de consommation et de bichonnage, au lendemain d'une rupture, aurait pourtant dû lui mettre la puce à l'oreille, lui indiquer que l'écrasement était imminent. Sous le coup d'une déception sentimentale, il était une fois de plus tombé amoureux de lui-même et, toqué de sa propre image, s'était rendu compte qu'il n'avait personne d'autre à prendre dans ses bras – bref, l'*horreur** existentielle. Pourquoi son frère et elle ne peuvent-ils pas se permettre d'être tristes quand les circonstances le sont ? Triste = Larmes = Réconfort. Même Maureen pleure. Pourquoi A&P et elle éprouvent-ils le besoin de faire tant d'histoires ? Clowns cinglés.

Ils raccrochent. Elle se réjouit à l'idée de le voir demain, de prendre un café avec lui dans une atmosphère détendue. Elle arrache une pile de serviettes en papier et essuie le dégât mangueux que Maggie a fait par terre. Mary Rose a contrevenu à une règle cardinale du *Guide de survie à l'intention des parents* : ne versez que ce que vous êtes prêt à éponger.

— Non ! crie Maggie d'une voix stridente.

Mary Rose a oublié qu'il s'agissait d'une œuvre d'art. Maggie se lamente amèrement et gratte le sol de ses mains poisseuses, son désespoir digne d'une Troyenne. Mary Rose se penche pour soulever la petite par-derrière au moment précis où celle-ci se met debout. La tête de Maggie heurte violemment l'arête du nez de Mary Rose.

— Oh mon Dieu !

Pas de sang. Que des étoiles.

C'est la rançon du sevrage brutal – elle ne partira chercher Matthew que dans quarante-cinq minutes, largement le temps d'une mini-sieste pour Maggie, une sieste induite par la méthadone. Mary Rose elle-même aurait bien besoin d'une « absence » de vingt minutes. Que ferait Hil, à sa place ?

Elle ouvre le robinet, le met en mode « pluie » et le sort de sa base rétractable.

— Tiens, Maggs… Vise l'évier, comme ça. L'évier !

Mary Rose se met à l'abri devant le petit évier de service, où elle sort les fruits et légumes du sac et entreprend de les laver.

Elle achète des produits biologiques, mais évite carrément le sujet avec sa mère, à qui le mot arrache des reniflements de mépris.

— Je n'achète rien de *biologieque*!

Son père prend plaisir à demander avec un scepticisme qu'on croirait sorti tout droit du MBA:

— Qu'est-ce qui te dit que c'est *biologieque*? Tu as des preuves?

Mary Rose leur a expliqué que le biologique n'est pas nouveau, qu'eux-mêmes ont grandi en mangeant des produits biologiques. C'est l'une des raisons qui expliquent que ce sont les hommes et les femmes de leur génération qui atteindront sans doute les plus hauts sommets de la longévité humaine.

— Le bio, c'est de la nourriture, point à la ligne. C'est aux autres trucs qu'on devrait donner des noms composés. Pourquoi pensez-vous que la prévalence du cancer augmente en flèche? Et je ne vous parle même pas des allergies et de l'obésité!

— Se faire faire la leçon par ses enfants! déclame Dolly en feignant de gifler Mary Rose.

Mary Rose essaie de ne pas se lancer dans des diatribes, mais ses parents prennent sûrement plaisir à la provoquer. Sinon, pourquoi sa mère verrait-elle les choix santé de Mary Rose comme un rejet de ses propres valeurs? Après tout, Dolly elle-même lui a indiqué la voie à suivre en optant pour la cuisine libanaise et en refusant obstinément d'acheter du «caca» transformé? Pourquoi son père s'obstine-t-il à proférer des remarques dignes d'un homme de droite, alors que, dans les faits, il est plus à gauche qu'un grand nombre de personnes plus jeunes?

Il aime bien attendre jusqu'à la fin de sa visite.

— Je crois comprendre qu'il y a au centre-ville un nouveau garage dont le titre de gloire est qu'il n'emploie que des mécaniciennes. Faire tout un plat avec la question du sexe... Dis-moi, Mister: puisque vous êtes si douées, où étiez-vous au cours des mille dernières années? *Anniées...*

Il connaît la réponse, il lui a lui-même appris la réponse, l'a dirigée et encouragée jusqu'à ce qu'elle surmonte tous les obstacles – *Fais les choses à ta manière, Mister* –, tellement qu'elle est sortie du placard bien avant que quiconque pense que «c'est moins dur avec le temps»,

stade auquel il a brusquement cessé de l'encourager. Rien de nouveau, pourtant. Ça remonte à l'Allemagne. L'épisode figure parmi ses
plus vieux souvenirs.

Assise sur les genoux de son père, elle conduit la voiture – c'était
avant l'avènement des ceintures de sécurité et des lois sur la protection des enfants. On ne peut rêver mieux : vous n'êtes pas encore tout
à fait propre, mais vous pouvez conduire la voiture.

— Bien, Mister, tourne le volant doucement, tout doucement.

Les mains de son père font un halo sur les siennes, tandis que le
volant glisse sous ses doigts. La voiture sent le diesel et le cuir. JE
CONDUIS LA VOITURE. Au-dessus du tableau de bord rouge,
l'horizon du pare-brise et le nez de clown au centre du volant : le
klaxon.

— Tu es une bonne conductrice, Mister.

JE SUIS UNE BONNE CONDUCTRICE.

— Maintenant, changeons de vitesse.

Elle sent la jambe de son père se raidir sous elle au moment où il
appuie sur l'embrayage. Elle pose sa main sur la balle du levier de
vitesse avec ses bizarres symboles gravés et sent sur la sienne la force
de sa main qui les propulse vers l'avant, malgré les bruits sourds émis
par la boîte. N'AIE PAS PEUR DE ÇA.

— Bien. Nous sommes maintenant en deuxième.

La tige du levier est empalée dans une sorte de sachet en cuir
doux, plissé comme le museau d'un animal qu'on tire violemment
par le nez, mais ça ne lui fait pas mal – c'est un objet, voilà tout – et,
de toute façon, on n'est pas censé regarder cette partie de la voiture,
NE QUITTE PAS LA ROUTE DES YEUX. C'était une Coccinelle
VW blanc crème à l'habitacle en cuir rouge. Avec le temps, son père
a commencé à la taquiner.

— Dès que le garçon sera né, tu devras t'asseoir sur la banquette
arrière et c'est lui qui va conduire.

— Non, moi je conduis.

— Les garçons s'asseyent devant, les filles derrière.

— Non, moi le faire.

— Nan. Tu t'installeras derrière avec ta sœur.

— Non !

— Le garçon sera devant avec moi.

— NON!

Il a ri jusqu'à ce qu'elle aperçoive sa dent en or. La rage lui râpait la gorge comme du gravier – au-dessus du tableau de bord, l'horizon avait disparu en un clin d'œil et Mary Rose se changeait en nœud, comme si elle se barbouillait à l'aide d'un crayon noir. Elle a fini par exploser:

— JE DÉTESTE LE GARÇON!

Mots coagulés, lancés comme de l'encre, elle était noire, mais elle ne se laisserait pas avoir.

La voix de papa est triste, soudain.

— Ne dis pas ça, Mister. C'est juste un bébé. Il va être ton petit frère.

Il a l'air triste et ahuri. Elle lui avait fait du mal. Et elle avait fait du mal à un pauvre bébé si précieux. Son propre frère. La honte l'a envahie, s'est insinuée en elle comme l'odeur tiède et mouillée du pipi.

— Excuse-moi, papa.

Larmes.

À l'époque, il était impossible de connaître d'avance le sexe d'un fœtus. La certitude de son père n'était qu'une façon de prendre ses rêves pour des réalités, mais les événements lui ont donné raison. Le bébé qu'elle a maudit était bel et bien un garçon.

Mary Rose n'a pas besoin de payer un psychothérapeute pour savoir que, dans son for intérieur, elle est certaine d'avoir tué Alexander, de l'avoir dépossédé de son droit de naître et de devoir être punie pour avoir pris sa place dans le siège du conducteur. C'est écrit noir sur blanc dans les pages de son propre livre: Kitty et John McRae sont des jumeaux qui, dans leurs mondes respectifs, se sont absorbés réciproquement *in utero* et sont nés chacun de son côté. Ils ont l'un et l'autre un œil bleu et un œil brun, vestige de la sœur ou du frère manquant. Et chacun, en naissant, a privé l'autre de ce qui pouvait guérir son monde… Même si Mary Rose ne l'a compris qu'après avoir écrit le deuxième livre.

C'est peut-être pour cette raison qu'elle avait l'habitude d'étudier la photo du cimetière en secret. Elle revenait sur les lieux du crime, emportait l'album dans la salle de bains ou dans le vide sanitaire – presque comme s'il s'agissait d'une photo cochonne – et avait soin de limiter les séances pour préserver la puissance de l'image. Fermant les yeux, elle trouvait la bonne page, comptait jusqu'à trois et les rouvrait… comme pour prendre la photo en flagrant délit. De quoi, au juste? Une fois, elle a associé Andy-Pat à l'expérience furtive, mais elle a coupé court.

— Tu es trop jeune, a-t-elle décrété en refermant l'album.

Puis elle est sortie en vitesse du vide sanitaire et a refermé la porte sur lui. Elle l'a laissé dans le noir jusqu'à ce qu'il cesse de pleurer.

Est-ce à cause d'elle qu'Andy-Patrick est si perturbé?

Elle avait cinq ans quand elle a entendu sa mère passer le coup de fil au Cap-Breton. En tenant le combiné à deux mains, elle a dit, d'une voix étranglée:

— Pa? Pa, j'ai eu un fils! J'ai eu un fils.

Elle avait neuf ans quand son père a commencé à les convoquer, Maureen et elle, et à leur attribuer, à regret, l'incapacité de leur frère à éviter les ennuis à l'école et à bien s'entendre avec les autres membres de la maisonnée. Sans parler de sa manie de se déguiser en femme.

— N'oubliez pas que c'est un garçon dans une maison remplie de filles. Il n'a pas de *frère*. Ses *sœurs* le surpassent en nombre.

Il parlait avec l'application exagérée qu'il réservait aux problèmes de maths et aux indications routières. Mais sur un ton plaintif.

— Vous ne devez pas vous attendre à ce qu'il se comporte comme une *fille*. C'est un *garçon*.

Il marquait une pause. Mary Rose sentait la honte, tiède et écœurante, s'infiltrer en elle.

— Mary Rose, comme vous êtes plus rapprochés en âge, c'est toi qui exerces le plus d'influence sur lui.

Quand il utilisait son vrai prénom, elle se sentait épinglée. Voici ce que cachent le surnom de garçon manqué et le clin d'œil insouciant de papa: un prénom de fille. Quand on oublie qu'il est là, il risque de vous faire mal.

— Laisse-le être un garçon.

Peu de choses sont plus honteuses que d'empêcher son frère d'être un garçon – c'est comme faire irruption dans une salle de

bains bordée d'urinoirs, pour qui te prends-tu ? Attaquer sa masculi-
nité, cette chose sacrée, puissante et délicate qui l'excluait, mais
qu'elle avait le devoir de protéger. L'idée, semblait-il, était qu'il fallait
laisser Andy-Patrick semer la pagaille ; sinon, il risquait de devenir
faible et efféminé. Mary Rose avait dépossédé sa sœur morte aussi,
mais seulement d'un prénom.

Elle ouvre la porte bossée du congélateur pour y ranger des ron-
delles de bananes destinées à la confection de laits frappés – elle parvient tout juste à les caser. Elle extrait une brique opaque, rangée au
fond, et la pose sur le comptoir. Enveloppé dans des couches successives de ce qui a tout l'air de pansements stériles et taché par une
substance foncée… le gâteau de Noël de sa mère.

Il faut le manger avant le Noël suivant. Il ne doit surtout pas être
découvert, intact, lorsque sa mère apportera un autre gâteau en janvier prochain… à moins que sa mère meure avant et que ce gâteau de
Noël se révèle son dernier. La gorge de Mary Rose se serre douloureusement à la pensée des mains brunes et affairées de sa mère remuant la pâte dans la cuve blanche posée sur le congélateur amoché
du garage.

— V'nez ici, les enfants, et tournez la pâte du gâteau de Noël
pour la chance !

Qui va s'occuper de ses parents si l'urgence survient pendant que
Dolly et Dunc sont dans leur maison d'Ottawa ? Mary Rose est à
quatre heures et demie de route. Même si Andy-Patrick était affecté
au quartier général de la GRC, là-bas, comment se tirerait-il d'affaire
dans l'hypothèse – quasi certaine – où un problème se poserait ? Il
s'effondrerait. Il avalerait sa langue, mouillerait son pantalon.
Maureen et elle doivent lui dénicher une femme solide et capable sur
qui elles pourront compter pour trouver leurs parents morts, un de
ces jours. Sinon, ce sera un gentil voisin. « Nous avons remarqué que
le courrier s'accumulait. Comme tes parents ne m'avaient pas fait
part d'un projet de voyage, chère, je me suis servi de la clé qu'ils
m'ont donnée et… »

Dans l'état actuel des choses, le mieux qu'elle puisse espérer, c'est
que ses parents cassent leur pipe à Victoria, où les gens ont l'habitude
de ramasser des vieux sur les trottoirs et de les défibriller dans les

centres commerciaux. Son père, incarnation même du vieillard ayant subi avec succès un pontage coronarien, est encore candidat à l'infarctus. Et s'il faisait une crise cardiaque au volant, grimpait sur le trottoir et fauchait une passante avec un bébé dans une poussette?

Dolly avait l'intention de nommer le nouveau bébé Alexander, mais Mary Rose a dit: «Faut pas l'appeler Alexander parce que z'ai peur qu'on devra le mette dans la messante terre!» Elle croit s'en souvenir, mais c'est un volet si classique de la légende familiale qu'elle se souvient peut-être seulement d'avoir entendu le récit. Pas étonnant qu'elle se soit attachée à la vieille photo du cimetière; c'était un moment figé dans le temps, contrairement aux atomes instables du souvenir. Compte tenu de l'intensité avec laquelle elle a contemplé cette photo, les moindres détails devraient être burinés dans son esprit, y compris les dates. Mais sa mémoire lui joue des tours, retient l'épave flottante d'un chandail à motif fleuri, en même temps qu'elle efface la durée tout entière de la vie du bébé garçon perdu. Quoi qu'il en soit, Andy-Patrick, grâce à Mary Rose, a eu droit à un prénom flambant neuf.

Lorsqu'ils se trouvaient à la base aérienne de Trenton, Andy-Patrick avait un an et Mary Rose six. Bébé dodu assis au pied de l'escalier, il pleurait, vêtu d'une combinaison à carreaux. De la salive claire de bébé mêlée à ses larmes. Mary Rose le consolait lorsque son père est entré et s'est accroupi près d'eux. Elle s'attendait à ce qu'il prenne son fils dans ses bras pour le réconforter – papa était tendre et patient. Il a plutôt regardé le grassouillet Andy-Pat et lui a demandé:

— Pourquoi pleures-tu comme une poule mouillée de fillette?

Mary Rose, soudain, a eu chaud. Elle s'est sentie très mal pour son père à cause de ce qu'il avait dit devant elle. Pendant un moment, elle a eu l'impression que l'air se composait de feuilles de métal cuisant au soleil sur l'aile d'un avion de chasse. Comment pouvait-elle défendre son honneur à elle tout en laissant une porte de sortie à son père, qui avait peut-être voulu dire autre chose?

— Les filles ne sont pas toutes des poules mouillées, papa.

— Oh, mais je n'ai jamais dit ça, a-t-il répondu de son ton inoffensif. Pleurer, pour une fille, c'est parfaitement normal. Ce que j'aimerais que tu comprennes, c'est que je ne veux pas qu'on fasse des misères à ton frère quand il sera plus vieux.

— Je suis une fille et je ne pleure pas.

— Je sais, mon pote.

Elle ne pleurait jamais, qu'elle tombe de vélo ou soit soumise à un barrage de tirs au but quand les garçons daignaient la laisser jouer au hockey avec eux dans la rue. Elle a songé, mais sans le dire: «Je n'ai même pas pleuré quand tu m'as fait faire l'avion» parce que ça signifierait: «Tu m'as fait mal, papa.»

— Les filles ne sont pas toutes des poules mouillées, a-t-elle répété. La plupart d'entre elles, oui, mais pas moi.

— Je sais, Mister. Tu es coriace.

Et elle s'est glissée sous le parapluie pour occuper le tout petit espace ainsi offert.

Le frère et la sœur, cependant, sont demeurés très proches. Quand il a commencé à marcher, leur mère a pris l'habitude de nouer autour de sa taille deux couches mises bout à bout et de les attacher à un barreau de son berceau «pour l'empêcher de descendre et de se faire du mal». La nuit, parfois, Mary Rose entrait furtivement dans sa chambre et, agenouillée près du berceau, un barreau dans chaque main, elle lui chuchotait des mots de consolation. Il la regardait avec ses yeux noisette et ses sourcils duveteux – elle pleurait, elle aussi, parce qu'ils faisaient semblant qu'il était en prison. Une fois, elle a commis l'erreur de le détacher; elle a donc eu ce qu'elle méritait lorsqu'il en a profité pour lui tirer les cheveux. Maman a éloigné Mary Rose en l'entraînant par le bras, et elle a eu mal, mais seulement parce que c'était son bras douloureux.

À cette époque-là, ils habitaient à Hamilton, la «ville de l'acier», sous le nuage jaune visible à des kilomètres à la ronde – quand on était sous ce nuage, on ne le voyait pas, mais on sentait souvent son odeur d'œufs pourris. «C'est le parfum de la prospérité», répétait Duncan. Les hauts fourneaux fonctionnaient jour et nuit, les grandes cheminées crachaient des flammes éternelles, des conduites déversaient des effluents dans le lac Ontario et le pont Skyway dominait le tout à la façon d'un arc-en-ciel sale. Là-haut, le vent secouait les voitures et ébranlait les camions; toute personne assez téméraire pour sortir de sa voiture avec un appareil photo risquait d'être emportée par-dessus la balustrade.

C'était l'hiver. Tante Sadie était venue passer un moment à la maison, tandis qu'oncle Leo, une fois de plus, « réglait des affaires à la maison ». Ils jouaient dehors. Chancelant dans ses bottes minuscules, Andy-Pat, emmitouflé dans son habit de neige, ressemblait au bonhomme Michelin. Mary Rose ne se souvient pas de la cause de l'incident, mais elle se rappelle très bien le conseil de sa tante :

— Ne le frappe pas au visage. Tape plutôt sa petite main, comme ceci.

Sous les yeux de Mary Rose, tante Sadie a fait une démonstration : prenant une des mains d'Andy-Pat entre les siennes, elle a donné un coup sec avec l'autre.

— Tu vois ? Jamais sur la tête.

Paf. Le visage d'Andy-Pat a rougi et il s'est mis à pleurer.

Ils ont habité à Hamilton pendant neuf mois, le temps que Duncan fasse son MBA à l'Université McMaster. Maureen avait commencé ses études secondaires à l'école secondaire Cathedral Catholic et jouait de la guitare dans les nouvelles messes à gogo, Andy-Pat a découvert que les boules de goudron qui jonchaient le trottoir pouvaient être mâchées comme de la gomme et Dolly a fait une nouvelle fausse couche. Mary Rose a commencé sa troisième année à l'école élémentaire catholique Sainte-Anne, où elle est tombée amoureuse.

La vision de Lisa Snodgrass dans la rangée voisine lui a fait l'effet d'un verre de limonade par une journée torride, de la crème glacée à la vanille quand on a mal à la gorge, de – *Un peu d'attention, je vous prie!* Mary Rose a levé les yeux. Mme Peters ressemblait à un ptérodactyle qui se serait appliqué du rouge à lèvres. Elle avait un grain de beauté bien visible sous ses cheveux et la terrifiante habitude de sourire quand elle était mécontente.

— Laisse-moi voir ce message, a-t-elle dit en souriant de toutes ses dents.

Mary Rose n'avait eu aucune intention de faire suivre ce message, qu'elle avait écrit à seule fin de voir les mots couchés sur le papier.

Mme Peters l'a lu en silence, puis elle a regardé Mary Rose d'un drôle d'air avant de décréter :

— C'est absurde.

Puis elle l'a déchiré.

Mary Rose a attendu d'être de retour chez elle avant de récrire le message au crayon à mine sur un bout de papier posé près du téléphone. Elle a contemplé les mots pendant un long moment, puis a déchiré la page sans raison.

J'aime Lisa Snodgrass

Ils ont déménagé à Kingston où, pour la toute première fois, ses parents ont acheté une maison. Devant, son père a planté un pommier sauvage dont la maigreur attachante rappelait le sapin de Noël de Charlie Brown.

— Cet arbre fleurira longtemps après que nous aurons déménagé de nouveau, a-t-il déclaré avec les accents mélancoliques qui traduisent le contentement écossais.

Ils vivaient dans un nouveau lotissement. C'était l'époque où les enfants « jouaient dehors »; il y avait des bois et des ruisseaux qu'on n'avait pas encore soumis à l'ordre banlieusard, et Mary Rose, pendant d'interminables journées d'été, pouvait « décamper », comme Huckleberry Finn, et ne rentrer que pour souper, des toques accrochées à ses chaussettes, ses chaussures mouillées.

Pour aller jusqu'au Collège militaire royal de Kingston où travaillait son père, on devait passer devant le Dairy Queen, le Kmart, trois prisons, l'asile de fous, la maison de sir John A. Macdonald – avec son petit lit et ses bottes minuscules qui donnaient un aperçu de la vie avant l'avènement des vitamines –, l'Université Queen's, l'hôpital général de Kingston et, de l'autre côté du pont-jetée, l'arche en pierre qui conduisait aux murs recouverts d'une barbe de lierre à l'intérieur desquels son père enseignait l'économie – la « science lugubre ». Plus tard, Maureen y décrocherait un emploi de sauveteuse à la piscine et y rencontrerait Zoltan Zivcovic, élève-officier qui, avec son bonnet et ses oreilles décollées, ressemblait à un singe grand et grave. Andy-Patrick a quitté son berceau et hérité de sa propre chambre, équipée de toutes les voitures et de toutes les armes dont Mary Rose rêvait, sans parler des vêtements – habillée en fille, elle avait l'impression d'une imposture. Mais elle continuait d'aimer son frère quand il était triste, malade ou endormi. Peu après leur emménagement, il a attrapé la mononucléose et a été adorable.

Le premier jour, son père l'a envoyée à l'école en lui tapotant fermement la tête.

— Fais les choses à ta façon, Rosie.

Elle s'est mise en rang avec les autres élèves de cinquième année de l'école Notre-Dame-de-Lourdes et a attendu la cloche, consciente des papillons qui voletaient dans son ventre, à cause du miracle secret, *tu as sauté une année!* Elle a parcouru les rangs des yeux, à la recherche de la fille qui serait l'objet de son béguin, d'une fille digne de succéder à Lisa Snodgrass… et puis elle s'est arrêtée, sachant que c'était mal. *Et ils connurent qu'ils étaient nus.* Elle devait renoncer à avoir le béguin pour des filles, tout comme elle avait quitté sa place dans le groupe des élèves lents. Cela faisait partie d'un passé de ténèbres dont l'ombre ne serait jamais projetée sur le présent, pour peu qu'elle fasse de son mieux, puis mieux que son mieux. Elle a de nouveau levé les yeux sur les rangs. Et elle a jeté son dévolu sur Danny Pinder. Autre miracle. Grâce à Notre-Dame, elle était devenue normale.

Impossible, en revanche, de laisser derrière la douleur dans son bras. Il sentait la tombe.

— Maureen! Viens ici! J'ai besoin de toi! a crié Dolly.

C'était le milieu de la journée, mais leur mère prenait un bain. Elles n'étaient pas à l'école. C'était donc sans doute le week-end. Mary Rose a suivi sa sœur jusqu'en haut des marches, mais Maureen s'est hâtée d'entrer et a fermé derrière elle la porte de la salle de bains. Mary Rose y a collé l'oreille, puis elle l'a entrouverte. Sa mère était dans la baignoire, dont l'eau était rouge. Maureen a aperçu Mary Rose et lui a claqué la porte au nez.

— Tout va bien, Rosie! a-t-elle crié en même temps.

Ce soir-là, sa mère était silencieuse et ils ont commandé une pizza.

Il n'y a plus eu d'« autre ».

Un jour d'été, Mary Rose a cherché dans la malle du sous-sol la robe de chambre en satinette de tante Sadie, qui datait des années quarante, un machin flottant à motif cachemire or et écarlate, ainsi que d'autres articles qui sentaient la naphtaline – la cape d'infirmière de sa mère, une épée en plastique provenant d'un sac géant de riz soufflé –, puis Andy-Pat et elle, en compagnie de deux ou trois enfants du voisinage, ont conçu et interprété une pièce de théâtre. Ils ont sorti la tondeuse et les pelles de la remise en aluminium du jardin. La remise aux portes coulissantes bossées leur a servi d'avant-scène, établissant un lien indélébile entre la magie du théâtre et l'odeur de l'herbe coupée et de l'huile à moteur. *La malédiction de Roderigo.* Mary Rose a voulu confier le rôle-titre à Andy-Pat, âgé de cinq ans, qu'elle a doté d'une bosse dans le dos (un coussin du canapé), mais il a insisté pour jouer la gente demoiselle en détresse, «Lady Jenniah», avec du rouge à lèvres, un éventail et la robe de chambre en satinette de tante Sadie.

Mary Rose a convoqué la famille et les voisins dans l'allée de la maison, où ils ont assisté au spectacle, bien assis sur les chaises de parterre. Le soleil s'est couché, on a sorti les épées de leur fourreau, Lady Jenniah a pleuré et dansé, Roderigo s'est battu et a juré de venger la mort de sa « mie ». Andy-Pat a triomphé. Tout le monde a applaudi. Après le spectacle, son père a entraîné Mary Rose à l'écart.

— Ne déguise plus ton petit frère en fille, Mary Rose.

Cette fois-là, elle n'a pas remis ses propos en question. Elle était assez vieille pour reconnaître le parfum de la honte. Andy-Pat a quitté les planches pour de bon. Il a recommencé à arracher les cheveux de sa sœur par poignées et elle-même a recommencé à détester ce *petit enfant gâté.* Leur mère était au bout du rouleau.

— V'nez ici que j'vous anéantisse tous les deux!

Il avait beau lui arracher des cheveux par poignées et elle le dénoncer à leur père à répétition – «Papa va te tuer!» –, ils revenaient toujours l'un vers l'autre, mus par une *folie à deux** ou, plus simplement, obéissant à leur description de poste, calquée sur celle du coyote et du chien berger dans le vieux dessin animé, chacun pointant à l'aube pour amorcer une nouvelle journée de travail – «Salut,

Fred, salut Ralph» –, puis se battant jusqu'à l'heure de pointer de nouveau.

Elle a pris l'habitude de terroriser son petit frère et de se terroriser elle-même au moyen d'une entité appelée Zygote, ressortissant de la planète Zytox. Ils étaient dans la salle de loisirs que leur père avait aménagée au sous-sol avec des panneaux de bois sur les murs et du plâtre festonné au plafond – c'est dans cette pièce que la famille avait assisté à l'alunissage. La pièce au vide sanitaire. Annoncée par un signal intergalactique que Mary Rose produisait en inspirant de l'air à l'envers dans son larynx, l'extraterrestre qui possédait son corps croassait d'une voix métallique :

— Je m'appelle Zygote, de la planète Zytox. Ta sœur, Mary Rose, est retenue prisonnière ici.

Elle avait une frange et une coupe carrée. A&P portait les cheveux en brosse – ses cils étaient exceptionnellement recourbés. En effet, ils avaient été roussis peu de temps avant lorsqu'il s'était penché sur la bouche d'égout où Travis Orr venait de verser du carburant à *go-kart* avant d'y jeter une allumette.

— Si tu ne suis pas mes instructions, elle sera tuée immédiatement, ajoutait Zygote d'une voix râpeuse.

Les lèvres d'Andy-Pat se mettaient à trembler et il promettait de faire tout ce qu'on exigeait de lui pour sauver sa sœur – il a même tenté d'agresser Zygote, qui a tué l'initiative dans l'œuf.

— Tes pathétiques tentatives contre moi ne font qu'aggraver la situation de ta sœur qui, en ce moment même, est torturée sur Zytox.

Andy-Pat se calmait, redevenait docile. Parfois, il était récompensé par une «visite» fébrile de la vraie Mary Rose, qui était parvenue à franchir le mur…

— Andy-Pat, tu dois obéir aux ordres de Zygote, ne lui dis pas que je suis venue, et surtout n'oublie pas : même quand tu penses que c'est moi, c'est en réalité lui qui m'imite à la perfection, mais j'ai un plan, j'ai trouvé un allié sur Zytox, fais semblant de…

Un bruit de friture retentissait et le reptilien Zygote était de retour.

— Dis-moi, Andrew-Patrick, qui est venu te voir pendant mon absence ?

— Personne, répondait A&P d'une voix tremblante.

La situation s'est corsée lorsque la mère de Zygote, Zygrette, est apparue et, avec des accents métalliques adoucis par le grand âge, a déclaré :

— Mon fils est un être maléfique, cher Andy-Patrick, tu dois te montrer courageux, je tente de sauver ta sœur…

Mais Zygote l'a chassée et, avec une insensibilité propre à vous détruire le larynx, a porté le coup de grâce :

— Dans un moment, la femme qui prétend être ta mère va t'appeler pour le souper. Monte et comporte-toi normalement. Cette femme est un imposteur venu de la planète Zytox. Il en va de même pour l'homme qui prétend être ton père. Tes vrais parents sont tous deux retenus prisonniers sur la planète Zytox. Si tu n'agis pas normalement, nous les tuerons.

D'en haut provenait la convocation maternelle :

— Le souper est servi, les enfants !

Les jours où il n'était ni malade ni suspendu, Mary Rose accompagnait son frère à l'école, et ils ne savaient jamais à quel moment elle risquait de demander, d'une voix empreinte d'un calme sinistre :

— À ton avis, qui vient d'ouvrir le gicleur dans sa cour d'en avant ?

— M. Chown.

— Non, répondait-elle sereinement. Cet homme ressemble à M. Chown et il parle comme M. Chown, mais ce n'est pas lui. C'est un certain M. Mannington. Dans quelle rue sommes-nous ?

— Notre rue.

— On dirait notre rue. Les maisons ont l'air identiques, elles abritent des familles qui ont l'air identiques à celles de notre rue, mais ce n'est pas notre rue. En fait, il s'agit de l'avenue du Duc-Prince sur la planète Blaterre. Tu penses que nous parlons anglais, mais, c'est faux. Nous parlons blaterrien.

Un jour d'automne, Maureen les a casés dans la Buick familiale, Andy-Pat et elle, parce que maman était en proie à la fureur. Mary Rose, qui avait entrevu la chambre de Maureen, croyait qu'elle était la cause de sa colère – elle était encore plus en désordre que d'habitude, les tiroirs de la commode sortis ou renversés, les vêtements de son placard, dont beaucoup encore sur les cintres, jetés par terre. On aurait dit des innocents fauchés par une mitrailleuse. Mais finalement, c'est maman qui avait fait le coup.

C'était après le dîner et maman portait encore sa petite nuisette et les pantoufles en nylon tricotées par tante Sadie. Ses jambes puissantes de poney, nues et parcourues de varices – « ça, c'est à cause de vous, les enfants » –, se dessinaient en relief contre les volants de la nuisette. Elle titubait et vociférait, mais Mary Rose n'a eu droit qu'à un bref aperçu parce que Maureen lui a pris la tête, l'a serrée contre sa poitrine, puis l'a obligée à sortir de reculons sur la galerie, où elle avait déjà parqué Andy-Pat.

— Montez dans la voiture.

Maureen avait eu ses quinze ans. Elle était assez vieille pour fuir l'avancée de l'Armée rouge avec une famille à la traîne, plus âgée que sa grand-mère après la naissance de son troisième enfant. Mais pas encore assez vieille pour conduire. Assis au garde-à-vous sur la banquette arrière, Mary Rose et Andy-Patrick ont souri en entendant Maureen balbutier quelques mots en passant la marche arrière.

Elle a roulé jusqu'aux écluses de Kingston Mills. Il pleuvait. Ils ont admiré le canal. À certains endroits, une voiture conduite par un imprudent aurait pu s'abîmer dans ses eaux. Andy-Patrick et Mary Rose ont écouté respectueusement Maureen leur expliquer cet exploit des ingénieurs du dix-neuvième siècle.

— Wow, Mo, c'est super.

Leur sœur était bonne et ils se cramponnaient férocement à elle et à son savoir pur, tels deux petits démons éperdus de reconnaissance pour tous ceux qui les prenaient pour des enfants humains.

Leur père était retourné à Hamilton, où il terminait son MBA, paralysé et concentré sur un livre de statistiques. Pour le bien de sa famille.

Peu avant ou après sa première opération, car son bras était en écharpe, Mary Rose a une fois de plus succombé à la tentation. Prenant l'album de photos et une lampe de poche, elle s'est penchée et, en évitant de se cogner le bras, s'est faufilée par la petite porte qui séparait le sous-sol du vide sanitaire. Assise en tailleur sous les solives, l'album sur les genoux, elle a fermé les yeux. Elle a cherché une série de trois encoches bien précises sur le bord de la vieille page velouteuse, a ouvert l'album et les paupières. Sur un espace vide. La photo avait disparu. Il ne restait qu'un carré noir plus sombre à la place qu'elle avait occupée et la légende, au crayon blanc, écrite de la main de sa mère : « Cimetière ». Aussitôt, Mary Rose a senti la honte l'envahir, son visage rougir dans le noir. Sans doute sa mère avait-elle remarqué avec quelle intensité Mary Rose contemplait cette photo, encore et encore… Et l'avait enlevée.

Cet hiver-là, Dolly a suivi des cours de céramique et a fabriqué pas moins de trente mini-sapins de Noël.

•

Debout aux côtés de son père devant la vitrine du grand magasin de la Baie d'Hudson au centre-ville de Kingston, Mary Rose regardait des oursons en peluche patiner sur un étang argenté, tandis qu'un train sillonnait des collines scintillantes. Dans le wagon de queue, le père Noël sirotait un coca-cola. Le bras de Mary Rose était soutenu par une écharpe que sa mère avait fabriquée à l'aide d'un foulard. Elle avait dans la poitrine une sensation à la fois cuisante et mouillée. Il faisait noir. Elle avait une conscience aiguë du privilège que représentait ce moment d'intimité avec son père, sans Andy-Pat pour partager avec elle les feux de la rampe, sans maman pour leur dire de se dépêcher, et pourtant quelque chose clochait. En regardant le père Noël porter la bouteille à sa bouche, elle a eu conscience d'une excitation sexuelle spontanée. Elle savait quelque chose qu'ignoraient les oursons en peluche. Elle n'était pas digne de les regarder en compagnie de son père et d'autres enfants innocents. Un secret bouillonnait en elle. Un vilain secret. Lié à la douleur dans son bras. De la douleur comme de l'information en trop qu'elle trimballait partout où elle allait. De la douleur qu'elle méritait bien.

Être avec son père avait parfois pour effet d'aggraver la douleur, peut-être parce qu'il vivait dans un lieu ensoleillé, un lieu qui était par moments aveuglant, comme l'étang vitreux. En partant, la douleur emportait le sentiment qu'elle avait d'être exilée, confinée dans un étroit poste d'observation, une fissure entre des rochers. C'était une douleur qui résidait dans les ténèbres. La douleur qui n'osait pas dire son nom.

•

Il neige. Devant la fenêtre de la cuisine, le ciel est devenu opaque et a produit une frénésie de flocons affolés. Mary Rose ne distingue plus la clôture et encore moins les crocus optimistes – comme si février s'était approché en douce d'avril, lui avait donné un bon coup sur la tête et avait pris sa place. Elle allume la radio, *Bonjour, nous vous souhaitons un mercredi rempli de bonheur...* Le gâteau de Noël momifié trône sur le comptoir, semblable à un artefact du Musée royal de l'Ontario.

Elle se demande si le congélateur a eu sa peau ou s'il peut encore être ressuscité. Elle devrait apprendre à le faire, ce gâteau. Andy-Patrick fait le pain de Pâques libanais de leur mère, elle devrait l'inviter à venir lui montrer. Ses enfants ne grandissent pas avec les mêmes odeurs qu'elle, leur mère ne se couvre pas les cheveux d'une couche pour bébé en tissu pour lancer de la pâte en l'air en chantant des airs de *Carmen* avec des paroles inventées. Leur mère n'utilise pas des mots doux en arabe. Elle ne les traite pas non plus de *démons*. Elle ne les poursuit pas dans la maison avec une cuillère en bois. Elle ne menace pas de les « anéantir », ne jure pas de les « massacrer », ne promet pas de les « écrabouiller ». Elle ne porte ni du Chanel N° 5 ni des pierres de lune.

Sa place est à l'asile, a-t-elle entendu Maureen marmotter. Ce que Mary Rose a ressenti, c'est beaucoup plus que de la tristesse, de la peur ou même de la honte – tous des mots bien nets qu'on peut lire et prononcer. Non, elle a eu la sensation que du goudron fondait en elle.

Les journées au cours desquelles sa mère criait et demeurait en robe de chambre ou oubliait de se coiffer revenaient de plus en plus souvent dans la boule de bingo tourbillonnante de la vie. La Dolly qui collectait des fonds pour le Heart Fund et le Parti libéral du Canada, présidait la Ligue des femmes catholiques, dirigeait la chorale, fabriquait son vin à l'aide d'un cathéter et de deux cuves, faisait les comptes, confectionnait des tenues assorties et nourrissait une armée d'invités était de moins en moins en évidence.

— Viens ici que j't'écrabouille!

Les mots, quand elle les criait, ne formaient rien de plus qu'une turbulence; mais quand elle les prononçait d'un ton égal, le regard baissé, c'était terrorisant. Mary Rose, neuf ans, se trouvait dans la cuisine. Les gifles et les pinçages, les coups secs et les bourrades faisaient mal, d'accord, mais pas autant que les mots qui, quoi qu'on en dise, ne nous glissent pas sur le dos comme l'eau sur les plumes d'un canard. Ce jour-là, les paroles qui émanaient de sa mère étaient sombres et lourdes, et Mary Rose était immobilisée sous leur poids, incapable de les repousser en tendant le bras ni de les semer en riant. Elle se voyait de l'arrière, en plongée, comme si elle planait près du plafond. Puis elle a été témoin d'une sorte de miracle – comme elle n'a pas songé à l'attribuer à Notre-Dame, c'était peut-être davantage un phénomène scientifique : sous ses yeux, un bouclier transparent mais imperméable, semblable à un champ de force, s'est formé autour d'elle, et soudain elle a réintégré son corps, derrière ses propres yeux, à l'intérieur de ce dôme dur et transparent. Elle a vu les formes sombres des mots de sa mère s'arrêter tout net à son contact et tomber par terre. Puis elle a compris : « Ce ne sont que des bruits. »

Derrière elle, sur le sol, Maggie « nage » dans un panier à lessive rempli de balles en plastique – une idée que Mary Rose doit au McDonald's de la 401 où, l'été dernier, elles se sont arrêtées en désespoir de cause.

C'est l'occasion pour Mary Rose de se glisser dans le salon, de s'allonger sur le canapé et de fermer les yeux – elle aurait besoin de dix petites minutes, pas plus. Churchill faisait la sieste, les siestes ont gagné la guerre. Allongée, elle ne risque pas de perdre ses ciseaux, son tapis de yoga ou son calme. Tant qu'elle restera couchée, rien de mal ne peut arriver. Elle remet plutôt le gâteau dans le tiroir en acier inoxydable, si semblable à une morgue, et referme son congélateur bossé.

— Allons chercher ton frère et Youssef à l'école.

Devant la porte, Maggie se laisse emmitoufler dans son habit de neige sans faire d'histoires, mais, face aux bottes, l'enfant se braque.

— Bottes Sitdy.

Le téléphone sonne. La sonnerie des interurbains.

— Il neige, Maggie. Cette fois, tu mets tes bottes d'hiver.

Dring, dring.

Maggie lui donne un coup de pied. Mary Rose soupire et la saisit par les épaules, fermement, mais sans trop serrer, et la regarde droit dans les yeux, comme le recommandent les livres. Elle ne ressent pas de colère.

— Tu ne dois pas donner de coup de pied à mama, Maggie.

Maggie la frappe en plein visage.

— NON!

Elle saisit les petits bras, «ARRÊTE ÇA», et résiste à grand-peine à l'envie de soulever l'enfant et de la rabattre brutalement sur les marches.

— NE FAIS PAS ÇA.

Elle résiste à l'envie de soulever l'enfant et de l'entraîner dans les marches et dans la cuisine en la tirant par le coude. Elle laisse plutôt sa rage exploser au visage de la petite. «NE ME FRAPPE PLUS JA-MAIS!» Elle ne le fait pas, mais elle se voit le faire. Tenir l'enfant par le coude comme un poulet par l'aile, et plus elle ne le fait pas, plus elle serre, comme pour tenir à distance le moi fantôme qui s'aban-donne au désir, sanglote à cause de l'envie d'être libérée, du désir de – ses mains s'ouvrent. «JE NE T'AI PAS FAIT MAL!» Les mots de la folie restent en suspension dans l'air, noirs et tendus, en laisse. Maggie crie. Mary Rose entend Daisy cliqueter sur le sol de la cui-sine. La chienne débouche sur la plus haute marche, la cravache qui lui tient lieu de queue s'agitant à toute vitesse.

Mary Rose est tellement en colère qu'elle en a le vertige. Elle a le souffle court. Ses mains retombent le long de son torse – rien de mal ne va arriver, elle sait comment imposer l'engourdissement à cer-taines parties de son corps. Daisy fait *wouf* et enfonce son museau humide dans la gorge de Mary Rose.

— Tout va bien, Daisy.

Elle respire et lève les yeux sur le coin du plafond. Elle entend Maggie farfouiller. L'entend dire:

— Moi toute seule.

Mary Rose court le risque de libérer ses mains, mais seulement pour les enfoncer dans ses poches. Aussitôt, elle retire la gauche en poussant un petit cri. Elle saigne. Elle s'est piqué le doigt… Y replongeant la main, elle repêche la licorne cassée. Elle monte les marches calmement, laissant Maggie à ses bottes. Elle pose la licorne et sa tête sur le comptoir et fait couler de l'eau froide sur son doigt.

Comment se dire à soi-même ce qu'on sait déjà ? Si vous avez réussi à éviter un écueil, comment savez-vous que vous l'avez évité ? Mines antipersonnel de colère, vestiges d'une guerre oubliée, par inadvertance vous posez le pied sur l'une d'elles. Entonnoirs de dépression soudains, vous en ressortez en rampant. Des entrelacs d'herbes occultent un puits de mine dans la tête, mais ne peuvent vous empêcher d'y tomber, cette fois-ci vous vous faites du mal. Un terrain piégé qui dit : « Quelque chose s'est passé ici. » Des tranchées envahies par la végétation, mais encore visibles de l'espace, zébrures vertes, cicatrices éloquentes. Vous poursuivez.

Des années s'écoulent et vous prenez conscience d'un point aveugle. D'un espace vierge. Blanc comme l'os. Un pan de votre esprit où la conscience a été incendiée par la peur, empreintes digitales, taches de son et follicules effacés. Lisse comme une dalle de pierre.

Comme une cicatrice ancienne.

•

Lorsqu'elle a repris conscience dans la salle de réveil, elle avait mal à la gorge et a pensé qu'elle était de retour à Hamilton après l'ablation de ses amygdales. Elle avait très soif. Elle était allongée sur un lit à roulettes dur et étroit appelé civière, mot qui fait penser à de l'eau qui coule. À côté d'elle se trouvait une autre civière recouverte d'un drap bombé. Le drap montait et descendait. Un bruit en émanait. Un bruit de ferme. Comme celui d'une vache. Elle a réussi à tourner la tête. C'était une personne. Un vieillard gras avec une sorte de masque à gaz sur le visage, sauf que le sien était transparent. Un museau en plastique. Il avait les yeux fermés et un tuyau sortait de sa bouche. Le genre de tuyau que sa mère utilisait pour siphonner son vin maison… Avec un jet écumeux dedans. Mary Rose s'est tournée vers le plafond. Elle a essayé de demander de l'eau, mais pas un son n'est sorti de sa bouche. Au bout d'un moment, une infirmière est arrivée avec un verre minuscule en papier comme ceux qu'on lui donnait chez le dentiste. Elle a tenté d'avaler, mais elle en a été incapable, et l'eau a dégouliné sur le côté de sa bouche. Elle en voulait plus, mais l'infirmière a dit non, c'était dangereux. Elle a vu de la peinture jaune sur sa poitrine et une tache de sang sur le pansement blanc, s'est souvenue qu'elle était là pour son bras et non pour ses amygdales.

•

— C'est une lesbienne qui m'a donné cette tasse, a dit Dolly en 1982.

Mary Rose a donc cru qu'elle ne risquait rien à sortir du placard.

Elles étaient dans la cuisine de Dolly, à Ottawa – elle occupait un bon emploi à temps partiel comme infirmière dans un immeuble gouvernemental, et la lesbienne s'était confiée à elle, lui avait demandé comment annoncer la nouvelle à sa propre mère. Sans doute Dolly l'avait-elle aidée, d'où la tasse : *La meilleure infirmière du monde.*

À propos de l'absence de risques, Mary Rose s'était trompée.

— Tout ce que tu fais est le reflet de l'éducation que je t'ai donnée. Tu cries à la face du monde : « J'ai eu une mère épouvantable, j'ai eu un père épouvantable. »

Elle a refusé de mettre les pieds dans la maison que Mary Rose partageait avec Renée.

— Tu visiterais l'enfer, toi ?

A refusé d'accueillir chez elle Renée ou toute autre « amie comme elle ».

C'était un décret – une fatwa.

— Tu ouvrirais ta porte au diable ?

Elles étaient assises à la table de la cuisine.

— Je ne t'ai pas nourrie avec de la merde. Pourquoi vis-tu dans la merde ?

Son père fixait un coin du plafond.

— Je préférerais encore que tu sois une meurtrière, a dit Dolly.

Mary Rose a vu les mots flotter vers elle, des formes brûlantes et immondes qui ont rebondi sur son bouclier invisible.

Duncan a pris la parole.

— Si tu t'étais cassé la jambe, nous t'aurions emmenée voir le médecin. Dans ce cas-ci, c'est ton *esprit* qui était blessé. Comment pouvions-nous le savoir ? Tu nous as *caché* des choses. Tu ne nous as pas donné la *chance* de t'aider.

— Je préférerais encore que tu aies été brûlée sur le bûcher.

Des amies lui ont donné l'assurance que ses parents finiraient par « se faire une raison ».

— Si tu tiens tellement à toucher les parties intimes d'une femme, je vais venir habiter chez toi quand je serai vieille et sénile pour que tu changes mes couches pleines de merde.

Des amies l'ont pressée de couper les ponts.

— Je préférerais encore que tu aies le cancer.

C'était toujours à la table de la cuisine. Dans l'œil de Dolly, Mary Rose reconnaissait la lueur qu'elle y décelait autrefois quand sa mère lisait dans des feuilles de thé, signe qu'elle voyait une chose derrière une autre. Dans ce cas-ci, une autre personne. Mais qui ?

Son père se détournait, fixait le plafond. Lisse, impénétrable. Comme du verre.

En bas, Mary Rose restait immobile sur sa chaise, tandis que l'air se modifiait autour d'eux, prenait de l'expansion comme la marque que laisse un coup de fouet.

— Je préférerais encore que tu ne sois pas née.

Elle s'observait observer, attendait que ça passe.

Elle se croyait calme.

— Je préférerais encore que tu sois mort-née.

Puis ils jouaient au Scrabble.

La nature hyperbolique des imprécations de sa mère avait un effet prophylactique, les enveloppait d'une pellicule plastique, permettait à Mary Rose de les avaler comme des médicaments qui, croyait-elle, transiteraient par son organisme sans lui faire de mal… Elle avait vingt-trois ans.

À peu près à la même époque, elle a connu le premier des épisodes qui persisteraient pendant plus de dix ans. Ils frappaient en tir groupé. Crise de panique. Qu'y a-t-il dans un nom ? Trop peu. Au-delà de « j'étais terrifiée ». Pendant de longues heures, plus de « je » du tout. Par moments, les crises étaient précédées par la sensation de voir le monde se rétrécir et se replier comme si Mary Rose le regardait par le mauvais bout d'un télescope, ce qu'on appelle l'effet tunnel ; à d'autres moments, par une terreur qui, s'amplifiant, se changeait en désorientation. Une sensation de vertige, les pieds fermement ancrés au sol. Perdue dans une journée ordinaire, un lieu ordinaire. Un stationnement. Calée à un angle bizarre derrière ses propres yeux, elle rentrait chez elle et s'allongeait dans l'endroit le plus dangereux du monde, son corps. À cette époque-là, égarer ses clés de voiture, c'était parfois, pour elle, l'équivalent d'une descente dans le vide ; mal lire l'horloge ou oublier le nom de quelqu'un déclenchait une terreur surrénale nourrie par un sentiment de culpabilité démesuré, parfaitement insensé. Comme si, outre la « synesthésie » des nombres et des couleurs, les fils de ses émotions se croisaient. Aucun objet ne restait à l'endroit où elle l'avait posé, elle-même y comprise.

Pendant la tournée de promotion de son livre, elle a touché le fond dans une chambre d'hôtel de la ville natale de sa mère, s'est repliée seule sur le Cape Bretoner Motor Inn, consciente que c'était l'endroit dangereux le moins dangereux – il est pire d'être parmi ceux qui vivent dans le monde normal quand on a soi-même perdu tout contact avec lui. La moquette était orange, le couvre-lit était orange, le coucher de soleil accroché au-dessus du lit était orange. Personne à appeler – le son d'une voix aurait simplement eu pour effet de confirmer l'existence du fossé entre elle et le monde normal, de l'en exclure pour de bon. Au bout d'un moment, sa main a allumé la télévision. On présentait un documentaire sur les derniers jours du Troisième Reich. Sur le sol du bunker, les enfants d'Himmler gisaient morts, en chemise de nuit, comme s'ils dormaient, tués par leurs parents au moyen de chocolat chaud additionné de strychnine. Elle a prié. Notre-Dame s'est adressée à elle et lui a dit que l'Amour était tout ce qui comptait. Elle a passé une nuit de terreur abjecte, mais elle a survécu. Peut-être rien de tout cela ne lui était-il arrivé. Peut-être cela lui arrivait-il tout le temps.

•

Dès qu'elle a pu s'asseoir, elle a regardé. C'était fascinant. Le côté gauche de sa poitrine de même que son épaule, au-dessus du pansement stérile, étaient peints en jaune – sans doute une sorte de désinfectant. Le pansement blanc comme neige enveloppait le haut de son bras comme si elle était une momie égyptienne ; au centre se trouvait une tache rouge vif qui, en s'étendant lentement vers les bords, prenait une teinte bordeaux. En bas, les doigts de sa main gauche étaient indolores et abasourdis, comme s'ils s'étaient tirés sans une égratignure d'un accident de voiture. Quand elle touchait les parties peintes en jaune, elle avait mal ; c'était peut-être donc un bleu, en fin de compte.

•

Mary Rose n'espérait plus que ses parents se résigneraient, et elle n'a pas non plus rompu tous les liens avec eux, car il lui est apparu que sa raison ne survivrait pas à une telle rupture. Les fonctions cérébrales dites exécutives, en chemise amidonnée et cravate étroite, ont capté et déchiffré un message sombre et récalcitrant, émis quelques étages nerveux plus bas dans un lieu dont le raffut et la panique lance-merde n'avaient pas pénétré sa conscience, et l'ont formulé froidement : *Tes parents étaient adultes avant ta naissance et, à ce titre, ils sont en mesure de se reconnaître dans un monde sans toi. Toi, en revanche, tu n'as jamais connu un monde sans eux.* Ils étaient le ciel. Sa mère était un cumulonimbus qui annonçait l'orage, mais vivre sans ciel était impossible.

Elle a donc continué d'aller les voir chez eux, seule. Elle a continué de vivre sa vie – nom qu'elle donnait à sa carrière. Elle a bu et ragé et ri, a vu des points noirs et de gros globes jaunes, a oublié comment respirer et cligner des yeux, tout en restant fidèle à la notion de complétude et à la sagesse des contradictions assiégées. En leur présence, elle ne pouvait pourtant pas se résigner à dire « nous » en relation avec Renée. *Renée* était un mot qui restait collé à son palais et l'entraînait jusque dans le courant sous-marin du non-langage. Quand elle prononçait le prénom, la réalité s'interrompait – comme si, dans le monde réel qu'occupaient ses parents, un tel mot n'existait pas et qu'elle aurait été folle de l'articuler. Rien n'est plus solitaire que la folie. Aux yeux du reste du monde, elle était « sortie du placard », mais ses parents, en refusant d'admettre un prénom, parvenaient à l'oblitérer, elle.

Peu après que Mary Rose eut avoué son homosexualité, Maureen était allée rendre visite à Dolly et à Dunc avec Zoltan et leurs jeunes enfants. De chez leurs parents, Maureen lui a téléphoné pour lui dire qu'elle l'aimait encore en tant que sœur, mais qu'elle ne tolérerait pas que Renée ou une autre amie de Mary Rose « ayant ce mode de vie » entre en contact avec ses enfants. Au bout de quelques mois, Maureen a téléphoné de nouveau, de chez elle cette fois, et lui a demandé pardon du ton contrit et ahuri de l'ex-membre d'une secte. Par la suite, elle a refusé d'aborder le sujet avec sa mère, dans l'espoir que le manque d'oxygène étoufferait les flammes.

Le père de Mary Rose lui a envoyé une lettre par courrier recommandé. Il avait sans doute mis beaucoup de temps à la taper à deux doigts sur la vieille machine à écrire Remington. Elle l'a lue une fois avant de la déchirer. Elle ne se souvient que de la première phrase, mais elle sait que le contenu de la lettre était l'antithèse de « C'est moins sur avec le temps ».

> Chère Mary Rose,
> Tu t'es engagée sur une voie dans laquelle ta mère et moi,
> en tant que parents, ne pouvons pas te suivre...

— Je préférerais que tu aies le cancer.

Dolly, cependant, n'a jamais écrit les mots.

L'aspect le plus effrayant de sa colère a été sa durée et non la violence de ses manifestations.

— Qui t'a touchée ? a-t-elle pris l'habitude de demander à Mary Rose. Quelqu'un t'a touchée ? Ton père t'a touchée ?

Ondes de choc.

Le regard de son père restait rivé au coin du plafond – qu'y avait-il donc, dans son histoire personnelle, qui lui permettait de sortir de la pièce sans quitter sa chaise ?

Qui t'a touchée ?

C'était comme si Dolly racontait une histoire, encore et encore – ou plutôt comme si une histoire remontait lentement en elle.

Ton père t'a-t-il touchée ?

Au prix d'un effort herculéen, comme au sortir d'une sieste aussi profonde que la mort, et avec le déroutant sentiment de trahir ce qui, jusque-là, avait été la réalité consensuelle autour de la table de la cuisine, Mary Rose a demandé à sa mère, au milieu d'une de ces prestations théâtrales :

— Non, maman, mon père ne m'a jamais touchée. Et ton père à toi, il t'a touchée ?

Aussitôt que les mots ont quitté ses lèvres, elle a senti une fraîcheur sur sa peau, celle de l'eau froide, et elle a compris qu'elle était bien dans la réalité et que, un instant plus tôt, elle se trouvait dans un état semblable à l'engourdissement dans lequel on plonge les patients avant les interventions chirurgicales.

La lumière a une fois de plus changé dans les yeux de sa mère.

— Pourquoi cette question ? a-t-elle demandé à la manière d'une enfant espiègle.

Puis elle a ri.

Dolly n'a plus jamais posé cette question.

La liturgie basse, elle, s'est poursuivie :

... *merde.*

... *cancer.*

... *morte.*

Pendant dix ans.

La malédiction fut levée sans tambour ni trompette. Peu de temps après la parution de son premier livre. Renée et elle rendaient visite à Andy-Patrick qui, à l'époque, vivait à Ottawa – c'était avant son premier divorce. Il n'était pas là quand elle était sortie du placard : il se trouvait quelque part au Nouveau-Brunswick, occupé à se faire attacher tout nu à un arbre et gaver d'alcool dans le cadre de sa formation militaire de base. Il s'était ensuite tourné vers la GRC dans l'espoir de découvrir une façon plus douce et plus bienveillante de servir son pays. Et, depuis, il ne s'était jamais donné la peine de lui interdire d'«influencer» ses enfants avec son «mode de vie». Mary Rose n'a jamais douté qu'il s'en remettait au sens moral de la très patiente Mary Lou, comme le font certains hommes – leur père, par exemple – en se déchargeant sur leur épouse de leur vie affective ainsi que des mots de remerciements et des bavardages téléphoniques, sans parler de la tâche qui consiste à renier les enfants… Quant à Mary Lou, Mary Rose voyait en elle l'une de ces hétérosexuelles qui idéalisent le lesbianisme, qu'elles imaginent comme une orgie d'empathie – un massage de dos sans fin.

Ils étaient dans la cuisine, où Andy-Patrick préparait le souper, tandis que Mary Lou faisait manger le bébé et que Renée, tout en sirotant un troisième verre de vin, la régalait de récits sur la crypte empathique quand Dolly avait téléphoné pour l'inviter à venir manger avec sa famille.

— Je ne peux pas, maman. Mary Rose et Renée sont ici. Nous allons souper ensemble.

Mary Rose lui a fait signe de se taire. En brandissant ce nom incendiaire, il se montrait stupide ou affichait l'ignorance béate du mâle qui se croit tout permis.

Il lui a tendu le téléphone.

— Maman veut te parler.

Elle a eu un mouvement de recul.

— Salut, maman.

— Viens à la maison.

— Je ne peux pas. Je… ne suis pas seule.

Elle n'arrivait toujours pas à prononcer le prénom.

— Viens avec Renée, a dit sa mère. J'ai déjà assez perdu de bébés.

Elle n'y est pas allée. C'est donc ça, le dénouement, a-t-elle songé : Andy-Pat refuse de comparaître et Dolly lève la malédiction. Parce qu'elle a peur de perdre non pas sa fille, mais bien son fils.

•

Deux ou trois jours après l'opération, l'infirmière a changé son pansement. D'une main, elle a soutenu le coude de Mary Rose, tandis que, de l'autre, elle a adroitement déroulé le pansement. Mary Rose a eu mal, mais comme on lui avait fait une piqûre, c'était supportable. D'ailleurs, l'infirmière était gentille et jolie, en plus de savoir tout faire à la perfection. Mary Rose fixait les doigts frais, tandis que la tache devenait plus sombre et le pansement de plus en plus raide. Jusqu'à ce qu'elle apparaisse enfin. Froncée, ratatinée. Suturée.

— C'est une magnifique incision, a déclaré sa mère d'un ton égal qui ne lui était pas coutumier.

Elle était infirmière; pour elle, ces choses étaient effectivement magnifiques.

— N'est-ce pas? a corroboré la jeune infirmière. Superbe.

Puis elle a souri.

Mary Rose a examiné son bras. On aurait dit une chaussure de sport mal lacée. De part et d'autre de la couture à vif, des fils noirs dressaient la tête à intervalles réguliers, comme des pattes d'insectes couvertes de croûtes de sang... Elle a approché la main...

— N'y touche pas, a dit sa mère avec empressement.

Calmement, l'infirmière a nuancé :

— Tu peux toucher la peau, mais pas l'incision.

Mary Rose s'est exécutée et, avec émerveillement, a senti la peau ratatinée de son bras réagir avec une sensibilité si aiguë qu'elle s'est dit : «Ça doit être comme ça pour les bébés.»

L'infirmière a doucement épongé sa poitrine et son épaule. Le jaune avait commencé à pâlir, laissant dans son sillage un violet zébré, comme si le soleil se couchait sur sa poitrine. L'infirmière avait une haleine agréable, légère et fraîche. Elle a enroulé le bras de Mary Rose dans un nouveau pansement à l'aspect propre et sain.

Mary Rose, cependant, était consciente de ce qui se cachait en dessous. C'était là, imprimé sur ses paupières, quand elle fermait les yeux : une chose mauvaise, mais qui ne pouvait s'empêcher de l'être. Comme un démon qui n'avait eu d'autre choix que de naître.

●

Mary Rose a rompu avec Renée et s'est mise en couple avec Hil. Duncan a déclaré qu'Hil était le portrait tout craché de sa bien-aimée tante Chrissie – infirmière célibataire qui avait participé à la Grande Guerre. Dolly s'est hissée sur la pointe des pieds et a embrassé Hil sur les joues à trois reprises, en alternance.

— C'est comme ça que font les Libanais! a-t-elle expliqué.

Et c'est ainsi qu'Hil a été admise dans la famille.

Peu de temps après, Dolly est venue les voir à Toronto, seule, à temps pour la Journée internationale des femmes. Elle portait un cafetan à paillettes, un turban rouge, un long collier doré avec un médaillon de la Très Sainte Vierge Marie et des boucles d'oreilles qui se balançaient. Elles l'ont emmenée au Five-Minute Feminist Cabaret. Après, Dolly a lu dans des feuilles de thé dans l'arrière-salle d'un bar de College Street jusqu'à trois heures du matin.

À une poète dub stupéfaite, elle a dit:

— Tu vas voler. Toi, seule en suspension dans l'air, je ne sais pas comment, mais tu vas voler.

— Mon Dieu, a répondu la poète. Je viens de m'inscrire à un saut en parachute. Ça va bien se terminer, au moins?

— Oui, ma chouette, je ne vois que du positif.

Dans la tasse de Cherry Pitts, membre du groupe punk Cuntry, Dolly a vu «quelqu'un qui t'aime et a envie d'être avec toi, mais a peur de le laisser voir». Elle a même ajouté des initiales à la mention desquelles Cherry, d'une blancheur toute punk, a rougi.

Elle a vu une maison neuve dans la tasse d'une danseuse de flamenco, un cours de cuisine pour une monologuiste et un voyage aux chutes du Niagara dans la tasse d'une virtuose du piano taciturne qui avait renoncé à la mélodie pour des motifs politiques et qui avait survécu peu avant à une tentative de suicide, même si Dolly ne pouvait pas le savoir.

— J'en reviens, des chutes? a demandé la pianiste.

— Absolument, et tu rapportes… ce n'est pas exactement un souvenir, c'est plutôt un… chien, ma chère. Tu vas avoir un chien, que tu le veuilles ou non… Il est très laid, ce chien… mais ça ne semble pas te déranger.

À ces mots, on a même vu Li Meileen sourire.

Dans la tasse d'Hil, elle a vu «des oiseaux, beaucoup d'oiseaux, j'oublie maintenant, les oiseaux, c'est le symbole du bonheur ou des bébés? Bah, quelle différence, c'est du pareil au même! Oh! Hilary, il y a tant d'amour dans cette tasse».

Hilary a souri, une mèche a glissé vers l'avant et a caressé sa joue, et Mary Rose a senti grandir en elle le plaisir d'être… normale. Mon amie de cœur aime ma mère. Ma mère aime mon amie de cœur. Nous allons fonder une famille. Dans le paysage, une base de missiles tout entière s'évanouit… Quant au cratère qui en a résulté, la végétation va finir par le recouvrir, légère dépression tapissée de pissenlits.

— Tu veux des bébés, Hilary? a demandé Dolly.

Hil a rougi et hoché la tête, pleuré et souri. Dolly lui a caressé la joue, brun sur blanc.

Dans la tasse de Mary Rose, elle a vu «de l'argent».

Dolly a enlevé ses boucles d'oreilles scintillantes pour en faire cadeau à une gouine cuir aux cheveux blonds décolorés qui les avait admirées.

— Ta mère est géniale.

— J'adore ta mère, a déclaré Phat Klown qui, plus tôt en soirée, avait exécuté un numéro axé sur un anneau pour mamelon et un collier de perles.

— Tu sais, Mary Rose, a dit Dolly à l'aube, au-dessus d'un hachis au corned-beef du restaurant Mars, Dieu vous aime toi et tes amies, en particulier, parce que vous tirez le maximum des dons qu'Il vous a accordés.

Elles ont tourné la page.

Mary Rose a écrit un autre livre. Elle a gagné beaucoup d'argent pour la première fois de sa vie, de quoi torpiller une hypothèque. Hil et elle se sont mariées tout de suite après l'entrée en vigueur de la loi – en fait, elles se sont enfuies pour le faire, c'était plus simple. Si Dolly n'a pas eu l'occasion de chanter *My Best To You* lors de leur mariage, elle a joint au chèque qu'elle et Dunc ont envoyé au moment de la naissance de Matthew une carte sur laquelle figurait la Très Sainte Vierge Marie. À l'intérieur, on lisait *Prière pour une mère merveilleuse*. Dolly avait rayé les derniers mots et écrit à la place *des mères merveilleuses*.

Peut-être la fissure dans le mur de Berlin avait-elle été causée par la peur qu'avait eue Dolly de perdre son fils, mais elle l'avait abattu en un rien de temps avant de sauter dans une Lada pour foncer vers l'ouest. Ou vers l'est au volant d'une VW… Bref, un miracle digne de Notre-Dame-de-Lourdes. Et Duncan avait suivi. Ou peut-être avait-il simplement pris place sur la banquette arrière.

•

Le plus dur, à l'hôpital, c'étaient les visites de son père, qui s'arrêtait la voir tout seul en rentrant du travail.

— Comment te sens-tu, mon chou?

Il lançait sa casquette sur le crochet près de la porte de la chambre qu'elle partageait avec Tracy-la-fille-à-la-motoneige.

— Tu as déjà mangé?

Elle aurait préféré qu'il rentre directement à la maison. À présent, elle se faisait du souci à l'idée de le savoir sur la route à la nuit tombée. On était en février, après cinq heures.

— Pas encore.

L'inquiétude était une souffrance qui répercutait la douleur physique, l'épousait à la façon d'une cuillère: la Buick verte flambant neuve de son père renversée dans Days Road, entre le Kmart et la prison. La présence d'un Dairy Queen au coin de la rue n'excluait pas qu'on puisse mourir à cet endroit.

— C'est un trajet de dix minutes, mon pote. Je serai là dans le temps de le dire.

On peut se noyer dans une tasse d'eau; en voiture, il suffit de cinq secondes.

— Je m'inquiète, papa.

— De quoi t'inquiètes-tu?

Il l'a gratifiée de son sourire incrédule. Elle a vu sa dent en or.

Elle a essayé de se retenir, mais, cette fois, elle en a été incapable.

— Et si tu avais un accident?

— Tu rigoles? a-t-il demandé avec un petit rire.

— Non. J'ai peur que tu aies un accident de voiture.

Jamais encore elle n'était allée si loin et elle a eu l'impression de rompre un pacte. Ou de révéler sa vraie identité à son père et à elle-même d'une façon un peu moche. Mais c'était involontaire, lui semblait-il – *Je ne dispose que d'un moment, je suis la vraie Mary Rose et je suis retenue prisonnière sur la planète…*

— Je n'aurai pas d'accident, Mister.

— Mais si tu en avais un…

Puis les mots se sont échappés d'elle, à la façon d'un objet sombre et dense, un bout de bois flotté, calciné par un feu de camp éteint depuis des lustres.

— Et si tu mourais?

Baissant le menton, il l'a regardée, ses sourcils semblables à des aigles, faussement sévères.

— Il y a un vieux dicton : «On ne doit pas serrer la main du diable avant de l'avoir rencontré.»

Elle a souri pour lui laisser croire qu'il l'avait rassurée.

On lui a apporté son repas.

— Mange, ça te fera pousser du poil sur l'estomac.

Une tranche de dinde sous une couche de sauce luisante, une boule de purée de pommes de terre semblable à une boule de crème glacée, un triangle de petits pois mous, une portion de compote de pommes dans un emballage individuel, du jus de pomme dans une tasse en plastique texturée avec un couvercle en papier pareil à une crinoline et une paille en papier recourbée, puis une sorte de gâteau. Ça sentait la nourriture pour bébé. Elle a jeté un coup d'œil au milkshake de Tracy, sur son plateau, recouvert de perles de condensation – elle dormait. Tracy pouvait seulement boire des milkshakes parce qu'elle était à l'arrière du Ski-Doo de son père quand ils avaient foncé dans une clôture à la nuit tombée.

Papa s'est assis et a lu le journal pendant qu'elle mangeait, puis elle a eu aussitôt envie de vomir.

Elle a repoussé le plateau sur roulettes et commencé à soulever doucement son drap et la couverture blanche ajourée, le tout très propre et rappelant le carton.

— Où tu vas?

— Vomir.

Il a hésité.

— Tu veux que j'appelle l'infirmière?

Elle a marché légèrement penchée, tenant à deux mains l'obscurité de son côté droit.

Maman n'était pas là – elle pouvait se reposer quand maman était là –, maman avait les membres du personnel «dans sa poche», se plaisait à dire son père, maman était indestructible. Son père, lui, était tout seul. Pâle, fragile dans son adorable uniforme. Comme une licorne, trop aimée pour durer. Cassable. Elle voulait qu'il rentre à la maison, avoir la certitude qu'il allait bien.

— Non, merci, a-t-elle répondu.

Elle a mis un long moment à traverser la chambre et à gagner la salle de bains, c'était étourdissant. Il y avait une odeur – Phisohex et alcool à friction, seringues et lumières fluorescentes, draps blancs. L'odeur des roulettes en métal et de la peau qu'on incise, si froide si froide si froide. Elle s'est agenouillée devant la porcelaine – dignité blanche de la Vierge Marie.

Papa l'a suivie et il est resté derrière elle – son intention était de fermer la porte, mais elle n'y a pas réussi. Elle a vomi, ce qui était difficile à cause des secousses imprimées à son incision, des mouvements convulsifs du jaune zébré; à chacun de ses haut-le-cœur, elle avait le sentiment qu'il était impossible de continuer, mais qu'il était encore moins possible de s'arrêter – elle ne se doutait pas du tout du nombre de muscles que sollicitait l'acte de vomir.

— Ça va, ma puce?

— Ouais.

Les tremblements d'après étaient amicaux, ils la secouaient doucement comme une feuille, faisaient tomber la bave qui pendait à sa lèvre, disaient *C'est terminé, maintenant*. Elle s'est brossé les dents.

Elle l'a laissé la suivre comme une ombre jusqu'à son lit, présence flottante en forme d'aide, semblable à un ange gardien, immense et magnifique, mais impuissant. Ils vous aiment, mais ils ne peuvent vous préserver du mal. Ils travaillent pour Dieu.

Elle avait oublié que la chemise d'hôpital avait un trou béant à l'arrière. Elle s'est recouchée et elle a été heureuse de renouer avec les draps au Javex.

— Tu peux rentrer, maintenant, a-t-elle dit.

— J'ai encore un peu de temps.

Ici, son optimisme léger était sans effet. Ici, maman exerçait du pouvoir – ce labyrinthe était son domaine. Mary Rose s'en est voulu de ne pas lui montrer combien elle était rassurée. Elle a dormi.

Quand elle s'est réveillée, il faisait noir et son père était parti.

●

Depuis dix ans maintenant, tout était au beau fixe avec ses parents, mais un détail la chicotait... Tel le borgne lieutenant Columbo, elle hésite devant la porte, consciente de l'existence d'un point aveugle. La période noire a pris fin brusquement et tout le monde a fait comme si rien ne s'était passé – ils ont tourné la page. Depuis quelque temps, elle se demande s'ils n'ont pas plutôt brûlé le livre.

●

À quelques reprises, elle a soupé dans le solarium au bout du couloir avec d'autres enfants de cette section de l'hôpital. Dans la nuit de février, les grandes fenêtres étaient d'un noir luisant. Il n'y avait ni visiteurs ni adultes. Des lampes de lecture posées sur des tables basses disparates diffusaient une lumière chaude, à des années-lumière des couloirs fluorescents et des chambres stériles. Il y avait des fauteuils élimés et des jouets usés : des blocs aux lettres à moitié effacées, un panier rempli d'antiques blocs Lego, des jeux de dames et de Mono-poly – les billets de banque effilochés par l'usage. L'odeur y était aussi moins clinique ; c'était une forte senteur de flanelle et de crayons, et non de Phisohex et d'isopropyle.

Chaque fois, un petit cercle fermé d'enfants se formait, comme si l'hôpital était leur chez-eux et qu'ils étaient là dans leur salle de jeu, où ils pouvaient se détendre et, sur le coup de minuit, voir les jouets s'animer. Certains enfants avaient été admis à l'hôpital des mois plus tôt, tandis que d'autres y faisaient des séjours si fréquents qu'ils se connaissaient bien entre eux. Ils n'étaient pas méchants, cependant. Ils formaient plutôt une famille sans parents. Des enfants naufragés.

Stoïques. Ils étaient gentils les uns avec les autres et ils ont ouvert leur cercle intime à Mary Rose.

Le chef de la bande était une fille qui, bien qu'ayant un an de plus que Mary Rose, était plus petite qu'elle. Elle ressemblait à une adulte. Une adulte gentille. Ronde comme une poupée robuste, elle avait les yeux bleus et d'abondantes boucles couleur maïs qu'elle portait en queue de cheval crépue, comme un pompon. Sa robe de chambre en satinette bleue était nouée avec fermeté sur sa taille, elle était pleine d'entrain et elle veillait sur les autres enfants – dont l'un, Norman, souffrait d'une «maladie nerveuse». Il était sujet à des crises et marchait penché de côté, sans ciller des yeux. Un autre garçon était si plein de vie qu'il était difficile de le croire malade – il portait des chaussures à semelle dure avec son pyjama et glissait sur le sol fraîchement ciré.

C'était comme un orphelinat. Situation séduisante, même si Mary Rose était vaguement consciente de ne pas devoir laisser les autres croire qu'elle était vraiment des leurs. Elle ne devait pas oublier qu'elle réintégrerait bientôt sa vie réelle… qu'elle ne resterait pas dans leur cher royaume délabré d'enfants. Ils formaient en quelque sorte une communauté de jouets brisés. Amicaux, amusants, mais attention, sinon tu risques d'oublier ta vie d'enfant réel, aussi pénible soit-elle, et d'avoir envie de rester dans le pays des jouets perdus…

Ils mangeaient devant une table longue et étroite, assis sur de toutes petites chaises en bois conçues pour des enfants. Le premier soir, la chef en robe de chambre de satinette bleue a soudain fait pipi, là, à table. Puis elle s'est levée et a tout bien nettoyé, sans le moindre embarras. C'est à peine si les autres ont remarqué quelque chose. Avec cordialité, elle a expliqué à Mary Rose :

— Je suis née avec la syphilis.

Le lendemain soir, Mary Rose a poliment ignoré l'urine. Elle aurait fini par s'y habituer, mais elle a reçu son congé peu de temps après.

Un mois plus tard, elle a eu droit à un bilan de santé ; par la suite, on lui a fait passer des radiographies deux fois par année, au cas où les kystes réapparaîtraient. Si le tissu osseux du donneur ne grandissait pas en elle, c'était une possibilité.

•

Dans le salon, Youssef et Matthew ont construit une jungle-ferme-aéroport menacée d'engloutissement par un serpent mangeur d'avions, tandis que Maggie fait sa bienheureuse sieste de l'après-midi. Mary Rose a eu le temps de réfléchir à la débâcle matinale, de nouveau centrée sur les bottes; manifestement, elle a reporté sur son enfant sa colère ancienne envers sa mère, les bottes coccinelles, en raison de leur lien avec Dolly, ayant servi de déclencheur, sans parler de la sonnerie du téléphone, maudit soit-il. Forte de cette autoanalyse, elle prononce les mots à voix haute : « Ne touche jamais à ton enfant quand tu es en colère », cependant qu'elle applique un nouveau pansement sur son doigt piqué et se demande comment les personnes moins lucides et moins instruites qu'elle font pour éviter de massacrer leurs rejetons. Elle a flanqué une peur bleue à Maggie, mais elle ne lui a pas fait mal – elle ne lui a pas fait mal physiquement. Si, pour les mauvais traitements, la barre était placée si bas, neuf parents sur dix seraient derrière les barreaux. Elle sort la Krazy Glue du tiroir de débarras et colle son index à son pouce. Puis elle colle la tête de la licorne à son pouce. Puis elle colle la tête au corps.

Elle téléphone à Kate et annule la sortie en soirée – on dit que *Water* est un film formidable, mais elle est tout simplement trop fatiguée pour se taper les fiancées enfants et la conversation des adultes. Elle décolle sa main du téléphone. On sonne à la porte, Daisy perd la tête, et Mary Rose laisse entrer Saleema. Son hijab du jour est d'un éblouissant vert émeraude. Sur le ton insistant, inquiet qui la caractérise, elle dit :

— Il faut que je prie. Où est-ce que je peux aller ?

À l'étage, Mary Rose lui indique le petit séjour attenant à sa chambre.

— Utilise le matelas de Pilates, si tu veux.

Au rez-de-chaussée, Mary Rose met la bouilloire sur le feu en prévision du thé que Saleema va accueillir avec gratitude, même si elle n'a pas le temps, et songe que sa copine musulmane prie Allah à quelques pas de la chambre d'un couple de lesbiennes légalement mariées et, pendant un bref instant, elle se dit que la vie ne pourrait pas être plus belle.

— J'ai fini, merci, dit Saleema en se hâtant dans le couloir.

Son hijab se gonfle autour d'elle à la façon de l'habit d'une religieuse d'autrefois – à supposer que les habits des religieuses aient été d'un vert électrique – et elle accepte la tasse fumante que lui tend Mary Rose.

— Je reste juste une minute.

Elle parle avec bonheur de ses parents et de ses sœurs aux ÉAU, d'une vie d'errance qui va de la Somalie à Vancouver, puis à Saskatoon et enfin à Toronto. Elle est jolie, porte des lunettes et a la peau brun foncé ; ses mains bougent sans cesse et elle fronce légèrement les sourcils, même quand elle rit, ce qui lui arrive souvent. Elles sont à l'aise ensemble toutes les deux et Mary Rose se rend soudain compte qu'elle n'aurait jamais pensé avoir une ingénieure comme amie.

En haut, un cri de guerre retentit – Maggie, réveillée, est prête à jaillir de son berceau. En sortant avec Youssef, Saleema dit quelques mots d'arabe que Mary Rose pense reconnaître.

— Qu'est-ce que tu as dit ? demande-t-elle.

— *Ysallem ideyki*, ça veut dire…

— Bénies soient tes mains.

— Exactement.

— Ma mère disait ça. Mais pourquoi maintenant ?

Saleema rit.

— Parce que je sais que les tiennes sont pleines !

Mary Rose la regarde s'engager dans l'allée dallée avec Youssef et éprouve un élan de tristesse. Peut-être même d'envie…

Mais pourquoi est-elle convaincue que la mère de Saleema n'a jamais senti le besoin de détester sa fille ? Elle téléphone à Candace pour annuler la garde de la soirée. Trente dollars jetés par la fenêtre.

Ce soir-là, au téléphone, Hil dit :

— Tu ne devais pas aller au cinéma avec Kate et Bridget ?

— Je suis trop crevée pour sortir. Comment sais-tu que je devais aller au cinéma ?

— Tu ne m'en as pas parlé ?

C'est Hil qui leur avait donné l'idée.

— Je vais passer une soirée tranquille et regarder *Le Transporteur 2*.

— Pourquoi tu ne téléphones pas à Sue pour lui proposer de venir souper avec ses garçons, demain soir?

— C'est trop compliqué.

— Demande-lui d'apporter quelque chose à manger.

— Faire la cuisine ne me dérange pas.

— Commande une pizza.

— Les enfants finissent toujours par se coucher trop tard.

— Demande à Candace de venir et va voir un film avec Sue.

— Pourquoi Sue? Pourquoi c'est toujours Sue? Elle est tellement bon chic bon genre que je ne la supporte pas, d'accord?

Hank?

— Il est au Mexique.

— Andrea…

— Elle a commencé ses traitements de chimiothérapie.

— Mon Dieu, c'est vrai. Comment ça se passe?

— Elle va bien, elle se sent super mal, je veux dire, mais les médecins sont d'avis que tout se passe bien.

— Propose à Gigi de débarquer avec un de ses pots de sauce à sp…

— Ma vie n'est pas un problème qu'il t'appartient de régler, tu sais. Pourquoi ne peux-tu pas comprendre que j'ai seulement besoin d'un peu de calme?

— Fais venir Candace et demande-lui de se charger de l'heure du coucher des enfants pendant que tu regardes un film toute seule.

Pourquoi n'y a-t-elle pas songé, ce soir? Elle a plutôt décidé de payer Candace pour ne pas venir, alors qu'un répit lui aurait fait le plus grand bien.

— Un répit te ferait le plus grand bien.

— Je n'ai pas besoin de « répit », ma vie, c'est ça, je m'occupe des enfants et de la maison et il m'arrive de me plaindre de temps en temps. Je ne peux pas me plaindre sans que tu fasses le 911? Excuse-moi de ne pas être une mère au foyer exemplaire et sereine, O.K.?

— O.K.

— Ne sois pas fâchée.

— Je ne suis pas fâchée, Mister. C'est toi qui…

Soupir.

— Il faut que j'y aille.

— Ne te couche pas en colère.

— Je ne vais pas me coucher. C'est la pause du souper.

— Vous répétez ce soir ?

— C'est notre troisième générale, Mister.

Mary Rose entend une voix en arrière-plan. Masculine ?

— C'est le régisseur ?

— Non, c'est Paul. Attends…

Hil couvre le combiné, dit quelque chose, rit.

— Bonne nuit, mon amour, dit-elle enfin.

— Quoi ? Attends.

— Qu'est-ce qu'il y a ?

— Je t'aime, dors bien. Je veux dire…

— Bonne nuit.

Mary Rose avale un comprimé d'Advil.

Jason Statham réussit à livrer le colis au volant de sa BMW noire, terrasse une bande de malfrats spécialistes des arts martiaux dans un entrepôt au sol recouvert de pétrole et rentre dans sa villa méditerranéenne avec ses souvenirs qui tiennent dans une modeste boîte de chaussures et ses carreaux toscans tout lustrés. De toute évidence, il compte sur les services d'une femme de ménage hors du commun. Mary Rose éteint, déjà impatiente de voir *Le Transporteur 3*.

VOYAGE DANS L'AUTRE DIMENSION

Les bagages de Kitty étaient prêts, elle avait fait semblant de manger son petit-déjeuner pour que Ravi cesse de faire des histoires et elle était montée jeter un dernier coup d'œil au bureau. La prochaine fois qu'elle entrerait dans cette pièce, elle serait une fille différente. Une fille de Sainte-Gilda. Si, d'aventure, l'Autre Kitty songeait à cette Kitty-ci, elle serait soulagée à l'idée d'avoir largué cette gamine bizarre.

— Que le lavage de cerveau débute ! murmura-t-elle.

Des larmes amères lui piquèrent les yeux. Elle entendit son père l'appeler d'en bas.

— Tu es prête, Kitty ?

Elle regarda sa mère dans son cadre argenté – comme si elle était susceptible d'intervenir et d'empêcher l'exécution. Son expression est toutefois demeurée statique, son sourire pris au piège depuis longtemps déjà et glissé derrière une vitre.

Son père l'enverrait-il au loin si sa mère était encore vivante ? Ou Kitty aurait-elle déjà été encombrée d'une vie «normale» ? Serait-elle restée à la maison avec sa mère pendant toutes ces années, aurait-elle salué de la main son père qui partait en voyage ? Elle fixa la photo avec intensité afin de la faire miroiter, pour une fois, dans l'espoir d'avoir une vision, de voir le visage de sa mère bouger.

D'en bas est monté le *woumpf* de la porte de devant qui s'ouvrait, suivi de la voix sonore de tante Fiona – elle n'avait rien d'un monstre, c'était bien pire : elle était gentille. Kitty a eu le sentiment angoissant que tante Fiona réussirait cette fois-ci à lui faire rallier le monde dit « réel ». « Ce n'est pas si vilain comme endroit, Kitty. »

— Kitty ? appela tante Fiona. Tu veux que je monte, ma chérie ?

Kitty essaya de se lever, mais constata, non sans une certaine agitation, qu'elle en était incapable. Comme elle était assise en tailleur depuis un long moment, c'était peut-être un simple engourdissement. Mais elle n'avait pas de picotements dans les orteils ; quand elle pinça ses jambes, elle sentit de la douleur. Elle fit une nouvelle tentative, essaya d'atteindre le coin du bureau, mais c'était comme si elle voyait ses bras fantômes se soulever et ses jambes fantômes se redresser pour s'écraser de nouveau dans son corps inerte, toujours assis sur le tapis. Paralysé.

Elle avait peur, à présent. Et si elle ouvrait la bouche pour crier et que pas un son n'en sortait ? Elle n'osa pas essayer, sachant que toute confirmation de sa peur aurait pour effet de libérer une terreur dans laquelle elle retrouverait soudain un ennemi perdu de vue depuis longtemps et qu'elle pouvait reconnaître à son odeur, comme de l'électricité. Elle fixa le tapis. Son secret. Il avait toujours su l'apaiser, et elle se tourna vers lui en cet instant, pour la dernière fois, peut-être, consciente que, dès qu'elle serait sous l'emprise de Sainte-Gilda, elle n'aurait plus besoin de tapis magique, qu'elle n'aurait plus de visions ni de cauchemars. Si elle en avait été capable, elle aurait dévalé les marches, là, tout de suite, aurait supplié son père de la conduire directement à l'école, ne se serait arrêtée que pour prendre une brosse à cheveux de la main stupéfaite de Ravi.

Mais elle ne parvenait pas à bouger. Et, naturellement, les fils rouges qui formaient le *K* furtif se mirent à miroiter, et elle laissa son regard se relâcher, les couleurs se déteindre et s'estomper. Ça marchait… le bourdonnement s'éleva derrière ses yeux, coula comme du miel le long de son dos, le tapis frémissait et ondulait, et elle éprouva l'apaisante sensation d'être soutenue par quelque chose d'infiniment plus reposant que le sommeil.

Elle qualifiait le phénomène de magique, même si, elle le savait, il était parfaitement scientifique – quelque chose à voir avec son « cortex visuel, vraisemblablement le lobe occipital ». C'est ce qu'avait dit le médecin. Le secret, ce n'était pas qu'elle voyait le tapis bouger : c'était plutôt qu'elle le faisait bouger à volonté. Rien ne servait de tenter d'expliquer pourquoi, même à son père, parce que c'était indescriptible. D'ailleurs, elle ne voulait pas qu'il ait l'impression que la vie qu'elle menait avec lui était incomplète, à supposer qu'elle soit capable de lui expliquer la sensation de bien-être qu'elle éprouvait là, à l'intérieur. Parfois, elle avait le sentiment que Ravi se doutait de quelque chose.

Lorsqu'elle eut bu tout son content de consolation, qu'elle eut laissé la couleur et le mouvement la rasséréner, elle respira, attendit que les vagues se retirent, que le motif flou prenne de nouveau des contours bien définis, que le tout retrouve la solidité d'un tapis ordinaire…

— Kitty ? Ah ! c'est là que tu te caches ? C'est l'heure, ma chérie.

La voix de tante Fiona se rapprochait. Il fallait revenir…

Cependant, la pulsation finale se solda non pas par la contraction habituelle du tapis, mais bien par une expansion soudaine ; tous les fils devinrent visibles et entreprirent de se détacher avec grâce les uns des autres, lentement, suivant le mouvement d'un moulin à vent. Le tout se fondit en taches de lumière semblables à des étoiles, jusqu'à ce qu'il ne reste plus que deux fils nus, parfaitement immobiles, entortillés, mais ne se touchant plus, rôdant comme des serpents prêts à… Soudain, les deux fils commencèrent lentement à inverser leur mouvement. De la même façon, la poussière d'étoile qui les entourait se mit à tourner à contre-courant, tandis que les deux fils se rapprochaient de plus en plus…

— Est-ce que ça va, Kitty ?

Puis la voix de Ravi :

— Tout va bien, mademoiselle Fiona. Surtout, ne la touchez pas.

Kitty tendit le bras dans le tourbillon lent, vit sa main, couleur argent, dématérialisée sur les côtés, traversée par le mouvement, à la façon des aurores boréales…

— Dean, viens vite ! cria tante Fiona. Elle a une nouvelle attaque !

… et Kitty serra les fils. À cet instant, ils s'envolèrent sur une secousse d'une rare magnitude sur Terre et elle se sentit aspirée dans un vortex de poussière, de lumière et de noirceur effrénée. En plus d'accélérer, la poussière d'étoile prit de la couleur et de la texture, et une multitude de fils entrèrent en collision, tandis que le tapis, en se reformant, accéléra avant de freiner avec une force prodigieuse.

Elle était de retour dans le bureau, tante Fiona n'avait pas à s'en faire. Quant à papa, il n'aurait pas à attendre. Elle leva les yeux du tapis et vit ses propres yeux sidérés.

Le visage était ovale comme celui de Kitty, le nez allait droit au but, les lèvres étaient sobres et fermes et les cheveux formaient une crinière sombre semblable à la sienne. Et les yeux étaient reconnaissables entre tous : l'un bleu, l'autre brun. C'était comme si elle se regardait dans un miroir, sauf que l'œil gauche – l'œil gauche de l'autre « elle » – était brun et le droit bleu. C'étaient ses yeux, mais… inversés.

— J'arrive, dit une voix de femme derrière la porte.

Celle de tante Fiona, forcément. Pourtant, elle semblait différente.

— D'où viens-tu ? demanda Kitty d'une voix presque inaudible.

— De nulle part, a répondu l'autre Kitty d'une voix rauque, plus catégorique que la sienne. C'est toi qui es *venue*.

Impossible. Elle n'avait pas bougé de la pièce. Le tapis était là, entre ses mains, et là se trouvait – non, pourtant… Les fils écarlates qui formaient son initiale avaient disparu. En fait, ils étaient encore là, mais… Se pouvait-il vraiment que le tapis se soit défait et mal refait ? Parce que, à la place du *K*, il y avait, indiscutablement…

— Jon ! Ah ! C'est là que tu te caches ? Nous t'attendons, mon chou, il faut y aller.

Kitty examina son double, sidérée cette fois de constater qu'elle était un « il » ; fait qui sembla bientôt carrément banal puisque, tout de suite après, suivant le regard du garçon, elle découvrit, dans l'embrasure de la porte, en chair et en os, sa mère.

JEUDI

Cuisinières en colère

Elle laisse Daisy attachée devant le Starbucks, recouverte de son manteau en fausse fourrure rose. La neige a fondu et il fait trop chaud pour ce déguisement, mais, ainsi accoutrée, la chienne a un peu moins l'air d'une pit-bull. En ligne, Mary Rose réussirait sans doute à trouver une muselière rose en fausse fourrure. Une fouselière.

Elle glisse la poussette dans la porte, non sans mal, et balaie le café des yeux à la recherche d'une table. C'est l'affluence. La clocharde aux chevilles comme des pattes d'éléphant s'extirpe d'un fauteuil et s'avance vers la sortie. Mary Rose se dirige vers la place ainsi libérée, sort une lingette humide de son sac à couches et essuie la table et le fauteuil avant de s'asseoir.

Elle attend. Elle se décide pour un *latte*.

— Je peux avoir votre nom pour la tasse ?

— Non, merci.

Le jeune homme au tablier vert la dévisage avec un mélange de surprise et de pitié.

— Pas de problème.

Il sourit. D'un air narquois ?

— Vous serez la binette souriante, dit-il en en dessinant une sur sa tasse.

Que fait-elle là ? Il y a un meilleur café en face et tant pis si Starbucks a pris position en faveur du mariage gay.

— Salut !

Elle se retourne d'un air méfiant. Un autre jeune homme sympathique en tablier vert.

— Vous êtes la fille de Dolly. Comment va-t-elle?

— Très bien, merci.

Sourire cassant.

Il s'appelle Daniel. Pour une raison qu'elle ignore, Mary Rose se souvient de ce détail, mais elle ne sait plus très bien dans quelle ville sa propre femme se trouve – qu'est-ce donc que cette chose qu'on appelle « cerveau » ?

— Binette souriante? pépie la barista.

Elle s'avance furtivement et réclame sa tasse.

Maggie dissèque un muffin. Mary Rose sort son antique téléphone pliant et appelle le BlackBerry de son frère.

— Vous avez rejoint le capitaine MacKinnon, agent de liaison pour le gouvernement fédéral et envoyé spécial auprès de l'Assemblée législative provinciale…

— Salut, A&P, c'est Mister ta sœur. Je voulais juste être sûre qu'on s'était bien compris. Je suis au Starbucks, au coin de Bloor et de Howland. À tout de suite.

Le téléphone d'Andy-Pat est sans doute surveillé par le SCRS, qui relaiera l'information à la CIA, qui la transmettra à la NSA, qui préviendra la GRC, qui lui imposera une mesure disciplinaire pour s'être servi de l'appareil à des fins personnelles. Puis, lorsqu'on aura compris qu'il est à cinquante pour cent Mahmoud, on le restituera à la Syrie. À cause de Mary Rose. Peut-être lui a-t-il laissé un message à la maison. Mais pourquoi aurait-il fait une chose pareille? Il a le numéro de son téléphone cellulaire.

Maggie a terminé son muffin et en a ras le bol des sachets de sucre; son heure de péremption approche à grands pas. Tout près, un métrosexuel arborant une barbe naissante très mode et des richelieus au bout pointu triture son iPhone, prêt à fondre sur la table de Mary Rose dès qu'elle fera mine de se lever. Elle évite son regard et appelle la messagerie de la maison, au cas où… Andy-Pat a effectivement laissé un message. Il semble affairé. Accaparé par des préoccupations viriles. Des préoccupations liées à la-sécurité-des-femmes-et-des-enfants. À Kingston, la cérémonie « s'est terminée plus tard que prévu » et il a été obligé de « crécher chez un collègue »; ce matin, il a dû foncer tout droit à Queen's Park pour assister à une « importante » réunion.

— J'espère que tu recevras ce message à temps, Mister, mais je n'ai pas ton numéro de cellulaire avec moi.

Avec une serviette de table, elle nettoie les miettes, les cristaux de sucre et les bâtonnets à mélanger – le brouillard ne laisse pas de traces, ma petite fille et moi non plus –, mais M. Métrosexuel fonce sur elle, bloque sa sortie malaisée. *Il veut que je m'en aille ou pas?*

— Excusez-moi, dit-il avec l'arrogance du trentenaire de fraîche date.

À une époque pas si lointaine, un type comme lui aurait dû être gay ou italien, mais, grâce aux sacrifices consentis par Mary Rose et ceux de sa génération, il a la liberté d'être hétéro. Il brandit son téléphone – c'est le genre de type qui, s'il se donnait la peine d'ouvrir un livre, taperait sur la page.

— Vous êtes MR MacKinnon? demande-t-il.

— Oui.

— Oh mon Dieu, j'*adore* vos livres, ils m'ont sauvé la vie, wow, je n'arrive pas à croire que vous êtes là pour vrai, je viens d'envoyer un message à ma copine, elle est énervée comme une puce.

— Merci.

— Je peux… Excusez-moi, je sais que c'est grossier, mais vous permettez que je nous prenne en portrait?

— Bien sûr.

Elle passe son bras autour des épaules du jeune homme et sourit. Tenant l'appareil à bout de bras, il prend la photo.

— À quand le prochain?

Quel jeune homme sensible, intelligent. C'est vrai que c'est moins dur avec le temps.

— Je n'en suis pas certaine, avoue-t-elle. J'espère être en train de l'écrire en ce moment même dans un univers parallèle.

Il sourit poliment, sans toutefois se départir de son air de gravité.

— Je sais que je ne devrais pas poser la question. Mais est-ce que, dans le troisième, Kitty finit par voir le visage de sa mère?

Mary Rose hésite. Elle a l'impression de parler de membres de sa famille perdus de vue depuis longtemps.

— Mais elle a vu sa mère, dans le premier.

Le jeune homme demeure respectueux, mais résolu.

— Non. Elle a vu la mère de Jon. Sauf que ce n'est pas vraiment sa mère à elle. Pas dans son monde. Je veux parler d'une femme qui pourrait la voir, elle aussi.

Avec ses grands yeux bruns, il la regarde à la façon d'un suppliant. Qu'est-ce qu'une telle attitude fait d'elle?

— Oh.

Elle hoche la tête – sagement, espère-t-elle –, puis elle sent son visage se fendre d'un large sourire.

— Se faire faire la leçon par ses lecteurs!

Serait-elle folle sans s'en apercevoir? Elle ne feint pas de le gifler, au moins.

Le regard du jeune homme, cependant, demeure insistant. Il reprend la parole:

— Je vous aime. Je n'arrive pas à croire que j'ai dit une chose pareille.

— Merci.

Elle fuit avec le sentiment d'usurper sa propre vie; l'enveloppe extérieure d'une personne – mais qui était-ce? – qui, il était une fois, a créé un monde invitant, un monde dans lequel les lecteurs pouvaient se plonger… un monde dans lequel ils pouvaient se sentir chez eux. C'est un monde duquel elle s'est elle-même bannie sans réfléchir, certaine de pouvoir le réintégrer à sa guise. Hil a peut-être raison: elle devrait se remettre au travail. Mais si elle tente un retour et que le portail est fermé? Comme Narnia. Elle craint de s'être enfermée dans une vie où un placard n'est jamais qu'un placard.

Daisy trotte derrière elles, tandis que, dans Bloor, Mary Rose pousse Maggie jusqu'à la pharmacie, celle au fond de laquelle il y a un bureau de poste. Elle remobilise les troupes en prévision d'un nouvel assaut contre un espace intérieur, mais aucun paquet ne l'attend. Pas de courrier, point à la ligne. En fait, on lui apprend que son courrier est retenu à la Station postale E, à l'autre bout de la ville. C'est aussi là qu'elle doit présenter le formulaire dûment signé. Non, on n'a pas de formulaire sur place; elle n'a qu'à aller dans le site Web de Postes Canada pour en télécharger un.

— Merci.

— De rien.

Elle achète de l'Advil, avale un comprimé rouge à sec et se frotte le bras. Le vieil os greffé devient peut-être arthritique... Peut-être réagit-il à l'humidité de cette journée d'avril et au millier de chocs naturels induits par le changement climatique.

— Bonbon, mama?

— Non, ma puce. C'est un médicament.

La Station postale E est-elle trop loin pour qu'elle y aille à pied? Les taxis puent, les chauffeurs sont tous des immigrants homophobes – serait-ce plutôt le racisme qu'elle a intériorisé qui dresse la tête? Son propre grand-père était un immigrant homophobe, un épouseur de fillette et un donneur d'ordres: «Croise tes jambes.» Oui, c'est sans contredit un effet de son racisme intériorisé. Heureuse de s'être dépouillée d'un défaut de caractère, elle rejette néanmoins l'idée de héler un taxi au motif – dénué de toute portée psychologique – que Maggie ne peut pas monter dans une voiture sans un siège adapté. Sans parler de Daisy: rares sont les chauffeurs, toutes origines confondues, qui font bon accueil à un pit-bull de la taille d'un char d'assaut.

— Non, Maggie.

L'enfant a enlevé ses bottes et s'efforce de descendre de la poussette – tentative impossible, mais contrariante. Mary Rose remet les bottes sur les petits pieds.

— Nous allons aller dans un autre bureau de poste, puis nous irons jouer au parc.

Maggie se répand en injures:

— Rognognon!

Au lieu de se diriger vers la Station postale E, Mary Rose, d'un pas décidé, marche dans Bloor, vers l'est et le centre-ville. Daisy galope à côté, ses mamelles tremblantes, jusqu'au carrefour encombré de Spadina...

— Z'avez un dollar pour moi pis mon fils?

Évidemment, c'est elle que verrait Kitty si elle pouvait voyager dans le temps: sa vraie mère. Ses lecteurs savent-ils d'autres choses qu'elle-même ne sait pas savoir? Un vieux dicton lui revient en mémoire: «Médecin, soigne-toi toi-même.»

Maggie montre du doigt un petit parc, mais Mary Rose est résolue, désormais, et c'est en cours de route que l'objet de sa mission se précise dans son esprit. Dans la vitrine de Williams-Sonoma, elle aperçoit un splendide support à casseroles ; éclairé de façon romantique, il déborde d'articles de cuisson en cuivre – les pieds de Mary Rose ralentissent, son rythme cardiaque s'accélère, mais elle poursuit vaillamment son chemin. Soudain, elle déborde d'énergie. Son téléphone sonne. C'est Gigi, mais elle ne répond pas. Elle ne s'arrête que devant la boutique Baby Gap.

•

Elle avait quatorze ans quand on l'a opérée pour la deuxième fois. On l'a donc une fois de plus mise dans l'aile réservée aux enfants. Sa chambre, au bout du couloir, avait vue sur la haute cheminée.

— C'est là-dedans qu'on brûle la merde et les bouts de corps, a dit la fille qui occupait le lit voisin.

Du même âge que Mary Rose, elle venait de subir une « chirurgie abdominale », et Mary Rose a songé à l'abominable homme des neiges dans le film d'animation mettant Rudolph en vedette. La fille était blême, elle avait mal et elle ne se gênait pas pour le montrer. Elle venait d'une école de réforme. En se tenant le ventre, elle a affirmé que des membres du personnel lui « faisaient des choses » et que certaines filles « se faisaient des choses » entre elles.

— La matrone est une maniaque, hé.

Mary Rose faisait semblant de dormir. Elle a vu les mots de la fille se changer en gribouillis faits au crayon noir pour ne pas entrer dans ses oreilles. La fille a ajouté qu'elle avait subi une « procédure de D et C, ce qui prouve que je suis pas une maniaque, hé ».

Pressentant un lien féminin écœurant, Mary Rose n'a pas demandé ce que les lettres voulaient dire.

— On le décroche carrément de là, hé, a expliqué la fille.

Elle a voulu savoir comment garder le contact avec Mary Rose à sa sortie de l'hôpital. La fille n'a pas eu de visiteurs. Après son opération, Mary Rose a eu la chambre à elle toute seule. La fille avait disparu. Dans cette aile, il y avait deux autres adolescents, mais la fille pleurait tout le temps et le garçon, bien que gentil, était leucémique.

Mary Rose n'a pas songé à se rendre dans le solarium à l'heure du souper, elle était trop vieille.

•

De retour chez elle. Pas eu le temps d'aller au parc, finalement : elle a dû faire un crochet par la maison avant d'aller chercher Matthew. Pas question de se rendre à l'école lestée de sacs, elle ne veut surtout pas passer pour l'une de ces femmes. Elle laisse Maggie dans la cour arrière. Elle a beau protester, la poussette la retient ; en plus, Daisy monte la garde. Mary Rose entre dans la maison et descend tout droit au sous-sol, où elle fourre les vêtements neufs dans la machine à laver : l'idée, c'est de les débarrasser des produits chimiques et aussi d'éviter qu'ils aient l'air trop neufs quand Hil rentrera. Hil ne lui reproche jamais de trop dépenser, c'est son argent, après tout. C'est juste que...

Elle remonte les marches et, en sortant, constate que Maggie s'est endormie.

— Réveille-toi, Maggie ! Debout là-dedans ! On ne dort pas maintenant, ma puce !

Maggie se réveille en gémissant. Mary Rose cherche une boîte de jus dans le sac à couches.

— En route, les amies.

Daisy, cependant, ne bronche pas. Mary Rose tire sur la laisse, mais la chienne reste assise avec une force de gravité semblable à celle d'une étoile effondrée.

— Viens, Daisy.

Daisy lève les yeux, le front obstiné. Son menton a commencé à grisonner. Est-il plus gris aujourd'hui qu'hier ?

Mary Rose rentre et revient avec l'écuelle remplie d'eau. Elle attend que Daisy ait fini de boire en soulevant un raz-de-marée.

— Tu veux rester à la maison ?

Daisy agite la queue et se lève de peine et de misère. L'excursion matinale l'a sans doute épuisée – il est bon de savoir que c'est possible. Mary Rose ouvre la porte et regarde Daisy gravir les quatre marches de la cuisine d'un pas hésitant avant de disparaître au coin. Mary Rose se retourne.

— On y va, Maggie.

L'enfant a enlevé ses bottes. Comment est-ce possible ? Maggie la regarde d'un léger air de triomphe. Sans un mot, Mary Rose rentre une fois de plus et ressort avec un rouleau de ruban à conduits. Comme Maggie est prisonnière de la poussette, Mary Rose jouit d'un avantage. Elle passe son capuchon pour empêcher l'enfant de lui tirer les cheveux ; puis, sous une pluie de coups, elle utilise calmement le ruban pour fixer les bottes aux petits pieds.

•

Quelque part dans le couloir, un bébé pleurait toute la nuit. Des pleurs tiraient Mary Rose du sommeil, des pleurs sombres et grinçants, remplis de diesel et de désespoir, comme une voiture dont les pneus tournent à vide dans un banc de neige. Durant la journée, elle oubliait le bébé, que des visiteurs apaisaient ou dont la détresse se perdait dans le brouhaha hospitalier. Elle l'a vu une fois.

Elle se dirigeait vers le bout du couloir pour la première fois depuis l'intervention – sinon, avait dit sa mère, elle risquait de se coucher un jour et de ne plus se relever. Son bras bandé et retenu par une écharpe, sa hanche pansée – cette fois-ci, l'incision était suturée au moyen d'un fil qui ondulait sous sa peau –, elle a longé le mur à pas de tortue. Elle l'a alors entendu hurler. En se rapprochant, elle a compris que les cris provenaient de son ancienne chambre. Comme elle a mis quelques minutes à franchir la porte voûtée, elle n'a pu s'empêcher de voir.

Couché sur le dos dans l'ancien lit de Mary Rose, il avait les yeux hermétiquement fermés, son profil bleui par la tension. Sur ses joues, des larmes se dressaient, comme si elles sortaient tout droit de son visage. Il donnait l'impression d'avoir tout au plus un an, mais sa détresse était adulte, comme si, bien que trop petit pour les mots, il SAVAIT, malgré tout, et restait inconsolable. Ses jambes étaient accrochées à des étriers montés sur un cadre en métal, il n'avait pas de pieds.

•

Tout près de l'école, elle s'arrête et se demande si elle devrait retirer le ruban à conduits avant d'arriver. L'enlever, est-ce admettre qu'elle a eu tort de le mettre ? Ce n'est pas comme si elle avait attaché les jambes de l'enfant à la poussette, tout de même. Elle poursuit sa route, fin prête à se moquer d'elle-même si quelqu'un passe une remarque ou la regarde d'un œil torve.

Le temps lui joue des tours. Mary Rose a l'impression de mettre des heures à franchir le dernier pâté de maisons. La grisaille matinale a cédé la place à une lumière aveuglante. Une immobilité calme pousse en elle, à la façon d'une bosse, la ralentit. Lourde, immobile. Elle arrive devant la porte de l'école.

Tout autour d'elle, la cacophonie joyeuse des parents et des enfants se transforme en méli mélo cartonneux, comme si des boîtes vides remplissaient l'air. Discutant avec Philip et Saleema, elle en fait elle-même partie. Elle sent un sourire manipuler son visage de manière socialement appropriée. Entend sa bouche produire des sons socialement appropriés. Elle n'est pas tout à fait derrière ses yeux — elle est légèrement décalée. La faim, probablement.

Elle se dit que, du point de vue de la consommation, c'est l'équivalent d'une chute de glycémie : elle a magasiné avec férocité et elle est aussi vidée que son compte bancaire.

— Coucou, mon lapin !

Matthew gravit les marches au pas de course en brandissant fièrement un objet devant lui.

— C'est pour toi.

— Magnifique, Matthew.

— C'est moi que je l'ai fait.

Un collier en macaronis. Elle l'enfile.

Sue la coince avant le sauve-qui-peut général.

— MacKinnon, lance-t-elle avec une bonne humeur comique.

Mary Rose se retourne et sourit, mais s'assure de tourner la poussette de l'autre côté. Il ne faut surtout pas que Sue voie le ruban à conduits.

— Vous venez souper ce soir, ordonne-t-elle en enfourchant son vélo à l'arrière duquel est fixée la voiturette des enfants.

— J'accepterais volontiers, Sue, merci beaucoup, mais je ne peux pas, je pensais pouvoir, mais…

— Pâté au poulet.

— Wow, c'est super tentant, mais j'ai promis à ma copine Gigi de…

— Partie remise, alors.

— Absolument.

Des macaronis au fromage avec des petits pois.

Le voyant lumineux des messages…

— C'est maman, tu n'es pas là. Tu sais que nous arrivons le sept à…

Mary Rose sort du sac à couches son agenda de la taille d'un parpaing et, le stylo à la main, attend.

— Bon sang, où est-ce que j'ai fichu mon… Tu as reçu le *paquiet*? C'est un truc que tu voulais. Je te l'ai donné la dernière fois? J'oublie ce que c'est, maintenant. Regarde si je te l'ai déjà donné.

Clic.

Bonjour à tous et heureux jeudi… Elle éteint la radio, referme son agenda et se campe devant la fenêtre, en proie à une surcharge neurologique passagère.

Matthew débarrasse son assiette et Maggie l'imite, fourrant dans le lave-vaisselle son bol, sa cuillère, sa tasse et tout ce qui lui tombe sous la main, y compris les napperons, le ketchup…

— Bravo, Maggie, dit Mary Rose d'un air absent.

Elle a vu ses parents pour la dernière fois en janvier: entre Ottawa et Victoria, sur la côte Ouest, ils ont fait une escale de trois jours à Toronto.

Elle a emmitouflé Maggie et elle est allée attendre leur train.

Bien que partie très tôt, elle est arrivée en retard parce qu'elle a été incapable de trouver une place de stationnement – on rénovait la gare «pour mieux vous servir». Lorsqu'elle a fini par arriver avec la poussette, ses parents étaient introuvables. Elle a attendu près des Arrivées, à deux pas du comptoir désert de Travellers Aid – mais ce n'était pas une garantie: à la gare Union, rien ne guidait le voyageur jusqu'aux Arrivées, limbes indéfinies où une imposante rampe en granit les attirait vers un grand hall aux proportions héroïques. À cet endroit, deux séries de portes en laiton s'ouvraient, Mary Rose le savait, sur des douves périlleuses, perpétuellement en chantier, là où le trottoir se trouvait autrefois. Qui savait combien de vieillards avaient sombré sans laisser de traces dans ce fouillis de polyuréthane ? Peut-être ses parents y erraient-ils en ce moment même, peut-être dérivaient-ils vers une chargeuse-pelleteuse qui reculait en faisant *bip-bip* – son père portait-il sa prothèse auditive ? Par-dessus tout, elle craignait qu'ils aient emprunté un escalier roulant et qu'ils soient descendus dans le PATH : vingt-sept kilomètres de boutiques à l'abri des intempéries. Elle les a imaginés : deux vieux bébés égarés dans les bois, bousculés sans merci par les passants… N'importe quoi. Ils avaient parcouru le monde. Sur la place Rouge, Dolly avait repoussé des pickpockets en misant sur la force centrifuge de son sac à main, brandi comme une massue – Duncan prenait encore plaisir à raconter cette histoire. Mais c'était à l'époque glorieuse de la rage et des roses de Dolly. Là, elle risquait surtout de tomber, de se casser la hanche et de mourir d'une pneumonie, tout ça à cause du retard de Mary Rose.

Elle s'est assurée que son téléphone était bien allumé, même si elle savait que ses parents, qui considéraient cet appareil avec un mélange de vénération et de méfiance, n'auraient jamais composé ce numéro. Ils avaient un cellulaire, eux aussi, mais ils ne l'allumaient jamais. C'était en cas d'« urgence ». Mary Rose s'est aventurée jusqu'au sommet de la rampe et a émergé dans le hall, où une foule tourbillonnait autour de l'imposant tableau d'affichage numérique. Si elle téléphonait à Andy-Patrick, peut-être la GRC parviendrait-elle à localiser leur portable.

— Sitdy ! a crié Maggie.

Mary Rose a raccroché et vu sa mère, du haut de son mètre cinquante, fendre la foule à la manière d'un boulet de canon, coquettement coiffée d'un béret écossais écarlate, avec toute sa bimbeloterie et ses chaussures de sport neuves d'une blancheur aveuglante, foncer vers elles d'une drôle de démarche, les pieds tournés en dehors. Mary Rose a songé à la façon de marcher de Maggie. C'était nouveau ?

— Coucou, *doll*!

Duncan s'est matérialisé derrière elle. Il avançait d'un pas impassible, comme s'il arpentait un terrain accidenté, sa bouche affichant la persévérance des hommes des Highlands, attitude omniprésente dans les conseils d'administration de la planète entière, fringant avec sa casquette, son blouson jaune et ses richelieus à semelle en caoutchouc.

— Salut, maman.

Les sourcils de Dolly se sont élevés au-dessus de ses grands yeux sombres, sa bouche a formé un *O!* de stupéfaction, elle a soulevé ses mains, les a posées de part et d'autre de son visage en signe de ravissement et elle s'est ruée sur Maggie, qu'elle a couverte de «bisous à la Sitdy». Ils faisaient pleurer Matthew, autrefois, mais Maggie, elle, a hurlé de rire. Duncan a observé la scène, amusé, puis, le premier émoi passé, il s'est penché, a pris la main de Maggie et a dit avec douceur :

— Salut, Maggie, comment vas-tu, petite coquine?

— Jitdy, a répondu Maggie avec la même douceur en tendant la main vers la casquette de Duncan.

Il la lui a abandonnée.

Jitdy est un mot arabe signifiant «grand-père», titre qui est une source d'amusement et de fierté pour le père de Mary Rose, avec ses yeux bleus.

Dolly a pris le visage de Mary Rose entre ses mains chaudes et l'a regardée droit dans les yeux. Mary Rose a contemplé l'expression d'affection exagérée si familière, ce vieil air concentré qui revendiquait sans un mot le statut de martyre. Mary Rose a esquissé un sourire et a accepté un câlin un peu trop long, son adorable vieille maman lui inspirant une irritation coupable et pourtant inexplicable.

Duncan s'est redressé, affectant l'entrain.

— Comment ça va, Mister? Tu as l'air en forme.

Il l'a tapée sur la tête du plat de la main, qui fait l'effet d'un bardeau – l'équivalent écossais d'un câlin. Voir son père lui a procuré un bonheur presque fiévreux. C'était toujours ainsi, comme si un moteur s'emballait en elle, gonflé à bloc par un message urgent. *Cher papa, je!*

— Vous avez fait bon voyage, papa?

— «Sans incident», comme dirait l'autre, a-t-il répondu avec entrain, mais d'une voix un peu rauque, a-t-il semblé à Mary Rose.

Son père et elle se sont disputé le privilège de trimballer leur sac de voyage – bien qu'il soit sur roulettes, Duncan a insisté pour le transporter par la poignée. Et là, en se retournant, Mary Rose a constaté que la poussette était vide.

— Où est Maggie?

— Je l'ai laissée sortir, a confessé Dolly avec une étincelle malicieuse dans le regard.

— Pour l'amour du Christ, maman!

Mary Rose a pivoté pour faire face à la foule: une masse indistincte, un lac noir.

— Maggie!

— Du calme.

Derrière elle, la voix de son père, celle qu'il utilisait pour apaiser sa mère.

— Pas de panique, Rosie.

Panieque.

Elle a baissé les yeux. Maggie, assise sur le carrelage, fouillait dans le sac de Dolly. Des jambes d'adultes passaient en ciseaux devant elle.

— Sapristi, Mary Rose, a dit Dolly. Je ne pensais pas que ça te mettrait dans tous tes états.

— Je ne suis pas dans tous mes états.

Maggie a fait le geste de se plonger dans la batteuse humaine, mais Mary Rose l'a agrippée par le bras.

— Doucement! a glapi Duncan.

Saisie, elle s'est retournée.

— Tout va bien, papa.

Profitant de la distraction, Maggie a frappé Mary Rose de toutes ses forces.

— Aïe!

— Sacré crochet du gauche, a dit Duncan en riant.

Elle a déposé sa fille dans sa poussette et bouclé d'un geste sûr la ceinture en cinq points, affirmant ainsi son autorité sur son enfant, ses parents et toute la génération gâtée pourrie de l'après-Dépression, avec son plein-emploi et ses attentes surpassées et sa longévité saugrenue, sa soif insatiable de gratitude filiale de la part de rejetons stressés à mort et grisonnants en voie d'auto-immunisation.

— Noooon!

— Dis-lui ta façon de penser, Maggie! a lancé Duncan avec un large sourire.

Dolly a ri.

— Je la tiens enfin, ma revanche, Mary Rose. Elle est exactement comme toi!

Et elle a ri de nouveau. C'est-à-dire qu'elle a imité un rire théâtral impertinent dans lequel Matthew aurait reconnu un *na-na-ni-boubou* très crédible.

Mary Rose a cligné des yeux, aussi sèche et dépourvue d'humour qu'un iguane.

— Pas vrai, *fuhss*? a poursuivi Dolly en s'agenouillant.

Elle a couvert Maggie de bisous, transformé ses pleurs en rires.

L'arabe est une langue magnifique. Grâce à sa mère, Mary Rose connaît plusieurs mots doux et beaucoup d'autres liés à la nourriture. Sinon, son vocabulaire se limite à *merde* (formes masculine et féminine), *ta gueule, claque sur l'oreille, argent, bon appétit, s'il plaît à Dieu* et *pet* – nom que Dolly venait de donner à Maggie.

La sono a diffusé un message incompréhensible en anglais et en français.

Duncan a pris possession de la poussette et s'est mis en route. Ne perdant pas un instant, Mary Rose a tiré la poignée télescopique du sac de voyage d'une main et pris la main de sa mère dans l'autre – elle était étonnamment douce. S'engageant à contre-courant dans le flot des centaines de milliers de banlieusards, ils sont entrés dans le PATH.

— Comment va Hilary? a demandé sa mère. Et Mark, Matthew, je veux dire?

— Ils vont bien. Hil va aller dans l'Ouest mettre en scène…

— « Remplacement de talon le jour même », a dit Dolly en lisant une affiche. « Nous livrons. » Ah oui, avant que j'oublie, dans le train, nous sommes tombés sur Catherine – Catherine? Dis, Dunc, c'est

Catherine ou Eileen, la femme que nous avons croisée dans le train ? Celle qui voulait que Mary Rose lui dédicace son livre ?

— Aucune idée, a-t-il répondu.

Dolly s'est tournée face à Mary Rose.

— Elle a été tellement contente de me voir. Elle a dit : « Vous êtes la mère de Mary Rose MacKinnon ! »

Mary Rose s'est blindée et Dolly a poursuivi :

— J'ai été la fille d'Abe Mahmoud, puis la femme de Duncan MacKinnon, et maintenant je suis la mère de Mary Rose Mac-Kinnon !

La remarque était si prévisible qu'on aurait pu s'en servir pour régler sa montre.

— Pas de problème, maman. Je lui dédicacerai son livre.

— « Grands et petits, nous les avons, c'est garanti ! »

— Veux-tu bien me dire où tu t'es stationnée ? a demandé Duncan.

— Désolée, c'est à cause des travaux…

— C'est la même chose à Ottawa.

Il a hoché la tête avec regret.

— Nous avons deux saisons : l'hiver et les chantiers.

— Le petit-fils de Phyllis Boutillier, a dit Dolly.

Mary Rose a regardé autour d'elle. C'était écrit sur une affiche, ça aussi ?

— Où ça ?

— Il était marié avec elle, mais ils ont divorcé, a dit Dolly.

— Il… Quoi ? Il avait épousé sa grand-mère ?

— Ne fais pas la polissonne, a fait Dolly en feignant de la gifler.

Mary Rose a grimacé par réflexe.

— S'il te plaît, maman, ne…

— Et le livre, ça avance ? a demandé Duncan.

— Disons qu'il est en suspens.

— Prends ton temps. Fais les choses à ta façon, Mister.

— Dépêche-toi de l'écrire pour que je puisse l'acheter dans un coffret. Tu sais que tu en vendras plus de cette manière, Mary Rose.

Duncan a ri.

— Ta mère va sauver l'industrie du livre à elle toute seule.

— Catherine! s'est exclamée Dolly. La femme au livre… Eileen, je veux dire… Zut, j'ai marqué ça quelque part.

Dolly a ralenti le pas et a fait le geste d'ouvrir son sac à main.

— N'ouvre pas, malheureuse! s'est écrié Duncan en décochant un clin d'œil à Mary Rose. Nous risquons de passer la journée ici.

Dolly a ri et a serré son sac contre son petit bedon, comme pour résister à la tentation de l'ouvrir.

— Tu sais exactement de qui je veux parler, Dunc.

— Elle s'appelle Catherine, pas Eileen, a dit Duncan sur le ton d'un expert-conseil en gestion aux abois. Je ne sais pas qui est Eileen, je n'ai pas entendu ce nom depuis l'Allemagne. *Cath-er-ine*, elle, était mariée avec le *fils* de Phyllis et Mike Boutillier.

Ils fendaient la foule des cols blancs sortis pour la pause du midi, Duncan poussant Maggie avec l'inexorabilité d'un brise-glace.

— Tu sais qu'il est mort? a dit Dolly.

— Qui? a demandé Mary Rose.

— Mark, Mick, Mike.

Mary Rose a laissé entendre un rire, ni sec ni dépourvu d'humour; soudain, elle a eu le sentiment d'être redevenue elle-même. Le ton de son père, cependant, était solennel.

— Mike Boutillier. Crise cardiaque, juste comme ça. *Paf.*

Il a claqué des doigts, ce qui n'était pas un mince exploit, car il avait perdu le bout du majeur à l'occasion d'un bref séjour dans une mine de charbon, plus de soixante ans plus tôt.

— C'est lui qui a poussé l'association de copropriétaires à s'adresser au tribunal pour obtenir de nouveaux magnolias en guise de dédommagement après la découverte des fissures dans les fondations.

Grave, soudain, elle a hoché la tête: la dignité d'un homme était en jeu.

— Un vrai colosse, ce type, tu n'aurais pas voulu le croiser dans une ruelle sombre, c'est moi qui te le dis. Mais gentil comme tout. Il t'aurait donné sa chemise.

Il s'est raclé la gorge.

— «Druggers Shop Mart», dit Dolly.

Duncan et Mary Rose se sont tournés vers elle.

— « Druggers… Shoppers Drug Mart » ! s'est exclamée Dolly.

Duncan s'est fendu d'un large sourire, découvrant sa dent en or. Dolly s'est tue, subjuguée par une vague d'hilarité, arrêt sur image de carnaval.

— Respire, maman.

Dolly, se penchant, a pris appui sur ses genoux.

— Papa ?

Il y avait sûrement un défibrillateur dans les environs : au-dessus d'eux, trois tours de bureaux abritaient des banques.

Ils ont fini par éclater de rire – ils respiraient. Ils se sont essuyé les yeux et ont poursuivi leur chemin.

Dolly a décrit comment, dans l'allée du train, elle a chanté *My Best To You* aux nouveaux mariés. Tout le monde a applaudi, même la chef-portière, « une charmante Canadienne française qui se souvenait de nous avoir eus comme passagers, l'année dernière ».

— J'ai dit : « Dans ce cas, vous vous rappelez sûrement que nous avons eu la cabine de luxe de Toronto jusque dans l'Ouest. » Elle nous a surclassés tout de suite.

— J'aurais dû acheter des actions de Via Rail quand l'occasion s'en est présentée, a dit Duncan. Ta mère a réglé le problème du service à la clientèle et, comme tu as pu le voir, nous sommes arrivés à l'heure.

— Ouais, a dit Mary Rose. Seulement Hitler et Mussolini ont réussi un exploit pareil.

Il a ri.

— « Puddle Duddle Rain Wear », a dit Dolly. Tu veux que je t'achète des bottes de pluie, Mary Rose ?

Dans la vitrine de la boutique, il y avait des bottes à pois, des bottes rayées, des bottes décorées de triangles et de zigzags comme les formes scintillantes que Mary Rose voyait avant ses crises de panique. Elle a détourné les yeux.

— Ça va, maman. J'ai ce qu'il me faut, côté bottes.

— Pas pour toi, pour les enfants, oh, regarde les coccinelles !

Dolly s'est arrêtée tout net.

— Maggie a déjà des bottes de caoutchouc, a dit Mary Rose, rabat-joie.

— Bottes! a crié Maggie en tendant les bras vers les coccinelles dans la vitrine.

Dolly s'est penchée et, les yeux exorbités, a scandé en battant des mains :

— *Coccinelle, demoiselle, bête à bon Dieu. Coccinelle, demoiselle, vole jusqu'aux cieux!*

— Occinelle, occinelle! a scandé Maggie en tambourinant follement avec ses talons.

Duncan est entré dans la boutique avec la poussette, suivi de Dolly qui chantait toujours.

Mary Rose, restée à l'extérieur, les a regardés chercher des bottes de la bonne pointure. A vu Maggie se prêter patiemment au jeu des essais.

À la sortie, Maggie tend les jambes, engagée dans une lutte sans merci avec les grands yeux noirs de la coccinelle : la première qui clignerait aurait perdu.

— Nous n'avons rien acheté pour Matthew! s'est écriée Dolly.

— Ça ne fait rien, maman. On ira plus tard dans les boutiques.

— Je t'achèterai un joli ensemble, Mary Rose.

Ils se sont dirigés vers l'enseigne marquée *P* avec une flèche pointant vers le bas.

— Au fait, il va comment, le gros Matt? a demandé Duncan. Tu as fini par lui acheter des patins?

— Bientôt.

— Rien ne presse. Gordie Howe a eu ses premiers patins à douze ans.

— Maggie, elle, a de bonnes chances de faire carrière comme hockeyeuse…

— « Wokking on Wheels », a lu Dolly.

— Tu veux manger quelque chose avant de partir, maman?

— Le hockey féminin, a déclaré Duncan, vaut mieux que certaines des absurdités qu'on voit de nos jours dans la Ligue nationale. Je me souviens de la dernière partie de Gordie Howe au Forum de Montréal…

Cette histoire, Mary Rose la connaissait mot pour mot, mais elle savait aussi que son père ne parlait jamais de hockey avec sa sœur.

Même A&P n'était pas un grand amateur – ce qui, au Canada, faisait presque de lui un homosexuel. Elle a donc savouré son statut de fils hétéro à titre honoraire.

— Wow! Il a vraiment traversé toute la patinoire comme ça? s'est-elle écriée avec enthousiasme.

Dolly sautillait entre eux.

— Tu as eu des nouvelles de ton frère?

— Pas récemment, non, a répondu Mary Rose.

— Sort-il encore avec cette gentille petite demoiselle… comment s'appelle-t-elle, déjà? a demandé Duncan.

— Shereen, a dit Mary Rose.

— Il vit ici, à présent, a dit Dolly, comme sous le coup d'une illumination soudaine.

Était-ce une simple question de glycémie? Même Mary Rose avait du mal à se souvenir qu'Andy-Patrick habitait la même ville qu'elle – sans parler de retenir le nom de sa plus récente conquête. Était-ce une manifestation précoce de la maladie? Sa mère avait toujours fait dix choses à la fois, connu d'hilarants épisodes de confusion, eu la manie de s'interrompre au milieu d'une phrase et de couper la parole à tout le monde. Sa mère s'était radoucie – c'était sans contredit une bonne chose –, mais, pour le reste, où était la différence?

Quelques minutes après leur arrivée, le comptoir de la cuisine de Mary Rose était jonché de menus articles que Dolly y avait déposés, telle une marée montante. Des sachets de confiture pris dans le train, un demi-beigne Tim Hortons, des cadeaux pour les enfants achetés dans un magasin à un dollar – peinture au plomb, fabrication chinoise –, une brosse-peigne à charpie pliante – «Ça c'est pour toi, Mary Rose!» –, un pot de compote de prunes pour bébé qui ressemblait à s'y méprendre à un échantillon de selles, un autre de pois chiches confits, considérés comme une friandise au Liban, un sac de Skittles… L'équivalent visuel du bruit blanc. Et, au milieu des débris, quelques trésors, dont le *baba ghanousch* maison de Dolly!

— Mon plat préféré! s'est exclamée Hil en se penchant pour serrer Dolly dans ses bras.

Sans oublier le gâteau de Noël.

— Ce n'est pas moi qui l'ai fait. C'est ma cousine Lena. Elle est morte.

Hil a ri, mais elle s'est arrêtée abruptement en se rendant compte que ce n'était pas une blague.

— C'est vrai, maman ?

— Attends, attends. C'était quand, déjà ? Quand est-ce que Lena est morte, mon gros nounours ? crie-t-elle en direction du salon.

La réponse leur est parvenue d'une voix un peu aiguë, mais catégorique :

— En 1974.

Dolly s'est tournée vers elles.

— Bon, on dirait que c'est moi qui l'ai préparé, en fin de compte.

Elles ont ri toutes les trois.

— Ton père veut une tasse de thé.

Dans le salon, Duncan lisait le journal, les yeux fermés. Docile, Mary Rose a mis la bouilloire sur le feu – elle avait stocké une quantité de Red Rose suffisante pour couler une révolution américaine –, tandis que Dolly sortait de son sac à main un exemplaire, format poche, de *JonKitty McRae. Évadés de l'autre dimension.*

— Je t'ai dit que nous étions tombés sur Catherine dans le train ? Catherine ou Eileen ? Dunc, a-t-elle hurlé, c'était…

— C'était Catherine, a dit Mary Rose.

— Elle a été enchantée de me voir, elle a dit : «Vous êtes la mère de Mary Rose MacKinnon !» J'ai été la fille d'Abe Mahmoud, puis la…

— Pas de problème, maman. Je vais dédicacer le livre.

Elle a cherché un stylo dans le tiroir, mais en vain. Comment les stylos migrent-ils ?

— Tu as un stylo, maman ?

— Un stylo ou un silo ?

— Un *stylo.*

— Pas la peine de crier, *doll.*

Dolly a une fois de plus plongé dans son sac à main et, sous les yeux de Mary Rose, toutes sortes d'objets ont brièvement fait surface, à la façon d'une boule de bingo : un fourre-tout à carreaux plié, un pilulier en plastique sur lequel étaient indiqués les jours de la semaine, un chapelet, une petite boîte en velours gris, un demi-bâtonnet de gomme à la menthe Wrigley's, une broche – «Tiens, mon épinglette de la Ligue des femmes catholiques!» –, un carré de plastique de deux centimètres et demi qui formait en s'ouvrant un imper grand format, des pantoufles en nylon tricotées par la défunte tante Sadie et roulées en boule, un dépliant de l'église intitulé *Vivre avec le Christ*, titre qui faisait beaucoup penser à *Vivre avec le cancer*, un porte-monnaie en forme de chaton… Mary Rose a détourné les yeux, un peu étourdie.

— Eurêka! s'est écriée Dolly en brandissant un stylo aux couleurs de Best Western.

— Catherine avec un *C*? a demandé Mary Rose, qui se préparait à signer.

— Non, c'est pour la petite-fille de Phyllis.

— Comment s'appelle-t-elle?

— Phyllis.

— La petite-fille.

— Exactement, c'est pour sa petite-fille.

— Comment s'appelle la petite-fille de Phyllis?

— Linda Kook, a répondu Dolly.

— Pour de vrai?

— Oui. Quoi?

Hil et Mary Rose riaient.

— Tu m'as déjà entendue parler des Kook, Mary Rose. Sa belle-mère, Dorothy Kook, Dotty Kook, est dans ma chorale.

— Arrête, maman.

— Phyllis est atteinte du lupus, a ajouté Dolly. Qu'est-ce qu'il y a de drôle à ça?

— Rien, désolée, maman.

Mary Rose a essuyé ses larmes et dédicacé le livre.

— Chaque fois que je me retourne, c'est la même chose, dit Dolly. La semaine dernière, à la répétition de la chorale, une nouvelle petite fille – ce terme, chez elle, désignait toute femme de moins de cinquante ans, savait pertinemment Mary Rose – s'est approchée et m'a dit: «Êtes-vous la mère de Mary Rose MacKinnon?»

Dolly a levé la main et a fait mine de tailler l'air en pièces.

— J'ai été la fille d'Abe Mahmoud…

— C'est pour quoi, les Skittles, maman?

— Pour mon diabète.

Il était inutile d'insister. Dolly était atteinte de diabète de type 2, Dolly était infirmière. Elle avait beau tout savoir, elle ne voulait rien savoir.

Mary Rose a quand même décidé d'insister.

— Ce qu'il te faut, maman, ce sont des fruits frais, pas des bonbons. Les bonbons…

— Se faire faire la leçon par ses enfants! a lancé Dolly en feignant de gifler Mary Rose.

— J'aimerais mieux que tu ne fasses pas ça, maman.

— Faire quoi, j'ai toujours fait ça.

— Non, c'est nouveau et j'ai l'impression que tu vas me frapper.

— Si je le faisais, ce serait pour te donner une petite tape d'amour.

— C'est une contradiction dans les termes.

— Vous êtes tous tellement sensibles, vous, les enfants! Ah, ces MacKinnon!

Bannissement jovial dont Mary Rose, sa sœur et son frère, dépouillés de leur sang Mahmoud, séparés de leur mère, faisaient tour à tour les frais, de temps en temps. «Si ta main est pour toi une occasion de chute, coupe-la», a dit Dieu. Il a aussi déclaré: «Hé, Abraham, emmène Isaac en pique-nique, tu veux, et n'oublie pas ton couteau… Allez, c'était une farce, je te mettais à l'épreuve, c'est tout.» Dieu, cependant, est allé jusqu'à tuer son propre fils. On est toujours plus dur avec les siens.

— Dans le vieux pays, tu sais, une femme ne se sentait aimée que si son mari la battait.

— De quel vieux pays veux-tu parler, maman? Le Cap-Breton?

— Ne fais pas la polissonne.

— Votre mère est-elle née au Liban, Dolly? a demandé Hil. J'aimerais beaucoup y aller un jour, je sais que c'est un pays magnifique.

Et toi, tu as d'exquises manières, Hilary. C'est ainsi que les wasps évitent les affrontements.

— C'est effectivement un pays magnifique, Hilary, a dit Dolly.

Quand elle parlait ainsi, elle aurait presque pu passer pour une wasp, elle aussi.

— Vous y êtes allée, Dolly?

— Oui, une fois.

— Elle a profité d'un cessez-le-feu dans les années soixante-dix, a expliqué Mary Rose.

— Mon Dieu!

— C'était amusant, Hilary. Je marchais dans la rue et tous les passants me ressemblaient!

Hilary a appuyé le menton sur sa main et contemplé Dolly avec une affection sincère.

— J'imagine facilement le bien que ça vous a fait.

— Mais ta mère est née au Canada, n'est-ce pas, maman?

— Absolument. Mais pas papa. Lui, il venait du vieux pays. Et dans le vieux pays, tu sais, une femme ne se sentait aimée que si son mari...

— C'est pour ça que tu as épousé papa, je suppose.

Dolly a affiché un air déconcerté des plus comiques.

— Ton père ne m'a jamais battue.

— Justement. Mais tu savais quand même qu'il t'aimait.

Soudain, Dolly s'est faite coquette.

— Bien sûr que je savais. Même que j'ai eu six bébés. Cinq. Non, attends, vous êtes combien, au juste?

— Es-tu en train de nous dire que ton père battait ta mère, maman?

— Une femme a besoin d'une bonne gifle, de temps en temps.

— N'importe quoi.

— Personne ne me fera admettre que mama n'aimait pas papa. Quand est-ce qu'on joue au Scrabble?

La bouilloire a sifflé. Hilary a fait du thé.

— Je pensais que vous alliez faire des courses, a-t-elle dit, sans doute dans l'espoir d'avoir un peu de tranquillité.

Dolly s'est tournée vers Mary Rose.

— J'allais t'acheter un ensemble.

— Oh, hm, j'ai ce qu'il me faut, côté ensembles, maman. Mais toi, il te manque q...

— J'ai besoin d'un soutien-gorge.

— D'accord, je connais un bon endroit, dans Bloor Street, on y va si…

— Ne fais pas un voyage spécial pour moi, Mary Rose.

— Non, non. C'est là que j'achète mes soutiens-gorges.

— Tu as besoin d'un soutien-gorge?

Dolly disait *soutien-guiorge.*

— Non, maman, mais il y a là-bas des ajusteuses professionnelles. Elles t'aideront, toi.

— Que veux-tu que je fasse d'un soutien-gorge, j'ai tous les soutiens-gorges qu'il me faut, les soutiens-gorges me sortent par les yeux. Tu sais, Mary Rose, c'est vous qui allez devoir trier mes affaires quand je serai morte. Moi, je n'achète plus rien!

— O.K., sortons marcher un peu, dans ce cas.

— Non, nous allons à la boutique de soutiens-gorges. Dunc, nous allons faire un saut à la boutique de soutiens-gorges dans Bloor Street! a-t-elle hurlé en direction du salon. Je t'achète un soutien-gorge, Mary Rose.

Elle a roté.

Hilary préparait un plateau pour Duncan.

— N'oublie pas les raisins secs, a dit Mary Rose en se tournant vers l'armoire.

Elle est alors entrée dans une zone de turbulences. Sa mère lui a lancé quelque chose – son sac à main était-il donc doté d'un double fond? Mary Rose a attrapé l'objet juste avant qu'il l'éborgne.

— Tu as oublié ça, l'été dernier.

— Ah! Merci, maman.

Le calendrier peint avec le pied. Mary Rose l'avait effectivement «oublié» à Ottawa. Elle l'a punaisé sur le tableau d'affichage, à côté du clown mort.

Près de la porte, Dolly était prête à partir avec son manteau, son chapeau et… ses pantoufles en nylon.

— On s'en va, Dunc! a-t-elle crié avant de chanter *Please Don't Talk About Me When I'm Gone.*

— Tu vas avoir besoin de tes bottes, maman. Il fait froid, dehors.

Hilary est apparue en haut des quatre marches avec les bottes de Dolly.

— Ce que tu peux être gentille, toi! a dit Dolly. Presque aussi gentille que Dunc!

— Tu as des sous pour les dessous? a demandé Duncan du salon. Ou je te file un peu de fol argent?

Dolly a fait un clin d'œil.

— Ton père est si bon pour moi, a-t-elle dit avant de lancer à tue-tête : J'ai ma carte de crédit, mon chou!

— Sauve qui peut!

Mary Rose a attendu. Dolly s'est penchée pour retirer ses pantoufles et a failli tomber.

Tu veux un coup de main, maman?

— Pour quoi faire?

Elle s'est assise dans les marches – *boum* – et a lutté avec les bottes. Elle aurait bientôt trop chaud dans son manteau rembourré.

— Maman, tu devrais peut-être enlever ton manteau pour…

— Pas besoin de toutes ces simagrées.

Elle est parvenue à enfoncer son pied dans une botte en grognant. Elle a tendu la main vers l'autre.

— Laisse-moi t'aider.

— Je suis capable toute seule, Mary Rose.

Tu-seule!

Mary Rose a battu en retraite et attendu.

Dolly a fini par se lever, a chancelé, a vacillé de façon théâtrale, avant de se ressaisir.

— Qu'est-ce qu'elles ont, ces bottes? Je grandis encore, à mon âge?

Mary Rose a baissé les yeux.

— Elles sont du mauvais pied, maman.

— Voyons donc, ça ne se peut pas.

Dolly a à son tour baissé les yeux et a éclaté de rire.

— Je deviens sénile, regardez ce que j'ai fait! Dunc! Viens voir ce qu'a fait ta femme, mon trésor! J'ai mis mes bottes du mauvais pied!

Du salon provient une réponse ensommeillée :

— Hein, quoi?

Y a-t-il une limite aux oscillations entre états chimiques extrêmes dont est capable le cerveau ? En cas de dépassement, perdait-il de l'élasticité, se couvrait-il de plaque ? À force de changer d'humeur, Dolly avait-elle fini par sombrer dans l'atrophie ? Autrefois, on disait des personnes âgées qu'elles « retombaient en enfance ». Le cas échéant, cette régression en dit long sur leur personnalité originelle. Suivant ce critère, Dolly Mahmoud avait été drôlement mignonne. Pas de tout repos. Mais adorable.

D'un coup de pied, Dolly s'est débarrassée d'une botte, puis de l'autre. En se tenant à la rampe, elle s'est rassise sur la marche et a tout repris depuis le début en disant *sotto voce* :

— Je ne suis pas vraiment sénile, Mary Rose. Je suis seulement préoccupée.

Ce mois de janvier, il n'avait pas beaucoup neigé et tout était humide et gris. On aurait dit que la Terre avait oublié comment produire l'hiver ou encore qu'elle ne savait plus dans quel ordre les saisons venaient – la planète elle-même semblait aux prises avec la démence. Elles ont atteint le coin de Bathurst Street, où les voitures filaient à vive allure. Dolly portait le béret écossais que Mary Rose lui avait offert à Noël – à motif léopard, comme celui qu'elle avait autrefois à Kingston.

— « Archie's Variety », a lu Dolly à haute voix. Ce sont des gens du Cap-Breton ?

— Ils sont coréens.

Mary Rose a salué la dame, qui se tenait derrière la vitrine.

— Qui est-ce ?

— La patronne de la boutique.

— On n'entre pas la saluer ?

— Pour quoi faire ?

En un clin d'œil, sa mère était entrée dans la boutique. Mary Rose, lui emboîtant le pas, a entendu la formule de salutations chantée derrière le comptoir.

— Bonjour, comment allez-vous ?

Dix minutes plus tard, elles étaient de retour dans la rue, Dolly ayant cueilli des œufs Kinder pour les enfants ainsi que l'histoire de la vie de cette femme. Elle s'appelait Winnie, elle avait été professeure d'université à Séoul.

— Un diplôme de mathématiques, imagine!

Elles ont marché vers le sud.

— «Grapefruit Moon Restaurant», a lu Dolly.

Mary Rose a vu Rochelle disparaître dans le restaurant et a baissé les yeux pour leur éviter à toutes deux la corvée de se saluer. Mais la satanée Rochelle s'est arrêtée et a lancé un «Salut!» sans précédent. Mary Rose lui a présenté sa mère et, en attendant que celle-ci la rejoigne, a feint de s'intéresser au nettoyeur d'à côté.

— Elle a un sérieux problème de dos, cette jeune donzelle…

— Quelle jeune «donzelle»?

— Ta voisine, Rachel.

— Rochelle.

— «Freeman Real Estate», a lu Dolly.

— Traversons au feu, maman.

Elles ont traversé Bathurst et, sous les arbres qui brandissaient leurs doigts osseux, ont marché dans Howland Avenue, paisible et dénuée d'enseignes. À sa grande surprise, Mary Rose a constaté qu'elle parvenait à suivre sa mère. Forte de son mètre cinquante, Dolly avait – avait eu, plutôt – une démarche énergique et, dans tous les magasins où elles s'arrêtaient en rentrant de l'école, Dolly lui répétait:

— Tiens-toi droite, Mary Rose, marche comme si tu étais la propriétaire des lieux.

— On est au Kmart, maman.

— Et alors? Fais comme si c'était le Taj Mahal!

Ce jour-là, Mary Rose a compris que sa mère avait peut-être besoin d'un peu de repos. Au coin de Bloor, elle a demandé:

— Tu as envie d'une tasse de thé, maman?

— Ce ne serait pas de refus, a répondu sa mère d'un ton plaintif.

Elles sont entrées au Starbucks.

Elles ont trouvé une table près de la fenêtre embuée où des flocons non confessionnels avaient été tracés au pochoir. Un jeune homme soigné arborant le tablier vert caractéristique s'est approché de leur table avec un plateau.

— Aimeriez-vous essayer une mini-tasse de notre tout nouveau mélange festif canne de bonbon à la menthe poivrée et chocolat, spécialement conçu pour le temps des Fêtes?

— Sapristi! s'est écriée Dolly en en descendant un d'un seul coup.

Le jeune homme lui en a proposé un autre.

— Quel vilain garçon!

— Vous n'avez pas idée, très chère!

Elle a sifflé la deuxième demi-tasse – son taux de glycémie devait atteindre des sommets –, puis elle a commandé la même chose en grand format.

— Je peux avoir votre prénom pour la tasse?

— Dolly.

— Hellooo, Dolly! a-t-il dit.

À l'unisson, ils ont chanté les premières mesures à tue-tête. Les clients assis à proximité ont applaudi. Le garçon a parlé à Dolly de ses études, de l'endroit d'où venaient ses parents, de son allergie aux piqûres d'abeille. Mary Rose avait eu à peine le temps de cligner des yeux que déjà il l'appelait «Sitdy» et la serrait dans ses bras. Encore un gagnant du sweepstake de l'intimité instantanée. Mary Rose est restée sur la ligne de touche avec un grand *latte* sans mousse et sans humour.

Tout en ayant le sentiment de faire figure de rabat-joie en sa présence – d'être le spectre qui assiste au banquet, le fantôme de Banquo assassiné –, Mary Rose était fière de l'entregent exceptionnel de sa mère. Des agentes de bord lui envoyaient des photos de leurs bébés. Des policiers lui souriaient, elle obtenait quelques dollars de rabais sur tous ses achats.

— Vous n'avez pas quatre-vingts ans! s'est exclamé le jeune homme.

— Quatre-vingt-un, en fait, a déclaré Dolly avec une feinte solennité.

Il lui a raconté qu'il avait été très proche de sa grand-mère, qui était venue des Philippines et avait élevé cinq enfants derrière le comptoir d'un dépanneur. Dolly lui a confié que son père avait parcouru l'arrière-pays du Cap-Breton à dos d'âne pour vendre des articles de mercerie et qu'il s'était enfui avec sa mère pour l'épouser. Le jeune homme en avait les larmes aux yeux. Sans le dire, Mary Rose a songé : « Tu veux un motif de pleurer, mon pote ? Je vais t'en donner un, moi : elle avait seulement douze ans, ma grand-maman. »

Le jeune homme s'est éclipsé et est revenu avec la version *grande* de la mini-tasse – encore une chose : chez Starbucks, Dolly avait droit au service à la table. Mary Rose a jeté un coup d'œil à la concoction rayée comme une canne de bonbon et s'est demandé si elle saurait reconnaître les premiers signes d'un choc diabétique. Et si sa mère sombrait dans le coma ? S'effondrait ? Morte dans un Starbucks ? *Je peux avoir votre prénom pour la pierre tombale ?*

— Je m'appelle Daniel, O.K. ? Si je peux faire quelque chose pour vous, vous n'avez qu'un mot à dire.

Il est reparti et Dolly s'est penchée d'un air confidentiel sur son minaret de crème fouettée.

— Il est gay, ce jeune homme, non ?

— En effet, maman. C'est plus que probable.

— Je t'aime, *doll*.

Mary Rose s'est sentie coupable de ne pas être attendrie et heureuse. Au lieu de fleurir en formant un sourire, son visage est devenu carrément soviétique, à la mode pré-glasnost. Elle avait conscience d'être le portrait tout craché de Brejnev, mais elle n'y pouvait rien. En fouillant dans son sous-sol, elle finirait peut-être par trouver la boîte marquée ATTENDRIE ET HEUREUSE. Mais qui sait ce qu'elle risquait aussi de trouver là, en bas ? Elle n'avait pas le temps de tout trier. *Nyet*. Elle a hésité. Devait-elle troubler la paix ? Le jeu en valait-il la chandelle ? Par ailleurs, c'était sa mère qui avait abordé le sujet, signe peut-être qu'elle souhaitait en discuter. Question de fournir les détails manquants. Au cinéma, c'est la poignante conversation qui conduit inéluctablement à la réconciliation finale.

— Tu as eu du mal à... en arriver là.

Sa voix était robotique, même à ses propres oreilles.

Dolly la dévisageait d'un air hésitant.

— Ah bon ?

La tête penchée, façon Daisy.

Les expressions de Dolly étaient souvent des caricatures d'expressions réelles, un peu comme si elle était perpétuellement en mode clownesque. Plus grande que nature. Mais, s'est demandé Mary Rose, où est le problème avec la grandeur nature ? Que reste-t-il une fois que les tambours et les trompettes se sont tus, que le maître de piste a posé son porte-voix ? Une fois que la danseuse a retiré les chaussures rouges de ses pieds en sang ?

— Oui, a dit Mary Rose.

— Pourquoi ? Qu'est-ce que j'ai fait ?

Cette table de café était à des années-lumière de la table de cuisine d'antan, et pourtant Mary Rose se sentait encore… anesthésiée. Sans doute une émotion considérable s'accumulait-elle quelque part en elle – tels les fluides dans un cadavre.

— Tu as refusé de mettre les pieds chez moi. Tu te souviens ?

Elle a eu l'impression de mentir. Non pas parce que les mots qu'elle prononçait n'étaient pas fidèles à la vérité, mais bien du simple fait de les proférer enfin.

— Et tu as refusé de recevoir Renée chez toi. Tu te souviens ?

Dolly semblait perplexe.

Table de café, table de cuisine, table d'opération… comme dans une chanson de *Sesame Street… L'une de ces tables n'est pas comme les autres.*

— Tu as dit des choses cruelles, a poursuivi Mary Rose.

Elle avait les mains froides. Elle était tombée dans un trou glacial creusé dans le temps.

— Ah bon ? Quoi, par exemple ?

Je préférerais encore que tu aies le cancer.

Rien ne servait de proférer les mots. Ce n'étaient que des sons qui blesseraient inutilement sa mère.

Je ne t'ai pas nourrie avec de la merde.

— Maman ?

— Oui, *doll* ?

Dolly s'est penchée et a mis sa main au centre de la table. Brune et toujours lisse, une vieille main, désormais, aux veines exquises. Une main qui a beaucoup travaillé, mais est restée délicate. Mary Rose aimait cette main. C'était comme une tout autre mère. Comme si sa mère avait deux visages et que cette main était l'un d'eux. Le vrai. Que disait-il ? Se souvenait-il ? Soudain, Mary Rose était de nouveau vivante ; elle n'était plus une marionnette ensorcelée, elle avait une grosse boule dans sa gorge en chair et en os. Elle aurait voulu poser son visage sur cette main, sentir la paume se retourner et tenir sa joue, soutenir le poids de sa tête. Des larmes lui sont montées aux yeux, mais, plutôt que de couler, elles sont restées sur place, lentilles liquides qui semblaient avoir pour rôle d'affiner sa vision, car c'est alors qu'elle a remarqué :

— Où est ta pierre de lune, maman ?

Dolly a baissé les yeux sur sa main, soudain alarmée.

— Sapristi !

Elle s'est penchée pour jeter un coup d'œil sous la table – mille calories ont alors jailli de sa tasse – et elle est venue bien près de renverser sa chaise.

— Maman !

— J'ai dû la laisser tomber.

— C'est bon, je vais regarder.

Mary Rose s'est levée, balayant déjà le sol des yeux.

Le garçon s'avançait vers elles.

— Vous avez perdu quelque chose ?

— Ça va, a répondu Mary Rose.

— Non, ça ne va pas ! s'est exclamée Dolly, dont le cri a transpercé le cœur de Mary Rose.

À sa grande stupéfaction, elle s'est rendu compte que tout ce pathos risquait de la faire sangloter ; la bague en pierre de lune que son père avait offerte à sa mère en Allemagne durant les années bénies, les années du Rhin et des roses… roulant sur le sol du Starbucks. Ou logée dans une fissure du trottoir entre la maison et ici, remontant, remontant, remontant toujours… Mary Rose s'est mordu l'intérieur de la joue et a cligné des yeux pour faire disparaître la tache indistincte.

— Qu'est-ce que vous avez perdu ? a demandé l'adorable et gay Daniel.

— Ma bague ! a gémi Dolly. Mon mari m'en a fait cadeau à la naissance de notre fils.

— C'est un objet très spécial, alors.

— Spécial ? Il est *mort*.

Dolly était comme une élève de première année demandant de l'aide pour déterminer la nature et l'intensité de ses émotions. *C'est trop, là? Et si ça débordait sur le chemin du retour à la maison?*

— Je suis désolé. Mais si vous me laissez votre numéro et que quelqu'un la trouve, je vous promets de…

Déjà, Dolly vidait son sac sur la table. Mary Rose a détourné le regard, le gris dans l'âme, et s'est dirigée vers la porte, les yeux rivés au sol, incapable de supporter la détresse sincère de sa mère, désespérée de retrouver l'objet – pierre tombale d'un bébé mort depuis longtemps et devenu herbe, sur une autre terre, de l'autre côté de l'océan. À présent, elle était perdue et le génie était sorti de la lampe. Le souvenir parcourait le café en tous sens, à la manière d'un oiseau cherchant une issue, se cognant contre la vitre… *Bang, bang!*

— Je l'ai!

Mary Rose s'est retournée. Sa mère brandissait la petite boîte en velours gris en souriant largement.

— Elle était dans mon sac!

Daniel a pris Dolly dans ses bras et elle l'a serré contre elle en lui flattant le dos comme à un bébé.

Marie-Rose est revenue à la table, singulièrement épuisée, visitée une fois de plus par la sensation qu'une moitié d'elle-même avait cessé de fonctionner. Celle qui avait de l'humour. *L'humourus.* C'est elle qui aurait dû enlacer sa mère si énergique, l'accompagner dans ses hauts et ses bas; après tout, une diva n'est jamais qu'une martyre extrovertie. Mary Rose, cependant, était friable. Un sac d'os. Elle s'est assise. *Shclink*, ont fait ses os.

Avec le bras, Dolly a balayé dans son sac tous les objets étalés sur la table. Le dépliant intitulé *Vivre avec le Christ* a atterri sur le sol. Mary Rose s'est penchée pour le ramasser, en même temps qu'une petite enveloppe pour l'«offrande du dimanche» qu'elle a glissée à l'intérieur. Elle s'est demandé combien il y avait dans cette enveloppe et comment sa mère conciliait son soutien pour son église et son amour pour «toi et tes amies, en particulier».

Daniel s'est éclipsé après avoir épongé le gâchis. Mary Rose a vu Dolly glisser la bague à son doigt. *Chez elle.* Puis sa mère a mis sa main tiède sur la main froide de sa fille et a dit:

— Maintenant que j'y pense, c'est vrai qu'elle a été difficile, cette période.

— Oui.

— Surtout pour toi, tu étais tellement jeune.

— Exactement.

— J'avais tellement peur.

Mary Rose était sidérée. Elle était dans la réalité, en fin de compte. Grâce à sa mère. Sa mère, coiffée de son béret écossais à motif léopard, entrant dans la chambre d'hôpital de Mary Rose, arrangeant tout… Elle a essayé de ne pas broncher.

Ensemble, sa mère et elle avaient franchi la distance qui les séparait d'un monde dans lequel les gens appelaient un chat un chat et aimaient leurs enfants et regrettaient de leur avoir fait du mal et leur disaient *je te vois*. Effrénée, Mary Rose a cherché en elle-même la sensation appropriée, mais elle n'a trouvé que des bosses et des produits comestibles avec une barbe de gel. Elle en a saisi un au hasard et l'a posé sur le comptoir pour le laisser décongeler. Elle découvrirait plus tard ce qu'elle ressentait ; l'important, dans l'immédiat, était d'assister en témoin à…

— Je comprends, maman. La peur de l'inconnu.

À son tour, elle a serré la main.

— Peur de l'inconnu, mon cul ! Je savais très bien de quoi j'avais peur. J'avais peur de te faire du mal.

— Tu… Tu m'as fait du mal.

— Ah bon ?

Mary Rose a hoché la tête.

Dolly a froncé les sourcils.

— C'est ce qui est arrivé à ton bras ?

— Quoi ? Non, maman. Je voulais parler des blessures émotives.

— Oh, a fait Dolly, pour qui cette idée semblait inédite. Tu étais trop jeune pour te souvenir de tout ça.

— Je n'étais pas trop jeune.

— Tes souvenirs remontent jusque-là ?

— Oui.

Dolly semblait légèrement perturbée, à la façon de celle qui se remémore ses épreuves dans la quiétude.

— Je ne savais pas quoi faire, je ne savais pas vers qui me tourner ; certains jours, je n'arrivais pas à me lever du canapé et tu pleurais si fort…

— Quand est-ce que je pleurais, moi ?

— Tu pleurais tout le temps ! Des fois, j'étais tellement furieuse que je me levais et je fonçais vers toi, et là je me flanquais une peur bleue, alors je me recouchais et tu t'arrêtais de pleurer et là j'avais vraiment peur…

— Je ne pleurais pas, maman. Ce n'était pas mon genre. Je ne sais pas de quoi tu veux parler.

— Ne viens surtout pas me dire que tu ne pleurais pas, je passais mes grandes journées avec toi et tu *pleurais*. Et tu courais partout, j'avais peur que tu te cognes à cette vitre…

— Je ne vivais même pas à la maison, maman.

Sa mère avait officiellement perdu la tête. C'était la faute de Mary Rose, aussi, avec sa manie de déterrer de mauvais souvenirs, de torturer Dolly pour une transgression qu'elle avait déjà amplement expiée à grand renfort d'amour et de cadeaux et de volubilité, *Dieu vous aime, toi et tes amies, en particulier…* Cet après-midi, elle allait ramener sa mère en état de détresse gériatrique. Pauvre papa.

— Tout va bien, maman. Tu veux un autre mélange aux cannes de bonbon ?

— Nom de nom, Mary Rose. Je suis tout embrouillée, à cause de toi. Je te parle de l'époque où je suis sortie de l'hôpital, après la naissance d'Alexander ! De quoi me parlais-tu, toi, pour l'amour du temps ?

— Oh ! Tu voulais parler de cette période sombre là !

— Oui, de « cette période sombre là ». De quelle « période sombre » voulais-tu parler, toi ?

La vieille Dolly était de retour. Tirait à boulets roses.

— Laisse tomber.

— Y a pas de « laisse tomber » qui tienne ! Dis-moi.

Vestige fugace de la férocité ancienne.

— Je parlais de… l'époque où je me suis confiée à papa et à toi.

— Et tu nous as confié quoi ?

— Que j'étais lesbienne.

Le mot était là, dans toute son ignominie écailleuse.

— Ah! Ça!

Dolly a ri.

— Tu as dit que tu aurais préféré que j'aie le cancer.

Dolly a hésité.

— J'ai résisté avec tant de véhémence, Mary Rose?

Mary Rose a hoché la tête.

Le front de Dolly s'est plissé. Elle a secoué la tête lentement, avec regret, puis elle a dit:

— Je ne m'en souviens pas.

Elle a regardé la vitre, derrière Mary Rose, comme si le souvenir, libéré depuis peu, avait des chances de surgir de l'autre côté de la fenêtre avant de s'enfuir au galop. Puis elle a tourné ses yeux liquides vers sa fille, a semblé s'enfermer avec elle dans une grotte, dans une sorte d'obscurité sacrée, aussi proche d'un câlin que Mary Rose pouvait le supporter de la part de sa mère, et a dit avec une note de sincère ahurissement:

— Je suis désolée, Mary Rose.

Daniel les a interceptées devant la porte et a offert à Dolly un bon-cadeau lui donnant droit à «une boisson de votre choix dans l'un ou l'autre de nos établissements».

— Comme c'est gentil!

— Désolé pour votre mari, Dolly.

— Mon mari? Qu'est-ce qu'il a, mon mari?

Pour la première fois, Daniel a semblé perdu. Il s'est tourné vers Mary Rose, mais elle lui a servi un regard de pierre. *Retourne auprès de ta maman qui t'aime, espèce de mauviette, et arrête de lécher les bottes de la mienne. Elle utiliserait tes couilles comme appuie-livres.*

Il s'est retourné vers Dolly.

— Je croyais que vous aviez dit qu'il était décédé.

— Mon fils, pas mon mari!

Dolly a récité sa réplique sur le ton d'une chute comique et a fourni ses propres rires.

Dans la rue, Mary Rose lui a tendu le bras gauche et Dolly y a glissé le sien.

— De quoi avais-tu peur, maman?

— Quand ça?

— Quand j'étais bébé.

— J'ai consulté un psychiatre.

Mary Rose s'est arrêtée tout net. Cette nouvelle était plus surprenante encore que la solidarité nouvelle de sa mère avec la Queer Nation.

— Ah bon?

— J'ai dit au docteur que j'avais peur et il m'a suggéré de voir un psychiatre. Alors je l'ai fait. À Munich.

Mary Rose avait conscience d'observer un ton neutre. Elle ne voulait surtout pas effaroucher sa mère, l'éloigner du sentier dans lequel elle s'était engagée par accident. Était-ce ainsi que le phénomène se produisait? Certains conduits nerveux étaient occultés, tandis que d'autres étaient révélés au grand jour? *Un psychiatre?* Sa mère aurait tout aussi bien pu lui dire que son père travaillait au noir comme trapéziste. Ses parents venaient du Cap-Breton. Ils n'allaient pas chez les « psys ».

— Papa était au courant?

— C'est lui qui me conduisait.

La phrase a fait réfléchir Mary Rose – dans son esprit, un oiseau s'est posé sur une brindille, puis il a redécollé avant qu'elle ait pu l'identifier.

— Ça t'a aidée?

— Oh, sans doute.

— Pourquoi?

— Eh bien, on est là.

Elles étaient devant Wiener's Home Hardware.

— Papa voulait quelque chose?

Il avait annoncé son intention de remplacer le coupe-froid de la porte qui s'ouvrait sur la terrasse. *Tu chauffes le dehors!* Devrait-elle acheter un produit de calfeutrage? Et un pistolet à calfeutrer? Elle devrait s'en occuper elle-même. Ce n'était sûrement pas sorcier, tout de même.

— Je ne pense pas, a répondu Dolly. Tu as besoin de quelque chose?

— Non, je croyais que c'était toi qui voulais quelque chose. Tu as dit : « On est là. »

Dans la vitrine, à côté de sacs de sel et de sable pour la chaussée, la scène créée pour la période des Fêtes n'avait pas encore été démontée : un ours en peluche jouait les conducteurs à bord d'un train miniature sillonnant un village d'antan sous la neige.

— Exactement, a dit Dolly.

Le père Noël buvait du coca-cola.

— On n'est pas là.

— Mais si.

— C'est une quincaillerie, maman. Nous allons à la boutique de soutiens-gorges.

— Je ne voulais pas dire qu'on est *là*, je voulais dire qu'on est *ici*. La démence était-elle contagieuse ? L'œuf ou la poule ?

— Où ça, ici, maman ?

— Ici !

Dolly a libéré le bras de Mary Rose et a agité les mains pour indiquer un état général d'*ici*-itude. Mary Rose a eu un bref élancement dans son bras, un bruit métallique dans son cerveau, qui s'est dérobé comme le sol d'une baraque de foire.

— Je n'étais pas douée pour avoir des bébés, a dit Dolly.

Sa mère semblait avoir une fois de plus changé d'aiguillage, mais celui-ci, au moins, était familier. Mary Rose a pris une profonde inspiration et a senti sa poitrine se bloquer, comme si un objet y était coincé – la quincaillerie avait peut-être un outil qui permettrait de la déloger, un genre de pince à levier.

— En route, maman.

Peut-être aussi faisait-elle une crise cardiaque – chez les femmes, les maladies coronariennes passaient souvent inaperçues. Quels étaient les symptômes, déjà ? En rentrant, elle ferait une recherche dans Google. Sur le trottoir encombré, elles se sont remises en route. Des pigeons donnaient de petits coups de bec devant elles, des volutes d'encens douceâtres et excessives émanaient de la boutique Indra Crafts, l'autochtone au foulard est passé en sautillant d'un air libre mais décidé, son chien marchait à côté de lui, sans laisse. De l'autre côté de la rue qui grouillait de voitures, les tourbillons au néon d'Honest Ed's bénéficiaient toujours du soutien de couronnes et d'anges clignotants. Dehors, une queue s'était formée, des femmes en sari et en parka, des gens de tous les horizons, les visages les plus foncés parmi eux quelque peu atténués par les ternes habits d'hiver. Tous attendaient de profiter des aubaines du jour. Des pois chiches peut-être, des serviettes ou de la dinde, du dentifrice, tout à un dollar quatre-vingt-dix-neuf.

— « Entrez vous perdre ! » a lu Dolly.

Sans crier gare, elle s'est engagée au milieu des voitures qui envahissaient Bathurst Street…

— Maman !

— Pas la peine de m'accrocher comme ça, Mary Rose !

— Tu dois attendre le feu vert.

— Se faire faire la leçon par ses enfants !

Mary Rose a fait fi de la gifle feinte, le feu est passé au vert et elles ont traversé.

— « Secrets From Your Sister », a lu Dolly.

Devant la porte, Mary Rose a une fois de plus arrêté sa mère, plus délicatement cette fois, en posant sa main sur son avant-bras.

— De quoi avais-tu peur, maman ?

— J'avais peur de te faire du mal, a répondu Dolly comme si c'était l'évidence même, comme si elles en avaient déjà parlé.

— Me faire du mal comment ?

Dolly, le front plissé sous l'effort, a gesticulé avec sa main droite. On aurait dit qu'elle cherchait à encourager une chose, tentait de raviver un souvenir et de l'habiller de mots…

— J'avais peur…

— De quoi avais-tu peur ?

— J'avais peur de mes mains.

Elle a prononcé les mots d'un air perplexe, comme si elle venait de découvrir un objet au fond d'un tiroir, un objet qu'elle ne se rappelait pas avoir égaré.

Elle est entrée dans la boutique, Mary Rose sur les talons.

Une jeune femme avec des baguettes dans les cheveux a entraîné Dolly à l'écart. Mary Rose les a entendues rire et bavarder dans une salle d'essayage, au fond, tandis que deux autres jeunes femmes allaient et venaient avec des tailles et des modèles différents. Les rires se sont transformés en murmures et Mary Rose a saisi quelques mots : « Je ne pleure pas, moi, alors ne pleurez pas… »

Une demi-heure et un ajustement plus tard :

— Votre maman est extraordinaire.

— J'adore votre maman.

Retour à la maison.

Souper.

Thé.

Dolly est sortie marcher de nouveau sans prévenir, s'est perdue et a été ramenée à la maison par un autre « charmant jeune homme ».

Scrabble.

Dolly a placé deux lettres pour un total de trente-sept points – l'origami du Scrabble. Mary Rose a casé VIOLONS et obtenu la bonification de cinquante points. Dolly a gagné.

Après s'être assurée que ses parents étaient confortablement installés dans la chambre d'amis, Mary Rose est montée.

Les élucubrations de sa mère étaient la preuve la moins fiable qui soit : des témoignages oculaires. Qu'est-ce que ça changeait, au fond ? Ses parents étaient vieux. Ils avaient atteint leur altitude de croisière. De quel droit Mary Rose se permettait-elle de gâcher leur voyage en éructant des questions issues du passé ?

Elle s'est couchée et a tendu la main vers *Les origines du totalitarisme.*

Mais elle ne s'est pas assoupie. Elle était au contraire… vibrante. Pas à cause d'Hannah Arendt. *Le thé.* Ses parents buvaient du thé comme de l'eau et dormaient comme des bébés.

— Tu crois qu'ils ont assez chaud, en bas ?

— J'ai mis la chaufferette dans leur chambre, a dit Hil.

— Je ne voudrais pas qu'ils prennent froid.

Il y avait, dans le casse-tête, une pièce manquante qui la tourmentait : pourquoi son père était-il resté les bras croisés pendant les dix ans au cours desquels sa femme avait passé son temps à maltraiter leur fille ? Son silence vitreux, ses regards détournés.

J'avais peur de mes mains.

— Donc, elle avait déjà essayé de te tuer.

Hilary, assise dans le lit, hydratait ses pieds.

— Elle n'a pas essayé de me tuer, justement.

Déjà, elle regrettait d'avoir parlé de tout ça à Hil.

— Elle avait peur de ses pensées.

— Elle se voyait te faisant du mal.

— Elle… Je ne sais pas ce qu'elle voyait.

— C'est un symptôme de dépression.

— Je ne suis pas dépressive.

— Je parlais de ta mère. Elle souffrait probablement de dépression post-partum. Inévitable dans sa situation.

Mary Rose n'avait jamais entendu ses parents utiliser le mot « dépression » sans le faire précéder des mots « la grande ».

— Ouais, évidemment, c'est… rempli de bon sens.

— Je pense que c'est ce qui m'est arrivé après la naissance de Matthew, a dit Hil.

— Mais… nous l'avons adopté.

Danger des temps d'arrêt : les confessions. L'intimité. *On peut se remettre au travail, peut-être ?*

— Ça n'a pas d'importance, a dit Hil.

— Tu… te voyais lui faire du mal ?

— Je me voyais m'en prendre à moi-même.

— Doux Jésus. Moi qui croyais que tu étais en psychothérapie parce que je te rendais folle.

— En fait, je pense que ça n'avait rien à voir avec toi.

— Oh. Et tu vas aussi me dire que je ne suis pas responsable du changement climatique et de la crise au Moyen-Orient, je suppose ? Je ne suis pas certaine de pouvoir encaisser autant de santé mentale. C'est mortel pour mon ego.

Hil s'est penchée, lui a posé un petit bisou sur les lèvres et a rangé la lotion pour les pieds ultrariche dans le tiroir de sa table de nuit. Apercevant du coin de l'œil le vibrateur fuchsia en forme de dauphin, Mary Rose a demandé :

— Tu veux que je te masse le dos ?

— D'accord, a répondu Hil, surprise.

Et elle s'est endormie au bout de cinq minutes. À propos des rapports sexuels, Mary Rose, depuis un certain temps, se demandait jusqu'où elle accepterait de descendre. Elle est restée immobile, consciente de la généreuse maturité dont elle faisait preuve en n'en voulant pas à Hil de s'être endormie. Hil travaillait beaucoup. Elle avait besoin de repos.

— Hil? Tu dors?

— Hm? Désolée.

— Ça va.

— Je… Tu n'arrives pas à dormir? Excuse-moi, bébé, je n'ai pas la tête à ça quand nous avons des invités.

— Tu veux dire que la présence de mes parents dans la chambre d'amis n'agit pas sur toi comme un aphrodisiaque?

Hil a ri.

Mary Rose a poursuivi:

— C'est bizarre, mais, pour moi, c'est le contraire. Mes parents avaient peut-être raison, en fin de compte: je *suis* malade.

— Arrête.

— Quoi? C'est drôle, j'essayais… d'être drôle.

— Ce n'est pas drôle. Viens là.

— Quoi? Non, pas si tu n'en as pas envie.

— J'en ai envie.

— Tu n'es pas obligée, tu sais. Pas pour me faire plaisir.

— Pourquoi est-ce que je ne voudrais pas te faire plaisir?

— Parce que…

— Je t'aime, je veux te faire plaisir.

Elle a attiré Mary Rose sur elle et lui a mordu le cou, l'a saisie par les hanches, a commencé à se tortiller sous elle.

— Je préférerais que tu en aies envie, a dit Mary Rose.

— J'en ai envie.

— … Pas moi.

— Bon, tu n'es pas si «malade» que ça, en fin de compte, a dit Hil en roulant sur le côté.

— Ne te fâche pas. Tu es fâchée?

— Non, Mister, je ne suis pas fâchée, j'ai… de la peine pour toi.

Au bout d'un moment, Mary Rose a noté la cadence paisible du sommeil du côté du lit occupé par Hil.

— Hil? Pourquoi as-tu dit qu'elle avait «déjà essayé de me tuer»?

Hil s'est réveillée en reniflant et a dit:

— Quand tu es sortie du placard, elle a essayé de te tuer.

— Non.

— Elle a dit qu'elle aurait préféré que tu aies le cancer, que tu sois morte, que tu t'étouffes avec de la merde…

— Pas que je m'étouffe…

— Elle t'a maudite.

— Justement. Elle n'a pas essayé de me « tuer ».

— Génial.

Un petit coup sur le duvet, nouveau roulement de côté.

— Pourquoi es-tu méchante, maintenant ?

— Excuse-moi, c'était méchant, tu as raison, je voulais juste…

Hil s'est retournée vers elle et a soulevé sa tête en l'appuyant sur sa main.

— Ils ont été cruels envers toi. Il y a des jeunes qui se suicident pour ce genre de choses.

— Oui, bon, je ne me suis pas tuée, moi, et ça change tout : je suis là. Elle ne m'a pas poignardée, n'a pas chargé quelqu'un de me balancer dans le canal.

— Non, elle a été une mère merveilleuse. Et je suis sûre que ton père aurait dit non à un crime d'honneur.

— Pourquoi t'en prends-tu à ma mère, tout d'un coup ? Elle a plus de quatre-vingts ans et elle joue par terre avec les enfants. Elle fonce dans les eaux glacées de l'Atlantique comme une gamine. Elle apporte des cadeaux et elle envoie des cartes et elle prie sans arrêt pour nous et elle te trouve merveilleuse. Ma mère n'est pas snob, au moins.

Hil s'est contentée de la dévisager.

— Excuse-moi, a dit Mary Rose.

Hil s'est levée et est entrée dans la salle de bains en ayant soin de fermer la porte sans bruit.

— Hil ? Je suis désolée, Hil. Hil ?

Patricia n'était pas snob. Oui, elle l'était, mais avec gentillesse. Au moins, Mary Rose n'avait pas utilisé le mot « ivrogne ».

La porte de la salle de bains s'est ouverte brusquement et Hil est réapparue.

— Sors d'ici.

— Comment ça, « sors d'ici ». Qu'est-ce que tu racontes ?

Mary Rose a tout de suite compris que c'était grave parce qu'Hil ne pleurait pas et qu'elle-même s'exprimait à la manière d'un robot coupable. Elle se sentait engourdie, savait qu'une moitié de son cerveau était éteinte – elle s'est même demandé si un scan montrerait les parties éclairées et celles qui étaient plongées dans le noir. Où était l'interrupteur? Sa bouche métallique a dit:

— Ne sois pas hystérique, Hil.

Hil a fourré son poing dans sa propre bouche.

— Hil, a supplié le robot, ne te mords pas la main.

Le robot a tenté de tirer sur la main…

Paf!

— Ne me touche pas!

— Ne crie pas, Hil, s'il te plaît.

En sifflant, les yeux exorbités, Hil a dit à travers son poing:

— Sors, sors, sors…

— Bon, bon, j'y vais.

Mary Rose a passé la nuit sur le lit gigogne de Matthew et s'est réveillée avec l'impression qu'on avait fait tournoyer un chat dans son corps. Les choses auraient pu être pires. *Qu'est-ce que tu as reçu pour Noël? Un divorce.*

Ayant réussi à différer la sieste de Maggie jusque dans l'après-midi, Mary Rose entre en catimini dans la chambre de Matthew et étale ses tenues Baby Gap toutes neuves sur son lit, leur fait prendre des poses «vivantes». Puis elle va le chercher.

Il regarde fixement.

— Qui c'est?

— Ce sont tes nouveaux vêtements.

— Il est où, Jeannot?

— Juste là.

Elle montre le lapin en peluche qu'elle a niché dans les bras d'une chemise de rugby à rayures.

D'un air solennel, il tire Jeannot des griffes de l'enfant «fantôme» et glisse son pouce dans sa bouche.

— Ce n'est pas l'heure de sucer son pouce, Matthew, mon trésor. Si tu es fatigué, tu peux faire un dodo.

— Non, je peux pas à cause de tous ces enfants sur mon lit.

— Ce sont des vêtements, Matthew.

Elle les ramasse et les plie avant de les ranger dans les tiroirs.

Il l'observe.

— Matt, mon lapin, en ce moment, tu me montres que tu es trop fatigué pour faire autre chose que sucer ton pouce.

Silence. Il la dévisage.

— Tu sais quoi, mon trésor ? J'ai oublié de te montrer le plus beau. J'ai réparé ta licorne.

Elle attire son attention sur le rebord de la fenêtre, où la minuscule créature de verre se tient debout, la cicatrice laiteuse sur son cou constituant la seule indication de sa récente décapitation. Elle la remonte et la licorne amorce sa lente pirouette, pose sa question en tintant. Il la fixe.

— Pourquoi tu ne te couches pas avec Jeannot et je t'appellerai quand ce sera l'heure de regarder *Diego* ?

Il retire abruptement son pouce de sa bouche, laisse tomber Jeannot par terre et sort en lui marchant dessus sans ménagement.

— Matt ?

— Je suis pas fatigué, dit-il sans se retourner.

Maggie se réveille, Mary Rose la change, elle lui met ses bottes et son blouson, attend que Matthew enfile les siens, puis ils sortent et s'engagent dans la rue et puis et puis et puis elle patauge dans les conjonctions jusqu'au parc, faisant fi des protestations de Maggie :

— Je veux pas aller au parc, mama. Pas parc. Non, non, moi pas parc !

La boue a formé des zébrures en gelant. Deux ou trois petits enfants jouent, tandis que deux nounous surveillent mollement le carré de sable à côté d'un père en chair et en os qui, en raison de son enthousiasme modéré et de son rythme pondéré, est forcément un parent à la maison. Il n'arbore ni la jubilation compensatrice du divorcé ni la distraction étudiée du il-se-trouve-que-je-travaille-à-la-maison-aujourd'hui. Il ne montre rien, même son manteau est une version de la veste en duvet réglementaire de Mary Rose, c'est dire à quel point il a adopté le terne plumage de la femelle. Mary Rose est la seule maman.

— Salut, dit-elle.

Le papa la salue d'un geste de la tête, les nounous la regardent avec méfiance, de crainte peut-être qu'elle soit une agente d'immigration. Les enfants jouent à se jeter du sable dans les yeux. *Hurlements.* Cinq minutes tranquilles de catégorisation des pelles et des tamis selon les préceptes de l'école Montessori, suivies de coups de pelle sur la tête. *Cris.*

— Maggie, viens aider mama à faire un château de sable.

Des crottes de chat dans un tamis. Matthew assemblant des camions et des pelleteuses provenant d'univers différents. Quinze minutes. Maggie sur la glissoire, Maggie sur la balançoire. Maggie tombant sur le béton de la pataugeoire vide.

— Encore cinq minutes, les enfants!

Matthew n'est pas du tout disposé à renoncer à son chantier routier. Maggie nulle part en vue! Retrouvée en train de faire des glissades dans le tube orange incliné.

— Je veux pas aller à la maison, mama. Pas maison. Non, non, moi pas maison! NON!

Ses pieds qui tournent comme une scie circulaire lorsque Mary Rose la soulève.

— Laisse le camion dans le carré de sable, Matthew. Il n'est pas à toi, mon lapin.

Il lance le camion.

— Pourquoi tu peux pas m'acheter un frère?

De retour à la maison, elle les aide à retirer leurs habits d'extérieur, puis elle leur prépare des chocolats chauds, puis elle éponge la boisson dessus à côté dessous sur avant et après etpuisetpuisetpuis elle sombre dans ce rythme prépositionnel qui s'étire de jour en jour… D'ailleurs, on est quel jour, aujourd'hui? Quel mois, quelle année? Regardez, c'est le calendrier peint avec le pied qui se sert des morts pour produire des tulipes. Avril. Jeudi. Le cinq. Elle cligne des yeux… Cette semaine passe en coup de vent. C'est ça, oui, Hil a son avant-première demain soir.

Un texto de Gigi.

Tu as eu mon message, Mister? C'est encore meilleur le lendemain – je peux passer?

Avant de répondre, elle va devoir écouter les messages sautés et établir de quoi Gigi veut parler. D'un autre côté, elle doit se défiler.

Ce serait bien, mais je me couche tôt, ce soir, mal à la gorge.
xomr

Ce n'est pas un mensonge, car elle aura effectivement mal à la gorge si elle ne se couche pas tôt, ce soir – l'élimination de la sieste du matin commence à avoir des effets délétères sur elle, sinon sur Maggie.

Elle compose le numéro.

— Salut, maman.

— Tu es là! As-tu reçu le…

— Non. La livraison du courrier est suspendue.

— Encore? Et Hilary?

— Elle est à…

En disant à sa mère qu'Hilary est à Calgary, et non à Winnipeg, risque-t-elle de provoquer l'amorce d'une nouvelle boucle? Comme sa mère ne se rappelle même pas qu'Hilary est partie, elle peut tout aussi bien s'en tenir à la vérité.

— Elle est à Calgary.

— Qu'est-ce qu'elle fabrique là-bas?

Soupir.

— Je croyais te l'avoir dit. Elle met en scène *L'importance d'être Constant.*

— Tu m'as dit que c'était à Winnipeg.

— … Ah bon?

— C'est là que ta sœur est née.

— Maureen est née au Cap-Breton, maman.

— Pas Maureen. L'Autre Mary Rose!

Difficile de déterminer l'aspect le plus saisissant: le fait que sa mère a dit «ta sœur» pour parler de l'«Autre Mary Rose» ou le ton vaudevillesque sur lequel elle a prononcé ces paroles.

— Ah oui, c'est vrai. Merci, maman.

— Elle est née morte.

— Je sais, maman. Papa est là? Je dois savoir quand vous arrivez.

Arrête. Pour l'amour du Christ, Mary Rose, ne te laisse pas tromper par le ton de la voix, c'est une vieille femme, elle sombre peu à peu dans la démence, ses manières ont beau être désinvoltes, les mots, les mots...

— Laisse-moi aller chercher mon sac à main.

— Maman ? Avant que tu partes chercher ton sac...

Vas-y, robot.

— Tu as dû beaucoup souffrir.

— Quand ça ?

— Quand tu as perdu l'Autre Mary Rose.

— Oh... Eh bien, tu sais, je me suis arrêtée à la Baie d'Hudson en rentrant, je n'allais pas très souvent à Winnipeg, et la vendeuse a dit : « C'est pour quand ? » et j'ai répondu : « Le bébé est mort », elle s'est mise à pleurer et j'ai dit...

— Tu l'as tenue dans tes bras ?

— Tenue ? Non, non.

— Que... Qu'est-ce qu'on a fait d'elle ?

— On l'a incinérée, j'imagine, écoute bien, nous nous arrêtons le sept à onze heures, tu as un *silo* ?

Mary Rose marque une pause, laisse son néocortex démêler les deux éléments de la phrase que sa mère vient de prononcer, car, à entendre Dolly, on aurait pu croire qu'ils étaient intimement mêlés, alors que, en réalité, ils sont aussi différents l'un de l'autre que... Winnipeg de Calgary.

— Tu es toujours là ?

— Oui...

— Nous prenons le train aujourd'hui.

— Aujourd'hui ? !

— Nous arrivons le sept.

— O.K., attends.

Où est son agenda ?

— Maggie, ma puce, tu as vu le gros livre de mama ?

— Coucou, Maggie ! hurle Dolly dans l'oreille de Mary Rose.

Au même moment, on entend un fracas et Matthew se met à pleurer.

— Maggie ! crie-t-elle avant même de s'être retournée.

Cette fois, cependant, c'est Daisy, en général d'une grande délicatesse en présence des jouets et des orteils. Sa patte arrière traîne-
t-elle un peu? Dolly entonne une chanson :

— *Un, deux, trois, quatre, ma petite vache a mal aux pattes…*

Maggie tend la main vers le téléphone.

Où est son agenda? Il contient sa vie tout entière. Que faisait-
elle avant que sa mère téléphone?

— Quand votre train arrive-t-il, maman? Le sept?

— Exactement. Non, attends, c'est le onze.

Matthew pleure.

— Sept, deux, un, deux, deux, deux! crie Maggie en essayant
d'ouvrir la porte du lave-vaisselle.

Mary Rose la retient, attrape un crayon dans le tiroir – la mine
est cassée. Elle en trouve un autre, il est neuf et doit être aiguisé. Elle
prend un feutre parfumé sur la table de bricolage.

— O.K.

Elle se tourne vers le calendrier peint avec le pied et écrit 7 dans
la case marquée 11 avec le crayon qui sent la racinette.

— Exactement, confirme Dolly. Le sept à onze.

— … Tu veux dire à sept heures le onze ou à onze heures le…

— Onze. Hil sera là?

Mary Rose écrit *11* dans la case marquée *7*.

— Non, maman, elle est dans l'Ouest…

— On se voit le onze, alors.

— Le sept… Ne touche pas à ça, Maggie! Matthew, tais-toi,
pour l'amour du ciel.

— Je voulais te la donner l'été dernier.

— Me donner quoi?

— C'est juste une petite chose. Tu l'as cherchée, je pense.

— Tu veux parler du *paquiet*?

— Mieux vaut que je raccroche. Ton père a servi le dîner.

— Ah bon?

Rêve-t-elle? Est-elle morte?

— Papa a préparé le dîner?

C'est à peine si son père sait faire bouillir de l'eau.

— Au revoir, *doll*.

Clic.

Pendant un moment, Mary Rose reste debout dans les décombres du coup de fil. Puis elle se ressaisit et met un DVD des *Télétubbies* dans un lecteur portatif posé sur la table de bricolage et les enfants hurlent de joie à la vue du gros visage de bébé sous le soleil. Ce visage suscite en elle un malaise, il est… comme de la boue. Dans la cuisine, elle allume la radio et syntonise la CBC en se demandant ce qu'elle servira pour souper – une femme de Yellowknife joue *Jingle Bells* avec sa prothèse dentaire et l'Église catholique vient de verser une autre grosse somme à des victimes d'agressions sexuelles, sans toutefois reconnaître sa culpabilité.

— Dipsy, Laa-Laa, Po et Tinky Winky!

Deux jours après sa panne de courant personnelle d'une durée de seize heures sur le canapé de son beau-père à Halifax – d'où elle avait écouté la rumeur du deuxième anniversaire de Maggie au rez-de-chaussée –, elles s'étaient garées, très tard, devant la confortable copropriété de ses parents. Chaque année, Mary Rose prenait la résolution de partir assez tôt pour arriver avant le coucher du soleil, et chaque année elles finissaient par effectuer dans le noir les deux dernières heures de l'épuisant trajet sur une route qu'elle en était venue à surnommer la «route des dangers nocturnes» à cause de la multitude des panneaux sur lesquels figuraient des cerfs qui chargeaient et des orignaux qui fonçaient. Elles avaient ainsi accompli la première portion du trajet qui les ramènerait chez elles, à Toronto, et s'arrêtaient à Ottawa pour passer deux ou trois jours avec Dunc et Dolly.

Elles ont pris les enfants endormis dans la voiture et l'air tiède de la nuit les a frappées de plein fouet avec la force de frangipaniers. Ses parents, rétroéclairés, s'encadraient dans la porte.

— Allô, allô, allô!

Daisy a surgi de la banquette arrière de la familiale avec la force d'un projectile et, en route vers la maison, s'est arrêtée le temps de s'accroupir et de soulager sa vessie. Dolly a réveillé les enfants à force de les embrasser, Duncan a réussi à les devancer et à rentrer les bagages tout seul.

La chienne s'est ruée sur Dolly, dont l'affection tardive pour l'espèce canine était peut-être un autre signe de déclin cognitif – là d'où elle venait, les chiens étaient considérés comme de la vermine.

— Il a faim, vous pensez?

Pour Dolly, tous les chiens étaient de sexe masculin.

Dans la cuisine, Dolly a dit:

— Vous prendrez bien une tasse de thé.

Et elle les a orientées vers une table chargée de victuailles. Elle a été déçue d'apprendre qu'elles n'avaient pas apporté de vêtements sales.

Mary Rose, Hil et les enfants ont passé la journée du lendemain à la pataugeoire avant de faire un saut au Musée des sciences et de la technologie. Après cet après-midi des plus agréables, Mary Rose a accepté avec reconnaissance les «libations» proposées par Duncan qui, pendant qu'elle attendait dans la cuisine, est allé choisir un «remède» approprié dans sa «pharmacie».

Assise par terre, Maggie dévorait le paquet de produits chimiques à haute teneur en fructose à l'effigie de Dora et de Babouche que Dolly lui avait offert une demi-heure avant le souper – non pas qu'il y ait un bon moment pour manger ce genre de choses. Elle s'est demandé si ses parents s'étaient souvenus de l'anniversaire de Maggie – il n'y avait pas le moindre gâteau en vue. Elle a décidé de ne rien dire – une fête d'anniversaire suffisait largement, et Maggie, à deux ans, ne se rendrait compte de rien. Entre le réfrigérateur et le comptoir, une casserole à la main, Sitdy a marché sur Maggie, mais ni l'une ni l'autre n'a semblé remarqué quoi que ce soit. Mary Rose a songé à écarter l'enfant de la trajectoire de l'ouragan Dolly, mais Hil, tout près, coupait des oignons en dés – Mary Rose prenait plaisir à voir sa partenaire aux yeux bleus dominer d'une tête sa petite mère toute brune. Dolly a tendu la casserole à Mary Rose – «Tiens, prends-moi ça» – et fait de l'espace sur la cuisinière. La cuisine de sa mère s'était toujours caractérisée par ce que d'autres considéreraient comme du désordre. La seule différence, désormais, c'est qu'elle avait pris l'habitude d'utiliser la plaque de cuisson vitrocéramique comme le prolongement de la surface de travail. Elle était recouverte des mots croisés du guide télé, de factures, de bouts de papier et de quelques numéros de *Vivre avec le Christ*.

— Ta cuisinière n'est pas un comptoir, maman.

— Où est la bouilloire ? a répondu Dolly.

Si sa mère mettait le feu à la maison, ses parents vivraient bien assez tôt avec le Christ. Son père est réapparu avec deux verres généreusement remplis.

— Tu es certaine de ne pas vouloir nous accompagner, Hilary ?

— Non, merci, Duncan. Je suis la sous-chef de Dolly.

— Dans ce cas, tu as intérêt à garder la tête sur les épaules, a-t-il dit en rigolant. J'ai aussi acheté cette eau française de luxe. C'est comment, déjà ? « Perrier ».

Dans sa bouche, le mot rimait avec « derrière », et l'éclat dans son regard a montré que c'était une forme d'autodérision. Hil a pouffé et Mary Rose l'a vue repousser sa frange avec son poignet et gratifier Duncan de son plus beau sourire à la Natalie Wood… *Ma femme flirterait-elle avec mon père, par hasard ? Mon père flirte-t-il avec ma femme ? Est-il normal que ça me plaise bien ?*

Dolly, ayant bruyamment posé la casserole sur la cuisinière, était installée à la petite table de la cuisine, où elle jouait aux cartes avec Matthew et ne représentait plus un danger. Mary Rose a suivi son père dans le vaste salon et s'est laissée tomber dans le fauteuil baquet au revêtement doré.

— *Slainte*, a-t-il dit.

Et ils ont bu – il avait pris l'habitude d'utiliser l'expression gaélique.

Les glaçons craquaient dans son verre et elle a poussé un soupir. Daisy avait perdu connaissance dans une flaque de lumière ronde de fin d'après-midi – elle avait l'air appétissante, façon quartier de lard salé. *« Votre chaîne de pop douce dans la capitale nationale »* diffusait *Bright Elusive Butterfly Of Love* de Ferrante et Teicher sur ce que ses parents appelaient encore la hi-fi.

— La mémoire génétique existe bel et bien, disait son père.

Il trônait dans son fauteuil, à côté d'elle, une table basse entre eux.

— Je pense que nous nous souvenons non seulement de l'expérience de nos ancêtres, mais aussi de notre expérience cellulaire.

Son regard bleu était rivé sur la porte vitrée de la terrasse, où, à la hauteur des yeux, il avait collé un *X* orange par suite d'un incident auquel son nez avait été mêlé ; il avait reproché à Dolly d'avoir nettoyé la vitre sans le prévenir.

— Je pense que nos origines remontent peut-être au naufrage d'un vaisseau spatial dans un espace-temps éloigné.

Elle a songé à la trousse de prélèvement buccal qui, en ce moment même, faisait le voyage depuis le Texas et a espéré que ce ne serait pas une grande déception ; de toute évidence, les ambitions de Duncan allaient bien au-delà d'une bande de chefs de clan à la pilosité abondante. Elle a suivi le regard de Duncan jusqu'à la vitre, derrière laquelle se profilaient la balustrade de la terrasse, le patio et la perspective de plus en plus réduite des pelouses, ponctuées par les parasols, les barbecues et les jets de gicleurs qui balayaient paresseusement la lumière, secouaient leur chevelure, projetaient dans l'air des étincelles mouillées. Elle a pris une gorgée.

— Des extraterrestres ont échoué ici à bord de leur vaisseau, a réfléchi Duncan à voix haute. Et leur matériel génétique s'est dispersé parmi les cellules qui percolaient déjà dans la soupe primordiale de la Terre.

Garçon, il y a un arbre généalogique dans ma soupe primordiale.

Mary Rose a fait tourner l'eau-de-vie dans son verre.

— Dis, papa, que veut dire le temps, pour toi ?

— Il est quatre heures trente-sept ! a hurlé Dolly.

— D'où le fait que les humains, en tant qu'espèce, rêvent de voyager dans l'espace, a poursuivi Duncan.

N'avait-il pas entendu la question de Mary Rose ?

— Pas seulement pour explorer. Pour rentrer à la maison. C'est pour cette raison que nous situons le « paradis » là-haut, dans le ciel, et que plusieurs d'entre nous croyons que nous y retournerons un jour. Jusque-là, le seul moyen à notre disposition pour « rentrer » et être réuni avec « notre Père », c'était de mourir.

Sa mère s'est approchée bruyamment, une tasse et une soucoupe s'entrechoquant dans sa main.

— Je t'en ai servi une tasse, Dunc, c'est chaud, attention de te brûler.

Ils buvaient du scotch, pas du thé, mais Dolly a posé la tasse et la soucoupe sur la table basse, à côté du coude de Duncan, puis elle est retournée dans la cuisine en entonnant à tue-tête le thème de Carmen :

— *Toréador, en ga-a-a-rde, toréador, prends ta veste, pis va jouer dehors !*

Depuis toujours, les conversations tranquilles avaient sur Dolly l'effet d'une cape rouge agitée sous le nez d'un taureau. Même chose si elle surprenait quelqu'un en train de lire. Peut-être Mary Rose devait-elle sa carrière d'écrivaine à un mécanisme d'autodéfense.

— Vous avez une très jolie voix, Dolly, a dit Hil.

Le père de Mary Rose s'est levé pour mettre un CD. Quand il a regagné son fauteuil, un air de violon du Cap-Breton habitait déjà la pièce.

— Cette jeune fille a commencé le violon à trois ans et elle ne s'est jamais arrêtée, a-t-il dit.

Dithyrambes à l'écossaise proférées sur un ton tragique.

— Si le Père est là-haut, où est la Mère ? a demandé Mary Rose.

— La Terre-Mère.

— En bas, donc. Au même endroit que l'enfer ?

— Eh bien, a-t-il répondu en grimaçant, c'est le nom que nous donnons à cet endroit, mais ça ne fait que traduire notre peur de la mortalité.

— Pourquoi, dans ce cas, n'évoquons-nous jamais la possibilité d'être réunis avec la Mère ?

— Hm. Parce qu'elle est toujours là, je suppose. Elle nous soutient. Elle nous nourrit. Et elle nous reprend dans ses bras quand nous mourons.

— Et que fait le Père pendant qu'elle s'occupe de tout ça ?

Duncan a ri.

— Bonne question.

— Il reste au-dessus de la mêlée.

— C'est un vieux truc que pratiquent les gestionnaires, dit-il sur le ton d'un conspirateur. C'est pour cette raison que le patron a son bureau à l'étage.

Le regard de Mary Rose s'égare au coin du plafond.

— Si nous associons au ciel notre faculté d'avoir des réflexions élevées, a-t-il dit, c'est peut-être parce que, depuis que nous marchons debout, il est plus proche de notre tête.

— Les Égyptiens croyaient que le cœur était l'organe de la pensée. Quant au cerveau, ils le jetaient.

— Et voilà que les scientifiques ont trouvé des neurones dans les parois du cœur.

— Et des intestins.

— D'où les choses qu'on sent dans ses tripes.

— Et les cœurs brisés.

— Ouais.

Il a aspiré la syllabe montante d'une manière tout aussi inimitable que représentative de la côte Est d'où il était issu – une façon de conférer une dimension fataliste à un simple *oui*. Mary Rose a vu les yeux de son père se fermer et sa tête bouger, presque imperceptiblement, au rythme du *reel*.

— Qu'est-ce qu'on mange, Sitdy? a demandé Matthew.

À l'époque de Mary Rose, sa mère aurait aboyé: *Chudda b'chall!* De la merde et du vinaigre. Forme masculine. Elle a plutôt entendu Dolly répondre doucement:

— Ce sera un *smorgasbord*, Matthew. Tu sais ce que ça veut dire?

Jetant un coup d'œil par-dessus son épaule, elle a vu Matthew faire signe que non.

— Un peu de tout.

Sitdy a souri et distribué les cartes.

— *Habibi.*

Chéri. Forme masculine.

Mary Rose se demande comment la jeune Dolly avait réussi à aller à l'encontre des souhaits de « papa », des années auparavant, et à étudier pour devenir infirmière. Maureen a un jour dit que leur mère avait fait une « dépression nerveuse » à dix-sept ans. La déclaration avait fait à Mary Rose l'effet d'un titre sans livre; encore un fragment qu'elle avait accepté comme une chose complète. Une autre station isolée du chemin de croix. *Dolly brisée pour la première fois.*

Une gigue a succédé au *reel*. Le père de Mary Rose a ouvert les yeux, tendu la main vers son verre et rencontré la tasse de thé, dont le contenu s'est renversé sur sa main. Il a pris un air ahuri, puis contrarié. Mary Rose a fait mine de s'avancer pour l'aider, mais il a eu un geste d'apaisement qui est un peu resté sur le cœur de Mary Rose – ce n'était pas comme si elle était en proie à la *panieque*, après tout. Puis il a épongé le dégât avec son mouchoir.

— Je mets des oignons seulement dans la moitié! a hurlé sa mère de la cuisine.

— Mets-en partout! a répondu son père sur le même ton.

— Oh, Dunc, tu sais pourtant ce qui va arriver!

— Quoi?

Il semblait irrité. Il devait être profondément heureux.

— Le temps... est compliqué, a-t-il dit en reprenant le fil de la conversation. Le temps est une illusion. Une manière de suivre ce qui change.

Ma petite monnaie pour tes petites manies.

— La seule constante, a dit Mary Rose.

— Une manière de suivre les mauvais tours que nous jouent l'énergie et la matière. Si j'étais le vérificateur général de l'univers, je les séparerais, ces deux-là.

Elle a souri en signe d'appréciation.

— Je ne sais pas si c'est possible.

— Quand je tends la main vers ce verre de scotch, qu'est-ce qui l'empêche de passer à travers?

— Le fait que tu n'es pas encore assez ivre pour voir double, peut-être.

Il a ri.

— Possible, en effet. Mais il y a aussi la Déviation.

— La quoi?

— Tu n'as pas lu Lucrèce?

— Pas récemment, non.

— Qu'est-ce qu'on vous apprend à l'école, de nos jours? *De rerum natura*. Où le poète invoque le «défaut nécessaire», a-t-il ajouté avec un grand geste du bras digne d'un prestidigitateur.

— Le défaut de quoi?

— De tout.

— En quoi est-ce «nécessaire»?

— Tu viens de répondre à ta propre question.

— Que veux-tu dire?

— Eh bien, on est là.

Elle a marqué une pause.

— J'ai l'impression de me souvenir de l'avenir.

— Ça ne m'étonnerait pas du tout, a-t-il dit.

Son père avait-il déjà fumé de la marijuana?

— Dis, papa, tu as déjà fait l'essai de…

— Je ne vais pas le faire cuire, ce kebbeh, a annoncé Dolly dans la cuisine. J'ai vu le boucher couper la viande et la hacher, et je l'ai obligé à stériliser la lame avant.

Mary Rose a frissonné. Les normes alimentaires n'étaient plus ce qu'elles étaient au temps béni de la réglementation gouvernementale. Sa famille allait se régaler d'un repas dont le principal ingrédient serait du bœuf cru; les enfants et les vieillards allaient mourir, sa mère allait se tuer et les tuer, eux aussi. Hil et Mary Rose, quant à elles, passeraient le reste de leur existence misérable et abrégée dans l'attente d'une greffe rénale. Mary Rose, avec son groupe sanguin O négatif, était sans doute foutue. Elle s'est demandé si Andy-Patrick lui donnerait un rein. Avait-elle été assez gentille avec lui, au fil des ans? *Ta sœur est retenue prisonnière dans une machine à dialyse de la planète…*

En se retournant, elle a vu sa mère se récurer les mains et les tenir en l'air pour les laisser sécher, en infirmière de salle d'opération qu'elle avait été, puis les plonger dans le grand et vieux bol en émail, où elle s'est mise à pétrir la viande, puis elle a ajouté du sel, du poivre et de la cannelle, de l'oignon haché et le boulgour qu'elle avait fait gonfler au préalable.

— Je vous observe de près, Dolly, a expliqué Hil. Je veux être capable de préparer ce plat à la maison.

— *Ysallem ideyki*, ma chérie. Ça veut dire: «Bénies soient tes mains.»

Du four leur provenaient les arômes des aubergines, de l'ail, des tomates et des pignons – plat qui portait le nom peu invitant de «bouillitutti». Du moins, c'est ainsi que sa mère l'appelait. Dolly avait été sidérée de constater que les immigrants libanais de fraîche

date avaient des noms différents pour ces plats et qu'ils les apprêtaient autrement. Par exemple, elle n'avait encore rencontré aucun
Libanais d'Ottawa qui mangeait du kebbeh nayé – du kebbeh cru.
Mary Rose aurait parié que Dolly n'avait pas non plus croisé une
seule fiancée enfant.

Également au menu, le poulet rôti à la cannelle de Dolly, servi
avec de la purée de pommes de terre verte appelée *hushwey – goûtez,
goûtez!* Préparée avec des herbes et le jus de cuisson de la volaille.
Mary Rose avait commencé à se calmer un peu à propos de l'E. coli,
sinon de la maladie de la vache folle – d'ailleurs, que se passait-il sur
ce front? Peut-être expliquait-elle en partie l'épidémie de démence
– à moins qu'il s'agisse d'une simple conséquence de la longévité
collective. Nul doute qu'elle aurait bientôt son propre ruban, un
ruban gris.

— Tu veux l'autre aile? a demandé Duncan, déjà à moitié debout, en indiquant leurs verres.

— D'accord. Laisse, je m'en occupe.

Elle s'est levée et a apporté leurs verres dans la cuisine.

— J'ai *acheté* le poulet, a annoncé Dolly d'un air menaçant.

— Vous manquez à tous vos devoirs, madame, a lancé Duncan
d'un ton faussement sévère.

— Si je ne fais pas attention, il risque de me congédier.

Dolly a décoché un clin d'œil à Hil, penchée devant le réfrigérateur ouvert.

— Qu'est-ce que tu cherches, ma chérie? a demandé Dolly.

— Les olives.

— Dans un contenant de Becel.

Hil a continué de fixer les tablettes.

— Mais le bas, c'est un plat de Yoplait.

Au-dessus du réfrigérateur de sa mère, on aurait dû accrocher un
écriteau: «Vous qui entrez ici, abandonnez toute espérance.» Dolly
réutilisait et recyclait bien avant que ces activités soient à la mode ou
nécessaires. Une boîte de sauce au chocolat Hershey's pouvait conte-
nir de la graisse de bacon solidifiée. Des jaunes d'œufs nichaient dans
un contenant de Cool Whip. Quant au pot de Nutella, Dieu seul
savait ce qu'il pouvait renfermer. Le produit original, elle ne l'avait

acheté qu'une seule fois. Le temps de déjouer tous les leurres, vous aviez oublié ce que vous cherchiez au départ.

— Qu'est-ce que tu manges, Matthew? a demandé Mary Rose.

Il avait une moustache en chocolat.

— Du Nutella sur une biscotte, a répondu Dolly. C'est bon pour la santé: les Européens en mangent.

— C'est donc ça qu'il y avait dans le pot de Nutella.

— Quoi d'autre?

Maggie était à présent entourée par le contenu du sac à main de Dolly, chaviré comme un remorqueur au milieu d'une cargaison qui flottait sur les eaux. Mary Rose allait la contourner lorsqu'elle a remarqué que l'enfant jouait avec un pilulier en plastique – de forme rectangulaire, le jour de la semaine indiqué sur chacun des compartiments. Elle s'est penchée et le lui a enlevé.

— Moi! a protesté Maggie.

Un sifflement en provenance de la cuisinière. Dolly a versé l'eau bouillante dans un bol où attendaient des cristaux de Jell-O, puis elle l'a saisi et a transporté son contenu bouillant du comptoir jusqu'à la table. Mary Rose a saisi la petite par terre.

— Tiens, Hil, a-t-elle dit en tendant à sa partenaire l'enfant qui gigotait.

Elle s'apprêtait à aller rejoindre son père dans le salon, mais sa mère était sur ses talons. Celle-ci a gémi et dit:

— Je vais aller me mettre un suppositoire.

— Maintenant, je le sais, a dit Mary Rose. Et je ne peux pas le dé-savoir.

— Polissonne, a dit Dolly en feignant de la gifler. Tu as eu des nouvelles de ton frère?

— Pas récemment, non.

— Quand rentre-t-il?

— Je ne sais pas.

Dolly a eu un sourire espiègle.

— Tu crois que Shereen et lui vont avoir un bébé?

— Je ne sais pas.

Mary Rose avait eu l'intention de prendre une petite gorgée, mais elle a avalé de travers et s'est étouffée.

— Quand est-ce qu'on joue au Scrabble?

— Pourquoi pas maintenant? Vous utilisez le Scrabble allemand que je vous ai offert?

— Tu te souviens de ce que tu as dit quand je t'ai expliqué que nous allions l'appeler Alexander?

— Oui, maman, je…

— Hilary, ma chérie, tu sais ce qu'elle a dit quand Andy-Patrick est né? Je lui ai dit: «On va appeler le bébé Alexander, Mary Rose?» Et elle a répondu: «Faut pas l'appeler Alexander parce que z'ai peur qu'on devra le mette dans la messante terre!»

Hil a lancé à Mary Rose un regard interrogateur – elle ne savait pas que c'était une histoire drôle. *N'essaie même pas de comprendre, Hil.*

— Je suis étonnée que tu te souviennes de ça, Mary Rose, a dit Dolly. Tu avais seulement… Quel âge avais-tu?

— Cinq ans.

— Quand Alexander est né, je veux dire.

— Oh, je… Je ne sais pas vraiment, je suppose.

Soudain, Dolly s'est remise à crier, à catapulter des mots au-dessus de la tête de Mary Rose, qui les a sentis lui frôler le crâne.

— Dunc, quel âge avait Mary Rose quand Alexander-le-Mort est né?

— Quoi? a-t-il demandé avec irritation. Pourquoi tu te fais du souci pour ça?

— Je ne me fais pas de «souci», Dunc! Elle devait avoir…, ajouta-t-elle à l'intention d'Hil, laisse-moi voir…

— Où est la photo, maman? Celle de nous au cimetière?

— Il y avait une photo?

— C'est papa qui l'a prise, tu te souviens?

Elle s'est tournée vers son père dans l'espoir d'obtenir une corroboration, mais il semblait s'être assoupi. Elle a posé son verre près du coude de Duncan, puis elle a retiré la tasse et la soucoupe. De retour auprès de sa mère, elle a dit doucement:

— C'est une photo de Maureen, de toi et de moi. Il faisait froid, tu m'as donné ton chandail.

— Il ne faisait pas froid. C'était en avril.

— Tu vois bien que tu t'en souviens.

Matthew a pépié :

— Je peux avoir de la crème glacée, Jitdy ?

— Chut, Matthew.

— Pourquoi pas ? a répondu Duncan en revenant à lui, les mains sur les accoudoirs, prêt à bondir.

— Non, papa, pas maintenant, s'il te plaît.

Il a fait un clin d'œil à Matthew.

— C'est elle, la patronne, a-t-il dit. Viens ici, Matthew, et tiens-moi compagnie pendant que les femmes terminent le souper. Tu savais que les plus grands chefs du monde sont des hommes ?

— J'allais faire quelque chose, moi, a dit Dolly. Mais quoi ?

— Résoudre le dernier théorème de Fermat ?

— J'allais prendre un suppositoire, viens.

— Je n'entre pas dans la salle de bains avec toi.

— Polissonne, va. Viens avec moi, j'ai quelque chose à te donner.

Mary Rose s'est resservie de scotch et a suivi sa mère dans sa chambre, où Dolly s'est mise à fouiller dans son coffret à bijoux. Mary Rose s'est blindée – qu'allait donc lui léguer sa mère ? Un diamant ? Un bracelet acheté dans un magasin à un dollar ? Saurait-elle faire la différence ?

Dolly s'escrimait à présent avec le dernier tiroir de sa commode. Elle a lancé à Mary Rose un objet qui a claqué des ailes. Un calendrier.

— Il a tout peint avec son pied !

— Ah bon ? Qu'est-ce qui est arrivé à ses bras ?

— Qu'est-ce que j'allais te donner, déjà ?

Elle a baissé les bras, et ses bracelets ont cliqueté.

— Sapristi, Mary Rose, ta mère perd la boule !

Rien n'avait changé, pourtant. La confusion, le numéro de jonglerie. Pas de nouveaux ingrédients. La seule différence, c'est qu'il en manquait un : la colère. Labyrinthe sans minotaure.

— Ça va, maman.

Du salon sont montées les intonations suaves de Nat King Cole posant l'éternelle question à Mona Lisa. Comme si elle répondait à une convocation, Dolly est sortie de la chambre. Mary Rose l'a suivie et a vu son père en train de danser un slow avec Maggie blottie dans ses bras. Il a décrit un cercle bondissant – l'enfant avait une main sur l'épaule de son grand-père, l'autre fermée sur son pouce. Elle le regardait avec une gravité et un contentement que Mary Rose a reconnus, et elle s'est immobilisée, subjuguée à son tour par la lumière qui, en ce début de soirée, inondait la pièce. Splendide. Impossible de croire qu'elle se composait uniquement de particules, cette lumière épaisse et sucrée comme du miel, cette lumière qui réfléchissait la lumière, entrait à flots par les portes vitrées de la terrasse, plongeant la pièce dans une douloureuse beauté ; le moment était à la fois immortel et irrémédiablement perdu. La chanson a pris fin, son père a déposé Maggie et Mary Rose a vu l'enfant courir vers le soleil.

— Maggie !

Mary Rose l'a soulevée par le ventre avant qu'elle se cogne sur la vitre et l'enfant a protesté en hurlant.

— Doucement ! a crié Duncan d'une voix rendue fluette par l'angoisse.

Mary Rose a reposé Maggie et lui a montré que la porte était fermée.

— Elle va bien ?

Elle s'est retournée. Son père était blanc comme un drap.

— Elle va bien, papa.

— Ne lui fais pas de mal.

Sa voix, brisée, n'était plus qu'un murmure.

— Pas de danger, papa. Je ne suis pas fâchée contre elle.

— Très bien, alors. Pas de *panieque*.

Il s'est tourné vers sa colonne de CD.

— Ça va, papa ?

— Moi ? Très bien. C'est juste qu'il faut faire attention quand on prend un enfant comme ça.

— Sapristi, a dit Dolly. J'ai eu peur qu'elle tombe du haut du balcon.

De la chaîne hi-fi montaient les notes d'une bataille imminente, un imposant roulement de tambour annonçant l'explosion des cornemuses.

Duncan a collé un *X* orange sur la vitre, à la hauteur des yeux d'un tout-petit. Dans un plateau de service, Dolly a déposé le kebbeh cru en monticule lisse sur lequel elle a tracé une croix du côté de la main.

— Au nom du Père..., a-t-elle entonné en soulevant l'autre main pour se signer.

On aurait dit une chef d'orchestre. Duncan a baissé le volume du *Massacre at Glencoe* et ils se sont réunis autour de la table, Matthew sur son siège d'appoint, Maggie dans sa chaise haute.

Mary Rose a vu Dolly, fidèle à la coutume ancestrale, rester debout pour démembrer le poulet à la main, détacher une aile et la lui tendre.

— Tu veux l'aile? Non, c'est Maureen qui aime l'aile. Une aile, Hilary?

— Volontiers, Dolly.

Elle a déposé l'aile sur l'assiette d'Hil.

— *Einmal Wein, Fraulein?* a demandé Duncan en versant avec grâce du liebfraumilch dans le verre d'Hil.

Un vin blanc allemand moyennement sucré pour accompagner le kebbeh cru, aux accents assourdis de l'indignation des Highlanders.

La table gémissait sous le poids du festin; en plus de tout le reste, Dolly avait trouvé le moyen de préparer du taboulé. Pour les enfants, elle versait du lait en poudre à partir d'une bouteille de sauce tomate recyclée.

— Il y a du lait frais dans le frigo, maman. J'en ai app...

Matthew, cependant, a vidé son verre d'un trait et réclamé d'être resservi, tandis que Maggie, cramponnée à deux mains à sa tasse anti-dégâts, aspirait bruyamment son lait.

— C'est ce qui est arrivé à ton bras? a demandé Dolly.

Mary Rose a senti son estomac se nouer.

— Qu'est-ce que tu veux dire, maman?

— Où est la relish? a demandé Duncan en levant brusquement les yeux.

— Pour quoi faire? s'est étonnée Dolly.

— Pour manger avec le kebbeh.

— On ne mange pas du kebbeh avec de la relish! s'est écriée Dolly. C'est sacrilège!

Duncan a gratifié son petit-fils d'un sourire rusé.

— Mange tout, Matthew. Ça va te faire pousser du poil sur l'estomac.

Mary Rose a croisé le regard d'Hil. Son père n'avait-il donc pas entendu ce que sa mère venait de dire ? Il était concevable que, dans un moment de frayeur, on puisse confondre une porte vitrée et un balcon. Mais que sa propre mère oublie que Mary Rose avait eu des kystes osseux... À moins que ce soit une forme de déni de la part de Duncan... Peut-être aussi cherchait-il à cacher quelque chose à Mary Rose comme à sa sœur et à son frère – un diagnostic... *La maladie d'Alzheimer*. À la seule idée de prononcer le mot, Mary Rose a éprouvé la vieille sensation gluante dans son œsophage. Mais en laissant son père faire dérailler la question posée par sa mère, elle encouragerait la dynamique familiale de déni et de refoulement.

— J'avais des kystes osseux, maman. Tu te souviens ?

— Évidemment que je me souviens. Je suis ta mère.

Soulagement. Rien ne l'obligeait à poser la question à son père sans détour. Ils pourraient s'en tenir à la neurologie et au cosmos. Elle a tendu la main vers son liebfraumilch. Les verres à vin de ses parents étaient petits, conformément aux valeurs de leur génération – ils avaient grandi pendant la Grande Dépression, à l'époque où une famille tout entière partageait une paire de chaussures et où un vaisselier rempli de verres à pied des années cinquante aurait évoqué Versailles – et, d'après ses calculs, elle en était encore à son premier verre.

Maggie avait des pommes de terre vertes dans les cheveux, Matthew, inexplicablement, était déjà en possession d'un bol de crème glacée au chocolat. Duncan, pour sa part, régalait Hil de ses souvenirs :

— Je me souviens de la dernière partie de Gordie Howe au Forum de Montréal...

Était-ce parce que l'histoire racontée par son père lui était familière ? Ou encore à cause de la rencontre d'une terrasse et d'une porte vitrée, des plaques de temps dressées les unes contre les autres, à la façon des glaces sur le lac Ontario... Ils étaient tous réunis autour de la table où Mary Rose avait si souvent subi les imprécations de sa

mère, tandis que son père observait la scène, les yeux rivés sur le plafond. Avant que ses parents emménagent dans des quartiers plus
petits, cette table avait été celle de la cuisine. La lumière étant ce
qu'elle est, ces scènes jouaient encore quelque part… Seul le temps
séparait ces événements de celui-ci. Sur cette même chaise, vingt ans
plus tôt, Mary Rose avait été soumise à un barrage d'obus et elle en
était ressortie commotionnée.

— C'était bondé, et Howe fonçait sur la glace à toute vitesse…

Hil souriait avec la politesse neutre de la belle-fille modèle.

— Dunc, a dit Dolly.

— Puis il a fait passer la rondelle de son bâton à son patin, puis
d'un patin à l'autre, puis il l'a reprise avec son bâton, tout ça sans
jamais ralentir…

Les yeux bleus de Duncan étaient fiévreux, son sourire tendu.

— Duncan, mon chéri…

— Et la foule – n'oublie pas que la foule montréalaise était exi-
geante, qu'elle l'est encore… Les spectateurs montréalais se sont levés
d'un bloc et ont applaudi Howe à tout rompre…

Mary Rose a vu la dent en or de son père, mais il n'a pas eu beaucoup de temps pour savourer le triomphe de Gordie Howe, car Dolly
a dit:

— C'était le facteur Rh, Dunc?

Il a cligné des yeux à plusieurs reprises, comme au sortir d'une
sieste.

— Quoi donc?

— Le bras de Mary Rose.

— Non, non, tu confonds les deux. Le facteur Rh concerne le
type sanguin.

— La cause des kystes osseux, c'était quoi, alors?

— Il n'y en a pas. C'est de naissance.

Il a penché la bouteille au-dessus du verre d'Hil, mais elle était
vide.

— Je n'étais pas douée pour avoir des bébés.

— Ce n'est pas vrai, maman.

— Ton bras te fait-il encore des misères?

— Non, maman.

— Mama était douée pour avoir des bébés.

— Dis, papa, c'est pour ça que tu as eu si peur quand j'ai agrippé Maggie par le bras?

Il a semblé y réfléchir.

— C'est une explication plausible. Sachant ce qu'on sait maintenant, que ton bras était fragile depuis le début... Je suppose que c'est une idée qui me trottait dans la tête.

Il a levé les yeux en riant.

— Mais, à vrai dire, Maggie te ressemble tellement que j'ai eu peur qu'elle sorte sur le balcon et passe par-dessus la balustrade.

Mary Rose a échangé un autre regard avec Hil. Elle devait cesser de faire tout un plat à propos des moindres incongruités de sa mère et accepter la vérité: ses parents étaient très vieux et ils avaient bien le droit d'avoir des trous de mémoire.

— C'est avant ou après la mort de mama que tu m'as donné la pierre de lune, Dunc?

— Je pense que c'était avant, a-t-il répondu d'un air désinvolte en réarrangeant sa purée de pommes de terre avec vigueur.

— Est-elle morte avant ou après Alexander?

Il a posé sa fourchette et employé la version douce de son ton exagérément appliqué.

— C'était *avant*. Je t'ai donné la pierre de lune quand Alexander est né. Après, je t'ai emmenée passer quelques jours dans les Alpes, et c'est là que nous avons appris pour ta mère.

— Ça ne veut pas dire que c'était... après? a fait Mary Rose.

— Après quoi? a-t-il demandé.

— Alors... c'était en quelle année?

Était-elle ivre?

— C'était après la crise des missiles, alors... Non, je fais erreur.

Son ton est méticuleux, mais plaisant.

— Je confonds avec la baie des Cochons.

Dolly s'est tournée vers Hil.

— Nous sommes montés sur le Zugspitze en téléphérique et, au sommet, il n'y avait pas de toilettes. Vous imaginez?

— Pas besoin d'imaginer, a dit Duncan avec un sourire contrit. J'étais là.

— Vous avez dû beaucoup souffrir, Dolly, a dit Hil. Être si loin de votre mère à un moment pareil… Puis la perdre, elle.

— Pour ça, oui, ma chérie. J'ai beaucoup souffert! Mais tu en sais quelque chose, Hilary, hein, *doll*. Ta mère doit te manquer énormément.

Hil a fait signe que oui.

Dolly a poursuivi :

— C'était une dame absolument charmante. J'aimais beaucoup Patricia. Et tu sais qu'elle était très fière de toi, Hilary. Je trouve que Maggie lui ressemble un peu. Pas toi?

Hil a commencé à pleurer. En voulant lui prendre la main, Mary Rose a renversé son verre de vin. Dolly s'est levée pour prendre Hil dans ses bras.

— Elle est avec toi, ma chérie, a-t-elle dit doucement. Elle veille sur toi. Et, tu sais, tu t'apercevras peut-être qu'elle s'occupe de toi comme elle ne pouvait pas le faire quand elle était parmi nous.

Hil a enfoui son visage dans l'épaule de Dolly.

— Qu'est-ce qu'il y a, maman? a demandé Matthew, qui avait à présent une barbe complète en chocolat.

— Rien, mon lapin, a répondu Hil en se mouchant dans sa serviette de table en papier. Je vais bien. C'est juste que je m'ennuie de grand-maman.

— Grand-maman s'ennuie de moi aussi, a-t-il dit, ses yeux se remplissant de larmes.

Duncan a avancé la main et lui a caressé la tête. Pas un coup de poing ni un coup de bardeau. La main douce, malléable.

Dolly a tapé sur la table du plat des deux mains, faisant bondir les assiettes et les enfants.

— Dunc, raconte-nous une histoire drôle et mets de la musique joyeuse!

— C'est toi la patronne, a-t-il dit en se levant.

Les intonations plaintives et sexy de Fairuz, soutenue par un orchestre de boîte de nuit moyen-oriental vers 1955, ont envahi la pièce. Dolly avait quitté la table en vitesse – le suppositoire faisait son travail, a supposé Mary Rose. Duncan est revenu en tenant plusieurs bouteilles de couleur vive par le goulot, à la façon d'un butin de guerre.

— Un petit verre de liqueur, Hilary? Choisis, j'ai tout. Tu aimes la crème de menthe?

Ils ont entendu le *Joyeux anniversaire* entonné par Dolly, «des coulisses». Duncan a souri d'un air de conspirateur et s'est mis à chanter lui aussi, au moment où Dolly entrait avec un gâteau rose qu'embrasait une unique grosse bougie en forme de 2. Maggie a crié en signe de compréhension joyeuse: c'était sa *deuxième* fête de deuxième anniversaire! Dolly a posé le gâteau et Maggie a soufflé la bougie.

— Hip hip hip! Hourra! ont crié Dolly et Dunc avant de battre des mains et de se remettre à chanter.

À deux heures du matin, Mary Rose s'est réveillée dans la chambre d'amis du sous-sol, surprise par la douleur. Avec une sensation de chaleur dans son bras. Elle ne se souvenait pas de s'être cognée, mais elle était dans un état d'ébriété relativement avancé lorsqu'elle avait rejoint ses parents dans la salle de télé et avait perdu connaissance en regardant *Elle écrit au meurtre*. Elle s'est tournée vers Hil, qui dormait comme une souche à côté d'elle, une expression légèrement troublée sur son magnifique visage. Elle commençait à avoir des rides. Hil avait beau être plus jeune que Mary Rose, le temps ne s'arrêtait pas pour elle. Seraient-elles encore ensemble quand elles auraient l'âge de ses parents? Mary Rose aurait-elle eu le temps de tout gâcher d'ici là? Hil deviendrait une vieille dame au maintien royal, Mary Rose une folle de la reine au visage ratatiné. À supposer qu'elles résistent au premier grand tri – l'épidémie de cancer en milieu de vie qui décimait leur génération.

Elle s'est assise avec précaution pour ne pas activer les ressorts vaudevillesques qui, à la moindre secousse, faisaient tanguer le lit comme une bretelle d'accès soumise à un tremblement de terre. Elle s'est faufilée entre Maggie, qui dormait le derrière en l'air dans son petit parc, et Matt sur la chaise-lit pliante IKEA. Elle est sortie, a fermé doucement la porte derrière elle et est entrée dans la salle de bains, où, après s'être blindée contre le coup de poignard de la lumière, elle a jeté un coup d'œil à son bras.

Pas de bleu. Elle a avalé un comprimé d'Advil – contre la gueule de bois qu'elle sentait venir tout autant que contre la douleur. Elle a pris conscience d'une autre sensation, dans sa poitrine... Le bon vieux mélange culpabilité-honte, comme si, pendant le souper, elle avait dit ou fait quelque chose de honteux – ce qui n'était pas le cas.

Elle a éteint et elle est montée.

Le large escalier l'a déposée dans le grand espace ouvert de la résidence de ses parents. Filtrée par la fenêtre de la cuisine, la clarté de la lune inondait l'évier.

Un mur bas séparait cette pièce de la salle à manger et du salon, où de grandes portes vitrées s'ouvraient sur la terrasse. D'agréables huiles et des photos encadrées ornaient les murs et ponctuaient les tables basses – les enfants, les petits-enfants et désormais l'arrière-petit-enfant de Dolly et Dunc. Ses parents avaient rationalisé et actualisé, mais on voyait çà et là des objets qui résonnaient au niveau cellulaire : la photo de leur lune de miel, par exemple. Dolly, tout sourire à bord du train, qui agitait la main, les yeux si vivants et si rieurs qu'ils en étaient impertinents. Duncan, amusé et aussi séduisant qu'une vedette de cinéma dans son complet à double boutonnière. La plaque de la base de l'Aviation royale du Canada de Gimli, non loin de Winnipeg. Le coucou de la Forêt-Noire avec son pendule à l'aspect plutôt scrotal, en forme de pommes de pin. Et *Les mains en prière* de Dürer, le bois lisse de la couleur de la peau de Dolly. *Ysallem ideyki*. Mary Rose n'a pas eu besoin de regarder pour savoir qu'il y avait, sous chacun de ces objets, un papillon portant un nom. Dolly était résolue à éviter les querelles entre ses rejetons éplorés, et c'était une bonne idée, à supposer qu'ils arrivent à déchiffrer son écriture.

Mary Rose s'est tournée vers le réfrigérateur, dont la porte était couverte de clichés et de coupures de journaux, y compris, à la place d'honneur, retenu par un médaillon de la Vierge Marie, un vieux palmarès des livres les plus vendus où figurait *Évadés de l'autre dimension*. À côté se trouvait une photo du pape bénissant un groupe de guerriers massaïs. Mary Rose a ouvert le congélateur. Coincé entre un plateau de glaçons gauchi et un objet qui semblait enveloppé dans des pansements stériles se trouvait un sac refermable – enveloppe limoneuse renfermant une substance jaunâtre. Un truc qui aurait été plus à sa place dans un laboratoire que dans une cuisine. Elle l'a posé contre son bras. Le froid lui a fait un bien énorme.

Elle s'est assise à la table, déjà mise pour le petit-déjeuner – napperons de fantaisie ornés de poules et de coqs. La nuit, qu'elle devinait par la fenêtre ouverte, était humide et lourde d'étoiles qui semblaient prêtes à tomber comme des fruits, et une brise parfumée s'est faufilée jusqu'à elle. Ottawa était parfois ainsi, l'été. Sous une cloche en verre posée sur le comptoir reposaient les restes du gâteau d'anniversaire de Maggie – son *deuxième* gâteau de deuxième anniversaire. Sous la bougie en forme de 2 à demi fondue, il ressemblait un peu à une pierre tombale en mauvais état. Mary Rose a repoussé cette idée – *Pense à des choses agréables*. Elle tendait la main vers un journal lorsque sa mère est apparue en se traînant les pieds.

Les bras ballants, Dolly est entrée, précédée par son ventre, naguère napoléonien, désormais semblable à celui d'un petit enfant. Ses joues à la peau basanée fripées par le sommeil, ses cheveux blancs hérissés en un mohawk de vieille dame.

— Qu'est-ce que tu fais debout, *doll*? T'as faim?

Intonations ensommeillées de contralto.

— Désolée de t'avoir réveillée, maman.

— Voyons donc, tu ne m'as pas réveillée. Tiens, donne-moi ça.

Mary Rose a grimacé, mais Dolly s'est contentée de prendre le sac et de le jeter dans le micro-onde.

— Mon bras me fait mal, a-t-elle dit, de peur que sa mère ait été blessée par son mouvement de recul instinctif.

— Ton bras?

Dolly a haussé les sourcils, fait un visage de clown parfait.

— Tu as dit qu'il ne te faisait plus mal.

Avant que Mary Rose ait pu s'esquiver, Dolly a posé le bout de ses doigts sur les cicatrices jumelles et les a suivies de haut en bas. Geste inattendu – pas douloureux, mais source de frissons, le tissu cicatriciel étant à la fois ultrasensible et engourdi.

— Quand j'étais petite, a dit Dolly, ma mère, chaque fois que j'avais mal quelque part – une fois, je pense même que c'était à la gorge –, me répétait : « C'est le mal qui sort de toi. » Alors j'ai appris à ne jamais me plaindre.

Le mot était rouge et dégageait une puanteur telle que Mary Rose pouvait le sentir. *Mal.*

— C'est ce que tu me répétais, toi aussi.

— Ah bon ?

— À propos de mon bras.

— Tu avais des kystes osseux…

— Quel âge avais-tu quand ta mère te disait ces choses-là, maman ?

— Laisse-moi voir… Je devais avoir dans les cinq ou six ans. J'étais une toute petite chose foncée.

— Comment pouvais-tu avoir du mal en toi ?

— Oh, j'en avais.

Une lueur espiègle est entrée dans le regard de Dolly. Elle a ri.

— J'avais toujours des bonbons.

— Pourquoi était-ce « mal » ?

— Eh bien, c'était pendant la Grande Dépression, personne n'avait de bonbons, à cette époque-là. Pourquoi est-ce que j'en avais, moi ? Ça mettait mama en rogne. Elle m'agrippait au passage et hurlait : « Où as-tu pris ces bonbons, petit démon ? »

— Où les prenais-tu, les bonbons, maman ?

Dolly s'est levée brusquement et, avec la bouteille de Jergens recyclée posée près de l'évier, elle a propulsé un jet blanc dans le creux de sa main.

Mary Rose a vu sa mère se frotter les mains avec la crème. Elles ont pris l'éclat lustré du bois poli : veines fines, sillons profonds.

Le micro-onde a fait bip-bip. Dolly a versé le contenu du sac dans un bol avec un *plouf*. De la soupe au poulet. Elle a posé le bol devant Mary Rose, qui en a pris une cuillérée. Elle avait faim, finalement.

— Tu ne faisais rien de mal, maman.

Dolly s'est esclaffée.

— Va dire ça à mama ! Elle en avait douze dans les jambes et elle n'a jamais élevé la voix.

— Tu viens de dire qu'elle t'avait crié après.

— Parce que j'étais un petit démon ! Elle devait nous gifler, tu sais, pour nous obliger à rester dans le droit chemin, et puis mes sœurs se sont chargées de notre éducation, ma sœur Sadie en particulier, c'était comme ça, dans ce temps-là.

— Qui te les donnait, les bonbons?

— Il en avait toujours plein les poches.

— Qui ça?

Dolly a plissé le front. Mary Rose a attendu. Son bras l'élançait.

— Laisse-moi voir si ça me revient…

Dolly a cligné plusieurs fois des yeux, en succession rapide. Puis son visage s'est éclairci et elle s'est tournée vers Mary Rose.

— C'est parti, je suppose. Qu'est-ce qu'on fait, maintenant? On joue au Scrabble?

Dolly s'est rendue dans la salle de loisirs et en est revenue avec l'édition allemande de Scrabble que Mary Rose leur avait offerte, un Noël, après l'avoir trimballée depuis un festival du livre tenu à Munich. Le jeu était encore dans son enveloppe de cellophane. Dolly l'a retiré et elles ont joué une partie avec des *ü* et trop de *z*.

Dolly a gagné.

Son agenda est dans le lave-vaisselle. Non lavé, par chance. Elle l'ouvre sur les deux pages de la semaine en cours, puis se réfère au calendrier peint avec le pied et s'apprête à transcrire l'information concernant l'arrivée de ses parents quand, soudain, elle s'immobilise. Sa fonction exécutive met un moment à traiter l'information fournie par le calendrier: le 7 avril n'est pas un dimanche. Elle consulte l'agenda. Oui, pourtant. Que se passe-t-il? Sa vision se rétrécit. Aujourd'hui, c'est jeudi. Aucun doute à ce sujet. *Bonjour à tous et heureux jeudi.* Son cœur lévite, rompt ses amarres et se met à papilloter. *Respire.* Tu n'es pas entrée dans un univers parallèle, tu n'es pas morte derrière une plaque temporelle insonorisée et transparente, tu ne souffres pas d'une amnésie consécutive à une crise psychotique; le calendrier peint avec le pied date d'un an. «Poison» d'avril.

— Tout le monde à bord, les Télétubbies!

Tchou-tchou!

Poulet, brocolis et quinoa. Bains réussis. Coucher réussi. Ensuite, elle parvient à télécharger le formulaire de Postes Canada. L'imprime.

Le signe. Entend Maggie. Monte, enjambe Daisy, affalée sur le palier. La licorne bien-aimée de Matthew joue toujours son petit air – il a dû la remonter –, elle voit le son tourner en spirale, couronne d'épines en cristal. Avant d'atteindre le bout du couloir, elle se rend compte que la musique vient de la chambre de Maggie. La colère siffle en elle, au moment où elle comprend qu'elle est injustifiée ; Maggie n'a pas pu descendre de son berceau, prendre la licorne et, à son retour, escalader les barreaux. C'est sûrement Matthew qui l'a mise là. Quel ange, ce garçon.

En entrant dans la chambre de Maggie, elle voit la licorne sur le bord de la fenêtre et Maggie endormie. Son visage ressemble à une fleur, comme en réponse à la question posée dans le premier vers de la chanson jouée par la licorne. Mary Rose est surprise de sentir son œsophage se contracter. Elle tend la main et caresse le front du bébé. Comment un être si petit peut-il exercer un tel pouvoir ? Le malaise dans sa poitrine se résorbe au moment précis où Mary Rose comprend que ce qu'elle ressent, c'est l'amour.

•

Durant la nuit suivant l'intervention chirurgicale, elle a eu faim. À côté d'elle, dans le lit, se trouvait un bouton raccordé à un fil électrique. Une sonnette. Elle a attendu longtemps avant d'appuyer dessus et, quand elle l'a fait, rien n'est arrivé avant un bon moment. Enfin, l'infirmière est entrée et Mary Rose lui a demandé à manger. L'infirmière a répondu que c'était impossible. Mary Rose a réclamé des toasts – elle n'avait jamais eu aussi faim de toute sa vie, peut-être à cause des analgésiques. L'infirmière a dit non. Pour ainsi dire possédée, Mary Rose a insisté, a même proposé d'aller les faire elle-même. L'infirmière y a peut-être décelé une intention sarcastique : Mary Rose, en effet, ne pouvait pas se lever. L'infirmière est sortie, exaspérée.

Au bout de quelques minutes, elle est revenue avec une assiette de toasts beurrés et du jus de pomme. Mary Rose l'a remerciée, profondément reconnaissante. L'infirmière est repartie et Mary Rose a dévoré les toasts et bu le jus, puis elle a aussitôt tout vomi dans l'assiette, qu'elle a recouverte de sa serviette en papier. Elle a appuyé sur le bouton. L'infirmière est venue et a compris. Mary Rose lui a présenté ses excuses. L'infirmière a pris l'assiette et est sortie sans un mot. Mary Rose n'a pas su si elle avait sonné de nouveau, mais elle avait besoin d'une autre dose de médicaments. L'infirmière n'est pas revenue.

Mary Rose portait sa chemise de nuit en flanelle rouge couverte d'une multitude d'infimes fleurs jaunes. La douleur est venue. Atroce. Mary Rose n'a pas eu le temps de lever la main. La douleur s'est emparée d'elle. L'a oblitérée. Elle n'était personne.

Soudain, le plafond a disparu. Loin au-dessus d'elle et tout autour, la nuit, prairie noire, primordiale, avec son chaume d'étoiles. Elle s'est sentie suspendue, et pourtant si Enveloppée. La douleur était très loin en dessous d'elle et elle a compris que tout irait toujours très bien. L'univers l'aimait.

•

Peu après une heure du matin, elle renonce et sort du lit. Elle est fatiguée, mais elle n'a pas sommeil. Il est une heure plus tôt à Winnipeg, la dernière avant-première d'Hil vient de prendre fin – il n'y a pas de meilleur moment pour lui téléphoner. Elle tombe sur son répondeur.

— Salut, mon trésor, je téléphonais pour te dire bonne nuit, j'espère que ta dernière avant-première s'est bien passée.

Elle devrait se mettre à travailler – Alice Munro a écrit quelques-unes de ses plus belles pages pendant que ses enfants dormaient. Elle pose son ordinateur sur la table de la cuisine, crée un nouveau document et, après un long moment de réflexion, l'intitule « Livre ». Le curseur clignote.

Elle téléphone de nouveau, au cas où Hil n'aurait pas entendu son appareil sonner. « Bonjour, vous avez joint Hilary. Laissez-moi votre message. »

La voix musicale d'Hilary, caressante, et pourtant directe.

— Salut, mon trésor, c'est encore moi, tout va bien, ici, mais appelle-moi en rentrant, d'accord?

Il est passé minuit, là-bas. Où est-elle?

Elle téléphone une troisième fois.

— Salut, Hil, je commence juste à être un peu… Je me demande…

Elle appuie sur le trois et réenregistre son message.

— Salut, bébé. Je voulais juste te dire que je travaille et que tu peux me rappeler quand tu veux, je t'aime.

Elle entreprend de détartrer la machine à expresso. Pendant qu'elle y est, le lave-vaisselle a besoin d'un bon récurage, lui aussi. Il est tard, elle peut faire tourner les deux appareils à bon prix. Elle regarde l'eau brunâtre jaillir de la machine à café et s'accumuler dans le récipient en verre.

Hil, sûrement sortie prendre un verre avec des membres de l'équipe, n'entend pas son téléphone sonner dans le brouhaha du bar. Si Mary Rose n'était pas mariée avec Hil, elle vivrait sans doute toute seule. Elle ne serait pas mère. Elle aurait sans doute terminé la trilogie, à l'heure qu'il est, et entrepris une nouvelle série. Peut-être serait-elle une mère célibataire avec une nounou à temps plein. Et une petite amie sexy à mort. Elle a dévissé le filtre du frigo, mais elle s'immobilise, l'objet à la main. Hil ne sort prendre un verre avec les membres de l'équipe qu'après la première, et c'est seulement demain soir. Elle consulte son agenda. Oui, c'est écrit en toutes lettres dans la case du vendredi : *première d'Hil*. Elle prend peut-être un verre avec quelqu'un d'autre… Comment ce type s'appelle-t-il, déjà ? L'homme aux «cintres». À moins qu'Hil ait eu un accident… l'angoisse a un effet immédiat sur l'appareil digestif de Mary Rose et, à l'instar de sa mère sentant l'appel du «suppositoire», elle fonce à la salle de bains. Dès qu'elle s'assied, le téléphone sonne – Hil, Dieu merci.

En entrant dans la cuisine, elle trouve le voyant des messages qui clignote.

— Salut, Sadie, Daisy, Maureen, Mary Rose ! Je te téléphone du train ! Pas croyable, hein ?

Ses parents sont en route, à bord d'un train qui, vu du ciel, a l'air d'un jouet, qui avance à pas de tortue sur une carte, *tchou-tchou !…*

— On t'attendra le sept, le onze… Quoi ?

Sons étouffés de sociabilité.

— Ce que t'es gentille! Pas toi, Mary Rose, la jeune fille qui vient de m'apporter ma tasse de thé – ce qui ne veut pas dire que tu n'es pas gentille, toi! T'es la plus chouette, Mary Rosette! À dimanche!

Sons étouffés, bruissements, clic.

Les messages sautés commencent à défiler.

— Salut, Mister, c'est Gigi…

Elle recompose. « Bonjour, vous avez joint Hilary… » *Non, je n'ai pas joint Hilary.* « Laissez-moi votre message. »

La voix si belle d'Hil… Où est le reste de sa personne? Est-elle dans les bras de quelqu'un d'autre? Morte au fond d'un fossé? Saloperie de Winnipeg. A-t-elle une carte d'identité sur elle? Saloperies de champs de blé et de brouillard.

— Salut, appelle-moi en rentrant, je commence à me faire un peu de souci, pas de problème, j'espère que tout va bien.

Elle se broie la hanche gauche contre le bord du comptoir dans l'espoir qu'un pincement de douleur anéantira la peur. *Qu'Hil me trompe, s'il le faut, à condition qu'elle ne meure pas.* Hil a-t-elle indiqué que Mary Rose était sa plus proche parente? Bien sûr, elles sont mariées. Pour peu qu'Hil soit tuée au Canada, Mary Rose sera la première informée – si Hil mourait au Vermont, c'est peut-être elle qu'on préviendrait aussi. Combien de temps les autorités mettraient-elles à lui annoncer la nouvelle? Elle est glacée. Elle ne peut pas prendre un vol de nuit parce qu'elle ne peut pas abandonner les enfants. Elle pourrait demander à Gigi de venir, puis prendre l'avion pour Winnipeg – mais ce serait la preuve qu'Hil est morte. Ou ce serait la preuve que Mary Rose est en proie à une crise de panique.

Cet éclair de lucidité n'a pas pour effet de freiner la cascade nerveuse. De sombres produits chimiques – cortisol, vasopressine – inondent ses veines. Le fait qu'elle connaisse le nom de ces neurotransmetteurs sur le bout de ses doigts lui apprend déjà quelque chose, mais ce n'est pas suffisant pour changer sa situation. C'est parti et elle n'a personne à qui parler – son frère ne peut pas l'aider, Gigi ne peut pas l'aider, le père Noël ne peut pas l'aider, personne ne peut l'aider – c'est fou, fou, mais ça vaut la peine d'être mentionné, la seule qui puisse l'aider, c'est sa mère, elle qui entrait en coup de vent dans la chambre d'hôpital avec son manteau à motif léopard et son béret écossais assorti – Mary Rose chute dans le vide, gratte l'air dans l'espoir de trouver une prise – *Ne bouge pas*. La crise doit suivre son cours et Mary Rose doit rester parfaitement immobile parce qu'il est dangereux de commencer à fuir et à se battre au milieu de la nuit quand les enfants et la chienne dorment et qu'on ne voit pas la personne ou la chose qui nous poursuit. Tant qu'elle restera immobile, rien de mal ne peut arriver.

Calgary.

Il est *deux* heures plus tôt, là-bas. Elle libère un souffle qu'elle n'avait pas eu conscience de retenir et, dans son horloge interne, recule d'une heure le moment de céder à la panique. Quand on se perd dans la Forêt-Noire, on doit rester au même endroit. Sinon, on tourne en rond parce qu'on ne peut pas voir le soleil. Si Hilary ne téléphone pas d'ici une heure, il sera toujours temps de s'agiter dans les sous-bois.

Hilary ne téléphone pas.

Mary Rose demeure plantée devant les grandes fenêtres noires. À présent, la vraie peur peut commencer, l'autre n'était qu'une répétition générale. Le téléphone sonne et, comme libérée par le bruit, la lumière se fait dans sa tête.

— Salut, Hilly, je voulais juste savoir comment s'était passée ton avant-première !

Elle coince l'appareil entre son oreille et son épaule, décroche le calendrier peint avec le pied du tableau d'affichage en liège et le jette dans le bac de recyclage. Elle inspecte son agenda, au cas où le calendrier désuet y aurait laissé d'autres signes de contagion.

— Merci, mon trésor. Je me suis dit que tu avais peut-être oublié.

— Tu n'as pas reçu mes fleurs ?

— Non, oh, mais tu es tellement gentille, ce n'était pas nécessaire.

Mary Rose a menti sans crier gare et avec une grande aisance – *Suis-je donc une psychopathe ?*

— Et alors, c'était comment ?

— Pas mal, répond Hil d'un ton modérément optimiste. Ça n'a pas encore complètement décollé, mais le rythme est là, les rires sont là, et on a enfin trouvé une perruque convenable pour Maury.

— Il doit vraiment être content.

Son sourire, qui lui semble avoir la texture du cuir, s'étire sur son visage comme la forme d'un cordonnier.

— Oh, tu connais Paul?

— Paul?

— Le directeur technique, celui qui a dit que plus personne ne se servait des «cintres»? Eh bien, il était si content qu'il m'a emmenée là-haut pour me montrer son gréement.

— Te montrer son quoi? a demandé Mary Rose en toussant.

— Tu es sûre de ne pas couver quelque chose, toi?

— Une simple quinte de toux. Ne crains rien: je ne vais pas tomber malade dès ton retour.

— Ce n'est pas ce que je voulais dire...

— Je ne me sens pas très bien, mais c'est normal: je passe mes journées avec des tout-petits qui sont de vrais incubateurs de microbes.

— Je sais. C'est pour cette raison que tu devrais appeler Judy.

— Je vais googler mes symptômes.

— Surtout pas!

— Je pense que ma mère perd la tête.

— Ah bon?

— Elle oublie tout et elle est... joviale. Le reste a pour ainsi dire disparu...

Soudain, elle doit ravaler ses larmes. Pleure-t-elle la disparition de la rage de sa mère? *Sapristi*.

— Je me demande si elle a vraiment oublié tant de choses, dit Hil.

— Que veux-tu dire?

— J'aime tes parents, ils sont gentils.

— Gentils comme quoi? Comme de vieux nazis sympathiques?

Elle entend Hil soupirer. *Surtout, pas de querelle au téléphone en plein milieu de la nuit.*

— Désolée, Hilly.

— Ça ne fait rien, mais il faut que je me couche. Je donne une entrevue à sept heures.

Hil va-t-elle trouver refuge dans une aventure? Je saurai qu'elle me trompe si elle devient super gentille. Ou super méchante. Si nous avons des rapports sexuels dès son retour. Ou si nous n'en avons pas.

— On dirait qu'elle a besoin d'une attention sans fin, d'une attention négative, même, dit Mary Rose. Elle est peut-être retombée en enfance.

— Elle n'en est peut-être jamais sortie, de l'enfance.

— Ça oui, par exemple. Tu ne l'as pas connue pendant ses années de rage.

— De la rage enfantine, dit Hil. En général, les enfants qui piquent une crise de rage n'ont pas d'enfants à eux, c'est tout.

Soudain, Mary Rose a très envie de son lit.

— Je pense qu'il vaut mieux que je me couche, Hil, les enfants seront debout dans quelques heures.

— Vous avez dû beaucoup souffrir, ta mère et toi, à l'époque.

— Quand ça?

— En Allemagne.

— Je ne m'en souviens pas.

Silence.

— Désolée, mon amour. Rien ne nous oblige à en parler.

— Nous pouvons en parler, elle ne parle de rien d'autre, elle. Pour elle, tout est une plaisanterie où il est question d'un bébé mort.

Silence.

— Elle a été incinérée.

— Qui ça? demande Hilary.

— L'Autre Mary Rose.

Le ton maussade de sa voix la prend par surprise.

— Elle m'a dit ça, aujourd'hui, de but en blanc, comme si on parlait de la pluie et du beau temps.

— Désolée, mon trésor.

— Pourquoi?

Calme-toi, tout de suite.

— Pourquoi tu ne téléphones pas à Gigi?

— Pourquoi est-ce que je téléphonerais à Gigi?

Elle entend le ton super appliqué prendre le dessus.

— Je voulais juste te raconter ce que m'a dit ma mère atteinte de démence, si ce n'est pas trop te demander.

— Bien sûr que non. Je t'écoute.

— Aucune importance.

Elle est prise au piège par ses propres mots, qui semblent froids et raisonnables dans l'aquarium de sa tête jusqu'à ce qu'elle ouvre la bouche. Après, ils montrent les crocs. Hil n'est pas l'ennemie.

— Désolée, mais ma mère a soulevé le couvercle d'une grosse malle remplie de saloperies de tragédies et ça sort en tas parce que ce n'est plus lesté par l'émotion, chez elle le lobe des émotions est…

— Pas si vite.

— J'ai une impression de déjà-vu.

— Parce que tu savais déjà ce qui était arrivé à ta sœur.

Ta sœur.

— Ah bon?

— Bien sûr. Tu as même déjà écrit à ce sujet.

— Ah bon?

— C'est ça, les Larmes noires, non?

Mary Rose se remémore une scène de son deuxième livre – le deuxième de la trilogie annoncée. Est-ce donc ça que donne la ruineuse psychothérapie suivie par Hil?

— Ah bon?

Mary Rose avait le projet de se montrer cinglante, mais elle paraît plutôt geignarde.

— Je pensais qu'elles faisaient partie de l'intrigue d'un livre jeune public ayant connu beaucoup de succès.

Pause.

— Ne sois pas fâchée, Hil.

— Je ne le suis pas, mais je pense qu'il vaut mieux que je me mette au lit.

Mary Rose doit dire quelque chose d'inoffensif avant de raccrocher.

— Ah, je voulais te dire, j'ai vu un article que j'ai vraiment envie d'acheter. Tu sais que j'ai toujours voulu un support pour les casseroles?

— Ah bon?

— Ça libérerait beaucoup d'espace.

— Où est-ce qu'on le mettrait?

— Au plafond, au-dessus du comptoir.

— … Là où sont les lumières.

— On n'aurait qu'à les déplacer.

— Comme ça, on rerénove la cuisine.

— Non, c'est à peine... Ce n'est rien. Je m'occupe de tout avant ton retour, si tu veux.

— Non, je pense que je préférerais être là.

— D'accord. Je vais acheter le support, mais je ne l'installerai pas...

— Tu dois vraiment l'acheter tout de suite?

— Pourquoi pas?

— Tu achètes beaucoup de choses, des trucs géniaux, j'ai beaucoup de chance...

— Tu penses que c'est futile?

— Disons que ce n'est pas essentiel.

— Les chasses d'eau ne sont pas essentielles, les avions ne sont pas essentiels...

Hil rit.

— Je préfère encore les toilettes à un support à casseroles suspendu, Mary Rose.

Elle a utilisé son prénom au complet. C'est la goutte d'eau qui fait déborder le vase.

— Je sais que le fait que nous ayons toute une batterie de casseroles empilables ne constitue pas pour toi une énorme priorité, mais c'est là chaque fois qu'on vient pour en prendre une. Toi, tu ne t'en préoccupes pas parce que *je m'en préoccupe*, moi, et là tu oses me dire que mes préoccupations sont *futiles*... Reviens donc à ton vieux wok tout rouillé, si tu y tiens tellement.

— Mary Rose...

— À moins que *Paul* l'accroche pour toi avec ses « cintres »...

— *Ça suffit!*

Mary Rose se souvient.

Silence cuisant. Le salon allemand. En noir et blanc, comme si elle regardait une photo dans un vieil album de famille. On l'a prise de la porte du balcon en regardant vers l'intérieur. Voici la table basse. Voici le canapé. Personne, mais on sent une présence. Le fort sentiment que quelque chose vient d'arriver. Des vibrations dans l'air. Une onde de choc.

Hil rompt le silence, d'une voix calme.

— Je ne joue plus, Mister. Je me couche. Bonne nuit.

Elle raccroche. Mary Rose frappe du poing la planche à découper avec sa marqueterie décorative, mais le cœur n'y est pas, et le coup n'étanche pas sa soif d'autoflagellation.

Elle se laisse tomber sur une chaise et tape « fausse couche » dans Google. Des centaines de sites s'offrent à elle, leur nombre la renverse – des conseils et du soutien, page après page. Elle se demande quelles ressources on proposait du temps de sa mère, s'il y avait la moindre aide… À part *Vous aurez d'autres bébés*.

Elle tombe sur une galerie de photos en ligne. Des dizaines de bébés portant de mignons habits, certains tenant un animal en peluche. Tous morts. Des noms, des dates. Des messages de la part de parents endeuillés, de membres de la famille et d'amis. Certains bébés semblent dormir du sommeil cosmique du nouveau-né pétant de santé. D'autres ont le visage décoloré, les traits empâtés, le front déformé qui tranche sur le bonnet et le pompon. Mary Rose fait défiler ce mur des lamentations silencieux, un nom après l'autre… Bienaimé. Regretté.

L'Autre Mary Rose est morte et a commencé à se décomposer *in utero*, ses cellules se défaisaient, avaient amorcé le voyage de retour vers le potentiel. Mais elle avait un visage. Il s'assombrissait, peutêtre, la peau fondante au toucher cédait sous la force des forceps – *ne regardez pas*. Regardez. Un bébé. L'a-t-on bercée, emmaillotée avant de s'en débarrasser ? L'a-t-on mise dans un sac ? Le sac a-t-il été placé dans un réceptacle ou simplement jeté ? À quel moment le sac est-il devenu un sac de déchets comme un autre – le concierge a-t-il su le différencier, à son poids, des autres sacs renfermant des tissus malsains, des organes et des membres mis aux rebuts, des pansements stériles, tout ce qui n'était ni coupant ni jetable dans les toilettes ? L'a-t-on compactée, la petite, au milieu des cathéters, des restes de table, des prélèvements, des abaisse-langue et des tasses en papier, avant de la jeter dans l'incinérateur à l'aide d'une pelle ? Non baptisée, donc non nommée, donc personne. A-t-elle plutôt fini sur une table de dissection devant des étudiants en médecine ? On n'aurait même pas eu à demander la permission aux parents – surtout, ne pas les troubler avec des détails pareils, ça ne peut pas nuire, ça ne peut que rendre service.

Elle avait un visage. Même si elle dérivait, même si les amarres étaient rompues. Elle avait un nom, même s'il n'a pas tenu, lui non plus. Elle a rêvé. Elle a bougé. Elle a été quelqu'un.

Ta sœur.

LIVRE 2 : ÉVADÉS DE L'AUTRE DIMENSION

Est-ce le jour ou la nuit ? Impossible à dire : une sorte de voile perpétuel bloque les rayons du soleil ou, en les emprisonnant, les dépouille de leur éclat. Le sol est ponctué de trous et d'ornières – l'asphalte d'un stationnement ou d'une cour d'école, peut-être, sauf qu'on ne voit pas de mauvaises herbes dans les fissures. Ce lieu ne ressemble à aucun de ceux que Kitty a vus sur Hoam où, derrière chaque tournant et chaque colline, on découvre un autre endroit idéal pour un pique-nique.

Elle résiste à l'envie de revenir sur ses pas en empruntant les pierres de gué du ruisseau visqueux jusqu'au bosquet où elle a laissé M. Morrissey en train de soigner sa dernière patte. Elle accepterait volontiers de le transporter dans toute la Forêt oubliée plutôt que de faire un pas de plus dans ce lieu abandonné et sans nom. Sauf que l'Elfe d'Ébène, quoique rusée, ne ment pas. Si elle affirme que c'est là qu'elle découvrira deux Larmes noires, Kitty n'a d'autre choix que de continuer. Elle palpe le flacon qu'elle porte autour du cou, au bout de la chaîne en argent, et s'enfonce plus avant dans les ténèbres.

Kitty en a vu, des merveilles, pas toujours très jolies, d'ailleurs, et ce qui la perturbe, c'est moins la poupée qu'elle voit venir vers elle d'une démarche raide dans ce territoire impitoyable que l'état dans lequel elle se trouve. Non seulement est-elle nue, privée de cheveux, même, mais en plus la moitié de son visage moulé semble avoir fondu avant de se reformer en zébrures lustrées – on a dû jeter la pauvre créature dans les flammes. Kitty attend et repousse une impression de malheur imminent – après tout, ce n'est rien de plus qu'une poupée inoffensive, petite et infirme. La créature s'immobilise devant Kitty, qui entend sa respiration sifflante, et lève ses yeux peints éraflés, mais indiscutablement bleus.

— Salut, Kitty.

Kitty se pétrifie. Comment connaît-elle son nom ?

— Tu ne te souviens pas de moi ? demande la chose d'une voix rauque.

Kitty secoue la tête, soudain réticente à l'idée de laisser derrière une partie d'elle-même, ne serait-ce que le son de sa voix.

La poupée est triste, mais insistante.

— Pourquoi m'as-tu envoyée au loin, Kitty?

La voix de Kitty est à peine audible.

— Je ne t'ai rien fait.

— Tu veux savoir ce qu'ils m'ont fait, eux?

Quel est donc cet endroit? L'enfer?

— J'ai été incinérée, siffle-t-elle soudain.

Kitty recule.

— Ne me quitte pas, gémit la poupée.

Soudain, ses yeux deviennent tout noirs, d'une paupière à l'autre, et une nuit liquide dégouline sur son visage ravagé. Les larmes! À tâtons, Kitty cherche le flacon et se jette sur la poupée, mais celle-ci s'esquive avec une agilité surprenante.

— Tu dois d'abord me promettre…

— Je ne te promettrai rien.

— Je ne suis pas mauvaise, dit la démone d'une voix grinçante. Mais je ne te donnerai tes précieuses Larmes noires que si tu m'accordes un vœu.

Kitty frissonne.

— Qu'est-ce que c'est?

La poupée incline la tête.

— Tu ne te souviens vraiment pas de moi, Kitty?

— Je ne t'ai jamais vue de ma vie.

— Je suis à toi.

— Non…

— Je suis Susie.

— Va-t'en.

— Serre-moi dans tes bras.

Kitty est clouée sur place, paralysée par l'horreur et la haine. Elle n'a qu'une envie: saisir le monstre et le jeter violemment contre le sol cendreux.

— Non.

— C'est mon vœu.

Kitty sanglote presque de colère et de répulsion.

— Je ne peux pas.

— Serre-moi contre toi, Kitty, siffle la chose en tendant ses bras de plastique.

— Jamais.

— Jamais, c'est ce qui va arriver à ton frère Jon. Il n'a jamais été, il ne sera jamais.

Kitty s'avance avec des haut-le-cœur et saisit la poupée. Elle ferme hermétiquement les yeux et la serre contre elle. La poupée laisse entendre un bruit – léger, mais terrible. Kitty entend un bruissement, sent un petit coup. Et puis c'est terminé.

Elle la relâche en frissonnant, comme si elle venait de vomir, et la poupée tombe sur le sol. Les paupières de Kitty sont toujours fermées lorsqu'elle dit :

— Donne-moi mes larmes, maintenant.

Comme la poupée ne répond pas, Kitty rouvre les yeux et constate la transformation la plus remarquable qui soit. Le visage de la poupée est lisse et sans tache, ses yeux d'un bleu joyeux, sa bouche en bouton de rose. Elle n'est plus nue. Elle arbore au contraire une robe de satin bleue, nouée fermement autour de la taille.

— Susie ! s'écrie Kitty en s'élançant vers elle.

Cette fois, elle l'étreint avec tendresse ; la poupée est toute douce, comme quand Kitty était petite, jusqu'au jour où elle l'avait posée quelque part et ne l'avait plus jamais reprise. Ses larmes sont tièdes contre l'épaule de Kitty. Elle berce la poupée dans ses bras et plonge amoureusement son regard dans les doux yeux d'où jaillissent des larmes… claires comme le cristal.

Elle la jette par terre.

— Tu m'as promis de me donner les larmes ! Tu as menti ! Qu'est-ce que je vais faire, maintenant ? Jon ne se réveillera plus jamais, il n'aura jamais été, et je ne rentrerai jamais à la maison !

Kitty se met à pleurer. Susie lui prend le flacon et recueille les larmes qui roulent sur la joue de Kitty comme autant de grosses gouttes d'ébène.

VENDREDI
Le souvenir de la douleur

Elle se sent remarquablement fraîche et dispose, compte tenu du peu de temps qu'elle a dormi. La nuit dernière, elle est descendue au fond d'une question qui la troublait à son insu, ce qui vaut parfois mieux que de dormir. Elle est restée debout jusqu'à trois heures du matin à faire dans Google des recherches sur la dépression post-partum et a fini par commander un livre sur le sujet. Savoir, c'est pouvoir. Mieux elle comprendra l'histoire traumatique de sa mère et ses effets sur sa propre maternité, mieux ses enfants se porteront. Sans compter qu'il est merveilleux de penser que le café dans sa tasse est complètement « décalcifié ». Elle se frotte le bras et dépose un bol de gruau devant Maggie dans sa chaise haute et un autre devant Matthew sur son siège d'appoint.

— C'était très gentil de prêter ta licorne à Maggie hier soir, Matthew.

Elle enverra des fleurs à Hil pour vrai – des frésias ? Quelque chose qui dise « Je suis désolée », mais pas « Je ne t'envoie des fleurs que parce que je suis désolée ». Des marguerites ?

— Je lui ai pas prêtée.

Il la regarde droit dans les yeux.

— Non ?

Comment, dans ce cas, Maggie avait-elle mis la main dessus ? La question évoque, pensée troublante, le spectre d'une petite fille à l'agilité démoniaque qui se laisse tomber sur le sol et traverse le palier sans bruit…

— Je lui ai donnée, dit Matthew.

— Elle est à toi, Matthew. Mama te l'a donnée.

— Je sais.

Il baisse les yeux.

— À moi, affirme Maggie.

— Tu te sens encore mal de l'avoir laissée tomber ?

Des larmes inondent les yeux du garçon.

— Je l'ai poussée.

— Oh… Matthew, mais pourquoi ?

Il pleure.

— Ça va, mon lapin, dit-elle en lui caressant les cheveux. Matthew, Matt, mon chou ? C'est arrangé. Je l'ai réparée.

— Je voulais pas que tu la répares !

Il écarte ses larmes en se giflant le visage.

— Ne te fais pas de mal, Matt.

— Non ! rugit-il.

— Non ! appuie Maggie.

Mary Rose a une insurrection sur les bras. Elle s'accroupit devant Matthew.

— Tu ne l'aimes plus ?

Il est calme, soudain.

— Je l'ai jamais aimée, mama.

Elle déglutit. Sourit.

— Ça ne fait rien, ma puce. C'est une chanson triste, hein ?

— Maggie l'aime, elle.

— Je l'aime, confirme Maggie avec des intonations étonnamment adultes.

Elle met à tremper la casserole avec le gruau collé et elles conduisent Matthew à l'école. Passent devant Archie's Variety.

— « Archie's Variety », lit-elle.

La température s'est alignée sur la saison, les enfants plus vieux vont à l'école à vélo, la vitre ouverte d'une voiture laisse entendre une musique vrombissante – dans son habit de neige, Maggie est trop chaudement habillée, la journée s'annonce délicieuse. Mary Rose sent la présence d'une masse noire dans son ventre.

— « Grapefruit Moon », lit-elle.

Il est bon que Matthew ait réussi à lui dire la vérité à propos de la licorne, c'est la preuve qu'elle est une bonne mère. Le beau garçon de la boutique de vélo a sorti son tableau publicitaire.

— « Mise au point : Spécial "Lève-tôt" », lit-elle à voix haute.

Elle sourit au garçon ; c'est le type de jeune homme que Maggie amènera un jour à la maison, espère-t-elle – mais pourquoi, au fait, est-elle si certaine que Maggie sortira avec un garçon et non avec une fille ? *Les personnes qui se haïssent sont dangereuses.*

— « Freeman Real Estate », lit-elle.

Sentirait-elle quelque chose si elle avait un cancer à l'estomac ?

— Pourquoi tu dis tous les panneaux, mama ? demande Matthew.

À leur arrivée, l'autobus scolaire est là qui attend – la sortie au musée des reptiles ! Son intention était de faire venir Candace pour s'occuper de Maggie et d'amener Matthew en voiture pour lui éviter de mourir dans un accident de la route. Il monte dans l'autobus, débordant de joie.

Keira sourit, une main sur son gros ventre.

— Nous avons déjà trop de volontaires, Mary Rose. Ne vous en faites pas !

Elle regarde la jeune femme enceinte monter à bord et elle éprouve une sensation de perte. Aucun doute possible : le véhicule est voué à la perdition. Par une fenêtre, Sue la salue de la main – elle a pris place entre Matthew et Ryan. Sue n'est pas du genre à périr dans le capotage d'un autobus. Avec Sue à bord, Matthew a une chance de s'en tirer. Mary Rose expire, puis sourit et agite la main comme les autres parents, tandis que le gros véhicule jaune s'ébranle. À la vue de la multitude de mitaines qui s'agitent dans la lunette arrière, elle sent son cœur cogner dans sa poitrine.

Un message de Gigi l'attend à la maison :

— Salut, Mister. Ma proposition tient toujours. Appelle-moi.

De quoi parle-t-elle ? Mary Rose a beau aimer sa vieille copine, Gigi fait partie de ces amies sans enfants qui ont le temps d'aller voir des films au milieu de la semaine et de vous laisser plein de messages cryptiques. Elle extirpe Maggie de son habit de neige étouffant et s'attaque à la préparation d'une collation santé. Le manque de sommeil de la veille la rattrape et elle a désespérément besoin d'une sieste. *Tu sais que tu n'as plus vingt-cinq ans.* Vingt minutes, c'est tout ce qu'il lui faudrait. Mais elle a résolu de supprimer le dodo du matin et elle entend tenir sa promesse. Cesse de googler et couche-toi plus tôt, ce soir.

Ayant envie de sommeil comme le vampire a envie d'obscurité, Mary Rose se dirige vers la table de bricolage, où elle fait un casse-tête Ravensburger avec Maggie. Lorsque la claustrophobie devient trop oppressante, elle consulte ses courriels.

> Salut Rosie,
> Maman et papa arriveront à Toronto dimanche matin à onze heures. Ils se sont bien amusés ici et je pense qu'ils sont d'attaque pour le voyage. Je sais qu'ils ont très hâte de te voir. Ce que tu fais en ce moment est très difficile, Rosie-Posie... Seuls ceux qui sont passés par là peuvent comprendre... puis ils oublient! J'ai probablement oublié, moi aussi, mais, au moins, je m'en rends compte. Logique imparable, non?
> Comment va Daisy? Si on ordonne son euthanasie, tu n'as qu'à nous l'envoyer ici. Sans blague! Nous l'attendrons à la gare du chemin de fer clandestin pour les pit-bulls!
> Bisou,
> Mo

Il y a aussi un courriel d'Andy-Pat: un lien vers un site où un éléphant fait de l'aquarelle. Il est complètement hors circuit et elle a la ferme intention de le ramener dans le vif de l'action – au nom de quoi faudrait-il que, dimanche, elle affronte seule la station (ferroviaire) de la croix?

> Message urgent à toutes les patrouilles fraternelles: papa et maman débarquent le sept à onze heures. Rassemblement à la gare Union pour café et confusion.
> xomr

D'un autre côté, pourquoi faciliterait-elle la relation de son frère avec ses parents? C'est ce que font les filles depuis toujours. À quoi bon

avoir mené une bonne vie contre-culturelle pour ensuite se comporter en femme et donner le beau rôle à son frère ? Le fils prodigue : il n'a qu'à apparaître, celui-là, et un veau gras y laisse sa peau.
Effacer.

Salut Mo,
Merci, je te tiens au courant pour Daisy. Aujourd'hui, je vais passer à la poste (où j'espère ne mordre personne) dans l'espoir de mettre la main sur le «mystérieux paquet». Je trouve inacceptable l'idée que maman se rende compte que la chose qu'elle voulait me donner se soit perdue dans le vaste chaos qu'on appelle la vie. Elle a peut-être «posté» le paquet dans la poubelle – tu sais bien, l'un de ces machins compliqués avec une ouverture différente pour chaque type de déchets.

Elle supprime le dernier bout et envoie le message.

Cher papa,
Je

Elle n'a pas conservé la lettre que son père lui a envoyée par courrier recommandé. Elle est arrivée dans son appartement en sous-sol, tapée sur du papier ministre, il y a plus de vingt ans, une semaine après qu'elle eut avoué son homosexualité à ses parents ; elle l'a lue une fois avant de la déchirer, sans éprouver ni colère ni tristesse. Tout en n'étant pour elle que de l'encre et du papier, ces mots, croyait-elle, risquaient de faire du mal à son vrai père, le jour où il serait de retour. Ce serait très triste pour papa s'il se rendait un jour compte de ce qu'il a fait à sa fille. Si elle avait exprimé cette idée à une amie, comprend-elle soudain, celle-ci y aurait peut-être reconnu une forme de déni. Il est d'ailleurs possible que ce soit pour cette raison que nous gardons certaines choses pour nous. Pour les cacher aussi à nous-mêmes.

Un jour, environ un an après l'émission de la fatwa, elle a téléphoné à son père du foyer qu'elle venait de constituer avec Renée. Renée était d'accord pour dire que Duncan était le plus sain des deux parents de Mary Rose ; elle les avait rencontrés une fois, Mary Rose l'ayant fait entrer en douce, au début de leur relation, en la présentant comme une «amie». Mary Rose était persuadée que, sans sa mère, son père aurait été en mesure de dire de Renée qu'elle était l'amie de sa fille et de fermer les yeux sur la chambre qu'elles partageaient. Il serait venu les voir et, à l'heure du midi, il leur aurait offert un délicieux repas au restaurant. Il n'aurait pas éprouvé le besoin de nommer – et de maudire – une chose comme celle-là. Après tout, il avait deviné cet aspect de sa fille. L'y avait en quelque sorte préparée. Il l'a surnommée Mister et lui a appris à être supérieure à un garçon, à ne jamais s'effacer. Mary Rose et Duncan étaient les signataires d'un pacte secret qui lie certaines lesbiennes à leur père : malgré son féminisme avoué, la fille, pour peu qu'elle trahisse les femmes en leur accolant l'étiquette de sexe faible – et réserve le même sort à d'éventuels frères lui faisant concurrence –, a droit au statut de fils honoraire. Et qu'en retire-t-il, lui ? D'une part, il est considéré comme le père éclairé d'une femme accomplie ; d'autre part, il conserve son trône puisque sa fille lesbienne n'est pas un homme et qu'elle ne risque pas non plus de ramener un homme à la maison. Les choses auraient pu se poursuivre ainsi sans que le mot en «L» soit jamais prononcé. Il n'était peut-être pas trop tard, d'ailleurs. Au nom de quoi un père et sa fille devraient-ils être tenus loin l'un de l'autre par une mère cruelle et grossière ? Un jour de printemps, elle lui a donc téléphoné pour lui demander de passer la voir… Elle n'avait pas songé à cette conversation depuis des années. Elle l'a peut-être déchirée il y a longtemps, comme la lettre. Elle tape…

Cher papa,
Je me demande si les problèmes liés à la dépression post-partum de maman ont eu une incidence sur la façon dont elle a réagi à ma sortie du placard, des années plus tard. Elle était peut-être dévorée par la culpabilité et l'angoisse à la pensée de tout ce qu'elle avait subi, et peut-être a-t-elle cru qu'elle m'avait fait du tort, d'une manière ou d'une autre – en particulier au triste lendemain de la mort d'Alexander. Elle a dû avoir beaucoup de difficulté à se concentrer sur une enfant énergique. Peut-être a-t-elle cru que c'était ce tort qui se manifestait… en quelque sorte

Effacer.

Elle referme son ordinateur, lave la casserole du gruau et crie :

— *Maggie!*

Puis un déclic audible se fait entendre au moment où une conclusion logique en forme de question s'impose à sa conscience, au terme d'un voyage de quarante-trois ans. *Puisque j'ai cru qu'Andy-Patrick serait mis en terre si on le nommait d'après un frère mort, où est-ce que je me croyais, moi qu'ils avaient nommée d'après une sœur morte ?*

Lave, frotte, gratte.

— Maggie!

Elle va se rendre à la Station postale E et, sans mettre de gants, dire sa façon de penser à un bureaucrate mesquin. Pourquoi passer ses nerfs sur des chauffards quand on a une société d'État sous la main ? Saletés de postiers avec leurs saletés de fonds de pension, d'avantages sociaux et de maux de dos! Elle se retourne brusquement, la casserole à la main, et assomme presque l'enfant.

— Maggie! Merci de venir quand mama t'appelle, ma puce.

Aujourd'hui, pour une raison qu'elle ignore, sa fille est particulièrement jolie et ressemble à une pomme d'amour.

— Tu sais quoi, ma beauté? Quand elle va rentrer, maman n'en reviendra pas de voir comme tu as grandi!

Elles feront une belle promenade jusqu'au bureau de poste. Elles emmèneront Daisy. Ainsi, les employés de la poste verront quelle gentille chienne elle est. Mary Rose remettra son formulaire en citoyenne modèle. Le bureau de poste libérera son courrier. Le suspense va prendre fin, sa mère va lui foutre la paix. Elles s'arrêteront au parc. Elles s'amuseront. Elle est une gentille maman. Regarde Jane mettre ses bottes.

Maggie s'assied sur la marche. Mary Rose s'accroupit devant elle et prend un petit pied dans une main et une petite chaussure de sport dans l'autre.

— Bottes, dit Maggie.

— *No problemo!* Les coccinelles?

— Oui, mama.

Mary Rose se tourne vers le rangement qui déborde et aperçoit une unique botte rouge luisante coincée d'un côté. Elle la libère. C'est la gauche. Où est la droite, maintenant?

— Où est l'autre botte coccinelle, mon bébé?

Elle part à sa recherche. La botte n'est pas dans le sous-sol. Elle n'est pas dans la cour arrière. Elle n'est ni au fond de la poussette ni dans la voiture. Où, oui, où est l'autre botte de Jane? *Autre botte si belle, demoiselle, bête à bon Dieu. Autre botte si belle, demoiselle, vole jusqu'aux cieux!* soupire Mary Rose. Où peut aller une botte? Se met-elle en route toute seule? Se rend-elle en enfer comme une diablesse? Elle n'est toujours pas dans le rangement. Où est-elle, cette maudite botte? À coups de pied, Mary Rose se fraie un chemin à travers les bottes et chaussures que Maggie a mis sens dessus dessous dans un effort pour se rendre utile. À chaque coup de pied, Mary Rose sent monter en elle la marée de la colère – *hauteur à ne pas dépasser*. Du calme, il s'agit d'une botte et non d'un bien de famille d'une valeur inestimable.

— Mama ne trouve pas ton autre botte, Maggie. Tu vas devoir porter celles-ci.

Les bottes Bean munies de réflecteurs sécuritaires.

— Non, mama. Je veux bottes Sitdy.

— Désolée, ma puce, mais je n'en trouve seulement qu'une.

C'est une maladresse syntaxique parce que...

— Je peux trouver une, mama.

— Ce que tu peux être gentille!

Sur ces mots, Mary Rose saisit le pied droit de Maggie, doucement mais fermement, et commence à tirer pour enlever la botte coccinelle. Maggie se raidit, étire la jambe, et son talon atteint le mamelon gauche de sa mère. Mary Rose la libère. Elle sourit, imperturbable. *C'est vraiment moins dur avec le temps.*

— O.K., ma puce. Tu peux porter deux bottes différentes.

Heureuse de sa patience, elle tend à Maggie une botte Bean. Maggie la lance contre le mur.

— ARRÊTE! rugit Mary Rose en maîtrisant tant bien que mal les chevilles qui ruent. NON!

Elle agrippe les mains, les poignets, les bras qui battent l'air.

— JE T'INTERDIS DE ME FRAPPER, PETITE PESTE!

Elle pleure les mots avec une force violente qu'elle s'efforce de détourner de ses mains.

— JE VAIS T'ASSOMMER!

Stop.

Maggie se débat toujours. Est-ce bon signe? Les mains de Mary Rose encerclent toujours les bras de sa fille, ses genoux emprisonnent les genoux de sa fille, Madone en colère et enfant. Maggie gémit à présent, se tortille plus qu'elle ne lutte.

Les sons n'ont pas vraiment déserté l'atmosphère; en fait, chaque son émane d'un vide qu'il réintègre aussitôt. Mort. Mary Rose a l'impression d'entendre des sons qui proviennent de derrière une vitre. L'air lui-même s'est transformé: le temps ne peut plus le traverser, il doit désormais le contourner. C'est un endroit à part, ici. Stérile.

Ses mains sont toujours sur les bras de sa fille. Ses mains sentent les petits os dans leurs manches de chair, des os comme des flûtes. Elle observe ses mains au moment où, sans crier gare, elles frémissent. Maggie crie. Les mains se desserrent, mais ne lâchent pas prise. Elles encerclent les bras, comme des menottes. Comme des chaînes de papier dans un sapin de Noël. Elle observe les mains: que feront-elles ensuite? Quelque chose va se produire, elle ne se rappelle pas quoi.

À l'étage, un jappement résonne, suivi d'une descente qui fait un bruit de tonnerre, puis de cliquètements sur le sol de la cuisine. La chienne apparaît, s'arrête et la regarde.

— Tout va bien, Daisy. C'est seulement mama.

Mary Rose entend sa voix comme si c'était celle d'une autre, d'une autre qui serait arrivée juste à temps. La chienne grogne. Mary Rose lâche Maggie. La chienne, cependant, reste là, les oreilles dressées, les yeux fixes.

Maggie observe un coin du plafond. Mary Rose comprend qu'elle a peur en s'entendant crier:

— Maggie!

L'enfant est en transe.

— Maggie!

Respire-t-elle?

Elle baisse les yeux et, le visage sans expression, aperçoit Mary Rose. Elle ne respire pas. Mary Rose la saisit et, comme relancée par le mouvement, l'enfant reprend son souffle, qui a la forme d'un halètement suivi d'un cri. Elle se cramponne à Mary Rose, à la manière d'un singe, si fort. Elle se cramponne et pleure si fort, se cramponne à mama.

•

Comment guérit-on le temps ?

•

Mary Rose regarde Maggie grimper toute seule dans la poussette et boucler sa ceinture. Elle porte les bottes coccinelles. L'enfant a eu raison d'affirmer : « Je peux trouver une. » Elle a effectivement déniché l'autre botte, ensevelie au fond du rangement, et elle a même tenté de la mettre du bon pied. Mary Rose se sent mal en regardant Maggie manipuler patiemment sa ceinture, le visage taché de larmes, mais contente à présent, et elle aussi éprouve autre chose : de l'amour. Elle referme aussitôt le couvercle – comme celui d'un ordinateur portatif. Elle est assez lucide pour savoir qu'il est malsain d'accéder à l'amour dans le sillage de la fureur – c'est une dynamique marquée par la violence. Ayant coché cette case, elle poursuit sa journée.

La journée lajournéelajournée est trop claire, il y a des actions séquentielles qui mises bout à bout sont gage de santé mentale comme aller à la poste par exemple fais ce qu'il faut personne n'a besoin de savoir que tu es déconnectée c'est peut-être le cas pour tout le monde. et puis etpuiset puis les prépositions greffent les pensées l'une à l'autre si la greffe prend il y a continuité sinon ce sont des fragments disparates

Elles franchissent le portail de derrière, s'engagent dans l'entrée, puis sur le trottoir dubonchasseursachantchassersanssonchiendeprépositions et si elle continuait simplement de marcher ? *Un de ces jours, je vais sortir de cette maison et ne plus jamais y remettre les pieds!* Daisy lève la patte et pisse sur le coin de la clôture où l'indestructible cosmos renaîtra sous peu. Mary Rose voit Rochelle monter dans sa Tercel.

— Salut, Rochelle.

Rochelle ne répond pas tout de suite.

— N'est-ce pas une journée magnifique? pépie Mary Rose.

— Il fait beau.

Rochelle semble méfiante.

— Nous sortons faire une promenade. Nous avons des collations, nous avons des jus, nous avons même un chien de traîneau au cas où il recommencerait à neiger! Nous sommes prêtes à toutes les éventualités, pas vrai, Maggie, tu peux dire salut à Rochelle, Maggie?

Quelque chose cloche dans le visage de Mary Rose.

— Salut, Ouasselle.

— Salut.

— Je sais qu'elle me ressemble, mais je l'ai adoptée, mais tous les bébés me ressemblent et comme tous les bébés ressemblent à Winston Churchill, je dois ressembler à Winston Churchill.

Un sourire s'est posé sur son visage comme un extraterrestre.

Rochelle ne dit rien.

Peut-être parce qu'elle a conscience de parler à une folle.

— Nous allons marcher jusqu'à la Station postale E et y déposer un formulaire parce que Daisy a failli mordre le facteur, elle ne l'a pas mordu, elle a mordu la boîte qui contenait le pied pour le sapin de Noël parce que j'étais occupée à écrire un courriel à mon père et maintenant ils arrivent en train et ma mère m'a envoyé un *paquiet* et je ne l'ai pas encore reçu.

A-t-elle vraiment débité cette tirade avec un accent britannique? Mais oui ouose va commencer à ouigoler. Elle se mord l'intérieur des joues, fort, et des larmes inondent ses yeux. *Nous nous battrons sur les plages...* A-t-elle prononcé les mots à voix haute?

— Je peux apporter le formulaire, si tu veux.

— Vraiment? Tu vas à la poste?

— J'y travaille.

La voix de Rochelle est comme le sac en toile d'un facteur.

Ne ris pas. Un jour, tu risques de te mettre à rire et de ne plus pouvoir t'arrêter.

— Merci, dit-elle en tendant le formulaire à Rochelle.

Rochelle monte dans sa voiture.

— Tu as besoin de timbres?

— Ha-ha-hahahaha…

Elle se mord la joue.

— Je ne crois pas, non, hahahaha. Merci, Rochelle.

— De rien.

Elles vont au parc. Mary Rose pousse Maggie sur la balançoire. Elles jouent dans le carré de sable. Elles font tout ce qui peut s'exprimer par des phrases convenant à un lecteur débutant. Trois autres tout-petits sont là. L'un d'eux devient hystérique. Sa mère n'a pas songé à apporter des collations santé. Mary Rose a apporté des collations santé. Mary Rose ouvre son sac et propose une languette de pâte de fruits séchée.

— Merci! s'écrie la femme. Je me sens complètement incompétente, comme mère.

Et elle rit.

Matthew est en vie.

— Salut, Sue, et merci.

— Pour quoi faire?

L'autobus n'a pas capoté – du moins pas dans ce monde-ci. Il existe un monde dans lequel la même foule de parents, réunie devant l'école, chante une mélopée funèbre. Un monde dans lequel, au bord de l'autoroute, on voit un monticule de fleurs et d'oursons en peluche…

— Bon week-end.

À mesure que la journée progresse, une réalité parallèle se précise, comme si le monde bifurquait à chacun des gestes que Mary Rose ne fait pas. Lorsque le bouchon du thermos de lait au chocolat qu'elle secoue est mal fermé. Lorsque, dans son entrée, elle se rend compte qu'elle a raté d'une seconde le camion de recyclage et que le chauffeur fait comme s'il ne la voyait pas. Dans un autre monde, le thermos fracasse une vitrine, une femme folle court dans la rue en poussant devant elle un gros bac bleu sur roulettes et en proférant des obscénités.

Elle ne donne pas une taloche sur la tête de Maggie quand celle-ci lance son bol par terre, elle n'agrippe pas Matthew par l'oreille, la joue, les cheveux, elle ne lui dit pas : « Tais-toi et arrête de gémir ou je vais te donner de bonnes raisons de gémir, moi ! » Elle ne le tape ni sur la tête ni sur ses petites mains, elle ne tire pas Maggie par le bras, ne la traîne pas dans le couloir avant de la catapulter dans son berceau, *C'EST ÇA QUE TU VEUX ?* Elle prépare le dîner et puis elle nettoie etpuiselle ne les assomme pas.

— Merci, mama.

— De rien, ma puce. Ça te dirait de regarder une vidéo ?

— Oui !

En dépit de tout ce qu'elle se retient de faire, la capsule s'ouvre dans le goutte-à-goutte de son ventre et la sombre substance chimique se répand, envahissant à nouveau les voies neuronales. Ça passera et elle aussi – elle passera pour normale dans un monde où elle risque de perdre le contact avec la réalité sans pour autant finir dans une aile psychiatrique non plus que bourrée d'antidépresseurs. Elle ne sera ni arrêtée ni même questionnée pour la crise de rage et les serrements de bras de ce matin. Elle n'a pas commis de crime. Et pourtant, elle se sait remplie de crimes.

— Vous voulez regarder *Bob le Bricoleur* ?

— Oui !

Lire tout.

Vers la fin de l'après-midi, les possibilités non accomplies cessent de lancer des éclairs comme un cube Kodak à l'ancienne dans sa vision périphérique, elles sont remplacées par un film qui commence à jouer dans son esprit. C'est un film dans lequel Maggie et elle sont sur les marches, ce matin. Mais il ne se termine pas par la libération de Maggie, il se poursuit, c'est le film de ce qu'elle n'a pas fait : elle ne lâche pas, elle se lève. Elleselèveelleselèveelle *tire* Maggie par le bras, la traîne dans les marches et dans la cuisine ; gros plan sur la pointe de l'aile à vif, tendue, les pieds de l'enfant remplissent l'écran, s'efforcent de prendre appui comme pour s'envoler…

Quelque part, quelqu'un regarde ces images, les commente – c'est la voix de la mère elle-même, mais la voix est restée derrière sur les marches, la mère n'est plus qu'une fonction motrice, un ensemble d'impulsions qui traversent l'espace – qui l'arrêtera ? Encore et encore, comme une scène détachée d'un film, Mary Rose voit la chose qu'elle n'a pas faite, la chose qu'elle sait si bien faire, comme si elle l'avait déjà faite plusieurs fois, comme si elle s'était entraînée. Elle regarde ses mains. Elles savent quelque chose. Mais, tel l'enfant qui refuse d'avouer qui lui a donné les bonbons, elles gardent le silence. Elles ont conservé le souvenir de leur goût piquant, toutefois, elles rêvent de le retrouver. Elles se serrent et se desserrent. Mary Rose se glisse dans la salle d'eau, s'appuie contre le chambranle et les laisse marteler sa tête aussi fort qu'elles le veulent, tout en se voyant elle-même agresser à répétition sa fille de deux ans.

Dans le salon, les enfants ne savent rien de tout ceci; ils regardent un autre film.

•

Il l'aimait, il lui a donné le langage. Elle se blottissait contre lui et «lisait» le journal. Ils lisaient ensemble les bandes dessinées. Son corps à lui était doux et sans danger. Ses mains étaient patientes et précises, sa voix calme. Le cercle de ses bras – autour du journal, autour du volant, autour d'elle quand il la tenait sur le balcon – renfermait tout le temps du monde.

— Tu as entendu? C'était le coucou.

Énorme soleil en forme de jaune d'œuf qui tache le ciel de rouge. On est si libre ici. En sécurité.

— Bonne nuit, mon petit lapin. À demain matin.

•

Demain matin, tout ira mieux. Quand toute cette histoire de bottes a débuté, elle manquait cruellement de sommeil. La nuit dernière, elle aurait dû pleurer tout son soûl sur les photos des bébés mort-nés. Refoulé, son chagrin pour sa mère et sa sœur morte «insuffisamment pleurée» ne pouvait que refaire surface sous forme de rage – si c'était une autre qui avait passé une partie de la nuit à faire des recherches sur le deuil dans Google, Mary Rose aurait su lui dire ce qui risquait de lui arriver si elle ne donnait pas libre cours à ses sentiments. Rassurée par sa perspicacité, elle monte à l'étage avec une tasse de Tranquillithé. Elle a eu une réaction excessive, aujourd'hui, mais ce n'est pas comme si elle avait battu son enfant.

Elle jette un coup d'œil à Matthew qui dort recroquevillé sur son lit, Jeannot dans les bras. Elle l'embrasse sur le front – n'est-il pas un peu fiévreux?

Dans la chambre de Maggie, un *tchac-tchac* étouffé lui indique que Daisy est couchée près du berceau.

— Qu'est-ce que tu fais là, Daisy? murmure-t-elle.

Elle se penche sur le berceau dans la faible lumière venue du couloir. Sa fille respire régulièrement, ses lèvres de bébé gonflées par le sommeil, ses cils agités par un rêve.

Elle s'accroupit pour flatter Daisy. La chienne ouvre les yeux et pose sur elle un regard sévère. Mary Rose comprend aussi nettement que si l'animal avait parlé. Daisy protège Maggie. Contre elle.

Le remords accourt comme la cavalerie, trop tard. Tous les crimes inconnus pèsent sur elle à présent, ceux qui n'établissent aucune distinction entre faire et subir, vouloir faire et avoir fait.

Elle observe son magnifique bébé et de grosses larmes coulent sur son visage. Quelque chose, un éclat de verre peut-être, menace de lui percer le cœur. Elle reste là à pleurer et à aimer son enfant, mais c'est l'amour d'un démon consumé par le remords, un amour dangereux. Elle se retire le plus doucement possible en essuyant ses larmes à coups de gifles.

Les enfants sont indulgents, certes, et résilients, à condition qu'on ne tente pas de leur jeter le sort du «il ne s'est rien passé».

Personne ne sait, personne ne voit. Mais le corps dira la vérité. Relatera les événements en tombant malade ou en recourant à la violence.

Elle se brosse les dents, cette femme de quarante-huit ans qui a tout. Mary Rose MacKinnon enfile un boxer couvert de bisous et un maillot sans manches.

C'est au moment où elle éteint qu'elle prend conscience de la douleur. Comme le bourdonnement du réfrigérateur, ce n'est que lorsque tout le reste est silencieux qu'elle l'«entend». Juste assez présente pour chasser le sommeil; or, elle a besoin de dormir, demain est un autre jour; un autre jour, une autre paire de bottes...

Dans la salle de bains, elle allume, ouvre le miroir de la pharmacie et prend le flacon d'Advil. Tout va bien. C'est seulement la mémoire de son bras qui fait des siennes. *C'est le mal qui sort de toi…* Elle sait très bien ce que « mal » veut dire. À cinq ans, elle le savait. Le mal est chaud. Comme son bras l'était souvent. Le mal a quelque chose à voir avec ce qu'on appelle les « pensées impures » ; des péchés qu'on commet en esprit, qu'on le veuille ou non. Des péchés qu'on commet avec sa main en se touchant « en bas ». La douleur constante dans son bras était une punition, mais aussi un phare révélant la présence du mal en elle. Une lumière rouge clignotante dont les pulsations imitaient la fréquence de l'excitation sexuelle. Mieux vaut garder pour soi ce genre de douleur.

Elle referme la pharmacie avec un frisson de peur. Et si le démon apparaissait derrière elle ? Elle se détend soudain et se regarde sans détour dans le miroir – si Satan est là, qu'il se montre à visage découvert. Il y a seulement son visage à elle, parsemé de plis faits par les draps, les yeux injectés de sang. *Bonjour à tous et heureux vendredi.* Elle avale deux comprimés.

La douleur bourgeonne dans son bras comme une fleur de serre qui pousse en accéléré. Que se passe-t-il ? Tout va bien. Tu sais de quoi il s'agit. « Le souvenir de la douleur. » Douleur fantôme. Douleur-revenue-d'entre-les-morts…

— Ça fait mal.

Elle a prononcé les mots à haute voix et s'est flanqué une peur bleue – sa voix si juvénile, comme si une enfant avait parlé par sa bouche…

Calme-toi.

Une crise de panique ? Non, parce qu'il y a encore un « je », une mince pelure de moi autour de la douleur. Cancer. *Je n'en vois aucune indication.* Mais six mois se sont écoulés depuis. Elle a des élancements, maintenant. Les kystes sont de retour. *Je ne connais aucune étude qui permette de le croire.* Signaux de douleur électriques, tintement émis par un pylône dans son bras qui remonte jusqu'à ses molaires, court-circuite sa vision. Elle aurait dû se faire donner les Tylenol 4 que le médecin lui a prescrits quand l'occasion s'en est présentée. *Vous voulez des 5 ? Il s'agit bien ici de douleurs osseuses, n'est-ce pas ?* Elle gobe un autre comprimé d'Advil et le fait descendre avec deux comprimés de Tylenol ordinaire. Elle joue avec le miroir à qui détournera les yeux en premier ; la douleur, elle connaît. *C'est comme si une sorte de vieux sentier se rouvrait dans le cerveau...* Un sentier envahi par les plantes grimpantes. Il sommeillait depuis des décennies, mais voici que quelqu'un le rouvre à coups de hache. Où mène-t-il ? Pas le moindre château en vue. Qu'un enchevêtrement de ronces... Mary Rose s'écarte du miroir et se met dans le chemin d'un récit qui fonce vers elle en sens inverse.

Au rez-de-chaussée, elle ouvre le congélateur et plaque un sac de petits pois biologiques sur son bras. Elle est encore assez maîtresse d'elle-même pour ne pas commencer par «cancer des os». Pourtant, ses mains qui tapent «kystes osseux chez l'enfant» sont glacées.

BOSTON CHILDREN'S HOSPITAL

Des médecins sourient en blouse blanche, des enfants attendrissants fixent l'objectif. C'est le vrai monde, pas uniquement le monde de sa tête.

> ### Qu'est-ce qu'un kyste osseux unicaméral ?
> Un kyste osseux unicaméral est une cavité dans l'os remplie de liquide, tapissée de tissus fibreux comprimés. On l'observe en général dans les os longs d'un enfant en croissance, en particulier dans la partie supérieure de l'humérus.

Clic.

> Ils affectent principalement les enfants de cinq à quinze ans.

Clic.

> Ils sont considérés comme bénins. À force de grandir, certains kystes plus envahissants peuvent remplir la majeure partie de la métaphyse de l'os et causer ce qu'on appelle une fracture pathologique.

Regarde Jane tomber.

Quels sont les symptômes d'un kyste osseux unilatéral?

« Ça fait mal. C'est le premier indice. »

Sauf en cas de fracture, les kystes osseux sont asymptomatiques.

Combien de fois ta mère t'a-t-elle fait une écharpe avec un vieux foulard?

THE NATIONAL HEALTH SERVICE DIRECT WALES

Un kyste osseux est une cavité bénigne (non cancéreuse) remplie de liquide dans le tissu osseux; il affaiblit l'os et le rend plus susceptible aux fractures (cassures). On l'observe surtout chez les enfants et les jeunes adultes.
On ne connaît pas la cause des kystes osseux.
Ils sont deux fois plus fréquents chez les garçons que les filles.

« Que *chez* les filles »…

Si le kyste entraîne une fracture de l'os, votre enfant éprouvera vraisemblablement d'autres symptômes, par exemple: douleur et inflammation, incapacité à bouger la partie du corps ou le membre blessé ou à supporter le moindre poids.

« Comment pouvions-nous le savoir? Tu ne pleurais jamais. »

Vous devriez toujours consulter votre médecin de famille si votre enfant éprouve des douleurs persistantes dans les os.

« Si tu t'étais cassé la jambe, nous t'aurions emmenée voir le médecin. »

De manière générale, on ordonne des tests plus poussés que si:

« On *n*'ordonne »…

• le kyste s'est développé au bout d'un os long toujours en croissance (une zone de l'os connue sous le nom de plaque de croissance);

• le kyste est si gros que l'os affecté risque de se fracturer (casser).

Regarde Jane tomber une deuxième fois.

Curetage et greffe osseuse
Pendant l'intervention, un chirurgien ouvre l'os pour avoir accès au kyste.

Si les pilules ont repoussé la douleur, elles ne l'ont pas éteinte. Bien sûr que non, c'est une douleur fantôme! *Quand je tends la main vers ce verre de scotch, qu'est-ce qui l'empêche de passer à travers?*

On draine le liquide contenu dans le kyste et on gratte sa paroi à l'aide d'un instrument appelé «curette». On remplit la cavité ainsi créée d'éclats d'os provenant d'autres parties du corps de votre enfant ou des tissus d'un donneur.

«Probablement un bout de la rotule de quelqu'un.»

... sous anesthésie générale: votre enfant dormira pendant l'intervention et n'éprouvera pas de douleur.

Grâce au Tylenol, quelqu'un éprouve de la douleur, mais ce n'est pas moi. C'est Pas-moi qui souffre. «Tu m'entends, Mary Rose? Réponds, Mary Rose, ici Malaubras, je suis retenue prisonnière sur la planète Zytox...»

MEDSCAPE REFERENCE
Réopération: opération subséquente à la suite d'une résurgence.

La grande cheminée de l'hôpital, vue du cabinet du Dr Sorokin, reproduite dans un calendrier composé de magnifiques aquarelles que l'artiste a entièrement réalisées avec son pied.

Les fractures pathologiques des os longs devraient-elles être traitées au moyen d'un enclouage intramédullaire flexible immédiat?

Jane est crucifiée pour la première fois.

TEXTBOOK OF PEDIATRIC EMERGENCY MEDICINE
page 357:
… blessure quand le bras subit une abduction forcée, par exemple si le patient tombe d'un arbre et s'accroche à une branche…

Regarde Jane tourner comme un avion.

Si la douleur est chronique…

Même Andy-Patrick respectait le « bradouloureux »…

Toute pression risque de produire une douleur lancinante dans cette région, qu'il faut donc palper avec beaucoup de délicatesse.

« Tu peux t'arrêter de le masser, maintenant, papa. Je vais mieux. »

Qu'est-ce qui cause un kyste osseux unicaméral ?

Rien, c'est de naissance. Dans ses pantoufles, ses pieds pourtant glacés transpirent. La douleur a disparu. Le cancer ne se comporte pas ainsi, ne se laisse pas vaincre par un analgésique en vente libre – elle est névrosée ou encore elle fait partie d'une minorité de personnes normales qui éprouvent des douleurs neurologiques en boucle de rétroaction. Si elle se rencontrait maintenant, elle n'aurait aucune envie de devenir son amie. C'est l'heure de se mettre au lit.

On a avancé des théories, mais rien n'a encore été prouver.

« Prouvé »… Soupir.

Certains ont laissé entendre qu'un os soumis à des traumatismes répétés risquait de développer un kyste, mais la démonstration reste à faire.

Attendez. Les kystes osseux causent des traumatismes répétés, d'accord. Attendez.

Suivant une hypothèse qui reste à vérifier, les kystes osseux résulteraient de traumatismes répétés.

Attendez. Elle tente de retourner l'information à l'endroit, telle la sage-femme qui passe la main dans l'utérus lorsqu'un bébé se présente par le siège.

En première ligne, les médecins doivent faire preuve d'une grande prudence pour éviter de lancer des accusations de mauvais traitements non fondées. Cependant, dans les cas où une blessure donne lieu à des explications divergentes comme dans ceux où on a indûment tardé à demander une aide médicale, il...

Le Dr Ferry sermonnant sa mère dans le vestibule...

Chez les jeunes enfants, envisagez toujours la possibilité de mauvais traitements, en particulier dans les cas où la blessure est inexpliquée, où les explications fournies par les personnes responsables de l'enfant sont invraisemblables ou contradictoires et où on a mis un temps déraisonnable à demander une aide médicale.

Elle suit le fil tout au long d'un dédale de sites Web et, à une heure quarante-huit, croise le Minotaure en Nouvelle-Zélande.

SKELETAL RADIOLOGY, VOLUME 18, NUMÉRO 2
Kystes post-traumatiques et lésions osseuses apparentées à des kystes
Résumé : Description de deux patients atteints de lésions osseuses apparentées à des kystes s'étant développées sur les lieux de fractures guéries ou en voie de guérison.

Cas 1
Une fille de neuf ans...

Cas 2
Un garçon de six ans...

À deux heures du matin, elle est choquée de voir la vérité exposée de façon franche et détachée :

Le kyste solitaire ou unicaméral peut être causé par des traumatismes.

La chirurgie est la meilleure option.
Le curetage et la greffe sont le plus souvent indiqués.
Le pronostic, en cas de traitement, est généralement bon.
Les kystes osseux sont plus fréquents chez les chiots.
Ces kystes peuvent causer des infirmités et de la douleur.
Toutes les races peuvent être touchées, généralement chez des chiens de moins de dix-huit mois, mâles et femelles.

L'infirmité est le signe le plus fréquent.

Elle lit le bandeau qui coiffe la page : **VET SURGERY CENTRAL INC.**
Elle met la bouilloire sur le feu.

Même si les fractures ont causé les kystes, les fractures, elles, ont pu avoir de multiples causes. Elle a pu tomber du canapé, grimper sur les barreaux de son petit lit et chuter. Un enfant de deux ans peut se fracturer le bras sans qu'un adulte s'en aperçoive. C'est ce qu'on appelle les fractures en bois vert ; l'os plie, puis guérit, pas toujours parfaitement. Ou alors la mère agrippe le bras d'un enfant pour l'empêcher de mettre la main sur la cuisinière, d'attraper la poignée d'une casserole remplie d'eau bouillante – elle saisit le bras non dominant, vraisemblablement le gauche, qui traîne derrière son jumeau prêt à faire des mauvais coups – et, portée par la force de sa frayeur, tire trop fort. Le petit bras se casse plus facilement la fois suivante. Et la fois d'après.

Si les fractures ont causé les kystes, d'où est venue la première fracture ? Si le tour d'avion a entraîné une fracture pathologique, il y en a forcément eu une autre avant. Avant le Canada. Un accident. Mais alors pourquoi ne fait-il pas partie de la légende familiale ? « Le premier foulard de Mary Rose. » Elle n'a aucune difficulté à croire que sa mère était trop dépressive pour voir ce qu'elle avait sous les yeux, mais son père, lui ? Où sont passés tous les pères ? Au travail. Les mères, elles, restaient à la maison, à l'épicentre de cette invention du milieu du vingtième siècle, la « famille nucléaire ». Seule avec un bébé qui pleurait dans son berceau. Et un dans la tombe… et un consumé par les flammes.

Une mère seule dans la banale lumière du milieu de la semaine au milieu du salon où rien n'arrive jamais et continue d'arriver, personne pour prendre l'enfant, ne fût-ce qu'un moment, dans la sécurité d'un regard extérieur, où elle peut voir combien elle l'aime. Traumatisme banal, dénué de pathos… lundimercredimardimercredijeudijeudi personne ne voit. Personne ne dit. Le corps se trahit. Mary Rose cassée et rafistolée à quelques reprises, la plaque de croissance fracturée – le temps fracturé.

C'est le mal en toi… Le mal exige une intervention chirurgicale. Le mal tatoué dans la chair sous forme de cicatrices. Deux, une pour chacun des bébés morts. Le mal qui, des décennies plus tard, se déclenche comme une sirène au contact léger d'un passant, puis se dilate, se transforme en hurlement capable de fendre le flot de la circulation lorsque tombe une botte coccinelle.

«C'est ce qui est arrivé à ton bras?» a demandé sa mère. Oubliait-elle? Se souvenait-elle au contraire?

Les marques sur le corps sont comme des marques sur une carte, des sentiers creusés dans la chair, elles vous disent d'où vous venez et comment y retourner. Ses cicatrices sauront la ramener chez elle. À travers le temps, jusqu'à un immeuble résidentiel à la lisière de la Forêt-Noire. Dans l'entonnoir tapageur, la tornade du salon, le martèlement des sons, la lumière stroboscopique. Recule – mais pas trop, tu risques de finir sur le balcon. Observe la pièce qui encercle la commotion. Il y a une table basse, un canapé. Et, au milieu, une colonne de ténèbres tourbillonnantes. Peut-elle être ralentie? Question de voir à l'intérieur?… Mais la colonne devient un gribouillage, on dirait un crayon dans la main d'une enfant, et il obscurcit l'image.

La bouilloire hurle.

Elle s'adosse au comptoir, devant les grandes fenêtres noires.

— Je te réveille?

— Aucune importance. Qu'est-ce qu'il y a?

— Rien. C'est juste que… Je suis un peu… J'ai fait des recherches dans Google.

— Oh non. Oh, Mary Rose, tu n'as pas le cancer, il n'y a pas d'araignées qui ont élu domicile sous la peau de ton visage.

Mary Rose rit.

— Je sais, je t'appelle parce que j'ai peur que je vais me tuer quand j'avais vingt-trois ans.

— Qu'est-ce qui ne va pas ?

Hil semble maintenant complètement réveillée.

Mary Rose rit de nouveau.

— Je ne sais pas pourquoi j'ai dit ça…

— Les enfants vont bien ?

— Tout le monde va super bien.

— Tu as dit que tu voulais te tuer.

— Quand j'avais vingt-trois ans…

— Je vais téléphoner à Gigi et lui demander de passer à la maison.

— C'était juste une incongruité, O.K. ? C'est de famille, une tare dont nos enfants ne risquent pas d'être atteints.

— Je rentre.

— Rien ne t'oblige à…

— Ne te tue pas, Mary Rose, ne te tue pas dans notre maison pendant que nos enfants dorment…

— Ne t'en fais pas, je vais les réveiller d'abord, je vais me rendre dans un motel miteux du Lake Shore et je vais commander un *mai tai* et enfoncer le petit parasol dans ma narine jusqu'à mon cerveau – ça se fait, tu sais. Tout peut servir d'arme, c'est un truc que j'ai appris dans la Réserve.

— C'est un truc que tu as appris de ta mère.

— Excuse-moi de t'avoir dérangée, je vais raccrocher maintenant.

— Pourquoi as-tu besoin d'un ennemi ?

— Qu'est-ce que tu racontes ?

— Il y a quelque chose qui ne va pas chez toi. Trouve ce qui ne va pas chez toi, Mary Rose.

Abruptement, Mary Rose se rend compte qu'elle pourrait ne plus dire un mot et ne plus faire un geste volontaire jusqu'à la fin de ses jours. Elle n'a même pas besoin de respirer. Rien n'arrive. C'est aussi simple que ça. Un jour, on oublie où est l'interrupteur, puis on oublie qu'il y a un interrupteur, puis il ne reste plus personne pour oublier quoi que ce soit…

— Mary Rose ? Mister ? Je vais appeler le 911.

— J'ai failli lui faire du mal.

Elle raconte à Hil l'incident de la botte. D'une voix plate, dénuée de folie, comme si c'était un événement sans précédent.

— Si je suis prompte, c'est à cause de la douleur dans mon bras, je pense.

— Tu as toujours été prompte.

— Tu laisses entendre que je maltraite les enfants parce que je t'ai confié une expérience que de nombreuses mères – beaucoup de parents, en fait – connaissent sans jamais l'admettre. En plus, je ne lui ai rien fait.

— O.K., je te crois. Mais je continue de penser que tu as besoin d'aide.

— Ne fais pas de moi un cas pathologique! Si je ne peux pas exprimer la moindre frustration sans que tu menaces de faire appel à la cavalerie en blouse blanche, je risque de devenir vraiment folle.

— D'aide avec les enfants, je voulais dire.

— Oh.

— Je pense qu'on devrait prendre Candace à temps plein pendant un moment.

— Et qu'est-ce que je vais faire, moi, pendant qu'elle se charge de mon travail?

— Tu vas finir la trilogie.

— Mon Dieu, Hilary, je ne sais même pas s'il y a vraiment une trilogie.

Elle se cogne la tête.

— Ne te cogne pas la tête.

— Comment tu as su?

— Tu as déjà commencé le livre.

— Ah bon?

— Il n'a pas besoin d'être parfait. Il a juste besoin de sonner vrai.

— J'écris de la fiction.

— La fiction n'est pas le contraire de la vérité.

La haine n'est pas le contraire de l'amour.

— Je ne peux pas.

La peur l'est.

— Dans ce cas, pars en voyage, dit Hil.

— Tu veux te débarrasser de moi?

Silence.

— Hil? Sommes-nous en train de rompre?

— Nous sommes mariées. Les couples mariés ne «rompent» pas: ils divorcent.

À ses propres oreilles, sa voix a des intonations robotiques, preuve qu'elle dit la vérité, mais du fin fond d'une lointaine galaxie.

— J'ai cherché «kystes osseux» dans Google.

— … Pourquoi?

— Mon bras me faisait mal.

Gros soupir.

— Je t'ai posé la question et tu m'as…

— Il ne me faisait pas mal à ce moment-là, O.K.? Il ne me fait pas mal sur demande, ce n'est pas une grenouille qui chante, c'est ce qu'on appelle le «souvenir de la douleur».

Brusquement, Mary Rose a honte de se plaindre d'une chose aussi bizarre et freudienne, son précieux petit «bobo» psychosomatique exposé sous le regard incisif et mûr d'Hilary.

— Désolée de ne pas avoir une belle petite tumeur à te…

— Mary Rose, je ne vais pas pouvoir continuer comme ça…

— Comme quoi? Arrête, arrête d'être tellement saine d'esprit et écoute-moi, descends de ta saleté de piédestal, écoute-moi, puis sors de ma vie, tu en es déjà sortie, de toute façon!

Elle tremble.

— Je t'écoute.

Mary Rose a les mains moites.

— Ça va te paraître idiot, mais la chose qui est arrivée à mon bras s'explique peut-être par une chose qui m'est arrivée.

Où sont passés tous ses mots? Elle est une planche de Scrabble vide. Devrait-elle essayer de s'exprimer en allemand?

— Parce qu'il est possible que les kystes soient causés par des traumatismes répétés. Je me sens irréelle, j'ai l'impression de tout inventer, tu es là?

Sa voix semble morte.

— Je suis là.

— Il est donc possible que je me sois cassé le bras avant d'avoir quatre ans. Au moins une fois. Tu es là?

— Je t'écoute.

Mary Rose a les pieds brûlants, Daisy est couchée dessus.

— C'est juste que… c'est troublant de penser que j'aie pu me casser le bras si jeune et que personne n'ait rien remarqué.

— Pourquoi est-ce que ce serait plus troublant que les fois dont tu te souviens?

— Parce que… parce que… parce que quelque chose est arrivé, O.K.? Si c'est exact, et ce n'est pas certain, si les kystes sont causés par une fracture ou plusieurs, alors… alors… Et si c'est vrai, une chose est arrivée et personne n'était au courant.

Etpuisetpuisetpuis

— Ils étaient peut-être au courant.

— Ça ferait partie de la légende familiale, j'aurais eu une écharpe, «la première écharpe de Mary Rose».

Silence.

— Tu es toujours là, Hil?

— Pourquoi penses-tu que ça ne fait pas partie de la légende familiale?

— Je vois où tu veux en venir, j'y ai déjà pensé.

— À quoi?

— Elle m'a cassé le bras dans un accès de rage et c'est pour ça qu'il l'a envoyée voir le psy.

À ses propres oreilles, sa voix semble maintenant détachée, voire cavalière – c'est plutôt ça, *L'importance d'être ironique*.

— C'est ce qui s'est passé, tu crois?

— Une fois que je courais vers le balcon, par exemple. Je me représente parfaitement la scène.

— Elle t'aurait cassé le bras en te sauvant?

— C'est possible.

— Pourquoi n'es-tu pas au courant, dans ce cas?

— Tu sais, Hil, je me demande si c'est pour cette raison qu'elle a été si dure quand je suis sortie du placard.

— «Dure» est un euphémisme.

— Parce qu'elle se sentait coupable. J'étais lesbienne, donc endommagée... et elle a cru que c'était elle qui...

— Et lui, il était au courant, tu crois?

— Bien sûr que oui, il fixait le plafond, assis à la table de la cuisine, pendant qu'elle me découpait en morceaux.

— À l'époque, je veux dire.

— Oh. Non. C'était en 1961, il allait au travail, il rentrait à la maison et il lisait le journal, il était un homme. Il n'avait pas besoin de tout savoir.

— Tu as dit qu'il l'avait envoyée voir un psychiatre.

— Il n'a pas eu besoin de la voir me casser le bras pour comprendre qu'elle avait besoin d'aide. Je sais que tu penses qu'il a été une sorte de complice, mais c'est grâce à lui que je suis vivante, c'est grâce à lui que j'ai réussi des choses, il m'a sauvée.

— Il ne t'a pas sauvée d'elle, dit Hil.

— ... À quel moment?

— Tu viens de répondre à ta propre question.

— J'ai l'impression de l'entendre, lui.

— Je sais que tu l'adores.

— Alors, tu crois qu'elle m'a battue?

— Le terme est démodé, dit Hil.

— Qu'est-ce que tu en sais?

— Je consulte un site Web.

— Je t'aime, Hil.

— «Tarder à demander une aide médicale» est un signe de mauvais traitements. «Négligence médicale», dit-on.

Silence.

— Rien ne prouve qu'elle m'ait cassé le bras.

— Pourquoi te faut-il une preuve?

— Parce que, si j'étais sûre, je pourrais lui pardonner.

— Je ne suis pas certaine que les choses se passent de cette manière.

— Tu veux dire que je dois lui pardonner ce dont je ne me souviens pas?

— Tu n'es pas obligée de leur pardonner quoi que ce soit. Je ne leur pardonne pas, moi.

— Je ne sais même pas s'il y a quelque chose à pardonner.

— Tu as tes cicatrices, tu as ta douleur chronique, tu as ton cœur brisé à vingt-trois ans. Que te faut-il de plus?

— Tu penses que je suis avide? Que je m'empiffre de traumatismes, ha! ha!

— Contente-toi de croire ce que tu sais déjà.

— Qu'est-ce que je sais? De mauvaises choses me sont arrivées et mes parents ont mis trop de temps à me trouver de l'aide, mais j'aimerais quand même savoir si la cause première a été accidentelle ou non.

— Tu te laisses obnubiler par un événement unique.

— C'est d'une importance critique.

— Mais c'est toi qui as amorcé cette conversation en me parlant de traumatismes «répétés»…

— Oui, mais il y a forcément eu un «premier» traumatisme, et j'aimerais savoir si elle l'a fait exprès.

— Tu veux que ce soit vrai?

— Je veux que quelque chose soit vrai.

— Les choses vraies, ce n'est pas ce qui manque.

— J'essaie juste de faire ce que tu m'as conseillé, j'essaie juste, fait-elle en caricaturant Hil d'une voix haut perchée et affectée… J'essaie de «trouver ce qui ne va pas chez moi»!

— Je vais raccrocher…

— Tu vois? Tu ne le supportes plus, personne ne le supporte plus.

— Supporter quoi? Ta haine de toi-même? Tu as raison, j'en ai ma claque.

— Ne raccroche pas.

Silence. Sont-ce les battements de son cœur ou ceux du cœur d'Hil qu'elle entend dans le combiné?

Hil demande enfin:

— Pourquoi as-tu dit que c'était en 1961?

— Je ne sais pas, je devais marcher, courir – j'avais deux ans, deux ans et demi, c'est à cet âge-là que les accidents se produisent… et que les mères perdent patience.

— Quand ton frère est-il mort?

Mary Rose soupire.

— Je ne sais pas. Petit Jésus… Sur la photo, j'ai deux ou trois ans. Je suis allée sur la tombe.

— Les effets ont dû être dévastateurs.

— À propos de cette période-là, Maureen a des trous de mémoire. Elle ne se souvient même pas de m'avoir suspendue au balcon. Oh mon Dieu, Hil.

— Quoi?

— C'est peut-être arrivé quand Maureen m'a remontée sur le balcon… C'est ce qu'on appelle une «abduction forcée»…

— C'était quand?

— À peu près à cette époque-là, le printemps, le prin-tombe…

— Elle avait quel âge?

— Sept ans?

— Comment est-ce possible?

— Eh bien, c'est arrivé. Ma mère l'a peut-être prise sur le fait pendant qu'elle me balançait au-dessus du vide; mon bras s'est peut-être cassé quand elle a tiré dessus pour me mettre en sécurité.

— Dans ce cas, pourquoi es-tu la seule à te souvenir de tout ça?

— O.K., c'est Mo qui l'a fait toute seule. Et elle a dû tirer et tordre comme une folle pour me ramener sur le balcon. Ça m'a sûrement fait horriblement mal, ce qui expliquerait que je ne me rappelle pas cette partie-là. Quant à elle, elle a tout oublié parce qu'elle se sentait coupable, elle n'a rien dit à mes parents, alors pourquoi aurais-je eu droit à une écharpe…

— C'est juste un événement.

— Oui, mais c'est celui qui a été à l'origine de tous les autres.

— Mais tu sais déjà que tu as été victime de «traumatismes répétés», de «négligence»…

— Le balcon, c'est un truc auquel je peux m'accrocher… au sens propre, tu comprends? C'est un truc que je peux montrer du doigt, c'est une image, je peux l'encadrer, je peux dire: «Tu vois? C'est ça qui est arrivé. Ma mère n'a pas été responsable du premier.»

— Du premier quoi?

— De la première agression! Du premier accident, à toi de choisir.

— Tu fais une fixation sur ton bras, alors que c'est un simple élément de…

— C'est la clé de tout.

— C'est seulement un aspect d'un cycle de…

— Comment peux-tu ne pas comprendre que c'est important? Je te parle d'une série d'événements, toi tu me parles d'une boule disco.

— D'une « boule disco »?

— D'« aspects », de fragments, de petits bouts de miroirs cassés qui tournent au plafond…

— Je ne te suis pas…

— Je n'ai pas besoin des *touts*, je voudrais juste pouvoir mettre la main sur un *quelque chose*!

La voix d'Hil est calme.

— Même si tu réussissais à prouver que ta mère t'a cassé le bras dans un accès de rage, tu trouverais le moyen de la justifier en invoquant ses souffrances.

— Ma mère a effectivement beaucoup souffert. Je ne sais même pas si nous pouvons imaginer tout ce qu'elle a enduré.

— Je n'ai pas besoin d'imaginer quoi que ce soit. Je vis avec toi.

— C'est censé être drôle?

— Désolée. Ce que je veux dire, c'est que je vis avec certaines des conséquences de la façon dont ta mère s'accommodait de sa souffrance. Et je ne te parle pas d'un événement en particulier. Alors, à toi de décider. Tu veux sortir du placard? Ou tu tiens à prouver que tu n'as pas vécu l'enfer en élevant tes enfants dans les mêmes conditions?

— Hil?… J'ai peur.

— De quoi as-tu peur?

J'ai peur de mes mains.

Dans le sillage du tourbillon, un silence cuisant. Mais pas l'immobilité. L'air est en mouvement. Comme si on venait d'arracher les sons de la pièce. Il ne reste que les répliques des sons. L'air palpite. S'épaissit, prend l'éclat d'une ecchymose récente. Que vient-il de se passer? Vide n'est pas synonyme de sûr. Silencieux n'est pas synonyme de paisible. Une chose a battu en retraite. Elle reviendra, tu ignores quand. Le plus étrange, dans tout ça? Il n'y a personne sur cette image. *Où est le Moi?*

— J'ai peur que ce soit vrai. Et j'ai peur que ce ne soit pas vrai.

— C'est juste là devant tes yeux, mon trésor.

Mary Rose regarde son visage dans la grande fenêtre noire. Un éclat blanc, hâve et ombragé. Semblable à une radiographie.

— Ce que tu me racontes est très triste, Mary Rose. Désolée.

— Comment a été l'avant-première?

— Les spectateurs se sont levés d'un bloc.

— C'est génial.

— Mary Rose…

— Je vais inviter des amies, demain, je vais demander de l'aide. Ne t'en fais pas pour les enfants.

— Je m'en fais surtout pour toi.

— Ça va.

— Je t'aime.

— Moi aussi, bonne nuit.

— Mister?

— Je ne leur ferai pas de mal.

— Ne te fais pas de mal à toi-même.

— Promis.

•

Accrochée par les poignets, elle regarde la pelouse intensément verte sur laquelle son père joue à la balle. Que se passera-t-il s'il lève les yeux? Que devra-t-elle ressentir? Que devra-t-elle savoir?

•

Elle monte et jette un coup d'œil dans le berceau de Maggie. Les kystes osseux ne sont pas génétiques, mais ils sont héréditaires. Elle ne les a pas transmis à sa fille, aujourd'hui. Et demain? Pour ses accès de colère, elle peut demander de l'aide. Elle peut aussi demander qu'on l'aide à démêler le vrai du faux, à déterminer lequel est arrivé en premier, l'œuf ou la poule. Elle peut s'accrocher au balcon de toutes ses forces et attendre d'être assez forte pour remonter là où elle sera en sécurité. Mais, se demande-t-elle, existe-t-il une intervention chirurgicale qui permette d'ouvrir le cœur? Parce que, en ce moment, elle donnerait n'importe quoi pour être capable de sentir – sans le coup de fouet de la colère – l'amour qu'elle sait éprouver pour sa fille depuis le début. Elle le voit, cet amour. Derrière la vitre. Endormi. Avec un morceau de pomme empoisonnée dans la bouche.

SAMEDI

Déviation

À huit heures du matin, elle téléphone à Sue.

— On fait quelque chose avec les enfants?… Non, tout va bien… Exactement!… Ha! ha!… Super, à tout à l'heure.

Sue a déjà vu clair dans son jeu, et cet appel matinal confirme que la vie de Mary Rose est sens dessus dessous. Et si l'inconcevable se produisait et qu'elle pleurait devant Sue? Mais, en ce moment, Sue est celle qui se rapproche le plus d'Hil et Mary Rose a besoin d'une Hil.

Elle autorise Maggie à colorier dans son agenda, mais ne va pas jusqu'à lui abandonner son sac. Elle laisse dans l'évier les vestiges du petit-déjeuner et s'agenouille avec Matthew devant une montagne de blocs Lego. Aujourd'hui, c'est un monde différent. La nuit dernière, une maison lui est tombée dessus. Sa mère lui est tombée dessus de tout son poids, et pourtant, elle est là à jouer dans les décombres, un collier en macaronis autour du cou.

— *Quelle magnifique journée dans le voisinage, quelle magnifique journée pour un voisin…*, chante Mary Rose.

Elle est sans douleur. Pas vraiment étourdie, mais un peu désaxée, comme si elle dépassait d'elle-même à un angle inhabituel. Normalement, elle essaierait de se remettre en place, mais, aujourd'hui, elle va laisser faire.

Matthew prend un bloc à Maggie. Maggie lui donne un coup d'agenda. Il crie. Mary Rose rétablit la paix sans élever la voix – sans avoir envie d'élever la voix. Elle a le sentiment d'être en sursis. Quelque chose s'est retiré… Comme hier, les catastrophes défilent dans son champ de vision périphérique, mais sans force… peut-être serait-elle en mesure d'apprendre à vivre avec elles comme certaines personnes apprennent à cohabiter avec des voix. Elle fait montre d'une sobriété proprement grisante en mettant tranquillement sa maison à l'épreuve de la mère.

À huit heures dix, elle téléphone à Candace.

— Vous pouvez venir lundi matin?

— J'ai mon cours de décoration de gâteaux.

— O.K., merci.

— Vous êtes coincée?

— Non, pas du tout. Oui, je suis coincée.

— J'emmène Maggie avec moi. Elle va adorer.

Si la chose revient, les enfants seront en sécurité. On dirait qu'elle met ses affaires en ordre, en cas de disparition soudaine.

Et demain? Elle pourra emmener les enfants à la gare pour l'escale d'une heure, ses parents seraient ravis, mais ensuite?... La plaine déserte du dimanche après-midi, écrasée sous le soleil. Réfléchis: tu connais des centaines de personnes, Toronto déborde de divertissements familiaux, emmène-les faire de la peinture sur céramique ou du trampoline dans un entrepôt caverneux au nord de la 401. Un après-midi tranquille à la maison, peut-être…

— Donne-moi ça!

— Non!

— *Mama-a-a-a!*

Elle téléphone à Gigi et lui laisse un message.

— Salut, ça te dirait, le zoo, avec les enfants et moi, demain après-midi? Ensuite, tu viendras souper à la maison. En fait, que dirais-tu de venir souper à la maison ce soir aussi?

Était-ce un S.O.S.? Elle se rappelle qu'il est à peine huit heures et quart, un samedi matin, et espère que Gigi avait mis son appareil en sourdine – elle a peut-être passé la nuit chez sa plus récente «amie de fille». On sonne à la porte et Daisy ne perd pas la tête – peut-être sa vigile auprès du berceau l'a-t-elle épuisée. Qui peut bien être là à une heure pareille? Le Contrôle animal? Mary Rose jette un coup d'œil par la fenêtre. Gigi est sur la galerie, une casserole de pâtes dans une main, son casque de moto dans l'autre. Mary Rose ouvre la porte.

Gigi elle-même est un peu bâtie comme une casserole de pâtes. Au sortir de la douche, ses boucles noir charbon sont encore peignées en arrière et lustrées. Elle porte un blouson de cuir, une chemise de bowling d'époque et le sourire entendu qui fait sa renommée.

— J'étais dans le coin avec des boulettes de viande à l'arrière de ma moto et j'ai pensé m'arrêter pour voir qui a faim.

Maggie se rue dans les jambes de Gigi, Daisy quitte pesamment le palier et Matthew s'avance d'un air nonchalant, puis, avec une gravité toute professionnelle, met sa marraine dans la confidence :

— J'ai un hélicoptère qui va sous l'eau et combat les serpents.

— Génial.

— Tiens, laisse-moi te débarrasser, dit Mary Rose.

Gigi est née et a grandi à Toronto, c'est une authentique I-ta-li-en-ne de St. Clair Avenue. Elle se qualifiait de gouine quand le seul fait de prononcer ce mot, un vendredi soir, risquait de vous valoir un passage à tabac, elle se qualifiait de gouine quand les féministes lesbiennes critiquaient vertement ce mot, elle se qualifiait de gouine quand les féministes lesbiennes ont revendiqué le mot et elle continue de se qualifier de gouine, même si le terme « *queer* » l'a en quelque sorte rendu caduc. « Je suis une gouinosaure », se plaît-elle à répéter.

— Que fais-tu debout à cette heure, un samedi ? demande Mary Rose. T'es-tu couchée ?

— Oh, pour me coucher, je me suis couchée, répond Gigi avec, dans le regard, un éclat discret.

— Les enfants font de la gymnastique à neuf heures. Tu veux venir ?

— Un cochon aime se rouler dans la merde ?

Mary Rose connaît Gigi depuis vingt-cinq ans. Gigi est une monogame en série qui exerce sur les femmes hétéros de tous les horizons un attrait aussi mystérieux pour Mary Rose qu'irrésistible pour les femmes en question. Ou bien cette attitude témoigne de l'homophobie que Gigi a intériorisée et de sa peur panique de l'engagement, ou bien c'est son essence profonde. Mary Rose fait de la place dans le réfrigérateur pour la casserole et se dit que la longévité compte pour les neuf dixièmes de l'amitié : à vingt-trois ans, on n'a aucune idée de celles et ceux qui seront là jusqu'au bout.

Ils marchent jusqu'au Centre communautaire juif, où Gigi regarde Maggie faire des acrobaties au gymnase, permettant ainsi à Mary Rose d'assister à la leçon de natation de Matthew. Sur le chemin du retour, ils s'arrêtent au parc et jouent au chat, les pans de leurs blousons volant au vent. Sue débarque, l'image même de la beauté en tricot gaufré, avec son bébé parfait et ses fils turbulents.

— Sue, je te présente mon amie Gigi.

Les deux femmes se serrent la main et Mary Rose voit Sue rougir. Comment Gigi fait-elle? Matthew trouve un nid d'oiseau, Ryan marche dans une crotte de chien, Maggie court après Colin, le grand frère, et tombe à plat ventre dans le sable à plusieurs reprises.

Le téléphone de Mary Rose sonne.

— Saleema, salut… Tu lis dans mes pensées… C'est parfait.

Gigi a rejoint Ryan et Matthew, qu'elle pousse sur le tourniquet. Colin tourne à contre-courant, Maggie sur ses talons. Il freine, elle le percute et ils chutent tous les deux.

— Sois gentil avait Maggie, Colin! crie Sue en faisant mine de s'élancer.

Mary Rose, une main sur sa manche, la retient.

— Sois gentille avec Colin, Maggie!

Sue rit.

— C'est un bon garçon, dit Mary Rose. Tes deux fils sont géniaux.

Sue éclate en sanglots.

— Oh, fait stupidement Mary Rose en sortant de sa manche un mouchoir en papier à peine froissé.

Sue l'accepte et se mouche.

— Je suis tellement contente que tu m'aies téléphoné, ce matin, Mary Rose, je ne sais pas ce que j'aurais fait, sans ça.

Puis elle prend Mary Rose dans ses bras et la serre contre elle. Mary Rose donne à ses bras l'ordre d'étreindre Sue et attend la suite. Que se passe-t-il? D'une voix tendue par l'émotion, Sue, cramponnée à elle, dit:

— Je ne sais pas comment tu fais.

— Comment je fais quoi?

Mary Rose a l'impression de s'exprimer comme un Bob Newhart commotionné.

— Tu es toujours tellement calme.

Par-dessus l'épaule de Sue, Mary Rose voit Ryan et Matthew poursuivre Colin dans la structure d'escalade avec ses niveaux et ses points de vue multiples, tandis que Maggie, en rade sur le sol, hurle de frustration, la plate-forme en métal juste hors d'atteinte. Soudain, Colin s'élance du haut du «nid de corneille», atterrit sur la plate-forme avec un *bang* et tend les bras à Maggie. Ses orteils sont tout au bord, mais il réussit à la saisir par les poignets pour la hisser par-dessus la balustrade. Mary Rose observe. Il ne lui fait pas de mal et Maggie ne risque rien s'il la lâche – ses pieds ne sont qu'à quelques centimètres du sol – non, ce qui lui glace les mains et lui coupe le souffle, c'est ceci : il n'est pas assez fort pour aider Maggie à se hisser par-dessus la balustrade. Il a sept ans. Elle en a deux. C'est là, en plein devant ses yeux.

Sue, qui l'a libérée, dit quelque chose.

— Non, non, venez tous dîner chez moi, dit Mary Rose.

De toute évidence, elle a entendu et traité l'information fournie par Sue. Gigi les rejoint, Sue découvre que Gigi connaît son beau-frère qui travaille dans le milieu du cinéma.

— J'aime ton blouson, Gigi. Il a l'air vraiment authentique.

Mary Rose sourit et se dirige vers Maggie pour l'aider à glisser. *Qui était-ce, alors ?*

— Assise, Maggie, assise, comme ça.

Sa mère. Elle a attrapé juste à temps Mary Rose qui, juchée sur un seau renversé, a tendu les mains vers la balustrade et est passée par-dessus. *Pourquoi, dans ce cas, cela ne fait-il pas partie de la légende familiale ?* Rattrapée juste à temps – *Alors pourquoi Mary Rose est-elle suspendue, tournée vers l'extérieur, dos aux barreaux ?* Surprise à retourner un seau dans l'intention de se hisser par-dessus la balustrade, «J'VAIS TE MONTRER, MOI !» Tenue par les poignets, propulsée au-dessus de la rampe. «C'EST ÇA QUE TU VEUX ?»

— Bravo, Maggie ! Encore ?

À moins que rien de tout ça ne se soit produit.

De retour à la maison, biscuits à l'épeautre en forme d'animaux, lait à la fraise. Sue allaite le bébé. Mary Rose met un disque de Raffi et ils dansent tous. Son collier en macaronis se casse. Dans la salle à manger, ils construisent un fort avec des draps qui comptent trois cents fils au pouce carré. En adepte du *body-surf*, Colin s'élance dans l'escalier, tête la première, aussitôt imité par Ryan et Matthew – larmes.

Son père, peut-être?

Le hamster de Matthew s'échappe, Maggie enfonce un macaroni dans sa narine, Ryan trouve un tube de rouge à lèvres, Daisy coince le hamster sous la vanité de la salle de bains, Gigi l'attire avec du beurre d'arachide. Dîner. Matthew éternue et de la sauce tomate lui sort par le nez.

Non, son père est là, en bas, il joue à la balle avec un sosie… De quoi le souvenir est-il fait? De quoi sont-ils faits, les souvenirs? Situe-t-elle son père en bas à seule fin de l'exonérer? Ou pour se rassurer en se disant qu'il l'aurait attrapée si elle était tombée? Mais dans son rêve – ou plutôt dans son souvenir –, sa grande crainte est qu'il lève les yeux. Et voie… quoi? Qu'elle est en danger? Qu'elle… a mal? Et elle saura qu'il sait. Et elle tombera…

Saleema et Youssef arrivent avec des petits gâteaux – Saleema ne peut pas rester, bon, d'accord, une tasse de thé. Son foulard est un éloquent exemple de pied-de-poule stroboscopique.

— Avec un truc pareil, tu devrais peut-être mettre un avertissement, dit Gigi.

Mary Rose l'entraîne à l'écart.

— Désolée, dit Gigi, je l'ai offensée, tu crois?

— Quoi? Je ne sais pas. Je voulais juste te demander si tu pouvais dormir ici, cette nuit.

— Bien sûr, répond Gigi sans demander pourquoi.

Mary Rose sait que Gigi devra trouver quelqu'un pour s'occuper de sa chienne labrador noire, Tanya – Tanya ne peut pas venir puisque Daisy risquerait de la dévorer. Mary Rose jette un coup d'œil à l'écuelle de Daisy – elle n'a rien mangé du tout. On sonne à la porte.

— Voici ton courrier.

— Merci, Rochelle.

Une pleine poignée de factures et de dépliants publicitaires.

Rochelle ne bronche pas. Attend-elle que Mary Rose l'invite à entrer? Souhaite-t-elle prendre part aux festivités?

— Tu veux une tassé de thé?

Mary Rose a toujours cru que Rochelle était un peu maladroite en société. Elle se rend compte à présent que sa voisine possède peut-être un type de personnalité des plus rares : Silencieuse sans gêne.

— Est-ce que ça va? demande enfin la femme.

— … Tu es venue voir comment je me tire d'affaire?

— Oui.

— … Merci.

— Quand ton prochain livre va-t-il paraître? demande Rochelle en virant au mauve.

— Je ne sais pas.

— Il n'y avait pas de paquet.

— Ça ne fait rien.

— Dis «Hello, Dolly!» de ma part.

Mary Rose rit, mais l'expression sans affect de Rochelle laisse entendre qu'elle ne plaisantait pas et qu'elle ne voit pas ce qu'il y a de drôle.

— Je n'y manquerai pas.

— Ta chienne n'a pas jappé.

Mary Rose lève les yeux sur le palier. *Tchac-tchac.*

— Elle est fatiguée.

— De rien, dit Rochelle avant de s'en aller.

Mary Rose se retourne, fin prête à régaler ses invitées de l'absurdité de sa voisine un peu autiste sur les bords quand elle arrive, tel le courrier qu'elle tient à la main, en retard mais tenace : la révélation de ce que sa mère a voulu dire en affirmant : «On est là.» Mary Rose est vivante. Sa mère ne l'a pas tuée. Elle pose le courrier sur la table du vestibule.

— Je sors acheter des fleurs, annonce-t-elle. Je reviens tout de suite. Allez, viens, Daisy.

La chienne agite poliment la queue, mais elle ne bronche pas.

Mary Rose marche seule. Pas de chienne, pas de poussette, pas d'enfant à la main, elle n'a même pas pris de sac. Une femme sans attaches.

— Allô, choupette.

— Salut, Daria.

— Et les enfants, ça va?

— Bien, merci, *grazie*.

Daria voit tout. Si quelque chose devait arriver à Mary Rose, Daria serait en mesure de dire aux policiers à quel moment précis elle a quitté la maison – c'était une belle journée, en fin de compte.

Devant le parc, elle remarque quelques crocus surgis de la terre meurtrie – ils n'étaient pas là, ce matin. Ses enfants sont en sécurité. Grâce à elle. Hil a raison, ça ne change rien : il est grand temps qu'elle descende de ce balcon.

Archie's Variety. Devrait-elle acheter les fleurs maintenant ou après sa promenade?

— Bonjour, comment ça va?

Winnie a presque chanté les mots.

— Bonjour, Winnie, dit Mary Rose en rendant son sourire à la femme.

De la musique classique joue en arrière-plan. Quel est le prénom coréen de Winnie? Serait-il impoli de lui poser la question? C'est peut-être Winnie.

— Comment va votre maman?

— Elle va bien, Winnie, merci de poser la question.

À l'intérieur, elle aperçoit quelques bacs contenant des bouquets de tulipes rouges ou blanches et un seul de tulipes jaunes. Elle le prend et le pose sur le comptoir.

— Vous avez choisi les jaunes, jolies.

Mary Rose a beau fouiller ses poches, elles sont vides.

— Désolée, j'ai oublié mon porte-monnaie, je reviens tout de suite.

Winnie, cependant, refuse de la voir repartir sans les tulipes.

— Vous me faites confiance, dit-elle.

De retour dans Bathurst Street, Mary Rose se sent un peu étourdie, mais ça n'a rien d'étonnant – elle oublie tout le temps de respirer. Elle baisse les yeux sur ses pieds dans l'espoir de stabiliser sa démarche. Ce trottoir pourrait être n'importe où, à tout moment au cours des cent dernières années. Accélérez le film et voyez défiler tous les pieds au fil des ans, y compris ceux de Mary Rose, ceux de sa mère font une brève apparition à côté des siens, ceux de ses enfants aussi, sans oublier tous les autres, des pieds comme des bancs de poissons, les siens revenant, mais de moins en moins souvent, jusqu'au jour où ils disparaissent complètement, tandis que le nombre de pieds diminue. Puis c'est la désintégration, les cendres, l'herbe, la forêt, le sable. Elle en fera encore partie, mais sous une forme incroyablement diffuse. Elle lève les yeux. Bathurst est un éblouissement miteux, la circulation rapide du samedi soulève des éclaboussures de gravillons. Ayant oublié son porte-monnaie, elle est sans identité; si elle mourait aujourd'hui, combien de temps la nouvelle mettrait-elle à atteindre ses amies restées à la maison avec ses enfants? C'est pour cette raison qu'on ne doit jamais «sortir deux secondes» et laisser ses enfants seuls pour aller voir d'où vient le signal d'alarme d'une voiture… Évidemment, on peut tout aussi bien mourir chez soi – mieux vaut, vraiment, ne jamais se trouver seule à la maison avec un enfant trop jeune pour faire le 911.

Rien n'a jamais été caché – elle se contente de recoller les morceaux. Comme un squelette de dinosaure du Musée royal de l'Ontario: bien que les os ne proviennent pas tous du même animal, on a une bonne idée de l'aspect de la bête. À moins que tout cela ne soit qu'un mythe et que rien ne soit arrivé. À moins que tout cela ne soit qu'un mythe et que ce genre de choses soit monnaie courante.

Elle n'aurait qu'à poser la question.

— Tu étais au courant, papa? C'est pour ça que tu l'as emmenée chez le psychiatre?

— Je l'ai emmenée parce qu'elle était triste.

— Tu l'as vue le faire?

— Tu me demandes si… je l'ai vue te casser le bras? Bien sûr que non.

— Personne ne voit ce qui se passe entre un parent et son enfant au milieu d'une journée désertée.

— J'aurais su.

— Personne ne peut savoir.

— Tu viens de répondre à ta propre question.

La journée a terni. Plus de poésie dans le ciel, rien ne ressemble à autre chose, chaque chose n'est que ce qu'elle est. Est-ce bien arrivé?

Une ambulance est arrêtée devant la station de métro, ses phares clignotent silencieusement, un tramway passe en grinçant. Mary

Rose se sent singulièrement légère, avec l'impression que ses membres se dilatent ; sans douleur pour l'agrafer au présent, sa tête s'élève vers le ciel. Comme si son être tout entier n'avait jamais été retenu que par une ficelle et qu'il s'effondrait maintenant, marionnette cassée. Tout ça s'est produit, rien de tout ça ne s'est produit, ça se produit encore aujourd'hui…

Le paquet est quelque part. L'Autre Mary Rose est quelque part, quand je mourrai, je serai partout… Elle a besoin d'un ange pour faire passer un message de la portion supérieure de son esprit à ses fondements sombres où les mots vacillent et s'éteignent ou encore embrasent l'air. Quel ange, quel oiseau de prière, quel elfe d'ébène acceptera de se charger de ce message ? Lequel d'entre eux est assez petit pour se faufiler au milieu et, en même temps, assez audacieux pour aller derrière les lignes, sous les mots – en bas, tout au fond du puits, avec le message suivant : « La guerre est terminée. Paix, maintenant. Je viens te chercher » ?

Victime d'une victime… Un crime est joué et rejoué jusqu'au jour où il est compris, et là, tel un fragment de kryptonite tournant sur lui-même, il ralentit, s'arrête en plein vol et tombe au sol avec un *floc* inoffensif. Le traumatisme, ce n'est donc que ça ? Une mère triste, un père qui veut que tout soit parfait. Dommage engendré dans l'os, un os avec des trous, tels ceux d'une flûte condamnée à chanter la vérité. Mère dépressive. Bébé qui pleure. Porte close. Pourquoi n'est-il pas universellement admis que, dans ces conditions, l'absence de traumatisme est remarquable ? Pourquoi serait-il extraordinaire que la mère de Mary Rose ait pu lui faire du mal, puis chercher à enterrer tout ça avec les bébés morts ? Et pourquoi serait-il surprenant que la vérité passe par le corps, à la façon des plantes grimpantes qui vous envahissent de l'intérieur ? Là où tu croyais voir des nerfs, on trouve, en réalité, les germes d'une graine avalée il y a longtemps déjà, qui rampent, poussent et se tendent vers la lumière, enserrent les artères comme des serpents, asphyxient le cœur et les poumons ; des plantes grimpantes déguisées en veines fonçant aveuglément, *J'vais t'assommer !*

Sinon, cette vérité devrait-elle chanter comme une flûte d'os dont les trous déterminent non seulement l'air qu'elle joue, mais aussi sa nature en tant qu'instrument de chant ? Le simple fait que tu

sois capable d'entendre ce chant et de lire dans les entrailles ne signifie pas que tu es folle. Et, brusquement, le charme est rompu. Pas de
plantes grimpantes de conte de fées, pas de flûte magique. Une blessure, triste et mineure. *Ça fait mal.*

Au coin de Bathurst et de Bloor, tant de gens. Des courants humains se croisent et s'entrecroisent, respectent les lois de la physique,
ne cèdent pas aux turbulences – comment fait-on ? Comment les
oiseaux en vol savent-ils quand tourner à l'unisson ? Elle observe tous
ces gens, tous ces gens, et les voit s'effondrer un à un, tels des édifices
démolis dans les règles de l'art, se désintégrer de l'intérieur. Toutes
ces personnes parfaitement normales s'écroulent dans leurs beaux
manteaux. Et les manteaux restent debout. Savoir une chose ne revient pas à y croire – ce sont des pensées jumelles, mais pas identiques, des rails parallèles capables de se séparer comme dans les dessins animés... Elle s'immobilise, laisse le courant se fendre en deux
en la dépassant, risque les turbulences. Le frôlement des manteaux
contre son épaule, sa joue, l'odeur des cheveux, le bavardage des
mots et des mouvements... Elle n'a qu'à laisser ses oreilles s'égarer
pour s'imaginer qu'elle vient d'arriver ici et qu'elle ne comprend pas
la langue. Où vont tous ces gens ? *Wohin gehen Sie ?* Ils se rendent
quelque part, au travail, dans un magasin, ils vont retrouver des
amis, en route, en route, en route vers la maison...

Un pont, c'est le moyen le plus sûr. En plus, c'est simple et c'est
ce qui dérange le moins de gens. On a installé des filets sous le pont
qui enjambe la Don Valley, mais il y en a d'autres. Le Skyway Bridge
d'Hamilton, par exemple, à quarante-cinq minutes en voiture. Elle
le fait en esprit, ce qui signifie peut-être que ça se produit pour de
vrai quelque part – de la même façon que, hier matin, le bras de
Maggie s'est cassé ailleurs, alors que celui de Mary Rose est resté intact. Au sommet du pont, elle grimpe sur la balustrade. En contre-
bas, le lac Ontario, vaste plaque d'eau. Elle se penche et confie son
corps à l'air. Le vent la soutient, au début, puis il cède, et elle tombe
la tête la première – l'eau sera comme du ciment – et en route, pendant sa chute, son cœur s'ouvre comme les paumes des mains en
prière et révèle ses enfants qui s'y étaient blottis ; ils étaient là depuis
le début. Trop tard, elle sait qu'elle les aime.

De l'autre côté du carrefour, Honest Ed's cligne, clignote. *Seules les fleurs ne sont pas droites!* Chez Secrets From Your Sister, il y a des soldes. *Je ne pleure pas, moi, alors ne pleurez pas.* Le feu passe au vert, elle ne bouge pas. Les gens passent en la frôlant, deux ou trois passants se retournent et lui lancent des regards courroucés – un soupçon de turbulences. C'est ainsi que tout débute. Si tu survis, tu rentres avec les chevilles enflées, un chariot d'épicerie rempli de sacs en plastique, un dollar qu'on vous a donné. Qu'est-ce qui me distingue d'eux, les marginaux? Les roues des tramways grincent au passage, les pneus des voitures sifflent, la différence entre trancher et écraser, il vaut mieux trancher. Il est important qu'elle n'ait pas battu les enfants, qu'elle ne les ait pas reniés. Mais là, au coin de Bathurst et de Bloor, en face d'Honest Ed's, sur cette plage désertée par la marée, grêlée de coquillages, barbouillée d'algues, est-ce tout ce qu'il reste? Elle a fini par la rattraper, la malédiction de sa mère. Mary Rose ne voit pas d'avenir. Elle voit ce qu'il y a devant elle, le flot de voitures, et il lui fait cruellement envie. Pas tellement la mort, c'est seulement un sous-produit, mais la blessure, qui entraîne quelque chose de sûr. La douleur. Elle savoure l'impact, se languit du soulagement qu'il procurerait, le métal qui la heurte de plein fouet, l'écrase. Il fonce vers elle depuis le premier jour de sa vie. Le feu passe au jaune.

Tout le monde sait qu'il est préférable de ne pas maltraiter ses enfants, que rien n'est plus important que de changer les habitudes qui perpétuent la violence. Le monde en dépend. Mais Mary Rose a découvert le coût caché. Assez élevé pour provoquer la faillite des meilleures intentions; le pire, c'est que le paicment est dû dès l'instant où le changement est nommé. Parce qu'accepter le changement, c'est éprouver, par contraste, la nature bouleversante de ce qui l'a précédé. C'est dé-normaliser la violence, la déballer à la manière d'un cadeau dangereux, la voir s'embraser, hurler comme une sirène, la sentir battre comme un cœur. Pour Mary Rose, ça veut dire trahir sa mère en étant une mère différente. Meilleure.

Il est possible de savoir toutes ces choses et de n'avoir nulle part où les caser. Il est possible d'être dehors par une belle journée ensoleillée et d'être enfermée dans une caverne.

Elle baisse les yeux. Ses mains lui semblent maintenant plus vieilles que celles de sa mère dans ses souvenirs. Quelque chose doit changer. Le feu passe au rouge.

Bonne nuit, mon petit lapin. À demain matin.

Elle regarde dans la vitrine de Secrets From Your Sister. La vendeuse la voit et la salue de la main. Mary Rose la salue à son tour et se rend compte qu'elle n'a plus les fleurs. Où sont-elles passées ?

Elle les avait avant de traverser la rue. Elle revient sur ses pas, dans Bloor, direction est, jusqu'au coin de Bathurst. Un tramway passe en vrombissant. Elle balaie l'intersection des yeux, à la recherche de quelque chose de jaune. Mais les fleurs ne sont pas dans la rue, ne sont pas devant elle, elles ont disparu. On ne leur a pas roulé dessus, au moins. Parmi la multitude des passants, elle attend de traverser au feu ; elle éprouve alors une singulière sensation, celle d'avoir perdu, en plus des fleurs, un fragment du temps. Comme s'il s'était infiltré entre les rails et avait été avalé – parce que, à bien y penser, elle ne se souvient pas d'avoir traversé la rue. Elle se souvient d'avoir attendu que le feu passe au vert, de l'autre côté. Et elle se souvient d'avoir jeté un coup d'œil dans la vitrine de Secrets, de ce côté-ci. Elle a donc traversé, forcément. Puisqu'elle est là.

Elle remonte Bathurst. En rentrant, elle s'arrêtera prendre un autre bouquet chez Winnie, puis elle reviendra régler ses deux achats – cette fois-ci, les fleurs seront rouges ou blanches, pas le choix.

— Bonjour, Winnie.

D'abord, Winnie ne lève pas les yeux et Mary Rose est saisie d'une étrange terreur qui se dissipe avant de pouvoir être habillée de mots.

— Comment ça va ? chantonne Winnie avec enthousiasme, comme si elle n'avait pas vu Mary Rose à peine un quart d'heure plus tôt.

C'est un truc culturel, cette politesse extrême, se dit Mary Rose. Elle examine les bouquets de fleurs dans les bacs posés juste à l'intérieur de la porte.

— Oh, il y en a encore des jaunes, après tout.

— Vous avez choisi les jaunes, jolies.

Mary Rose les pose sur le comptoir.

— Vous pouvez me les garder, Winnie ? Je reviens avec l'argent des deux bouquets.

— Non, vous en achetez un.

— Mais je ne vous ai pas encore payé le premier.

— Vous achetez seulement un.

— D'accord, merci beaucoup. Je reviens tout de suite avec l'argent d'un bouquet!

Winnie rit.

— Non, non, prenez, prenez.

— Vous êtes sûre?

Dans les haut-parleurs, Carmen chante à tue-tête: *Toreadorrr!* Mary Rose sourit et dit:

— Merci, Winnie.

La maison est silencieuse, exception faite des *Looney Tunes* qui jouent au sous-sol. Sue, Saleema et Gigi sont assises en silence à la table de la cuisine, chacune penchée sur une main de cartes. Gigi leur enseigne le poker. Lorsque Mary Rose entre dans la cuisine et lance avec entrain «Je suis de retour!», elles grognent à la façon d'un trio de maris des années soixante, prouvant une fois de plus que les rôles homme-femme ne sont que constructions mentales.

Mary Rose met de l'eau dans un vase pour les tulipes et les dépose sur le comptoir, devant les fenêtres que la pluie, brusquement, rend floues. Au centre de son champ visuel apparaît une tache. Elle grandit. Un globe d'un jaune écœurant qui lui bloque la vue. Ce n'est pas de l'angoisse, elle n'en ressent aucune, c'est lié à la haute pression atmosphérique. À la basse pression plutôt? Dans la salle d'eau, elle remonte sa manche et positionne son bras de manière à voir derrière le gros soleil intérieur. Les cicatrices sont encore là. Qu'elle ait senti le besoin de vérifier fait-il d'elle une folle? Elle se sent de nouveau étourdie, mais c'est sûrement à force de regarder le monde derrière un globe. Rires dans la cuisine.

Ses invités s'en vont – sauf Gigi, qui n'est pas vraiment une invitée, elle fait partie de la Famille Élue. Maggie fait un câlin à Colin qui, en réaction, la soulève d'au moins dix centimètres avant de buter à reculons sur le mur. Sue sangle le bébé contre sa poitrine, où il cligne des yeux et sourit largement, telle une seconde tête sortie de son cœur, et soudain Mary Rose s'ennuie d'Hil avec la violence d'une épine plantée dans le sien. Saleema descend en courant de la pièce que Mary Rose considère désormais comme la «salle de prières» et pousse Youssef vers la porte, mais pas avant que le garçon ait eu le temps de jeter les bras autour de Matthew pour lui faire un bisou. Dans le salon, Gigi aide Mary Rose à détacher Ryan, qui pleure avec la rage de l'enfant du milieu, des rails du train. Il assène un coup de poing à Matthew, qui le lui rend, Ryan présente ses excuses, Matthew lui offre Percy, Maggie donne un coup de poing à Matthew, Matthew pleure. Sue pousse ses enfants devant elle, puis elle se retourne et, prenant la main de Mary Rose dans les siennes, dit à voix basse :

— Tu m'as sauvé la vie, aujourd'hui.

Mary Rose s'assied à la table de la cuisine, derrière le journal, et promène ses yeux sur un article pour éviter que Gigi se demande si un gros soleil jaune se trouve dans son chemin.

— Ça va ? demande Gigi.

— Ouais, je lis le journal.

— Le cahier des affaires. Qui l'eût cru ?

— Ne drague pas Sue, elle est mariée.

— Je ne drague pas Sue.

— Tu as flirté avec elle.

— J'ai aussi flirté avec Saleema.

— Au moins, elle est divorcée, elle.

— Elles seraient insultées si je ne flirtais pas avec elles.

Mary Rose baisse le journal.

— Tu sais ce qu'une remarque comme celle-là ferait de toi, si tu étais un homme ?

Gigi hausse les épaules et sourit.

— Elle ferait de moi ce qu'elle ferait de moi.

— Hil en a assez de moi.

— Elle t'aime.

— Autrefois, j'étais l'homme mûr qui a réussi. Maintenant, je suis une ménagère frustrée.

— Tu es une femme, Mister. Vois les choses en face.

— C'est ce que dit Hil.

— Nous n'avons jamais cru que nous pourrions un jour nous marier. Nous avons cru que nous serions condamnées à rester là, dans le froid, alors nous avons fait du froid une fête, mais le froid est le froid, la famille est la famille, et vous êtes à moi, tous les quatre. Je ne suis pas écrivaine, alors je ne peux pas le dire joliment.

— Merci d'être venue quand je t'ai appelée.

Gigi se penche et passe son bras autour de Mary Rose – Gigi a un faible pour les tenues hommasses, mais, dans les faits, elle arbore une poitrine plutôt généreuse sous la chemise aux couleurs du Vince's Bowlerama.

— Je serais venue de toute façon, dit-elle.

Mary Rose se blottit contre elle.

— ... Hil t'a téléphoné.

— Ouais.

— Tant mieux.

— Ça va aller, Mister.

Mary Rose monte à l'étage et, le plus discrètement possible, vomit. Elle reste à genoux, serrant la cuvette dans ses bras – dignité blanche de la Vierge Marie. Notre Mère t'aime, quoi qu'il advienne. Elle aime les lesbiennes et les lépreux et les lutins. « Chère Notre-Dame, faites disparaître le soleil jaune, s'il vous plaît. » Notre-Dame y voit. Mary Rose se brosse les dents. Plus besoin de regarder derrière un globe pour constater que ses haut-le-cœur ont fait éclater des vaisseaux sanguins dans ses yeux.

De retour dans la cuisine, elle consulte l'historique de ses recherches dans Google. Les sites sur les kystes osseux sont là, elle ne les a pas rêvés, elle ne les a pas googlés dans un univers parallèle. Il y a un courriel de Maureen avec « Eurêka » comme objet. En l'ouvrant, elle découvre un lien vers un site du gouvernement. Elle double-clique et une page portant le drapeau avec la feuille d'érable en bannière apparaît. LES TOMBES D'APRÈS-GUERRE DE MILITAIRES CANADIENS ET DE LEURS FAMILLES À L'ÉTRANGER, lit-elle en rubrique. Dans un encadré, un menu. *Nouvelles. Recherche par nom. Recherche par emplacement.* Au centre, remplissant l'écran, figure la photo d'une pierre tombale. Dans l'herbe, à plat. Plus grise que blanche – sans doute à cause du passage des ans. Il y a un nom. *Alexander Duncan MacKinnon.*

— Qui est-ce ? demande Gigi.

— Mon frère.

Et il y a des dates.

18 décembre – 23 décembre 1961... Pas étonnant que Noël soit triste. Elle avait deux ans. L'âge de Maggie.

— Gigi est encore là ? demande Hil.

— Oui, elle dort ici, les enfants sont couchés, nous sommes dans le sous-sol, nous regardons *Mamma Mia!* encore une fois. Tu veux lui dire bonsoir ?

— Je te crois. Et toi, comment te sens-tu ?

— Je vais bien, c'est très banal, tout ça.

Hil reste silencieuse.

Mary Rose ajoute :

— Pas au sens où Hannah Arendt l'entend.

— Appelle-moi de la gare, demain.

— Promis. Qu'est-ce que tu manges ?

— Des pierogis. J'ai une pause.

— C'est à Winnipeg qu'on trouve les meilleurs. Je m'étonne qu'il y en ait à Calgary.

— Je t'aime. Bonne soirée.

— Bonne avant-première.

Mary Rose brandit le téléphone.

— Dis bonsoir, Gigi.

— «Bonsoir, Gigi», lance Gigi à l'appareil.

Daisy se hisse sur le canapé et se blottit entre elles, à côté du pop-corn.

Winnie lui sourit d'en haut, comme si Mary Rose était beaucoup plus petite et incapable de voir par-dessus le comptoir, et dit : «Vous avez choisi les jaunes.» La voix de Winnie devient grave comme celle d'un démon, et son sourire, tiré vers le bas, se transforme en grimace au moment où elle ajoute : «Vous l'avez mis dans la messante terre.» Mary Rose se réveille en sueur, le cœur battant. Mais elle entend un autre bruit, en arrière-plan, et elle comprend que c'est ce bruit-là qui l'a réveillée. Un bruit sourd, accompagné d'une sorte de claquement guttural. C'est un son complètement inédit. Elle se lève. Ça vient du palier. Elle s'avance jusqu'au haut des marches et regarde en bas.

— Daisy ?

Daisy semble très vieille et grise sous les fluorescents de la Clinique vétérinaire d'urgence, mais elle pantelle affablement, alerte, le museau froid, blottie entre les genoux de Mary Rose. Si Gigi n'avait pas été à la maison, Mary Rose n'aurait pas pu foncer à la clinique avec la chienne – pour un peu, on croirait que Daisy a choisi un moment où personne ne risquait rien.

— Gentille fille, Daze.

Vers deux heures du matin, le vétérinaire l'examine et écoute, imperturbable, le compte rendu de Mary Rose : en se levant, elle a découvert Daisy gisant sur le flanc, les membres agités de spasmes, de l'écume à la bouche, les yeux révulsés.

— À partir de maintenant, mieux vaut ne pas la laisser dormir près des marches.

Il rédige une ordonnance pour un médicament antiépileptique.

— Elle fait de l'épilepsie ?

— Chez une chienne de cet âge, c'est plus probablement une tumeur.

— Vous voulez parler d'une… tumeur au cerveau ?

— On ne peut rien confirmer sans radiographies.

Pour subir un examen radiologique, lui explique-t-il, Daisy devrait être mise sous anesthésie générale, ce qui présente des risques en soi.

— Et s'il s'avère que c'est une tumeur ? Pouvez-vous l'opérer ?

— En cherchant bien, vous trouverez un vétérinaire disposé à le faire, j'en suis sûr. Personnellement, je refuserais.

Espèce de salaud. Mary Rose, si folle de rage qu'elle en est livide, a peine à prononcer les mots.

— Parce que c'est une pit-bull ?

Il paraît perplexe.

— Parce qu'elle est vieille.

Il a des taches de son. Il est pâle. Plus jeune qu'elle l'avait d'abord cru.

— Qu'est-ce que vous feriez, vous ? demande-t-elle.

— Ramenez-la à la maison et donnez-lui plein d'amour.

Elle met le lit de Daisy dans le salon et ferme la barrière de sécurité au bas de l'escalier. Elle s'allonge par terre, se pelotonne contre la chienne et pose sa main sur sa vieille tête en forme de casque, en éprouve le poids tiède.

— Je suis là, Daisy, chuchote-t-elle. Je suis là.

DIMANCHE

Un long suivi

À dix heures et demie du matin, le dimanche 7 avril, Mary Rose MacKinnon descend du métro et s'engage dans le dédale souterrain qui conduit à la gare Union. Elle passe devant une confiserie Laura Secord et s'arrête. Laura Secord est la fermière canadienne qui, pendant la guerre de 1812, a prévenu les Britanniques que les Américains s'apprêtaient à attaquer en franchissant la rivière Niagara. Inexplicablement, elle est aujourd'hui synonyme de friandises. Sa récompense, peut-être, pour avoir sauvé l'Empire britannique. Dans la vitrine se trouve un jeu de Scrabble en chocolat. Mary Rose hésite, puis elle résiste à l'envie de l'acheter. Depuis long-temps, elle fait campagne contre la dépendance au sucre de sa mère. Au nom de quoi devrait-elle aujourd'hui s'en faire la complice? «Qui te les donnait, les bonbons?» «Le général Brock. Il en avait toujours plein les poches.» Au Croissant Tree, Mary Rose achète un café à une femme d'une beauté accablante, du genre de celle qui chamboule l'existence, et attend dans la proposition subordonnée égarée des Arrivées.

Mary Rose est en avance. Elle entre dans une librairie. Bientôt, elle pourra se risquer dans une librairie sans un pincement au cœur. Tôt ou tard, ses livres seront épuisés et plus personne ne lui deman-dera: «Dans le troisième, Kitty va-t-elle faire ceci ou voir cela?...» Elle achète un livre pour son père. *Comptes et légendes*, de Margaret Atwood. Bon, elle n'a rien pour sa mère, maintenant.

Elle a laissé Maggie et Matt avec Gigi: tous les trois traitaient Daisy comme une princesse, la gavaient de friandises, l'encerclaient avec des rails de chemin de fer et des tours et des totems – les deux Elmo s'en donnaient à cœur joie. Hil rentre jeudi. Mary Rose ne doit pas oublier d'envoyer des fleurs pour la première. Elle ne doit pas oublier non plus d'acheter des œufs en rentrant ; ils vont les décorer pour Pâques. Une annonce déformée par l'écho assombrit l'air fluorescent :

— Le train incompréhensible en provenance d'incompréhensible est maintenant incompréhensible.

Elle est ici pour retrouver ses parents. Elle les connaît depuis toujours, que se passera-t-il si elle ne les reconnaît pas ? Et s'ils ne la reconnaissent pas, eux ? C'est peut-être elle, l'imposteur. Elle a peut-être vraiment été tuée dans la rue, hier, et elle les verra, mais eux ne la verront pas. Frénétique, elle les suivra dans le PATH jusqu'au Tim Hortons en criant muettement dans leurs dos qui s'éloignent. Elle lève les yeux sur la lumière venue du plafond, loin au-dessus de sa tête, et ordonne à ses yeux de ne pas se contracter – l'effet tunnel est l'un des signes avant-coureurs de la panique. Elle ne se sent pas angoissée. C'est peut-être en soi un signe.

Où sont ses parents ? Leur train est arrivé. *Perdre un parent peut être considéré comme un malheur. Mais perdre les deux...* La foule passe près d'elle en se gonflant comme un ballon.

— Sapristi, Mary Rose.

— Salut, maman.

Câlin. Elle a tout rêvé, rien de tout cela n'est arrivé pour de vrai. Simple fantasme de mauvais traitements subis durant l'enfance né, au mitan de la vie, du désir de donner un sens à ses propres mauvais comportements en en imputant la faute à ses parents. Enfants du baby-boom, unissons-nous !

Un coup sur la caboche.

— Salut, papa.

— Où sont les enfants ? demande Dolly, alarmée, en regardant autour d'elle, comme si Mary Rose venait tout juste de les abandonner.

— Je les ai laissés à la maison avec une amie.

— Pourquoi ne pas les avoir emmenés ?

— Je suis désolée. Je ne... voulais... pas.

Dolly est resplendissante: béret écossais à motif léopard, chandail à capuchon en velours, bracelets dorés, Sainte Mère de dix-huit carats autour du cou et pantalon extensible.

— Oh, *doll*, tu as l'air épuisée.

— Je ne suis pas…

— Tu n'as plus vingt-cinq ans, tu sais.

— Daisy nous a fait une de ces peurs.

— Quoi? demande son père.

Casquette rouge vif, blouson jaune.

— Tu as acheté un nouveau congélateur? pépie Dolly.

— Non, oui, eh bien, je veux un nouveau congélateur, dit Mary Rose.

— Dunc, achète un congélateur à ta fille!

— Quel genre? demande Dunc.

— Ce sera ton cadeau d'anniversaire et ton cadeau de Noël pour les trois prochaines années! s'écrie Dolly en fendant l'air du revers de la main avec une feinte férocité.

Bliquetis de cracelets.

— Dans ce cas, mieux vaut en acheter un muni d'un balcon, dit Duncan en souriant.

Mary Rose sourit.

Il a l'air bien, il a bon teint.

— Où est Maggie? demande Dolly, soudain alarmée.

— Elle est restée à la maison avec mon amie Gigi, maman…

— Où est Hilary? demande Duncan.

— Je te l'ai dit, Dunc, fait Dolly. Elle est à Winnipeg.

— Elle est… dans l'Ouest, confirme Mary Rose.

— Je t'ai dit que j'ai dormi pendant toute la traversée des Prairies? demande Dolly.

— Au fait, il va comment, le gros Matt? Tu as fini par lui acheter des patins?

— Pas encore, mais…

— Rien ne presse. Gordie Howe a eu ses premiers patins à douze ans…

— On va chez Tim? lance Mary Rose.

Ils passent devant la boutique d'un fleuriste – un Mercure ailé, dieu messager avec son humble bouquet, est estampillé sur la vitrine.

— Regardez! Je parie que Maggie adorerait.

Dolly s'est laissé distraire par un arrangement scintillant au centre duquel trône un ballon en forme de cœur : *Toujours dans nos cœurs.*

— Pas ça, maman.

Mary Rose les aiguille vers un panneau qui dit Restaurants avec une flèche pointant vers le bas et les pousse dans l'escalier roulant.

— Tiens-toi à la rampe, maman.

Ils arrivent dans l'aire de restauration. Ils auraient pu tomber plus mal : les tables et les chaises vissées au sol sont en faux bois blond, la lumière est bonne. Son père fonce vers le comptoir Tim Hortons, entre le bar à sushis et le Pita Pit, tandis que Mary Rose guide sa mère vers une banquette. Duncan les rejoint avec un thé, deux cafés et ce qu'il appelle avec cordialité, en jetant le tout sur la table :

— Un sacré paquet de cochonneries.

— *Danke schayne*, dit Dolly, coquette.

Elle vide un sachet de Splenda dans son thé et mord dans un beigne recouvert de petits bonbons décoratifs.

— Pourquoi te donner la peine de mettre du Splenda dans ton thé, maman?

— Pour pouvoir manger un beigne.

— C'est plus compliqué que ça, je crois.

— Se faire faire la leçon par ses enfants!

Gifle feinte.

— La fille derrière le comptoir, dit Duncan, elle parlait le japonais ou le swahili, je ne sais pas trop laquelle de ces langues.

Dolly sourit.

— Il y a tellement d'Orientaux en Colombie-Britannique, à présent.

Sa mère ne se souvient plus, son père avait besoin de ne pas savoir et c'est à Mary Rose qu'il incombe de payer les os cassés. De les interpréter. C'est ainsi qu'on devient folle. Mieux vaut laisser tomber.

— Ils prennent le dessus, dit Duncan, et c'est probablement une bonne nouvelle pour le reste d'entre nous. Tu as envie de devenir bilingue aujourd'hui? Mets-toi au mandarin.

Il mord dans une roussette au miel, ses yeux d'un bleu juvénile.

Dolly sort de son sac un exemplaire de *Voyage dans l'autre dimension*, format poche. À l'intérieur, un papillon précise la nature de l'inscription: «Pour Phyllis, avec tous mes vœux.» Phyllis se marie de nouveau.

— Ta mère devrait toucher un pourcentage, dit Duncan avec un clin d'œil.

Dolly sort de son sac un stylo aux couleurs de Best Western et, pendant que Mary Rose dédicace le livre, chantonne:

— J'ai été la fille d'Abe Mahmoud, puis la femme de Duncan MacKinnon, et maintenant je suis la mère de Mary Rose MacKinnon!

— Pourquoi ne dis-tu jamais «J'ai été la fille de Lily Mahmoud», maman?

— Il était le chef de famille.

— C'est elle qui faisait tout le travail.

— Il est arrivé dans ce pays avec rien et…

— Tout ce que je dis, c'est…

— «Si je dis que le noir est blanc, il est blanc…»

Duncan rit.

— Prends garde à toi, Mister.

— Ça ne veut rien dire, maman.

— Ça voulait dire quelque chose, au contraire, dit Duncan. Ça voulait dire: «Le patron, c'est moi.»

N'ouvre pas la boîte de Pandore.

— Je sais, papa. Et regarde le résultat.

— Quel «résultat»? demande Dolly. Le résultat, c'est toi et moi. Grâce à papa…

— Justement.

— Pourquoi t'énerves-tu comme ça? s'étonne son père du ton du passant innocent qui le caractérise.

— Je ne m'énerve pas, papa.

Tu as ouvert la boîte de Pandore.

— Dans le vieux pays…, commence Dolly.

— Ne me parle surtout pas des «bonnes gifles»…

— Personne ne me fera admettre que papa n'aimait pas mama…

— Je n'ai jamais dit que…

— Il avait toujours les poches pleines de bonbons!

Duncan rit.

— C'est lui qui te donnait les bonbons, maman?

Le front de Dolly se creuse.

— Quels bonbons?

— … Rien. Laisse tomber.

Dolly enfouit dans son sac l'exemplaire de *Voyage dans l'autre dimension* que lui a tendu Mary Rose.

Duncan affecte un ton bourru.

— Le nouveau livre, ça avance?

Ton qui est également signe de la plus haute estime.

Elle ne veut pas lui faire de peine en lui avouant qu'elle ne l'écrira pas, le livre.

— Disons que, dans une perspective quantique, il est déjà là et qu'il n'attend qu'un regard de ma part pour exister.

— C'est très raffiné, comme forme de procrastination.

Ils rient.

D'un autre côté, pourquoi Mary Rose est-elle persuadée qu'elle lui ferait de la peine en n'écrivant pas le troisième livre? Sabote-t-elle son propre travail à seule fin de le punir, lui? Est-elle encore disposée à tout faire – ou à tout refuser de faire – pour obtenir son attention, y compris échouer lamentablement?

Elle lui donne le livre d'Atwood. Il fronce les sourcils, ravi.

— Pourquoi gaspilles-tu ton argent?

— Tu vas le récupérer, Mary Rose, dit gentiment Dolly. C'est toi qui vas hériter du service à thé en argent quand je partirai.

— Tu pars où? demande Duncan.

Mary Rose discute avec son père des tendances fascisantes du gouvernement fédéral et des causes profondes de l'effondrement économique actuel.

— En ce qui me concerne, Bush, Cheney, Rumsfeld, Rove et consorts devraient tous être jugés pour crimes contre l'humanité, dit-il. Et ça vaut aussi pour Milton Friedman.

— Milt Friedman? fait Dolly. C'est quelqu'un que nous avons connu en Allemagne?

— Tu sais ce qu'on dit: «Ceux qui ne se souviennent pas du passé sont condamnés à le répéter.»

Il sort un journal de la poche de son blouson.

Dolly rouvre son sac à main.

— Qu'est-ce que tu cherches, maman?

Divers objets font surface: le fourre-tout à carreaux plié, la brosse-peigne à charpie pliante, un sachet de confiture pris dans le train, le chapelet, le dépliant intitulé *Vivre avec le Christ* – la petite enveloppe en papier kraft pour l'«offrande du dimanche» est toujours à l'intérieur, signe peut-être que sa mère rationne l'Église –, la petite boîte en velours gris…

— C'est ça, maman?

— Quoi donc?

— La bague en pierre de lune.

— Oui, dans la boîte.

— C'est ça que tu voulais me donner?

Sa mère la trimballe depuis des lustres… Mary Rose se prépare à sentir une vive émotion. C'est ce que font les mères difficiles en fin de parcours: elles lèguent à leurs filles éprouvées une marque de leur amour. Générique de fermeture.

Mais Dolly demande:

— Pourquoi est-ce que je te la donnerais?

— Parce que… papa te l'a donnée quand Alexander est né, et… c'était une période pénible, et j'étais… là, en quelque sorte.

… une gomme Chiclets moussue, un petit porte-monnaie en forme de chaton, un pilulier en plastique, de nouveau le chapelet, un mini-carnet d'adresses fourni par un salon de coiffure… des miettes, contreparties concrètes des petits mots de rien du tout qui ont assailli Mary Rose et assassiné le sens sous une grêle de prépositions. Elle détourne les yeux.

C'est ce qui reste. À la fin. Des fragments. Des parties du discours. Sa mère est tombée en morceaux. Son père est engagé dans une boucle en apparence moins délirante. Il sait préparer le dîner. Le souper n'est pas loin derrière. Ne demande pas la lune – même pas la

pierre de lune. Sa mère s'est déclarée «désolée». Son père a écrit:
«C'est moins sur avec le temps.» *Cher papa, je.* C'était peut-être ça,
à bien y penser – sa réponse au courriel touchant de son père, elle
l'avait peut-être terminée, en fin de compte. Le sentiment qu'il
manque quelque chose fait peut-être partie de la condition existentielle. Quelque part au fond d'elle-même, elle est encore une minuscule créature mouillée et sans dents qui pleure contre l'épaule nue de
son père. Reviens-en, tu as quarante-huit ans, laisse-les en paix.

Dans moins d'une heure, ses parents remonteront dans le train
qui les ramènera chez eux, à Ottawa. Leur maison où ils vivent de
façon autonome, sans rien attendre de leurs enfants, sinon qu'ils leur
rendent visite. Ils viennent de traverser le pays, comme ils l'ont déjà
fait à de multiples reprises, deux petits Canadiens âgés franchissant
sa vastitude – d'ouest en est, cette fois-ci. Lorsque les Rocheuses ont
cédé la place aux contreforts, que les forêts, à force de se clairsemer,
ont cédé la place aux prairies, que le train a enjambé la rivière Saskat-
chewan Nord, s'est engagé dans la banlieue de Winnipeg, est passé
devant le Walmart et le McDonald's, là où il y avait autrefois une
taverne, un aréna, une route creusée d'ornières qui conduisait dans la
prairie… son père a-t-il serré dans la sienne la main de Dolly? Avant
qu'elle s'endorme et qu'il se replonge dans son journal, ont-ils eu une
pensée pour l'Autre Mary Rose? Dolly a-t-elle dit une prière pour
elle?

Est-elle dans le ciel au-dessus de la prairie? Sous la voûte des
cieux qui nous tient tous, nous chérit. De l'énergie, de l'énergie partout, qui restitue sans fin l'amour sous forme de vie, de vie minérale
même. Sous l'apparence du temps. Le train fait-il partie d'elle?
L'herbe fait-elle partie d'elle? Le sifflet du train, les vaches qui
ignorent le grossier cri strident, la voiture au passage à niveau, la famille qui attend de pouvoir poursuivre sa route sans danger, font-ils
tous partie d'elle? Elle est omniprésente, désormais. À l'exemple de
Dieu.

Dolly lève les yeux des profondeurs de son sac à main.

— Redonne-moi ton code postal, Mary Rose.

Mary Rose lui rend le stylo aux couleurs de Best Western et
Dolly note le code postal dans son mini-carnet.

— Je constate, dit Duncan, qu'on fait tout un plat parce que le nouveau patron du FMI est une femme, comme si c'était son seul titre de gloire.

— Je pense qu'Andy-Patrick sort avec quelqu'un.

Mary Rose voit son père se contracter comme une huître qu'on saupoudre de sel, tandis que sa mère pince les lèvres et fixe la mer de tables sans la voir.

Duncan est affligé, mais poli.

— Et l'autre, là… Comment s'appelle-t-elle, déjà? Une gentille fille.

— Renée, affirme Dolly.

— Shereen, corrige Mary Rose. Ils ne sont plus ensemble.

— Nous sommes sans nouvelles de ton frère.

— Il n'a pas donné signe de vie une seule fois pendant que nous étions là-bas, ajoute Duncan d'une voix flûtée.

— Il a été super occupé, dit Mary Rose, non sans remords.

Ses parents seront rassurés de savoir qu'ils se sont vus, son frère et elle. Elle fait donc comme si les contacts qu'ils ont eus récemment étaient habituels.

— L'autre soir, il est passé à la maison. Il a joué avec les enfants et a mangé avec nous.

Duncan disparaît derrière le cahier des affaires.

Dolly termine son beigne et demande :

— Tu as eu des nouvelles de ton frère?

Mary Rose décide qu'il serait effectivement sage d'apprendre le mandarin – comme moyen possible de demeurer alerte sur le plan neurologique.

— Tu as reçu le *paquiet* que je t'ai envoyé?

— Maman… Non, pas encore.

— Bon sang, mais qu'est-ce qui se passe?

Elle s'énerve.

— Maman, le courrier a été…

— Tu te souviens du *paquiet* pour Mary Rose, Duncan?

— Quel *paquiet*?

Il devient grincheux à son tour – c'est bientôt l'heure de leur sieste d'après-midi.

— Oublie ça, tout de suite, dit-il.

— Oublie quoi?

— Le *paquiet*.

— Je l'ai oublié. C'est justement ça, le problème!

Dolly a les larmes aux yeux et un bonbon décoratif au coin de la bouche. *Maman, je t'en supplie, ne pleure pas dans un Tim Hortons à quatre-vingt-un ans, c'est trop pour moi…*

— Tout doux, ordonne Duncan à sa femme, calme-toi.

Il accompagne les mots d'un geste d'apaisement qui, pour un peu, ferait aboyer Mary Rose. Comme Daisy.

Dolly s'apprête à dire quelque chose, ravale ses mots, laisse entendre un soupir théâtral et, soudain, le soleil se lève.

— Regardez qui est là!

Andy-Patrick s'avance vers eux dans toute la splendeur de ses nouvelles mèches.

— Salut, salut, bel inconnu! lance leur père en se levant avec l'aide de la table et en lui assénant un coup sur l'épaule.

Andy-Pat se penche sur sa mère, qui le serre fort dans ses bras avant de faire le geste de le gifler.

Il lui tend un Scrabble en chocolat.

— Où as-tu trouvé cette merveille? demande Duncan en souriant largement.

— Allez, on joue! lance Dolly.

— Je ne sais pas si on aura le temps avant que votre train parte, dit Mary Rose, la rabat-joie.

— On a le temps, déclare Andy-Patrick.

— Attendez, dit Dolly en déballant le jeu. Je croyais que c'était… Oh là là, je suis tout embrouillée. Je croyais que c'était, ce n'est pas, c'est, ce n'est pas en allemand. Ou si?

La sœur et le frère hésitent à l'unisson, les efforts qu'ils déploient pour déterminer les questions auxquelles ils peuvent répondre entravés par une sorte de grippage syntaxique.

— Pourquoi serait-il en allemand? demande Duncan, qu'on dirait coincé dans une pièce de Ionesco.

— C'est moi qui t'ai donné un Scrabble allemand, maman.

— Où est la différence? demande Duncan.

— En allemand, il y a des *umlauts*, répond Mary Rose, sans oublier la lettre classique supplémentaire…

— C'est du *chocolat* allemand, lance Andy-Pat d'un ton moqueur en aidant sa mère à retirer l'emballage.

— Tu m'as déjà donné un Scrabble allemand, n'est-ce pas, Mary Rose?

— Oui, à Noël, une année.

— Pourquoi? demande Dolly.

— Parce que… nous avons habité là-bas.

— Je sais bien que nous avons habité là-bas, lance Dolly, irritée.

— Calme-toi, dit Duncan.

— Ne me dis pas de me calmer.

— Tu veux encore du thé, maman?

— Du thé, mon œil. Écoutez-moi bien, maintenant.

Pendant un moment, la mère de Mary Rose est là. Celle qui l'a reniée. Celle qui a toujours marché plus vite qu'elle, qui obtenait dix pour cent de rabais supplémentaire sur tout et avait toujours de la place pour un invité de plus à table. Celle qui entrait en coup de vent dans la chambre d'hôpital vêtue de son manteau à motif léopard et de son couvre-chef assorti, et il suffisait d'un seul de ses coups d'œil hardis pour que la créature couchée sur le lit redevienne Mary Rose.

— Je t'ai donné le Scrabble allemand parce que je suis née là-bas, maman.

— Non, Mary Rose, tu es née à Winnipeg.

Andy-Pat lève les yeux du jeu en chocolat.

— Non, maman. Ça, c'était l'Autre Mary Rose.

Les yeux de Dolly se plissent, sa bouche forme un petit *Oh*.

— Je suis la seconde Mary Rose, maman. La première est morte.

— Ah bon?

Le visage de Dolly s'affaisse. Ce n'est pas tout à fait le visage du clown triste. On y lit plutôt la perplexité.

— Pourquoi? Qu'est-ce que je lui ai fait?

Mary Rose voit des ténèbres s'ouvrir derrière le visage de sa mère – non pas les gros nuages orageux, mais plutôt des ténèbres qui arrivent progressivement en rasant le sol.

— Tu n'as rien fait, maman. C'était le facteur Rh. Tu te rappelles ce que c'est?

— Bien sûr que oui. Je suis infirmière.

— Qui veut jouer? demande Andy-Patrick.

— C'est ce qui est arrivé aux autres aussi, ajoute Mary Rose.

— Et à toi, que t'est-il arrivé, Mary Rose?

— … Je ne sais pas, maman. Il m'est arrivé quelque chose?

— Je t'ai fait quelque chose, qu'est-ce que c'était, déjà?

Le front de Dolly se contracte, les commissures de ses lèvres se retroussent sous l'effort, on dirait un jeune enfant sur le petit pot. Mary Rose reste parfaitement immobile, de crainte d'effaroucher sa mère, qui semble avoir reniflé un souvenir sur le sentier. De la Forêt-Noire. Les lèvres de Dolly s'entrouvrent.

— C'est parti, je suppose, dit-elle enfin.

Elle se cale sur sa chaise et rit.

— Ta mère perd la boule, Mary Rose. Dunc? Tu dors, mon chéri?

— Faut croire que oui.

Il cligne des yeux, mais évite le regard de sa femme.

Andy-Pat pose des tuiles en chocolat sur des chevalets en chocolat.

La mère de Mary Rose a désamarré tant de culpabilité qu'elle est prête à croire qu'elle a fait des tartes avec ses enfants. Ce n'est pas ainsi que la vérité surgit. Elle ne découlera pas d'une inquisition directe. Elle est indicible. Le tissu de la vie de Mary Rose est taché par la teinture de tout ce qui ne peut être dit, écheveau à partir duquel elle filait des histoires pendant que c'était encore possible – fee-fi-fo-fum, prêt, pas prêt, j'arrive, devine comment je m'appelle. Pour pardonner, on doit être disposé à pardonner ce qu'on ne sait pas. Ce qu'on ne voit qu'à moitié. Le reste, c'est de la matière noire qui exerce une force d'attraction, se manifeste uniquement en vous faisant dévier de votre trajectoire. Parce qu'on ne connaît pas toute l'histoire.

L'amour est aveugle. Le pardon est borgne.

— Je ne me souviens pas, maman.

Dolly tend le bras et pose la main sur la joue de Mary Rose. Une main douce. Tiède.

— Je t'aime, Mary Rose.

Ta mère s'en va. Apprends son visage.

— Je t'aime aussi, maman.

Elle l'a dit de l'intérieur du Tim Hortons et de la terrasse à l'extérieur du Tim Hortons ; du PATH et de la gare qui le surmonte, du sommet de la Tour CN et au-delà de la portée des émissions. Elle l'a dit à partir d'une histoire qui s'est déroulée il y a très longtemps dans une contrée lointaine, de l'autre côté de l'océan ; d'un salon avec une table basse et un canapé et un balcon. Et, par-delà des kilomètres de câble sous-marin, à travers les brouillards anesthésiques, derrière des murs de verre, dans une caverne par une journée ensoleillée, d'avant sa naissance jusqu'après sa mort, à l'instant où le message s'élève d'un côté de la table en formica vissée au sol, monte jusqu'au bleu, au noir, au à tout jamais avant de redescendre de l'autre côté, celui où sa mère est assise, elle comprend que c'est la vérité.

— Pourquoi pleures-tu ?

— Parce que je suis contente d'être là.

— Je sais exactement ce que tu veux dire.

Andy-Patrick fixe le jeu. La main de Duncan repose sur celle de Dolly ; avec l'âge, la main de son père, pâle, parsemée de taches de son, avec son annulaire amputé de sa phalangette, a pris l'apparence du parchemin. Celle de sa mère, brun clair et veinée comme du bois vieilli. *Tant de kilomètres…*

Mary Rose se rend compte que c'est la première fois qu'elle pleure devant son père depuis l'enfance. Puis elle se rend compte que c'est la deuxième fois parce qu'il y a eu cette autre fois dans la baignoire… C'est moins un oubli qu'un problème de rangement : vingt-trois ans plus tôt, elle a jeté le souvenir de la baignoire sur la table du vestibule en même temps que le courrier, et il est resté là, ignoré, comme la lettre volée de Poe.

Soudain, Dolly la regarde droit dans les yeux.

— Je suis au courant de ta situation postale, Mary Rose.

Elle ouvre son sac et en sort le dépliant intitulé *Vivre avec le Christ*.

— Celle-là, c'est la meilleure, je ne l'ai jamais postée, en fin de compte. Tout ce temps-là, je l'avais sur moi.

Elle prend entre ses pages l'enveloppe en papier kraft pour l'« offrande du dimanche » et la tend à Mary Rose.

Mary Rose l'ouvre. Une photo froissée en noir et blanc.

— Je voulais la faire encadrer avant de te l'envoyer.

Sur la photo, Mary Rose, debout entre sa mère et sa sœur, fixe la pierre tombale, posée à plat dans l'herbe. Y sont gravés des chiffres et des lettres un peu flous qui, sous la loupe, le seront vraisemblablement davantage. La robe de Mary Rose est blanche comme la pierre, et le chandail de sa mère est drapé sur son épaule gauche. Et reposant là, comme pour ajouter au réconfort offert par le chandail, la main de sa mère. Soudain, un détail la frappe : le chandail est à motif floral. Tulipes.

— Merci, mamounette.

Mary Rose est plus surprise encore par ce mot qui est sorti d'elle et s'est montré le bout du nez, *mamounette*, que par la photo elle-même. Après tout, elle savait déjà ce qu'il y avait sur la photo.

— Les dates seront là, dit Dolly en chaussant ses lunettes de lecture et en se penchant sur la photo. Mais il faudra peut-être une loupe.

— Ça va, maman. Je regarderai à la maison.

— Qu'est-ce que c'est ? demande Duncan.

Il tend la main en mettant ses propres lunettes. Mary Rose la lui donne. Il l'examine et hoche lentement la tête.

— Eh bien, eh bien. Je me souviens de l'avoir prise, cette photo.

— C'était à quelle période de l'année, papa ?

— Nous avons installé la pierre au printemps, dit-il en fermant les yeux.

— Je l'ai trouvée dans mon coffret à bijoux ! s'exclame Dolly d'une voix flûtée. Qu'est-ce qu'elle fabriquait là ?

— Tu l'as prise dans l'album, maman ?

— Il faut croire que oui. À moins que… Dis donc, Dunc, mon chéri. C'est toi qui as enlevé cette photo de l'album ?

— Pourquoi est-ce que j'aurais fait ça ? demande-t-il d'une voix un peu enrouée.

— Parce que c'est… une photo triste ? dit Mary Rose.

Il ne répond pas.

— Maureen a trouvé un lien vers un site, papa… Des tombes militaires canadiennes à l'étranger, je te l'enverrai. Papa?

Il ouvre les yeux, hausse cordialement les sourcils, ses lèvres comprimées esquissant un sourire inversé, bon enfant.

— Tu disais, ma puce?

Il tourne ses yeux bleus vers elle.

Je t'aime, papa.

— La généalogie, ça progresse?

Mary Rose sent son cœur se déchiqueter.

Il s'avance sur sa chaise.

— Eh bien, je suis tombé sur un type qui vit à Boston, un dénommé Jer*ome* MacKinnon, comp*t*able chez *Del*oite, et il s'avère que nous avons un marqueur du chromosome *Y* en commun, lui et moi, ce qui nous ramène tout droit à l'époque des *Clearances*.

Les yeux plissés, Dolly parle avec lenteur.

— Vous savez, maintenant que j'y pense, elle n'a pas dû être de tout repos, cette période.

— N'y pense pas, dit Duncan.

Andy-Pat prend une tuile en chocolat et tend le chevalet à sa mère.

— Miam, délicieux, dit Dolly, la bouche pleine de voyelles.

— En route, ma douce, nous avons un train à prendre.

Duncan aide sa femme à se lever et elle s'accroche à son bras pour se stabiliser.

— Tu voulais la pierre de lune, Mary Rose? Tiens, prends-la.

— Ça va, maman, mais merci beaucoup pour la photo.

— Je vais la prendre, moi, dit Andy-Patrick.

— Qu'est-ce que tu vas faire d'une bague pour femme? demande Duncan.

— Il peut l'offrir à Mary Lou, répond Dolly.

Andy-Patrick ouvre la boîte en velours gris et glisse la bague sur son auriculaire. Duncan lève les yeux au ciel et secoue la tête, mais il sourit largement et tape Andy-Patrick sur l'épaule.

— Au revoir, papa, dit Mary Rose.

Il lui donne un petit coup sur la tête.

— Merci d'être passée nous saluer, Mister.

Le porteur les accueille par leurs prénoms, Dolly dit quelque chose et l'homme s'esclaffe. Duncan, débordant de fierté, sourit largement. Ensemble, ils montent l'escalier roulant qui conduit au quai. Deux petits vieillards vêtus de couleurs vives. Près du sommet, ils se retournent, agitent la main, puis disparaissent.

Quelque part, un train a dégorgé une marée de banlieusards qui déferle autour d'eux. Mary Rose fait le geste de remettre la photo dans son enveloppe.

— Je peux la voir? demande Andy-Patrick.

Elle la lui tend.

— Qu'est-ce que tu portes?

— Le chandail de maman, répond-elle.

— On dirait plutôt un foulard.

Elle regarde par-dessus l'épaule de son frère.

C'est une écharpe.

Parce qu'elle est tombée ou qu'on l'a poussée, punie, sauvée. C'était une journée froide. Ou une journée chaude.

— Qu'est-ce qu'il y a? demande-t-il.

Elle ouvre la bouche avant d'avoir conscience de former les mots.

— Tu m'as aidée.

— Qu'est-ce que tu veux dire?

— Tu te souviens de la fois où maman t'a téléphoné pour t'inviter à souper? Tu as répondu: «Je ne peux pas, Mary Rose et Renée sont ici.»

— Ouais?

— Et alors…

On ne sait jamais ce que les mots risquent de nous faire. Elle attend d'être assez sûre d'elle avant de rouvrir la bouche.

— C'était terminé. La période sombre.

Il lui tend un mouchoir.

— Il est propre.

— Désolée.

— Au moins, tu ne pleures pas au volant.

— Je suis désolée d'avoir été merdique avec toi, A&P.

— Tu n'as jamais été merdique avec moi.

— Mais oui.

— Je le méritais.

— J'en ai assez d'être merdique avec toi, et j'en ai assez que tu le mérites.

— O.K.

— Je n'arrive pas à croire que tu aies un mouchoir sur toi.

— Les poulettes adorent.

— Tu trimballes un mouchoir parce que tu pleures.

— Les poulettes adorent.

Elle met la photo dans sa poche.

— Je peux te demander quelque chose? fait-il. Sans que tu te fâches?

— Quoi?

— Dorénavant, ça t'ennuierait de m'appeler Andrew? Ou Andrew-Patrick, à la rigueur?

— D'accord.

Le tramway qui remonte Bathurst passe devant le Toronto Western Hospital et elle remarque que le Balloon King a disparu, qu'il a été remplacé par un Starbucks. Au coin de Bathurst et de Bloor, elle jette un coup d'œil par la fenêtre dans l'espoir d'apercevoir une trace d'elle-même – c'est arrivé si rapidement que ça s'est enregistré dans sa conscience sous la rubrique « normal ». Être fou, ce n'est que ça? Au ralenti : elle vient tout juste de tourner la tête pour regarder par la fenêtre et elle a balayé des yeux la foule qui se pressait dans le carrefour pour voir si elle y était, un bouquet de tulipes à la main. Elle n'y était pas. Elle se représente des fées rapides, une légion de créatures espiègles qui traversent en gloussant les régions de son esprit. Est-ce ce qui arrive quand on arrête d'être en colère pendant un moment? Le feu passe au vert.

Quelqu'un a vu ce qui est arrivé aux fleurs. Il y a toujours un témoin. Hier, à cette intersection, elle a partagé sa vie avec les passants et les pigeons, et maintenant ils se sont dispersés, et qui peut affirmer que ce moment a été sans importance?

Elle descend du tramway à la station de métro et poursuit à pied dans Bathurst. « Vous avez choisi les jaunes », a dit Winnie. Et elle a ajouté quelque chose. « Vous achetez seulement un. » Mary Rose se glace. Et si elle n'avait jamais pris le premier bouquet de tulipes? Et si elle les avait hallucinées, ces fleurs? À moins que ce soit un effet de la barrière de la langue. Winnie a peut-être voulu dire : « Je veux que vous payiez ce bouquet-ci, mais pas le premier. » Mary Rose s'arrête devant Archie's Variety. La voix de Kiri Te Kanawa s'élève : *Swing Low, Sweet Chariot...* Elle n'aurait qu'à entrer et à demander : « Dites, Winnie, suis-je repartie avec des tulipes jaunes la première fois que je suis passée? » Mais si Winnie répond : « Non, vous venue une seule fois » ? Faudrait-il en conclure que Mary Rose a été portée disparue pendant... le temps qu'il a fallu pour acheter les tulipes? Aurait-elle perdu un morceau du temps? Spéculer sur l'histoire de mondes parallèles est une chose, entrer dans un tel monde en est une autre... Ce n'est plus de la science-fiction, c'est de la psychose. Sauf si les autres mondes sont réels... En fait, ils sont mathématiquement plus probables qu'elle-même. L'épisode n'aurait-il été qu'une illusion de déjà-vu particulièrement saisissante? Il se pourrait que Winnie fasse erreur – qu'elle soit oublieuse, comme nous tous. Comment Mary Rose peut-elle en être certaine? De l'intérieur de sa boutique, Winnie la salue de la main. Mary Rose lui rend son salut et passe son chemin.

Hil rentre. Elles cachent des œufs de Pâques pour les enfants. Hil trouve le costume que Mary Rose a caché derrière les richelieus.

— Mets-le.

— J'avais l'intention de le rapporter.

Hil retire l'étiquette et lance le truc à Mary Rose.

— Non, Hil, j'aurais l'impression d'être une travestie, c'est plus ton genre.

— Tu sembles oublier un détail, Mister. J'aime les femmes. Enfile ça et viens ici.

— ... Tu vas me masser le dos?

Les fées mettent un terme à leurs assauts diurnes et recommencent à hanter ses rêves. La rage est en rémission. La cuisine est propre, mais pas trop propre. Un orage est passé, il avait la taille du Kansas, mais Mary Rose éprouve dans sa chair le picotement d'une force renouvelable, la sent dans la façon dont les feuilles bruissent malgré l'absence de vent, dans le rouge plombé de la lumière du soir, l'odeur d'électricité de l'air. Elle entrevoit de vieux sentiers, des plantes grimpantes qui s'écartent, des ronces qui ouvrent les bras…

Le psychanalyste est dans le même immeuble que l'hypnotiseur. À un autre étage. Les marteaux pneumatiques ont disparu. C'est peut-être lui que son comptable venait voir. Un psychanalyste est plus troublant qu'un hypnotiseur – si Mary Rose accepte que son comptable grince des dents, la nuit, elle a plus de difficulté à admettre qu'il a un inconscient.

D'un côté de la pièce, deux fauteuils pivotants et bien rembourrés se font face. De l'autre côté, un divan – au milieu, elle distingue l'empreinte d'un postérieur. Elle s'assied dans un fauteuil. Le psychanalyste s'installe dans l'autre.

— Je suis là parce que tout va bien, dit Mary Rose.

Il est temps de faire une nouvelle incision dans les cicatrices, de permettre à des sections du Temps de saigner à nouveau, puis de les regreffer. L'*Après* cherche l'*Avant*. Cette fois-ci, elle sera sa propre donneuse… Elle clique sur le document vierge intitulé « Livre » et tape…

Décembre à Winnipeg, 1956. Le ciel était immense et gris. L'autocar régional geignait, ses gaz d'échappement étaient saturés de carbone…

Daisy meurt en mai. Pour un peu, on croirait qu'elle a choisi un moment où personne ne risquait rien.

— Où elle *est*, mama?

— Mama, *elle* est où?

Comme par magie, la ville, soudain, est en pleine feuillaison.

Au comptoir, la dame a demandé en souriant : « C'est pour quand? » *« Le bébé est mort », a-t-elle répondu. Et la vendeuse a fondu en larmes. « Ne pleurez pas, a dit la jeune femme. Je ne pleure pas, moi, alors ne pleurez pas. »*

Elle lui a téléphoné pour l'inviter à venir chez elle tout seul. Elle était dans la chambre qu'elle partageait avec Renée : des murs mauves, une sérigraphie de Georgia O'Keefe représentant un iris, c'étaient les années quatre-vingt. Il était quatre ou cinq heures de l'après-midi. Renée bricolait dans son atelier, transformait une chose en une autre. Mary Rose a composé le numéro de ses parents. Son père a répondu. Sa mère, elle le savait, était à la répétition de sa chorale.

— Ta mère est à la répétition de sa chorale.

— Aucun problème, papa. C'est à toi que je voulais parler.

— Ah bon ? Qu'est-ce qu'il y a ?

Elle lui a demandé de venir la voir chez elle. Il a dit non. Elle a compris qu'elle ne s'était peut-être pas exprimée clairement ; elle a essayé de se montrer plus précise.

— Je sais que tu ne peux pas venir avec maman parce que maman refuse de mettre les pieds ici, mais tu pourrais venir, toi.

Non.

— Tu pourrais venir tout seul.

Non.

— Viens, s'il te plaît.

Non.

— S'il te plaît.

Elle a commencé à se sentir irréelle, à dire des choses qu'elle n'avait pas prévu, des choses qui contournaient le contrôleur aérien en service dans sa tête ; plus son père était laconique, plus elle se décomposait.

— Tu es mon père, tu pourrais passer me voir, papa, s'il te plaît, papa, viens me voir, s'il te plaît.

Ses propos avaient des intonations robotiques, même à ses propres oreilles.

— Je t'en supplie, papa, s'il te plaît, viens me voir, viens me voir chez moi, papa, s'il te plaît. Peu importe ce que maman pense, tu peux faire ce que tu crois juste.

— Je fais déjà ce que je crois juste.

Il s'est exprimé calmement.

Chère Mary Rose,
Tu t'es engagée sur une voie dans laquelle ta mère et moi, en tant que
parents, ne pouvons pas te suivre...

Elle s'est entendue gémir, elle s'est serrée avec sa main libre et elle a commencé à se déshabiller. Elle est allée dans la salle de bains parce qu'elle n'était pas en sécurité. Elle avait besoin d'être dans un lieu où elle se savait exister. Elle a fait couler l'eau.

— Je suis ta fille et je te dis que tu me fais une chose terrible, papa, une chose terrible contre moi, arrête, papa, s'il te plaît.

Elle disait des choses qu'on ne disait pas dans sa famille, des choses qu'on ne disait pas dans les films ni même dans les livres. Elle s'est assise dans la baignoire, l'eau chaude lui léchait les hanches, elle a serré les genoux dans ses bras, senti contre eux ses seins tout doux, s'est caressé la tête, l'épaule, s'est balancée, tout va bien. L'eau est réelle, elle te tient, te dit que tu es là, *là, là, papa est là.*

— Tu me dis que tu me détestes !

Elle avait crié.

— Pas du tout. C'est ce que tu me dis, toi.

Son ton était détaché, raisonnable. *Ton mode de vie est contraire aux valeurs que nous t'avons inculquées et, en refusant d'y renoncer, tu nous tournes le dos...*

— Quand tu en auras assez, tu reviendras peut-être à la maison.

— Je suis allée à la maison, j'y vais tout le temps, pourquoi refuses-tu de venir me voir chez moi ?

— Ce n'est pas chez toi.

— C'est chez moi !

Elle a crié les mots.

— C'est chez moi !

Elle a crié les mots.

— J'ai des amies qui refuseraient de mettre les pieds chez vous, à cause de ce que vous faites, c'est ça que tu veux ?

Elle tremblait. Renée est entrée. Mary Rose lui a fait signe de sortir.

— C'est à toi de décider.

... notre porte ne peut plus t'être ouverte comme par le passé.

— Alors, si je cessais de venir chez vous, tu n'essaierais pas de me voir?

— C'est à toi de décider.

— Tu me laisserais aller.

— C'est toi qui te laisses aller.

— Tu me laisserais aller et tu ne chercherais plus jamais à me revoir.

— Tu nous as tourné le dos.

Si tu t'étais cassé la jambe, nous t'aurions emmenée voir le médecin. Dans ce cas-ci, c'est ton esprit qui était blessé, mais tu nous as caché des choses…

— J'ai le cœur brisé, papa. Il se brise en ce moment même.

Il était implacable.

— Nous sommes disposés à venir à condition que tu acceptes l'aide que nous t'offrons.

Il était comme du verre.

— Quelle aide?!

Elle a hurlé les mots, à sa propre surprise. Et pourtant, derrière la sensation d'irréalité, une autre sensation se faisait jour, une profonde compréhension.

Nue et hurlante, elle a pris la décision d'écouter ce qu'il avait à dire, de recueillir toute l'information. Laisse-le parler. Ne déchire pas la lettre, cette fois-ci.

— Je suis ta fille, a-t-elle dit.

— Pas cette partie de toi.

— Il n'y a pas de «partie» qui tienne!

Bang! sur la vitre.

— Il y a une seule Mary Rose!

Bang! Bang!

— Je suis la fille que tu aimais, celle dont tu étais fier, je suis la même, celle que tu as prise dans tes bras, la même!

Sanglotant, décidant, sachant que ce chagrin était déjà chose du passé.

— La Mary Rose que je connais ne choisit pas de vivre comme tu vis en ce moment.

— Tu as dit: «Fais les choses à ta façon.» Je suis courageuse.

— Tu es malade.

Elle sanglotait dans le combiné. Renée est revenue avec un verre de vin, l'a posé sur le bord de la baignoire et est ressortie. Il ne raccrochait pas. Était-ce bon signe ? Ou était-il résolu à montrer qu'il était inatteignable ? Tant qu'elle était folle, il restait, lui, sain d'esprit.

— Je t'aime, papa. Pourquoi tu ne m'aimes pas, toi ?

Calme, à présent.

— Je n'ai rien dit de tel.

— Sauf que si je ne change pas, je ne serai plus jamais la bienvenue chez toi et tu ne mettras jamais les pieds chez moi.

Plus de *bang*. Que des traînées faites avec les mains.

— Tu t'es engagée sur une voie dans…

— Tu veux me priver d'amour.

— Ce que tu as, ce n'est pas de l'amour.

Elle s'est tassée contre ses genoux.

— Et si on t'avait dit ça à propos de maman ?

— Aucune comparaison possible.

— J'aime Renée. C'est elle, ma famille.

— Mais ce n'est pas la mienne.

— Et si on vous avait interdit de vous marier ? À cette époque-là, aux yeux des gens, vous n'étiez même pas de la même couleur, maman et toi.

— Ne sois pas ridicule.

— Tu veux que je reste seule jusqu'à la fin de mes jours.

— Il n'y a pas de mal à *être* homosexuel. Ce qui est mal, c'est la *pratique* de l'homosexualité.

— Oh. Je devrais entrer au couvent, peut-être ?

Silence.

— Wow. O.K., tu fais fausse route. Ce n'est pas une bonne raison de devenir religieuse ou prêtre. Mais ce que tu fais à ta propre fille, ça, c'est péché. Tu veux que je me haïsse.

— J'ignore ce qui t'est arrivé pour que le cours normal de ton développement se pervertisse. À ce sujet, je n'en sais pas plus que toi. Si tu nous avais parlé plus tôt de tes tendances, nous aurions pu t'aider. Mais tu nous as tenus à l'écart. Si tu t'étais cassé la jambe…

— J'avais le bras cassé et vous n'avez rien fait.

— Nous ne savions pas qu'il était cassé.

— Pourquoi vous ne m'avez pas fait faire des radiographies?

— Personne ne pensait que ton bras pouvait être cassé.

— Il faisait mal. Tout le temps.

— Nous nous éloignons du sujet.

Sujet.

— Si tu étais toxicomane, je ne ferais pas mon devoir de père en te fournissant plus de drogues, même si tu me suppliais de t'en donner.

L'absurdité a parfois l'effet d'un baume. Dans une pluie d'éclaboussures, elle a lavé son visage des larmes et de la morve. Elle s'est exprimée calmement.

— Si je m'étais confiée à toi quand j'étais adolescente, tu m'aurais emmenée chez un psychiatre.

— Exactement.

— Et tu m'aurais fait hospitaliser et traiter. Aux électrochocs, peut-être.

— C'est une option, mais tu ne nous en as jamais donné la chance. Tu nous as caché ton trouble.

Elle a pleuré de nouveau, mais ce n'était plus à cause de la rage.

— Je ne crois plus en Dieu depuis mes quatorze ans, papa, mais je crois au Bien parce qu'on s'est occupé de moi et je crois à l'Amour parce que, confusément, je sentais que, tant que j'étais sous ta responsabilité, je ne devais révéler à personne, même pas à moi-même, qui j'étais. Je frémis à l'idée de ce que tu m'aurais fait et, quand j'y pense, je me dis que je suis capable de supporter la façon dont tu me traites maintenant parce que j'ai vingt-trois ans et que la seule chose que tu puisses me faire, c'est me haïr.

En sortant de la baignoire, elle tremblait, mais elle avait ses informations.

Quand elle a revu ses parents, la fois suivante, tout s'est passé comme si son père et elle n'avaient jamais eu cette conversation. Sa mère a fait sa lessive. Son père lui a servi un scotch et l'a interrogée sur son travail. Ils ont mangé, ils ont bavardé, Dolly et elle ont joué une partie de Scrabble. Ils ont fini par se retrouver autour de la table de la cuisine. Le regard de son père a dérivé vers un coin du plafond, au moment où la lumière de la folie est entrée dans les yeux de sa mère et où tout a recommencé.

Lorsque Ulysse rentre enfin chez lui, il a beaucoup changé, mais ses êtres chers le reconnaissent à ses cicatrices. Mary Rose retrouvera-t-elle le chemin de la maison ? Se reconnaîtra-t-elle ?

Les greffes laissent des cicatrices sur la peau, oui, mais aussi sur les os. Les cicatrices vous endurcissent, et elles aident à raconter une histoire ; comme les striations de la roche ignée, une histoire d'éruptions et d'avancées d'une lenteur toute géologique. Ses cicatrices sauront la ramener chez elle. Jusqu'à l'os, dans la moelle, tout en bas, parmi les cellules souches où germent les histoires.

Un jour, tout redeviendra carbone, pierres précieuses et cristaux, et matière d'étoiles. Pour le moment, elle bénéficie d'un poste d'observation. Un « je ». Un sténopé, comme dans les anciens appareils photo. Tout ce qu'elle peut faire, c'est tenter de témoigner. Écrivaine, écris-toi toi-même…

> *C'est sûrement la pilule qu'on lui a fait avaler qui a transformé le trajet en une chose hors du temps et de l'espace, parce que l'autocar, avec ses gros yeux, avance encore laborieusement, haletant, sur la route creusée d'ornières… Dolly est toujours là, un petit foulard sur la tête, son front vibrant contre la vitre, et elle contemple le ciel béant, son ventre une tombe…*

Mary Rose a une photo de la tombe d'Alexander. Elle sait où se trouvent ses restes physiques, elle pourrait y aller. Tout est quelque part. Elle pourrait se rendre à Winnipeg, à l'hôpital, et trouver la grande cheminée. Elle pourrait poser ses mains sur les briques chaudes. *Ma sœur.* Et elle pourrait prononcer son nom : *Mary Rose.*

Elle peut aller à Kingston et regarder les fenêtres de l'hôpital général – deux d'entre elles ont été les siennes. Elle peut réciter une prière pour le donneur d'os. Et elle peut dire une prière pour elle-même : l'enfant de dix ans, immobilisée sur la table d'opération. Et la fille de quatorze ans, debout à côté de sa mère dans le cabinet du chirurgien. *Elles sont revenues.*

Vous m'avez coupée jusqu'à l'os, docteur Sorokin. Vous avez mis à nu mon humérus criblé d'histoire, y avez mis de l'os de cadavre, et j'ai grandi. Merci. Quatre années plus tard, vous avez coupé dans la cicatrice, râtelé les feuilles mortes, drainé le liquide étranger avant de le retourner à la terre. Coupé ma hanche, prélevé le monticule osseux ; l'avez transplanté dans la vallée de mon bras et rempli les ombres. Bénies soient vos mains.

Priez pour le bébé qui martèle la vitre. Priez pour la mère allongée sur le canapé. Priez pour la jeune femme immobilisée à la table de la cuisine, *je préférerais encore que tu sois mort-née*. Priez pour elle et pour toutes les autres qu'on éloigne de sa porte avec des coups de fouet pour qu'elles sachent qu'on les aime.

Priez pour les enfants réunis, à la nuit tombée, dans le solarium, où la table est mise sous les grandes fenêtres noires et où les braves jouets abîmés veillent les uns sur les autres. Ils sont encore là. Comme le gros autocar bleu qui roule et tangue et poursuit laborieusement sa route. Priez pour la jeune femme au foulard assise à l'arrière, son ventre gros et sans vie, *vous aurez d'autres bébés…*

Les marques sur un corps sont comme des marques sur une carte. Elles vous disent où vous avez été et comment rentrer chez vous. Ainsi, vous pouvez cesser de tourner en rond à l'intérieur de vous-même. Baissez les yeux sur la carte. Levez les yeux vers le ciel. Où est le soleil ? Marchez, maintenant. Créez un nouveau sentier, sortez de la forêt.

Elle peut retourner en Allemagne, pays d'horreur et de douceur, où attend une *Mädchen* en blanc, une personne de deux ans et demi. Ensemble, elles peuvent regarder la pierre tombale, posée à plat dans l'herbe.

Demande-moi tout ce que tu veux, je vais te répondre.
Ton bras te fait mal parce qu'il est cassé.
Non, il n'a pas besoin de respirer, là, en bas.
Non, ce n'est pas toi qui as fait ça.
C'est ce qui reste de son corps, son âme l'a quitté.
Son corps est retourné à la terre pour faire plus d'herbe et de nourriture et d'air et de pluie.

C'est là que sont allées toutes les fleurs.
Mais il y en aura toujours une à ton nom.

Maggie trace des hiéroglyphes dans l'agenda de Mary Rose, qu'elle a pris dans son sac. Mary Rose vide le contenu sur le sol de la cuisine et s'assied en tailleur à côté de l'enfant.

— Sac à main, dit Maggie.

— Sac, dit Mary Rose. C'est un mot lesbien qui veut dire « sac à main ».

— Je suis lesbienne et j'ai un sac à main, dit Hil.

Mary Rose lève les yeux.

— Tu as senti ça, là, maintenant ?

— Quoi donc ?

— Le bonheur.

Objet : C'est moins sur avec le temps

Cher papa,
C'est dur, au début, puis ça devient moins dur avec le temps.
Bisou,
Mary Rose

FIN

REMERCIEMENTS

Merci à vous sans qui…

Beatrice Ahad
Katherine Ashenburg
Bill Bolton Women's
Hockey League
Tracy Bohan
Susan Burns
Sarah Chalfant
Trudy Chernin
Anne Collins
Trish Convery
Louise Dennys
Jerry Doiron
Margaret Anne Fitzpatrick-Hanly
Margaret Gaffney
Paul Gagné
Ken Girotti
Mary Giuliano
Robert Gordon
Janet Hanna
Kendra Hawke
Kate Icely
Honora Johannesen
Sarka Kalusova
Wendy Katherine
Sharon Klein
Eleanor Koldofsky
Melanie Lane
Amanda Lewis
Mary Paula Lizewski

John-Hugh MacDonald
Malcolm MacDonald
Mary MacDonald
Isabel MacDonald-Palmer
Lora MacDonald-Palmer
Jackie Maxwell
Nancy McKinnon
Clare Meridew
Gordon Meslin
Rowda Mohamud
Deirdre Molina Montana
Cassandra Nicolaou
Mara Nicolaou
Arland O'Hara
Alanna Palmer
Alisa Palmer
Marven Palmer
Pam Plant
Maria Popoff
Lisa Robertson
John Robinson
Harriet Sachs
Lori Saint-Martin
Matthew Sibiga
Olivia Smith-Lizewski
Stormy
Lillian Szpak
sœur Walsh
Maureen White
Andrew Wylie

AUTORISATIONS

Bensahel, H., Y. Desgrippes, P. Jehanno et G.F. Pennecot. « Solitary Bone Cyst : Controversies and Treatment », *Journal of Pediatric Orthopaedics B* 7, n° 4, octobre 1998, p. 257-261. Avec l'autorisation de l'éditeur.

Paroles de *Won't You Be My Neighbor ?* de Fred M. Rogers, © McFeely Rogers Foundation. Avec autorisation.

Unicameral Bone Cyst. Boston Children's Hospital. www.childrenshospital.org/health-topics/conditions/unicameral-bone-cyst. Avec autorisation

Bone Cyst. NHS Direct Wales. www.nhsdirect.wales.nhs.uk/encyclopaedia/b/article/bonecyst Reproduit avec l'aimable autorisation du ministère de la Santé du pays de Galles, © 2014.

Mehlman, Charles T. Unicameral Bone Cyst. *Medscape Reference.* Mise à jour le 10 mai 2013. www.emedicine.medscape.com/article/1257331-overview Avec autorisation.

Fleisher, Gary R., et Stephen Ludwig. *Textbook of Pediatric Emergency Medicine,* 6ᵉ éd., Philadelphie, Lippincott Williams & Wilkins, 2010. Avec l'autorisation de l'éditeur.

Skeletal Radiology by Internal Skeletal Society. Reproduit avec l'autorisation de Springer-Verlag en format Book via le Copyright Clearance Center.

Degner, Dr. Daniel A. *Bone Cysts in Dogs.* Vet Surgery Central Inc. www.vetsurgerycentral.com/oncology_bone_cyst.htm Avec l'autorisation de l'auteur.

Wilde, Oscar. *L'importance d'être Constant,* traduction de Pierre Lallemand (version modifiée).

Un parfum de cèdre

Prix du Gouverneur général
pour la traduction de Lori Saint-Martin et Paul Gagné

Ce qu'on en a dit…

« Un roman envoûtant. »

MONIQUE ROY, *Châtelaine*

« Le roman de MacDonald allie remarquablement bien le mélodrame et un rythme endiablé à une profondeur de recherche historique. Ici, on a affaire pas seulement à une conteuse habile, mais à une romancière qui sait utiliser le passé. »

DAVID HOMEL, *La Presse*

« Je suis tombée sous le charme de ce roman-là. C'est un peu ce que John Irving me fait ressentir. À la dernière page, j'avais juste le goût de recommencer le roman. »

PASCALE NAVARRO,
Radio-Canada, *Indicatif présent*

« Curieuse bête d'écriture que cette jeune femme qui, pareille aux grands romanciers victoriens, mêle allègrement les genres, appelle à la rescousse le tragique et le comique. »

HERVÉ GUAY, *Le Devoir*

« Un roman qui m'a laissé une impression de coup de cœur et de coup de poing. »

SOPHIE-ANDRÉE BLONDIN, Radio-Canada,
La liste des 100 livres d'ici incontournables

Le vol du corbeau

traduit de l'anglais (Canada)
par Lori Saint-Martin et Paul Gagné

Ce qu'on en a dit…

« Un monde fascinant d'où l'on a peine à s'arracher. »

DANIELLE LAURIN, *L'actualité*

« Fable magistrale, subtile et intelligente sur la perte de l'innocence, tant individuelle que collective, et sur le poids du mensonge, *Le vol du corbeau* se veut aussi un lancinant suspense. »

VALÉRIE LESSARD, *Le Droit*

« *Le vol du corbeau* dépeint un drame inquiétant avec un arrière-fond historique qui n'en finit pas de nous captiver. »

ÉRIC PAQUIN, *Voir*

« L'une des réussites du roman tient à sa description, de l'intérieur, du monde de l'enfance. […] Il faut dire qu'Ann-Marie MacDonald possède le don de rendre les décors et les personnages réels, grâce à son écriture évocatrice. »

MARIE LABRECQUE, *Le Devoir*

« Je sais que cette histoire-là, je la porterai longtemps en moi… À souligner la qualité exceptionnelle de la traduction de Lori Saint-Martin et Paul Gagné. »

MONIQUE ROY, *Châtelaine*

NOTES SUR L'AUTEURE

Ann-Marie MacDonald est romancière, dramaturge et comédienne. Elle est née sur la base de l'Aviation royale canadienne Baden-Soellingen, en ex-Allemagne de l'Ouest. Sa famille déménage au gré des affectations militaires, tout en gardant des liens avec l'île du Cap-Breton d'où sont issus son père, d'origine écossaise, et sa mère, d'origine libanaise.

Après des études à l'École nationale de théâtre à Montréal, elle s'installe à Toronto où elle s'illustre comme comédienne. Elle publie une première pièce, *Goodnight Desdemona (Good Morning Juliet)*, couronnée par le Governor General's Award, le Chalmers Award ainsi que le Canadian Authors' Association Award.

En 1996, son premier roman *Fall on Your Knees* (*Un parfum de cèdre*, Flammarion Québec, 1999) se hisse parmi les best-sellers internationaux, traduit en dix-neuf langues et vendu à trois millions d'exemplaires. Il remporte le Commonwealth Prize for Best First Fiction, le People's Choice Award et le Libris Award de la Canadian Booksellers Association. En 2002, il atteint la consécration en étant choisi par le Oprah's Book Club. En 2003 paraît *The Way the Crow Flies* (*Le vol du corbeau*, Flammarion Québec, 2004), qui connaît aussi un immense succès international.

Adult Onset (*L'air adulte*), son troisième roman, est publié en 2014 en anglais. L'auteure le présente comme le dernier volet d'un seul et même triptyque qui commence au début du XXe siècle avec *Un parfum de cèdre*, se poursuit dans les années 1960 avec *Le vol du corbeau*, pour se terminer de nos jours avec ce nouveau roman.

Ann-Marie MacDonald a animé diverses séries documentaires à la télévision de la CBC, et demeure très active sur la scène théâtrale. Elle vit actuellement à Montréal avec sa conjointe et leurs enfants.

www.annmariemacdonald.com

TABLE DES MATIÈRES

L'air adulte

Auteure jeunesse à succès, Mary Rose MacKinnon a mis de côté son œuvre pour s'occuper de ses deux jeunes enfants pendant que sa conjointe Hilary se consacre à sa carrière de metteuse en scène. Mary Rose s'efforce d'équilibrer son rôle de mère au foyer et ses devoirs envers ses parents vieillissants. Cependant, ses mésaventures de mère débordée se teintent parfois d'effroi : l'alarme de voiture qui l'agace depuis le matin est en fait la sienne, l'objet avec lequel sa toute petite s'amuse n'est autre que la paire de ciseaux la plus pointue de la maison. Avec le stress qui augmente, Mary Rose éprouve soudain les symptômes oubliés d'une maladie d'enfance qui la forcent à relire son histoire familiale. Car on ne peut passer à l'âge adulte sans avoir dénoué les blessures de l'enfance.

Ann-Marie MacDonald nous fait vivre mille et une émotions et passer du rire à la crise existentielle avec l'esprit, l'humour et le souffle qui avaient rendu inoubliables ses deux premiers romans, *Un parfum de cèdre* et *Le vol du corbeau*. Elle conclut ainsi le triptyque très personnel que composent ces trois œuvres, éclairées d'une fulgurante lumière.